KARL MAYs REISEERZÄHLUNGEN

Durch das Land der Skipetaren

Erzählung
von
Karl May

Planet Medien AG, Zug

Umschlagbild: AKG, Berlin

Umschlaggestaltung: Martin Wortberg

Berechtigte Lizenzausgabe der
Planet Medien AG, Zug
Gesamtherstellung Planet Medien AG

INHALT

Der Text dieses Bandes folgt der Originalfassung
aus dem Jahre 1908.

DURCH DAS LAND DER SKIPETAREN

1. Kapitel

ENTLARVT

Die türkische Rechtspflege hat bekanntlich ihre Eigentümlichkeiten, sagen wir geradezu ihre Schattenseiten, die um so deutlicher hervortreten, je entlegener die Gegend ist, um die es sich handelt. Unter den dortigen Verhältnissen ist es nicht zu verwundern, daß da, wo die verschiedenen zuchtlosen, sich ewig befehdenden Stämme der Arnauten ihre Wohnsitze haben, von einem wirklichen ›Rechte‹ fast gar nicht gesprochen werden kann.

Bei Ostromdscha beginnt das Gebiet dieser Skipetaren, welche nur das eine Gesetz kennen, daß der Schwächere dem Stärkeren zu weichen hat. Wollten wir nicht den kürzeren ziehen, so mußten wir dasselbe auch für uns in Anwendung bringen. Wir hatten dies schon am Nachmittage, und zwar, wie man weiß, mit Erfolg getan und waren entschlossen, bei der Sitzung, welcher wir nun jetzt entgegen gingen, in derselben kräftigen Weise aufzutreten.

Als wir nach dem ›Gerichtsgebäude‹ aufbrachen, war die Dämmerung eingetreten. Wir sahen unterwegs viele Menschen stehen, welche im Hofe keinen Platz gefunden und sich hier aufgestellt hatten, um uns wenigstens kommen zu sehen.

Als wir im Hofe ankamen, wurde das Tor hinter uns verschlossen, das war für uns kein gutes Zeichen. Der Mübarek hatte seinen Einfluß aufgeboten und zwar nicht ohne Erfolg, wie es schien.

Wir konnten kaum durch die Menge bis an den Platz des Verhöres gelangen. Wo vorher nur ein Stuhl gestanden hatte, war jetzt noch eine lange Bank aufgestellt. Der Apparat zur Bastonnade lag noch an derselben Stelle.

Man hatte Oel in Gefäße gegossen, Werg hineingetan und dasselbe angebrannt. Diese Flammen ließen alles in einem abenteuerlichen Licht erscheinen.

Die Herren vom Gericht befanden sich im Innern des Hauses. Unsere Ankunft wurde ihnen gemeldet. Die Kawassen postierten sich so um uns, daß sie den Weg nach dem Tor versperrten. Da dasselbe verschlossen war, so ließ sich dieses Verhalten der Polizisten doppelt bedenklich für uns deuten.

Lautlose Stille herrschte rundum. Jetzt erschienen die fünf Herren, und sofort zogen die Kawassen blank.

»O Allah!« sagte Halef in ironischem Tone. »Wie wird es uns ergehen, Sihdi! Ich zittere vor Angst.«

»Ich ebenso.«

»Soll ich diesen dummen Menschen, die da glauben, uns mit ihren Säbeln bange zu machen, meine Peitsche schmekken lassen?«

»Keine Dummheit! Du warst heute schon einmal voreilig und trägst die Schuld, daß wir uns überhaupt hier befinden.«

Die fünf Richter hatten Platz genommen, der Kodscha Bascha auf dem Stuhl und die Andern auf der Bank. Ein Frauenzimmer drängte sich aus der Menge herbei und nahm hinter dem Stellvertreter Stellung. Ich erkannte Nohuda, die Erbse, welche ihrer Schönheit mit Eisenocker nachhalf. Der Stellvertreter war also wohl ihr glücklicher Ehemann. Er hatte sehr nichtssagende Gesichtszüge.

Zunächst dem Kodscha Bascha saß der Mübarek. Er hatte ein Papier quer über das Knie gelegt. Zwischen ihm und seinem Nachbar stand ein kleiner Topf. Da eine Gänsefeder in demselben steckte, so vermutete ich, daß er die Tinte enthalte.

Der Kodscha Bascha wackelte mit dem Kopfe und räusperte sich auffällig. Dies war das Zeichen, daß die Verhandlung beginnen solle. Er begann mit krähender, weithin schallender Stimme:

»Im Namen des Propheten und im Namen des Padischah,

dem Allah tausend Jahre verleihen wolle! Wir haben diese Kasa zusammenberufen, um über zwei Verbrecher zu urteilen, welche sich heute in unserer Stadt und in deren Nähe ereignet haben. Selim, tritt vor! Du bist der Ankläger. Erzähle nun, was mit dir geschehen ist.«

Der Kawaß trat in die Nähe seines Herrn und erzählte. Was wir zu hören bekamen, war geradezu lächerlich. Er hatte sich in der angestrengtesten amtlichen Tätigkeit befunden und war von uns mörderisch überfallen worden. Nur durch Unerschrockenheit und durch die tapferste Gegenwehr war es ihm gelungen, sein Leben zu retten, sagte er.

Als er geendet hatte, fragte ihn der Kodscha:

»Und welcher ist es, der dich schlug?«

»Dieser hier ist es,« antwortete er, auf Halef deutend.

»So kennen wir nun ihn und seine Tat und werden zur Beratung schreiten.«

Er begann mit seinen Beisitzern zu flüstern, und erklärte nach einer Weile mit lauter Stimme:

»Die Kasa hat beschlossen, daß der Verbrecher auf jede Fußsohle vierzig Hiebe erhalten und dann vier volle Wochen eingesperrt werden soll. Das verkündigen wir im Namen des Padischah. Allah segne ihn!«

Halefs Hand fuhr an den Griff seiner Peitsche. Ich mußte mir Mühe geben, nicht laut aufzulachen.

»Jetzt kommt das zweite Verbrechen,« verkündete der Beamte. »Mawunadschi, tritt vor, und erzähle!«

Der Fährmann gehorchte dieser Aufforderung. Er hatte jedenfalls mehr Angst als ich. Aber ehe er seinen Bericht beginnen konnte, wendete ich mich in sehr höflichem Ton an den Kodscha Bascha:

»Willst du vielleicht die Gnade haben, dich einmal zu erheben?«

Er stand ahnungslos von seinem Stuhl auf. Ich schob ihn zur Seite und setzte mich nieder.

»Ich danke dir,« sagte ich. »Es ziemt dem Niedrigen, dem Hohen Ehrerbietung zu erweisen. Du hast ganz recht getan.«

Jammerschade, daß es unmöglich ist, sein Gesicht zu beschreiben. Der Kopf geriet in ein gefährliches Pendeln. Er wollte reden, brachte aber vor Entsetzen kein Wort hervor. Darum streckte er, um wenigstens durch die Pantomime seine Entrüstung auszudrücken, die dürren Arme aus und schlug die Hände über dem wackelnden Kopfe zusammen.

Kein Mensch sagte ein Wort. Kein Kawaß rührte sich. Man wartete auf den Zornesausbruch des Gebieters. Dieser fand glücklicherweise die Sprache wieder. Er brach in eine Reihe unbeschreiblicher Interjektionen aus und schrie mich dann an:

»Was fällt dir ein! Wie kannst du eine solche Unverschämtheit begehen und – –«

»Hadschi Halef Omar!« unterbrach ich ihn laut. »Nimm deine Peitsche. Denjenigen, welcher noch ein einziges unhöfliches Wort zu mir sagt, beschenkst du mit Hieben, bis ihm die Haut zerplatzt; mag er sein, wer er will!«

Der kleine Hadschi hatte sofort die Peitsche in der Hand.

»Emir, ich gehorche,« sagte er entschlossen. »Gib mir nur einen Wink.«

Es fehlte leider die Beleuchtung, sonst hätte man erstaunte Gesichter sehen können. Der Kodscha Bascha wußte offenbar gar nicht, wie er sich verhalten sollte. Da flüsterte ihm der Mübarek einige Worte zu, worauf er den Kawassen befahl:

»Nehmt ihn gefangen! Schafft ihn in den Keller!«

Er deutete auf mich.

Die Polizisten traten herbei, mit blanken Säbeln in den Händen.

»Zurück!« rief ich ihnen zu. »Wer mich anrührt, den schieße ich nieder!«

Ich hielt ihnen die beiden Revolver entgegen, und im nächsten Augenblick sah ich keinen einzigen Kawassen mehr. Sie hatten sich in das Publikum verloren.

»Was erregt deinen Zorn?« fragte ich den Kodscha. »Warum stehst du? Warum setzest du dich nicht? Laß den Mübarek aufstehen, und setze dich an seinen Platz.«

Jetzt ging ein Gemurmel durch die Menge. Daß ich den Kodscha beleidigen konnte, hatte ihnen noch im Bereich der

Möglichkeit gelegen; aber daß ich nun auch den Heiligen angriff, das war denn doch zu viel gewagt. Man begann zu murren.

Das gab dem Kodscha eine bedeutende Energie. Er rief mir zornig zu:

»Mensch, sei du, wer du willst, aber für eine solche Frechheit werde ich dich auf das allerstrengste bestrafen. Der Mübarek ist ein Heiliger, ein Liebling Allahs, ein Wundertäter. Wenn er will, kann er Feuer vom Himmel auf dich fallen lassen!«

»Schweig', Kodscha Bascha! Wenn du reden willst, so halte eine klügere Rede. Der Mübarek ist weder ein Heiliger noch ein Wundertäter. Er ist vielmehr ein Verbrecher, ein Schwindler und Bösewicht!«

Da wurden im Publikum drohende Stimmen laut. Noch lauter aber wurde die Stimme des Mübarek selbst. Er hatte sich erhoben, streckte die Hand gegen mich aus und rief:

»Er ist ein Giaur, ein ungläubiger Hund. Ich verfluche ihn. Möge sich die Hölle unter ihm öffnen und die Verdammnis ihn verschlingen. Die bösen Geister werden – –«

Weiter kam er nicht. Mein kleiner Hadschi hatte ausgeholt und ihm mit der Peitsche einen solchen Jagdhieb versetzt, daß der alte Sünder sich unterbrach und einen gewaltigen Luftsprung machte.

Das war ein gewaltiges Wagnis, wie sich sogleich zeigte. Nach einem Augenblick drohender Stille schallten von allen Seiten Schreie des Zornes im Publikum. Die Hinteren drängten nach vorn. Die Sache konnte verhängnisvoll werden. Da trat ich schnell an die Seite des Mübarek und rief so laut ich konnte:

»Rahat, süküt – Ruhe, seid still! Ich werde euch beweisen, daß ich recht habe. Halef, hole die Flamme her! – – Sehet her, ihr Leute, wer der Mübarek ist, und wie er euch täuscht! Seht ihr diese Krücken?«

Ich nahm den Schurken mit der rechten Hand beim Genick und preßte ihm den dünnen Hals zusammen. Mit der Linken riß ich ihm den Kaftan auseinander. Richtig, da hing an jeder Seite eine Krücke. Beide waren mit Gelenken versehen und konnten zusammengeschlagen werden.

Bei dieser Gelegenheit sah ich, daß die Innenseite des Kaftans anders gefärbt war, als die Außenseite. Das Kleidungsstück hatte viele Taschen. Ich griff in die erste beste und fühlte einen haarigen Gegenstand. Ich zog ihn heraus. Es war eine Perücke, ganz genau das wirre, struppige Haar, wie ich es bei dem Bettler gesehen hatte.

Der Kerl war so erschrocken, daß er alle Gegenwehr vergaß. Jetzt aber stieß er Hilferufe aus und schlug mit den Armen um sich.

»Osko, Omar, haltet ihn! Greift aber tüchtig zu! Wenn es ihm auch wehe tut!«

Die beiden Genannten packten ihn, so daß ich nun beide Hände frei bekam. Da Halef das eine Oelgefäß herbeigeholt hatte, wurde unsere interessante Gruppe hell erleuchtet, so daß die Anwesenden alles deutlich sehen konnten. Sie verhielten sich ruhig.

»Dieser Mensch, den ihr für einen Heiligen haltet,« fuhr ich fort, »ist ein Verbündeter des Schut oder wohl gar der Schut selbst. Seine Wohnung ist der Aufenthalt von Dieben und Räubern, wie ich euch nachher beweisen werde. Er schleicht in allerlei Verkleidungen im Lande herum, um Gelegenheit zu Verbrechen auszukundschaften. Er und der Bettler Busra sind eine und dieselbe Person. Hier hat er sich die Krücken unter den Achseln angebunden. Wenn sie beim Gehen aneinander stießen, habt ihr geglaubt, daß seine Gebeine klappern. Hier ist die Perücke, welche er als Krüppel trug.«

Ich leerte nach und nach seine Taschen, betrachtete die einzelnen Gegenstände und erklärte deren Gebrauch, indem ich fortfuhr:

»Hier ist eine Büchse mit Farbenmehl, welches dazu diente, seinem Gesichte schnell eine andere Farbe zu geben. Da ist der Lappen, mit welchem er sich die Farbe rasch wieder abwischen konnte. Jetzt seht ihr eine Flasche, noch halb voll von Wasser, jedenfalls um sich auch an Orten, wo kein Wasser vorhanden war, nach Bedürfnis reinigen zu können. Und nun seht ihr – ja, was ist denn das? Das sind zwei kleine Halbkugeln aus Gummi. Er hat sie sich in die Backen gesteckt, wenn er den Bettler machen wollte. Das Gesicht war dann dicker als vorher. Seht ihr die verschiedene Färbung des Kaftan? Als Bettler zog er ihn aus, drehte die dunkle Seite nach außen und schlang ihn um den Leib. Dann sah das Gewand aus wie ein altes Tuch. Habt ihr jemals den Mübarek und den Bettler beisammen gesehen? Gewiß nicht. Das war ja ganz unmöglich, da beide nur eine Person waren. Und hat sich nicht der Mübarek grad zu der Zeit zum erstenmale sehen lassen, in welcher auch der Bettler in diese Gegend kam?«

Diese letzteren Argumente schienen überzeugend zu sein, denn ich hörte von allen Seiten Ausrufe verwunderter Zustimmung erschallen.

Jetzt zog ich ein kleines Päckchen aus der Tasche. In einen alten Lumpen gewickelt erschien ein Armband von alten venetianischen Goldzechinen. Bei einigen der Münzen war die Prägung gut erhalten. Ich sah beim Schein der Flamme auf dem Avers das Bild des heiligen Markus, welcher dem Dogen die Kreuzesfahne reicht, und auf dem Revers das Bild eines andern, mir unbekannten Heiligen, von Sternen und der Inschrift umgeben: *Sit tibi, Christe, datus, quem tu regis, iste ducatus.*

»Hier ist ein Bilezik von zwölf goldenen Münzen in einen Lappen gewickelt,« fuhr ich fort. »Wer weiß, wo er es gestohlen hat! Wenn ihr nachforscht, wird sich die Besitzerin vielleicht finden lassen.«

»On iki zikkeler – zwölf Münzen?« rief eine Frauenstimme hinter mir. »Zeig her! Mir ist ein solches Armband in voriger Woche aus dem Kasten gestohlen worden.«

Nohuda, die ›Erbse‹, war die Sprecherin. Sie trat herbei, nahm mir das Armband aus der Hand und betrachtete es.

»Allah!« rief sie. »Es ist das meinige. Es ist ein altes Erbstück meiner mütterlichen Vorfahren. Schau her und überzeuge dich, daß es mir wirklich gehört!«

Sie gab es ihrem Mann.

»Bei Allah, es ist das deinige!« stimmte dieser bei.

»So besinne dich, Nohuda, ob der Mübarek zur betreffenden Zeit bei dir gewesen ist,« sagte ich.

»Der Mübarek nicht, aber der Krüppel. Er wurde hereingerufen, um ein Essen zu empfangen. Ich hatte meinen Schmuck auf dem Tische liegen und legte ihn in den Kasten zurück. Das hat er gesehen. Als ich nach einigen Tagen zufällig nachschaute, war das Armband weg.«

»So kennst du nun den Dieb.«

»Er ist's. Er hat es; es ist erwiesen. O du Spitzbube! Ich kratze dir die Augen aus! Ich werde – –«

»Still jetzt!« unterbrach ich sie in der Befürchtung, daß der Fluß ihrer Rede, einmal in Ueberschwemmung getreten, nicht so leicht und bald versiegen werde. »Behalte das Band und laß den Dieb bestrafen. Ihr seht jetzt, welch einen Menschen ihr verehrt habt. Und dieser Räuber ist sogar zum Basch Kiatib ernannt worden und hat über Andere mit zu Gericht gesessen. Mich hat er in die Hölle verflucht, und bald hätte ich mir seinetwegen den Zorn dieser braven Versammlung zugezogen. Ich verlange, daß er an einem sicheren Ort eingesperrt werde, von welchem kein Entkommen möglich ist, und daß dem Makredsch von Saloniki Anzeige erstattet werde.«

Man stimmte mir nicht nur bei, sondern es ließen sich zahlreiche Rufe hören:

»Prügelt ihn vorher! Gebt ihm die Bastonnade! Zerschlagt ihm die Fußsohlen!«

»Sapytyn-iz ona bojunu – dreht ihm dem Hals um!« eiferte die ›Erbse‹ voller Grimm über den an ihr verübten Diebstahl.

Der Mübarek hatte bis jetzt nichts gesagt. Nun aber schrie er:

»Glaubt ihm nicht! Er ist ein Giaur. Er ist der Dieb. Er hat mir das Armband soeben in die Tasche gesteckt. Er – – waï' waï'!«

Er unterbrach sich mit diesem Ausruf des Schmerzes, weil ihm Halefs Peitsche auf den Rücken knallte.

»Warte, Schurke!« rief der Hadschi. »Ich will es dir auf den Rücken schreiben, daß wir erst heute in diese Gegend gekommen sind. Wie kann dieser Emir das Band gestohlen haben? Uebrigens ist so ein berühmter Effendi kein Dieb. Hier hast du die Beglaubigung dafür.«

Er maß ihm noch einige so kräftige Hiebe über, daß der Getroffene laut aufbrüllte.

»Aferim, aferim – bravo, bravo!« riefen dieselben Leute, welche mir noch vor wenigen Augenblicken gefährlich werden wollten.

Der Kodscha Bascha wußte nicht, was er tun und was er sagen sollte. Er ließ mich machen. Doch hatte er schleunigst die Gelegenheit ergriffen, sich wieder auf dem Amtsstuhl niederzusetzen. So war doch wenigstens seine Ehre gewahrt.

Seine Beisitzer verhielten sich schweigsam. Sie mochten eine Art Beklemmung fühlen. Die Kawassen erkannten, daß meine Aktien zu steigen begannen, und in der Voraussetzung, daß ich mich infolgedessen in guter Laune befinden und ihnen nicht mehr gefährlich sein würde, kamen sie – einer nach dem andern – wieder herbei.

»Bindet den Kerl!« befahl ich ihnen. »Fesselt ihm die Hände!«

Sie gehorchten augenblicklich, und keiner der anwesenden Justizbeamten erhob Einspruch gegen meine Eigenmächtigkeit.

Der Mübarek sah wohl ein, daß es für ihn geraten sei, sich zu fügen. Er ließ sich binden, ohne Widerstand zu leisten, und setzte sich dann auf seinen Platz, wo er in sich zusammensank. Die Beisitzer standen schnell von ihren Sitzen auf. Sie wollten nicht dieselbe Bank mit einem Verbrecher teilen.

»Und nun zurück zu deinem Richterspruch,« sagte ich zu dem Kodscha Bascha. »Kennst du die Gesetze deines Landes?«

»Natürlich muß ich sie kennen,« antwortete er. »Ich habe ja in der Zivilhochschule studiert.«

»Das glaube ich nicht.«

»Warum nicht?« fragte er beleidigt. »Ich kenne das ganze geistliche Recht, welches auf dem Kuran beruht, auf der Sunna und auf den Entscheidungen der vier ersten Kalifen.«

»Kennst du auch das Mülteka el buher, welches euer Zivil- und Kriminalgesetzbuch ist?«

»Ich kenne es; es ist vom Scheik Ibrahim Halebi verfaßt.«

»Wenn du diese Verordnungen wirklich kennst, warum handelst du denn nicht nach ihnen?«

»Ich habe mich stets und auch heute streng nach ihnen gerichtet.«

»Das ist nicht wahr. Es steht geschrieben, daß der Richter selbst dem schlimmsten Verbrecher, bevor er ihm das Urteil spricht, die Verteidigung gestatten muß. Ihr aber habt meinen Freund und Begleiter verurteilt, ohne ihn ein einziges Wort sagen zu lassen. Euer Urteil gilt also nichts. Auch müssen bei der Verhandlung alle Angeklagten und Zeugen vollzählig beisammen sein; das war aber keineswegs der Fall.«

»Es sind ja alle da!«

»Nein. Es fehlt Ibarek, der Herbergsvater. Wo befindet er sich?«

Der Richter wackelte verlegen mit dem Kopf, stand dann auf und antwortete:

»Ich werde ihn holen.«

Er wollte fortgehen; ich aber ahnte, was mit Ibarek geschehen war, und hielt den Bascha am Arm zurück, indem ich den Kawassen gebot:

»Holt Ibarek! Bringt ihn aber genau in demselben Zustand herbei, in welchem er sich jetzt befindet!«

Zwei von ihnen entfernten sich und führten nach kurzer Zeit den Wirt herbei. Die Hände waren ihm auf den Rücken gebunden.

»Was ist das? Was hat der Mann begangen, daß man ihn bindet?« fragte ich. »Wer hat den Befehl dazu gegeben?«

Der Bascha warf den Kopf herüber und hinüber und antwortete:

»Der Mübarek wollte es so haben.«

»So hat also der Kodscha Bascha das zu tun, was der Basch Kiatib befiehlt? Und doch sagst du, du hättest die Gesetze studiert! Dann ist es freilich kein Wunder, wenn in deinem Bezirke die ärgsten Spitzbuben für Heilige gehalten werden.«

»Ich war in meinem Recht,« verteidigte er sich kleinlaut.

»Das kannst du mir nicht beweisen.«

»O doch! Euch habe ich nicht arretieren lassen, weil ihr fremd seid. Dieser Herbergsvater aber ist ein Bewohner unserer Gegend. Er steht unter meiner Gewalt.«

»Und du meinst, daß es dir erlaubt sei, diese Gewalt zu mißbrauchen? Da stehen einige Hundert deiner Untergebenen. Meinst du, daß du mit ihnen machen kannst, was dir beliebt? Vielleicht hast du es bisher getan; aber sie werden sich das heutige Vorkommnis merken und in Zukunft Gerechtigkeit verlangen. Ibarek ist bestohlen worden. Er kam zu dir, um dich um Hilfe zu bitten. Anstatt sie ihm zu gewähren, hast du ihn fesseln und einsperren lassen. Wie willst du diese Ungerechtigkeit verantworten? Ich verlange, daß du ihm augenblicklich die Fesseln lösest.«

»Die Kawassen haben es zu tun.«

»Nein, du selbst wirst es tun als Sühne für deine Ungerechtigkeit.«

Das war ihm denn doch zu viel. Er fuhr mich zornig an:

»Wer bist du denn eigentlich, daß du hier gebietest, als ob du unser Makredsch oder Bilad i Kamse Mollatari seist?«

»Siehe hier meine Papiere!«

Ich gab ihm die drei Pässe hin. Als er das Teskereh, das Buyuruldi und sogar den Ferman erblickte, kniff er erschrocken die kleinen Triefaugen zusammen, und sein Kopf pendelte wie das Metronom des berühmten Regensburger Johann Nepomuk Mälzl.

»Herr, du stehst ja im Schatten des Großherrn!« rief er aus.

»So sorge dafür, daß ich einen Teil dieses Schattens auf dich werfe!«

»Ich werde tun, was du begehrst.«

Er trat zu Ibarek und löste ihm den Strick.

»Bist du nun zufrieden?« fragte er.

»Einstweilen, ja. Es wird noch mehr von dir verlangt. Dein Kawaß Selim hat dir grundfalschen Bericht erstattet. Das Zusammentreffen war ganz anders, als er erzählte. Der

Mübarek wird ihm eingegeben haben, wie er zu sagen habe, um uns so viel wie möglich zu schaden.«

»Das glaube ich nicht.«

»Ich aber glaube es, denn er hat den Fährmann auch verleitet, ein falsches Zeugnis gegen mich abzulegen.«

»Ist das wahr?«

Diese Frage war an den Fährmann gerichtet, welcher jetzt glaubte, daß der Mübarek ihm nun nicht mehr schaden könne, und infolgedessen furchtlos erzählte, wie er von ihm instruiert worden sei.

»Du siehst,« sagte ich zu dem Bascha, »daß ich diesem Mann keineswegs nach dem Leben getrachtet habe. Ich sah, daß er den Spion des Alten machte, und nahm ihn mit mir, um nach der Angelegenheit zu forschen. Das ist alles. Wenn du mich dafür bestrafen willst, so bin ich bereit, meine Verteidigung anzutreten.«

»Herr, von einer Bestrafung kann keine Rede sein; du hast keinen Fehler begangen.«

»So kann auch mein Begleiter nicht wegen des Kawassen bestraft werden, denn nicht er, sondern ein ganz Anderer trägt die Schuld an dem Vorkommnis.«

»Wer ist der Andere?«

»Du selbst bist es.«

»Ich? – Wieso?«

»Als Ibarek bestohlen worden, kam er zu dir, um Anzeige zu machen. Was hast du getan, um deine Pflicht zu erfüllen?«

»Alles, was ich konnte.«

»So? – Was war das?«

»Ich habe Selim den Auftrag gegeben, er solle nachsinnen, was zu tun sei.«

»Die andern Kawassen hast du nicht damit betraut?«

»Nein; denn das war überflüssig. Sie hätten ja doch nichts entdeckt.«

»So müssen deine Polizisten große Dummköpfe sein, weil du gleich von vornherein weißt, daß sie keinen Erfolg haben werden. Die Tat ist hier geschehen. Warum aber hast du denn diesen Selim, welcher sich erst seit ganz kurzem hier befindet, mit der Sache betraut?«

»Weil er der Klügste ist.«

»Ich denke, du hast einen ganz andern Grund.«

»Herr, welchen andern Grund sollte ich haben?«

»Ein guter Beamter setzt alle Hebel an, den Täter eines solchen Verbrechens zu entdecken. Du aber hast es verschwiegen und dem Einen, welchem du es mitteiltest, hast du fast eine ganze Woche Zeit gegeben, sich die Sache zu überlegen. Das hat den Anschein, als ob du wünschest, daß die Diebe entkommen mögen.«

»Effendi! Was denkst du von mir?«

»Meine Ansicht richtet sich ganz genau nach deinem Verhalten. Nichts lag näher, als daß du hier in Ostromdscha nach den Tätern suchen ließest.«

»Sie sind ja nach Doiran geritten!«

»Das zu glauben, muß man sehr befangen sein. Kein Dieb wird sagen, wohin er sich wenden will. Soviel mußt du als alter Jurist doch wissen. Wie nun, wenn ich entdecke, daß du ein Freund dieser Verbrecher bist?«

Er begann fürchterlich mit dem Kopf zu wackeln, jedenfalls vor Bestürzung.

»Herr, ich weiß nicht, was ich dazu sagen soll!« rief er aus.

»Sage lieber gar nichts, denn meine Meinung bleibt doch gänzlich unverändert. Wenn du dich der Sache in der Art angenommen hättest, wie es deine Pflicht war, so wären die Diebe längst entdeckt.«

»Glaubst du, daß sie freiwillig kommen, um sich mir zu melden?«

»Nein; aber ich glaube, daß sie sich hier in Ostromdscha befinden.«

»Unmöglich! Es sind in keinem Konak drei Reiter abgestiegen.«

»Das wird ihnen auch nicht einfallen. Sie werden sich nicht so nahe am Tatort öffentlich zeigen. Sie haben sich versteckt.«

»Soll ich wissen, bei wem?«

»Warum nicht? Ich bin ein Fremder und weiß es doch.«

»Was! Du weißt es?«

»Ja, ganz genau.«

»So mußt du allwissend sein.«

»Nein; ich habe aber gelernt, nachzudenken. Solche Halunken werden sich nur bei gleich schlechten Subjekten verstecken. Wer aber ist das schlechteste Subjekt in Ostromdscha?«

»Meinst du den Mübarek?«

»Du hast's erraten.«

»Bei ihm sollen sie sein?«

»Jedenfalls.«

»Da irrst du dich.«

»Ich irre mich so wenig, daß ich bereit bin, mit dir zu wetten. Wenn du die Diebe fangen willst, so mußt du hinauf zur Ruine gehen.«

Er blickte zu dem Mübarek hinüber, und dieser erwiderte den Blick. Es war mir ganz so, als ob diese beiden doch in einem Einvernehmen ständen.

»Der Weg würde vergeblich sein, Herr,« sagte er.

»Ich bin vom Gegenteil überzeugt und sage dir, daß wir nicht nur die Diebe, sondern auch die gestohlenen Gegenstände finden würden. Darum fordere ich dich auf, mir mit deinen Kawassen zu folgen.«

»Du scherzest doch?«

»Nein, es ist mein Ernst.«

»In dieser Dunkelheit?«

»Fürchtest du dich?«

»Nein; aber solche Menschen sind gefährlich. Sind sie wirklich oben, so werden sie sich verteidigen. Warte lieber, bis es morgen Tag geworden ist.«

»Bis dahin könnten sie entkommen sein. Es hat übrigens den Anschein, daß es hier Leute gibt, welche die Diebe warnen würden.«

»Das wird niemand tun. Ich selbst werde dafür sorgen, daß kein Mensch sich in dieser Nacht der Ruine nähern kann.«

»Sorge lieber dafür, daß wir schnell aufbrechen können, und gib Befehl, daß Laternen mitgenommen werden.«

»Herr, laß ab von diesem Beginnen!«

»Nein! Wenn du deine Pflicht nicht tun willst, so bleibe daheim. Ich werde Leute finden, welche des Amtes eines Kodscha Bascha würdiger sind.«

Das zog. Er wackelte zwar noch immer höchst bedenklich mit dem Kopf, sagte aber doch:

»Du darfst mich nicht verkennen. Ich bin nur auf dein eigenes Wohl bedacht und wünsche nicht, daß du dich in Gefahr begibst.«

»Kümmere dich nicht um mich! Mein Wohl wahre ich selbst.«

»Nehmen wir den Mübarek mit?«

»Ja. Er wird uns führen.«

»So erlaube, daß ich für Beleuchtung und auch für Waffen sorge.«

Er begab sich in das Haus.

Viele der anwesenden Leute eilten fort; ich vermutete, um Laternen, oder etwas Aehnliches zu holen und uns zu begleiten. Ibarek hatte dieser Verhandlung still zugehört. Jetzt fragte er mich:

»Effendi, glaubst du wirklich, daß wir die drei Spitzbuben fangen?«

»Ganz gewiß.«

»Und daß ich mein Eigentum zurückerhalte?«

»Ich bin überzeugt davon.«

»Herr, ich kann dich nicht begreifen! Es scheint, daß du alles weißt. Ich gehe natürlich mit Freuden hinauf zu der Ruine.«

»Was sagst du nun zu dem Einsiedler? Du hast ihn gepriesen, obgleich du ihn fürchtetest. Und als du von ihm sprachst, ahnte ich bereits, daß er ein großer Halunke sei. Die Diebe deines Eigentumes befinden sich bei ihm.«

Der Bascha kehrte bald zurück. Er brachte einige alte Laternen, mehrere Fackeln und eine Anzahl von Kienspänen. Andere Leute kamen mit ähnlichen Beleuchtungsgegenständen herbei, und dann setzte sich der Zug in Bewegung.

Ein nächtlicher Zug zu der Ruine hinauf, um Diebe einzufangen, das war noch niemals dagewesen; das war den Leuten eine Lust. Darum wanderte fast die ganze Bevölkerung des Ortes hinter uns her.

Da ich weder dem Kodscha Bascha noch seinen Kawassen recht traute, mußten Osko und Omar den Mübarek bewachen. Sie hatten ihn zwischen sich genommen.

Voran schritten einige Kawassen. Dann kam der Bascha mit den Herren seines Gerichtes, hinter diesen der Mübarek mit seinen beiden Wächtern, dann ich mit Halef und den beiden verschwägerten Wirten, und hinter uns drein tummelte sich das Alter und die Jugend von Ostromdscha.

Es war lustig, zu hören, welche Meinungen geäußert wurden, auch über unsere Personen. Der Eine meinte, ich sei ein großherrlicher Prinz, und der Andere hielt mich für einen persischen Fürstensohn. Ein Dritter schwur, ich sei ein indischer Zauberer, und ein Vierter schrie überlaut, daß ich ein Kronprinz aus Moskau sei und gekommen wäre, um das Land für Rußland zu erobern.

Je näher wir der Ruine kamen, desto stiller wurden die Leute. Sie sahen doch ein, daß man vorsichtig sein müsse, wenn man Spitzbuben fangen wolle.

Da, wo der Wald begann, blieben viele zurück. Das waren die Furchtsamen. Sie versicherten aber doch hoch und teuer, daß sie sich nur darum hier postierten, damit die Diebe an dieser Stelle nicht durchkommen könnten, falls es ihnen gelingen sollte, oben zu entfliehen.

Als wir dann die Lichtung erreichten, herrschte die Ruhe des Grabes auf derselben. Die Helden fühlten sich beklommen. Die Spitzbuben konnten ja jeden Augenblick erscheinen, konnten hinter jedem Baum stecken. Man trat so leise wie möglich auf, um sie ja nicht zu verscheuchen und – – um ja nicht etwa derjenige oder diejenige zu sein, der oder die mit ihnen in Kampf kommen werde. Denn Frauen waren auch dabei.

Diese gespannte Stille erlitt freilich einmal eine kurze Unterbrechung. Ein schriller Schrei erscholl aus einer weiblichen Kehle. Als ich an die Stelle kam, fand ich, daß Nohuda, die ›Erbse‹, so unglücklich gewesen war, sich in die kalte Quelle zu betten, an welcher ich die Butterblume gefunden hatte. Sie saß im Wasser und hielt ihrem geliebten Gerichtsbeisitzer eine mehr als halblaute Rede, deren Inhalt dringend wünschen ließ, daß sie dieselbe in sehr leisem Ton gehalten hätte. Sie wollte sich nicht herausziehen lassen, denn sie werde sich erkälten, wenn sie durchnäßt in der kühlen Abendluft einhergehen müsse, und nur, als ich ihr erklärte, daß das Wasser noch kälter als die Luft sei, meinte sie:

»Effendi, deinem Rat werde ich folgen. Du weißt das alles besser als andere Leute oder gar als mein Mann, der mich geradenwegs in dieses Loch hineingeführt hat.«

Ich zog sie heraus. Glücklicherweise stand das Wasser kaum einen Fuß hoch. Ob es in der Folge ihrer durch Eisenocker verjüngten Schönheit schädlich geworden ist, weiß ich leider nicht.

Der Mübarek stand mit Omar und Osko an der Tür seiner Hütte. Er verlangte, hineingelassen zu werden. Da er sich aber mit Chemie abgab und in allerlei vermeintlichen Zauberkünsten bewandert war, so traute ich ihm nicht. Er konnte ja irgend eine Vorrichtung angebracht haben, welche für den Fall einer plötzlichen Verhaftung berechnet war.

»Was willst du drin tun?« fragte ich.

Er antwortete mir nicht. Der gute Mann schien gar nichts mehr von mir wissen zu wollen.

»Wenn du nicht antwortest, so darfst du auch nicht erwarten, daß dein Wunsch erfüllt werde.«

Jetzt antwortete er:

»Ich habe Tiere drin, welche gefüttert werden müssen, wenn sie nicht verhungern sollen.«

»Ich selbst werde sie morgen früh füttern. Deine Heimat ist von jetzt an das Gefängnis. Doch bin ich bereit, dir den Wunsch zu erfüllen, falls du mir einige Fragen der Wahrheit gemäß beantwortest.«

»So frage!«

»Hast du Besuch?«

»Nein.«

»Bewohnt außer dir jemand die Hütte oder die Ruine?«

»Nein.«

»Weißt du nicht, ob jemand in der Hütte anwesend ist?«

»Es ist niemand da. Ich müßte es wissen.«

»Kennst du einen Mann, welcher Manach el Barscha heißt?«

»Nein.«

»Oder einen andern namens Barud el Amasat?«

»Auch nicht.«

»Und doch sagen diese Leute, daß sie dich sehr gut kennen.«

»Das ist nicht wahr.«

»Daß du sie von meiner Ankunft heute benachrichtigt habest.«

»Das ist eine Lüge!«

»Und daß du dafür sorgen wolltest, daß ich eingesperrt werde. Dann wollt ihr kommen und mich ermorden.«

Er antwortete nicht sofort. Daß ich dies alles wußte, kam ihm jedenfalls nicht ganz geheuer vor. Es mochte die Ahnung in ihm aufdämmern, daß er heute abend hier nicht alles so wiederfinden werde, wie er es verlassen hatte. Ich hörte, wie er schluckte und schluckte, als ob er irgend etwas hinunter zu würgen habe; dann antwortete er:

»Herr, ich weiß nicht, was du redest und was du von mir willst. Ich kenne die Namen nicht, welche du mir genannt hast, und habe nichts mit Leuten zu tun, wie diejenigen zu sein scheinen, von denen du sprichst.«

»So weißt du wohl auch nicht, daß zwei Brüder kommen wollen, um euch zu melden, daß ich in Menlik ermordet worden sei?«

»O Allah, ich weiß kein Wort, keine Silbe davon!«

»Du bist so unwissend, daß deine Unkenntnis mich erbarmt, und aus diesem Erbarmen will ich dir zeigen, was für gefährliche Leute sich in deiner Nähe befinden; komm!«

Ich nahm ihn beim Arm und führte ihn fort. Auf meinen Wink schritt Halef mit der Fackel voran, um zu leuchten. Die zu der Kasa gehörigen Herren folgten, auch Osko, Omar und die beiden Wirte. Die Andern mußten zurückbleiben, da im Innern der Ruine nicht so viel Raum vorhanden war.

Was mußte in dem Mübarek vorgehen, als er jetzt bemerkte, mit welcher Sicherheit wir beide den Weg verfolgten, von welchem er geglaubt hatte, daß er für einen jeden Fremden ein Geheimnis sei!

Als Halef den Efeu zurückschob, hörte ich, daß der Alte einen Fluch ausstieß, den er nicht ganz zu unterdrücken vermochte.

»Was? Pferde?« fragte der Kodscha Bascha, als wir in die Abteilung gelangten, welche als Stall benutzt wurde.

Da es Nacht war, machten uns die Tiere ein wenig zu schaffen. Sie waren nicht angebunden und scheuten vor den Lichtern und vor den fremden Personen.

»Wo Pferde sind, müssen auch Menschen sein, denen sie gehören,« sagte Halef. »Kommt hier heraus, so werden wir sie finden.«

Die drei Gefesselten lagen ganz genau noch so da, wie wir sie verlassen hatten.

Es wurde zunächst kein Wort gesagt. Ich band mit Halefs Hilfe die Drei los, aber nur so weit, daß sie den Gebrauch der Füße wieder erhielten und aufstehen konnten.

»Manach el Barscha, kennst du diesen Mann?« fragte ich, auf den Mübarek zeigend.

»Allah verdamme dich!« antwortete er.

»Barud el Amasat, kennst du ihn?«

»Stürze von der Brücke des Todes in die ewige Verdammnis hinab!« rief er.

Da wendete ich mich an den Gefängnisaufseher:

»Du hast nur die eine Tat begangen, daß du diesen Gefangenen befreitest. Die Strafe dieser beiden wird eine schwere sein; die deinige aber wird viel leichter ausfallen, zumal wenn du zeigst, daß du kein halsstarriger Sünder bist. Sage mir die Wahrheit! Kennst du diesen Mann?«

»Ja,« antwortete er, nachdem er einige Augenblicke lang mit sich zu Rate gegangen war.

»Wer ist er?«

»Der alte Mübarek.«

»Du kennst auch seinen wirklichen Namen?«

»Nein.«

»Er und deine beiden Gefährten kennen sich auch gegenseitig?«

»Ja. Manach el Barscha ist sehr oft bei ihm gewesen.«

»Ich sollte in Menlik ermordet werden?«

»Ja.«

»Und heute wurde derselbe Beschluß gefaßt? Man wollte mich im Gefängnis töten?«

»So ist es.«

»Und nun noch eins. Während du mit Ibarek und seinen Leuten Karten spieltest, haben die beiden andern ihn bestohlen.«

»Ich nicht, sondern sie waren es.«

»Schon gut! Du bist ebenso dabei beteiligt, wie sie; denn du hast durch deine Kunststücke dazu beigetragen, daß der Diebstahl gelang. Ich habe genug gehört.«

Und mich an den Kodscha Bascha wendend, fragte ich:

»Nun, habe ich nicht recht gehabt? Sind die Diebe nicht hier in der Ruine?«

»Herr, du hattest sie bereits gefunden, als du mit mir von ihnen sprachst.«

»Allerdings! Aber daß ich sie so rechtzeitig, so schnell gefunden habe, das mag dir ein Beweis sein, wie leicht es für dich gewesen wäre, deine Pflicht zu tun. Diese drei Menschen werden in das Gefängnis geführt und gut bewacht. Gleich morgen früh wirst du dem Makredsch den Bericht senden, welchem ich auch den meinigen beilegen werde. Er wird dann bestimmen, was geschehen soll. Ibarek, sieh hier auf den Boden nieder. Ich glaube, das sind die Gegenstände, welche dir gestohlen worden sind.«

Der Inhalt der Taschen der drei Gefangenen war von uns in drei Häufchen niedergelegt worden. Ibarek freute sich königlich, daß er sein Eigentum wieder sah. Er wollte es an sich nehmen; da aber sagte der Kodscha Bascha:

»Halt! So schnell geht das nicht. Alle diese Gegenstände

muß ich mit mir nehmen. Sie haben als Beweis bei der Verhandlung zu dienen und bei der Bestimmung des Strafmaßes als Richtschnur.«

Ich kannte die Gepflogenheit dieser Leute. Wer weiß, ob Ibarek jemals etwas wiederbekommen hätte! Darum antwortete ich an seiner Stelle:

»Das ist nicht nötig. Ich selbst werde ein Verzeichnis dieser Gegenstände anfertigen und sie auch auf ihren Wert taxieren. Dieses Verzeichnis leistet dir ganz dieselben Dienste, wie die Sachen selbst.«

»Herr, du bist kein Beamter!«

»Mann, ich habe dir heute erwiesen, daß ich ein besserer Beamter sein würde, als du! Wenn du meinen Vorschlag von dir weisest, so werde ich dem Makredsch viel ausführlicher schreiben, als dir lieb sein kann. Also schweig! Das liegt in deinem eigenen Interesse.«

Ich sah es ihm an, daß er mir mit einer Grobheit antworten wollte; aber er hielt sie doch zurück. Er mußte sich sagen, daß dies nur zu seinem Schaden sein würde. Aber er erhob nun gleich andere Ansprüche:

»So mag er seine Sachen behalten; aber alles Andere, was sie bei sich gehabt haben, konfisziere ich.«

Er wollte sich bücken, um die Geldbeutel und anderen Gegenstände aufzuheben.

»Halt!« sagte ich. »Diese Sachen sind bereits konfisziert.«

»Von wem?«

»Von mir.«

»Hast du das Recht dazu?«

»Gewiß! Ich werde auch über sie ein Verzeichnis ausstellen, wobei du ja als Zeuge dienen kannst, daß ich nichts unterschlage. Dann sende ich beides, die Liste und die Sachen, dem Makredsch ein.«

»Das gehört alles in meine Hände!«

»Du sollst auch zu deinem Recht kommen. Konfisziere du die Pferde, und was zu ihnen gehört, so hast du deinen Willen. Das Andere aber gehört mir. Halef, stecke alles ein!«

Der kleine Hadschi war so schnell bei der Hand, daß in

Zeit von drei Sekunden alles in seiner Tasche verschwunden war.

»Diebe!« brummte der Mübarek.

Der Lohn wurde ihm auf der Stelle. Halefs Peitsche gab ihm eine überaus deutliche und auch sehr fühlbare Antwort.

Jetzt wurden die Gefangenen durch die Ruine hinaus auf die Lichtung transportiert. Dort stand das neugierige Publikum, welches sich herbei drängte, um sich die Drei zu betrachten.

Ibarek erzählte mit lauter Stimme, daß er glücklich zu seinem Eigentum gelangt sei. Er war des Lobes voll.

Nun nahmen die Kawassen die vier Arrestanten in die Mitte und setzten sich mit ihnen in Bewegung. Die Menge folgte, das gelungene Abenteuer besprechend. Der Abzug wurde viel lauter bewerkstelligt, als der Aufmarsch.

Auch die Herren von der Obrigkeit schlossen sich dem Zug an. Ich blieb mit Halef zurück. Er hatte mir einen Wink gegeben.

»Sihdi, ich habe noch die halbe Fackel,« sagte er; »sie ist zwar verlöscht, aber wir können sie ja wieder anbrennen. Wollen wir uns nicht die Hütte des Alten ansehen?«

»Ja, wir wollen es wenigstens versuchen.«

»Hast du den Schlüssel noch? Ich habe gesehen, daß du ihn einstecktest, als du dem Schurken in der Gerichtsverhandlung die Taschen leertest.«

»Ich habe ihn noch, weiß aber nicht, ob es der Hüttenschlüssel ist.«

»Er wird es schon sein. Welche Schlüssel sollte der Alte sonst noch haben!«

Wir warteten, bis die Anderen sämtlich verschwunden waren, und schlossen dann die Türe auf. Mit Hilfe eines Zündholzes und eines Stückes Papier wurde die Fackel wieder in Brand gesteckt, dann traten wir ein.

Das armselige Gebäude lehnte, wie bereits erwähnt, an einer Mauer. Es schien, von außen betrachtet, nur einen einzigen kleinen Raum zu enthalten; aber als wir uns jetzt im Innern befanden, sahen wir, daß mehrere Stuben hintereinander lagen. Die inneren Räume gehörten zu dem alten Schloß, und die Hütte war in schlauer Weise an die Oeffnung gesetzt worden.

Die vordere Stube war fast leer. Man sah es ihr an, daß sie nur dazu diente, Besuche abzufertigen.

Als wir das zweite Gelaß betreten wollten, bemerkte ich mehrere Fäden, welche oben, unten und in der Mitte quer über den Eingang liefen. Ich berührte den einen vorsichtig mit dem Griff meiner Peitsche, und sofort ertönte das Krachen eines Schusses. Katzen miauten, ein Hund bellte, Raben krächzten und allerlei andere Stimmen wurden hörbar.

»O Allah!« lachte Halef. »Wir befinden uns wahrscheinlich in der Arche des Erzvaters Noah. Aber, Sihdi, ich schlage vor, daß wir nicht weiter eindringen. Warten wir lieber, bis es Tag ist.«

Ich stimmte sehr gern bei. Wenn ich dem alten Mübarek auch keine außergewöhnlichen physikalischen Kenntnisse zutraute, so konnten die seinigen doch vollständig ausgereicht haben, irgend einen wirkungsvollen Apparat zum Unschädlichmachen fremder Eindringlinge zu erfinden. Wir schlossen also wieder zu und löschten die Fackel aus.

Eben als wir den Heimweg antreten wollten, kam eine weibliche Gestalt auf uns zu gehuscht. Ich erkannte ihr Gesicht nicht. Sie aber ergriff meine Hand und drückte, bevor ich es zu hindern vermochte, ihre Lippen darauf.

»Ich sah beim Scheine der Fackel, daß du es bist, Effendi, und muß dir nochmals danken.«

Es war Nebatja, die Pflanzensucherin.

»Was tust du hier oben?« fragte ich sie. »Warst du bereits da, als wir die Gefangenen holten?«

»Nein. Es ist keine Freude für mein Herz, solche unglückliche Menschen zu sehen. Aber ich war im Hofe des Kodscha Bascha, als du verurteilt werden solltest. Herr, du bist tapfer gewesen, aber du hast dir auch einen bösen Feind erworben.«

»Wen? Den Mübarek?«

»Den meine ich nicht, obgleich auch er dich haßt. Ich meine den Kodscha Bascha.«

»Ich glaube wohl, daß er mir nicht seine besondere Liebe schenken wird; aber als Feind brauche ich ihn nicht zu fürchten.«

»Ich bitte dich dennoch, sei vorsichtig!«

»Ist er ein so schlimmer Gast?«

»Ja. Er ist die Obrigkeit, aber im Stillen unterstützt er die Leute des Schut.«

»Ah! Woher weißt du das?«

»Er war oft des Nachts hier oben bei dem Mübarek.«

»Hast du dich nicht getäuscht?«

»Nein. Ich habe ihn beim Mondschein sehr deutlich gesehen, und ich habe ihn in dunkler Nacht an der Stimme erkannt.«

»Hm! Bist du so oft hier oben gewesen?«

»Oft, trotzdem es mir vom Mübarek verboten worden. Ich liebe die Nacht. Sie ist die Freundin des Menschen. Sie läßt ihn mit seinem Gott allein und duldet nicht, daß er im Gebet gestört wird. Auch gibt es Pflanzen, die man nur des Nachts suchen darf.«

»Wirklich?«

»Ja. Wie es Pflanzen gibt, welche nur des Nachts duften, so gibt es überhaupt solche, die nur des Nachts wachen; am Tage aber schlafen sie. Und hier oben gibt es solche Nachtfreundinnen, bei denen ich dann sitze, um mit ihnen zu sprechen und auf ihre Antwort zu lauschen. In der letzten Zeit war mir das schwer gemacht. Heute aber hast du meinen Feind entlarvt; er befindet sich in Gefangenschaft, und da bin ich nun gleich heraufgegangen, um mir nach Mitternacht einen König zu holen.«

»Einen König? Ist das auch eine Pflanze?«

»Ja. Kennst du sie nicht?«

»Nein.«

»Sie ist ein König, denn wenn sie stirbt, so stirbt das ganze Volk mit ihr.«

Ich hatte hier ein ganz eigenartig und tief angelegtes Frauengemüt vor mir. Dieses Weib mußte im Schweiß der Arbeit für die Familie sorgen und fand doch noch Zeit, des Nachts stundenlang mit den Pflanzen zu verkehren, mit ihnen zu sprechen und die Geheimnisse ihres Daseins zu erlauschen.

»Wie ist der Name dieser Pflanze?« fragte ich neugierig.

»Es ist die Hadsch Marrjam. Wie schade, daß du sie nicht kennst!«

»Ich kenne sie; aber ich habe nicht gewußt, daß sie einen König hat.«

»Nur wenige Menschen wissen es, und unter diesen wenigen ist selten einer so glücklich, einen König zu finden. Man muß die Hadsch Marrjam sehr lieb haben und ihre Art und Weise ganz genau kennen; dann findet man den König. Das Volk wächst gern auf unfruchtbaren Stellen, an Bergen, Felsenbrüchen und öden Halden. Es steht stets im Kreise, der oft klein, oft auch groß ist, und ganz genau im Mittelpunkt dieses Kreises steht der König.«

Das war mir freilich neu. Hadsch Marrjam heißt ›Kreuz Mariens‹, und ganz dieselbe Pflanze wächst auch in Deutschland und wird im Volk Marienkreuzdistel genannt. Wie sonderbar, daß der Name auf den Höhen des Erzgebirges gerade so lautet, wie am Babuna- oder Plaschkawitzagebirg in der Türkei!

Die Frau fuhr in ihrem Lieblingsthema fort:

»Diese Distel ist sehr dürr und spröd; sie wird nicht hoch und hat einen dünnen Stengel; aber der König ist breit und wird alle Tage breiter. Sein Stengel ist so dünn wie eine Messerklinge; aber er kann so breit wie zwei Hände werden und trägt oben einen langen, schmalen Distelkopf, auf dessen dunkeln Grund eine helle Zickzackschlange gezeichnet ist. Diese Schlange leuchtet des Nachts.«

»Ist das wahr?«

»Ich belüge dich nicht, Herr. Ich habe es oft gesehen und werde es auch heute wieder sehen. Wenn man den Distelkönig fortnimmt, so gehen alle seine Untertanen ein. Nach Verlauf eines Monats sind sie tot. Sonst aber werden sie sehr alt. Der König, welchen ich heute hole, ist wohl gegen zehn Jahre alt.«

»Aber wenn du ihn holst, so geht ja sein Volk ein!«

»O nein! Es ist ein neuer, junger König gewachsen; da kann man den alten fortnehmen. Das muß am Sonntag nach dem Neumond geschehen, am heiligen Tag der Christen, deren Himmelskönigin Marrjam ist. An diesem Tag leuchtet der König am schönsten; er leuchtet, selbst abgeschnitten, dann noch einige Nächte. Da hat er seine beste Kraft. Heute ist der erste Sonntag nach Neumond; darum hole ich mir den König in dieser Nacht. Wenn du Zeit hättest, könntest du ihn leuchten sehen.«

»Ich würde mit dir gehen, denn ich interessiere mich außerordentlich für solche Geheimnisse der Natur; aber ich muß leider hinab in die Stadt.«

»So bringe ich ihn dir morgen abend; da leuchtet er auch noch.«

»Ich weiß nicht, ob ich dann noch in Ostromdscha sein werde.«

»Herr, willst du so schnell fort?«

»Ja. Ich kam nicht her, um lange zu verweilen, und meine Zeit ist mir karg zugemessen. Doch sage, welche Kraft schreibt man dem Distelkönig zu?«

»Die gewöhnliche Hadsch Marrjam heilt, als Tee getrunken, die Lungensucht, falls diese nicht gar zu alt geworden ist. Die Distel hat einen Stoff, welcher die winzig kleinen Krankheitstiere tötet, die sich in der Lunge befinden. Von dem König aber sagt man, daß er den Lungensüchtigen noch vom Grab wegnähme.«

»Hast du das probiert?«

»Nein; ich glaube es, denn der Schöpfer ist allmächtig und kann, wenn er will, den kleinsten Pflänzchen eine große Kraft verleihen.«

»So komm morgen zu mir und zeige mir den König, wenn ich noch da bin. Weißt du, wo ich wohne?«

»Ich habe es gehört. Schlafe wohl, Effendi!«

»Gut Glück mit dem König, Nebatja!«

Sie ging.

»Sihdi, glaubst du das von dem König der Disteln?« fragte mich Halef im Weiterschreiten.

»Ich bezweifle es nicht.«

»Ich habe noch nie gehört, daß Pflanzen ihre Herrscher haben.«

»So glaubst du es also nicht. Nun, wenn sie mir diesen Beherrscher der Hadsch Marrjam bringt, wirst auch du ihn sehen.«

Ich ahnte heute nicht, daß ich dem Distelkönig bald mein Leben zu verdanken haben würde. Daß die Pflanzensucherin sich heute seinetwegen hier oben befand, sollte mir zum größten Vorteil gereichen. Uebrigens ist der Distelkönig wirklich keine fabelhafte Pflanze. Ich habe zwischen Scheibenberg und Schwarzenberg im sächsischen Erzgebirge auf einer kahlen, abgeholzten Höhe ein Marienkreuz-Distelvolk gefunden und bin volle vier Tage dort geblieben, um nach dem König zu suchen.

Das Terrain, über welches sich die Disteln ausgebreitet hatten, bildete wirklich einen ziemlich regelrechten Kreis. Ich umwanderte den Umfang desselben und schritt dann verschiedene Radien nach der Mitte zu ab, doch lange ohne Erfolg. Endlich aber fand ich den Gesuchten an einem Punkt, an welchem ich oft vorübergekommen war, ohne den König zu sehen, da er von einem Büschel dichten, dürren Schmeelgrases ganz umgeben war. Er rechtfertigte genau Nebatjas Beschreibung; ich schnitt ihn ab und besitze ihn noch heute. Als ich nach ungefähr vier Monaten wieder nach Annaberg kam, unternahm ich neugierig und trotz Mangel an Zeit die Fußpartie nach dem Fundort – die Untertanen waren eingegangen.

Diesen Beweis von der Wahrheit der Beschreibung Nebatjas hatte ich freilich hier in Ostromdscha noch lange nicht; aber dennoch glaubte ich ihr. Der große Linné erzählt ja mit schöner Anerkennung, daß er seine besten Funde und Beobachtungen infolge von Winken gemacht habe, welche er von einfachen, oft noch weniger als einfachen Menschen erhielt. Das Kind des Volkes hat einen liebevolleren Blick für die Heimlichkeiten der Natur, als der sogenannte bevorzugte Mensch. –

Im Ort angekommen, begaben wir uns zu dem Kodscha Bascha, bei welchem ich das Verzeichnis anfertigte. Seine Augen funkelten, als wir den Inhalt der drei Geldbeutel zählten. Er fragte nochmals an, ob ich ihm die Absendung nicht überlassen wollte, aber ich bestand darauf, daß ich das selbst besorgen werde. Es sollte sich sehr bald zeigen, daß ich daran wohlgetan hatte. Aber er drang darauf, jedenfalls um mich zu ärgern, daß die Beutel versiegelt und mit seinem Petschaft gestempelt werden mußten. Ich weigerte mich natürlich keinen Augenblick.

Dann ließ ich mir die Gefangenen zeigen. Sie befanden sich in einem kellerartigen Raum und waren gebunden.

Ich sagte ihm, daß dies eine unnütze Quälerei sei; er aber meinte, daß man mit solchen Burschen gar nicht streng genug verfahren könne, und er werde während der Nacht sogar einen seiner Knechte als Wächter vor die Türe stellen.

Ich fühlte mich also über die Sicherheit der Gefangenen ganz beruhigt und dachte wirklich nicht, daß er sie jetzt nur deshalb gebunden habe, weil zu erwarten war, daß ich kommen werde, um nach ihnen zu sehen.

Von hier aus begab ich mich in den Konak, wo jetzt das verspätete Abendmahl eingenommen wurde. Wir saßen in demselben Zimmer wie am Mittag beisammen. Es ging recht munter her, denn die Ereignisse des Tages gaben genug Stoff zu einem lebhaften Gedankenaustausch, und so war Mitternacht längst vorüber, als wir uns zur Ruhe legten.

Ich bekam die Ehrenstube angewiesen, in welche ich auf einer Stiege gelangte. Da zwei Betten dastanden, nahm ich den kleinen Hadschi zu mir. Ich wußte, wie wohl ihm solcher Freundschaftserweis tat.

Meine Uhr zeigte wenig über zwei, als wir uns anschickten, uns der Kleider zu entledigen. Da pochte es unten an das jetzt verriegelte Tor. Ich öffnete den Laden und blickte hinaus. Es stand jemand am Tor: ich konnte nicht erkennen, wer es war.

»Kim dir – wer ist da?« fragte ich.

»O, das ist deine Stimme,« antwortete ein weiblicher Mund. »Nicht wahr, du bist der fremde Effendi?«

»Ja. Und du bist die Pflanzensucherin?«

»Ja, Herr. Komm herab! Ich habe dir etwas zu sagen.«

»Ist's notwendig?«

»Gewiß.«

»Werde ich wieder schlafen gehen können?«

»Sogleich wohl nicht.«

»Warte! Ich komme.«

Eine Minute später stand ich mit Halef unten bei ihr.

»Effendi,« sagte sie, »weißt du, was geschehen ist – – oder halt, so viel Zeit hast du wohl noch: siehe da meinen König der Hadsch Marrjam!«

Sie gab ihn mir in die Hand, eine stachelige Distel von zweimal Handbreite, aber wirklich so dünn, wie eine Messerklinge. Die helle Zickzackschlange oben auf der langen, schmalen Krone war trotz der Dunkelheit sehr deutlich zu erkennen. Sie ›leuchtete‹ zwar nicht, aber sie hatte einen ziemlich bedeutenden Glanz, fast wie phosphoreszierend.

»Glaubst du mir nun?« fragte sie.

»Ich habe an deinen Worten gar nicht gezweifelt. Hier ist's zu dunkel; ich werde dich früh besuchen, um mir die Distel bei Tageslicht genau zu betrachten. Aber nun sage, was du mir mitzuteilen hast.«

»Etwas sehr Schlimmes: die Gefangenen sind entflohen.«

»Was? Wirklich?«

»Ja, sie sind entflohen.«

»Woher weißt du es?«

»Ich habe es gesehen; ja sogar gehört, was sie sprachen.«

»Wo denn?«

»Droben auf dem Berg, an der Hütte des Mübarek.«

»Sihdi!« sagte Halef. »Da müssen wir fort, augenblicklich fort, hinauf auf den Berg. Wir schießen sie nieder, sonst geht es uns an das Leben.«

»Warte! Wir müssen erst alles wissen. Sage uns, Nebatja, wie viele ihrer waren.«

»Die drei Fremden, der Mübarek und der Kodscha Bascha.«

»Was? Der Kodscha Bascha war dabei?«

»Ja; er selbst hat sie herausgelassen und von dem Mübarek fünftausend Piaster dafür erhalten.«

»Weißt du das gewiß?«

»Ich habe es deutlich gehört.«

»So erzähle, aber alles doch nur kurz! Wir haben keine Zeit zu verlieren.«

»Ich hatte den Distelkönig geholt und wollte zurückkehren über die Lichtung. Da sah ich vier Männer kommen, in der Richtung aus der Stadt. Ich wollte mich nicht sehen lassen und huschte in die Ecke, welche die Hütte mit der Mauer bildet, an die sie stößt. Die vier Männer wollten in die Hütte treten, welche aber verschlossen war. Drei von ihnen kannte ich nicht; der vierte aber war der Mübarek. Sie sprachen davon, daß der Richter sie nun frei gelassen habe und gleich kommen werde, um sich fünftausend Piaster dafür zu holen. Wenn sie ihn bezahlt hätten, wollten sie fort; aber rächen müßten sie sich an euch. Der eine sagte, du würdest jedenfalls nach Radowich und Istib reiten. Unterwegs sollten euch da die Aladschy überfallen.«

»Wer sind die Aladschy?«

»Ich weiß es nicht. Dann kam der Kodscha Bascha. Weil niemand den Schlüssel hatte, traten sie die Türe mit den Füßen ein. Es wurde Licht gemacht und ein Laden geöffnet, gleich da, wo ich versteckt war. Aus dem Laden kamen Vögel, Fledermäuse und andere Tiere heraus, welche der Mübarek frei ließ. Da fürchtete ich mich und floh und rannte so schnell wie möglich nach der Stadt und zu dir. Das ist es, was ich dir zu sagen habe.«

»Ich danke dir, Nebatja; morgen sollst du deine Belohnung dafür haben. Geh jetzt heim! Ich habe nicht länger Zeit.«

Nun kehrte ich in das Haus zurück. Zu wecken brauchte ich niemanden. Daß man mir gepocht hatte, war ein sicheres Zeichen gewesen, es sei etwas vorgefallen; man war also aufgestanden. Nach kaum zwei Minuten waren wir bewaffnet und unterwegs: Halef, Osko, Omar und ich. Die beiden Wirte hatten die Stadt alarmieren wollen, ich aber hatte es ihnen verboten; denn die Flüchtlinge hätten den Lärm hören müssen und wären durch denselben gewarnt worden. Ich beauftragte die Wirte, im Stillen noch einige wackere Männer zu holen und mit ihnen die nach Radowich führende Straße zu besetzen. So mußten ihnen die Flüchtlinge auf alle Fälle in die Hände laufen, wenn es uns nicht vorher gelang, sie unschädlich zu machen.

Wir Vier eilten zunächst den Bergpfad empor; dann aber, als wir den Wald erreichten, waren wir gezwungen, langsamer zu gehen. Da das Terrain nicht offen war, mußten wir uns in acht nehmen, nicht zu stürzen. Der Weg ging steil bergan, und der Boden war zwischen den Bäumen mit Steinen besät, da das herabströmende Regenwasser allmählich die weicheren Erdbestandteile weggewaschen hatte.

Da war es mir, als ob ich vor uns einen scharfen, spitzen Menschenlaut vernehme, wie wenn jemand im Schrecken ein hohes, kurzes »I« ausstößt. Dann hörte ich einen dumpfen Schall, wie wenn jemand stürze.

»Halt!« flüsterte ich den Andern zu. »Es ist ein Mensch da vor uns. Bleibt stehen, und verhaltet euch ganz ruhig.«

Nach wenigen Augenblicken näherten sich uns langsame Schritte. Sie waren unregelmäßig, denn der Mann setzte den einen Fuß langsamer und auch leiser vorwärts als den andern. Er hinkte. Vielleicht hatte er sich bei dem Fall verletzt.

Jetzt war er ganz nahe vor mir. Die Nacht war nicht hell, und hier zwischen und unter den Bäumen lagerte nun gar eine dicke Finsternis. Darum ließ mich mehr der Instinkt als das Auge eine lange dünne Gestalt erkennen, ganz ähnlich derjenigen des Kodscha Bascha.

Ich faßte ihn bei der Brust.

»Dur we sus – halt und schweig!« gebot ich ihm mit unterdrückter Stimme.

»Ia Allah!« rief er erschrocken.

»Sei still, sonst schlage ich dich nieder.«

»Wer bist du?« fragte er.

»Kennst du mich nicht?«

»Ah, du bist der Fremde! Was willst du hier?«

Vielleicht hörte er es an meiner Stimme, vielleicht auch

war meine Gestalt besser zu erkennen, als die seinige – er wußte, wen er vor sich hatte.

»Und du, wer bist du?« fragte ich. »Wohl gar der Kodscha Bascha, welcher die Gefangenen frei gelassen hat!«

»Ej müdschizat! O Wunder!« schrie er laut. »Er weiß es!«

Er machte einen Seitensprung, um sich zu befreien. Ich hielt zwar fest, da ich wohl einen Fluchtversuch erwartet hatte; aber sein alter, morscher Kaftan hielt nicht so fest wie ich. Ein Riß, ich hatte ein Stück des Zeuges in der Hand, und der Mann sprang unter die Bäume hinein, wo eine Verfolgung ganz nutzlos gewesen wäre. Dabei schrie er aus Leibeskräften:

»Hajde, sa-usch kulibeden, choriadscha, tschapuk – fort, fort aus der Hütte, rasch, schnell!«

»O Sihdi, was bist du für ein Dummkopf!« sagte Halef. »Hast den Kerl schon beim Schopf und lässest ihn doch wieder los! Wenn ich das getan hätte, so – –«

»Still!« unterbrach ich ihn. »Zu Vorwürfen haben wir jetzt keine Zeit. Wir müssen schnell zu der Hütte, denn sein Warnungsruf läßt vermuten, daß sie dort sind.«

Da erschallte von oben herab ein fragender Ruf:

»Nitschün, ne deji – warum, aus welchem Grund?«

»Jabandschylar, edschnebiler! Katschyn, koschyn, sytschryn – die Fremden, die Fremden! Flieht, lauft, springt!« antwortete der Flüchtende von der Seite her.

Jetzt befleißigten wir uns natürlich der größtmöglichsten Eile; aber der holperige Weg hielt uns doch zu sehr auf. Wir waren nur wenige Schritte weit fortgekommen, da tat es oben einen Krach: wir sahen einen Feuerstrahl emporschießen, dann wurde es für einige Augenblicke wieder dunkel.

»Sihdi, bir top fischenkler ile – Herr, das war eine Kanone mit Raketen!« meinte Halef, indem er hinter mir her keuchte. »O Allah, es brennt sogar noch!«

Wir sahen jetzt zwischen den Baumstämmen hindurch einen Feuerschein, und als wir dann den freien Platz erreichten, lag die Hütte vor uns, über und über brennend. Und von dort her rief eine Stimme:

»Dort kommen sie! Seht ihr sie? Gebt Feuer!«

Wir waren vom Flammenschein hell erleuchtet und boten also ein sehr sicheres Ziel.

»Zurück!« rief ich und tat zu gleicher Zeit einen Sprung, der mich hinter den nächsten Baum brachte.

Die Andern folgten augenblicklich meinem Beispiel, und just noch zur rechten Zeit, denn es krachten drei Schüsse auf uns, von denen aber keiner traf.

Noch im Sprunge hatte ich das Gewehr emporgenommen. Der Aufblitz der Schüsse mußte mir die Stelle verraten, an welcher sich die Halunken befanden. Ich drückte keine Sekunde später ab als sie und hatte getroffen, denn eine Stimme schrie:

»Ej felaket, bre ha! Jaralanmyschim! – O Unglück, zu Hilfe! Ich bin verwundet!«

»Drauf und dran!« rief der tapfere kleine Hadschi Halef Omar, indem er hinter seinem Baum hervorsprang.

»Halt!« warnte ich, ihn am Arm erfassend. »Sie haben vielleicht zwei Läufe.«

»Mögen sie hundert haben, die Schurken, ich haue sie nieder!«

Er riß sich los, drehte sein Gewehr um und sprang über den hell erleuchteten Platz. Da blieb uns nichts Anderes übrig, als ihm zu folgen. Es war das sehr gefährlich, aber glücklicherweise war da drübern kein Doppelgewehr vorhanden, und zum Wiederladen hatten sie auch keine Zeit gehabt. Wir gelangten mit heiler Haut zu dem Felsen, an welchem die Schüsse gefallen waren; doch war dies auch der einzige Erfolg, den uns der unvorsichtige Sturmlauf einbrachte. Es befand sich niemand mehr da.

»Sihdi, wo sind sie?« fragte Halef. »Hast du eine Ahnung davon?«

»Wo sie sind? Nein! Aber wie sie sind, das weiß ich sehr genau.«

»Nun, wie denn?«

»Gescheiter als wir, vor allen Dingen gescheiter als du.«

»Willst du mich schon wieder tadeln?«

»Du verdienst es. Wir hätten sie ganz sicher ergriffen, wenn du nicht ausgebrochen wärest.«

»Auf welche Weise denn?«

»Wenn wir, gedeckt durch die Bäume, um die Lichtung schlichen, wären wir an sie gekommen.«

»Sie wären auch schon fort gewesen.«

»Das fragt sich. Einem offenen Angriff sind sie natürlich ausgewichen; das heimliche Beschleichen hätte aber wohl Erfolg gehabt, besonders wenn einer von euch zurückgeblieben wäre und einige blinde Schüsse abgegeben hätte. Da hätten sie geglaubt, wir alle seien noch dort.«

»So meinst du, daß wir sie nun nicht bekommen können?«

»Sie sind jedenfalls noch nahe; aber suche sie in dieser Finsternis. Das Feuer erleuchtet nur die Lichtung. Und selbst wenn wir wüßten, wo sie sich befinden, müßten wir sie in Ruhe lassen; sie müßten uns ja kommen hören, und was dann erfolgen würde, kannst du dir denken.«

»Ja, sie würden uns mit Kugeln empfangen, und ich habe mir sagen lassen, daß so eine Kugel zuweilen imstande sei, die Jugend im Wachstum zu hindern. Aber was tun wir nun?«

»Horchen wir!«

Dieser kurze Gedankenaustausch war selbstverständlich nicht mit überlauten Stimmen geführt worden. Es war anzunehmen, daß die vier Männer sich gar nicht weit von uns befanden, und wir durften sie nicht durch unvorsichtiges Sprechen nach unserm Standpunkt locken.

Ueberdies hatten wir uns so gestellt, daß wir uns im Dunkeln befanden.

So lauschten wir eine kleine Weile. Das Geprassel der brennenden Hütte störte uns. Aber nachdem das Ohr sich daran gewöhnt hatte, hörte ich mit ziemlicher Deutlichkeit ein lautes Rascheln. Auch Osko vernahm es, denn er fragte mich:

»Hörst du, daß sie da jenseits durch die Büsche brechen, Effendi?«

»Nach dem Geräusch zu urteilen, ist es im höchsten Fall wenig über hundert Schritte von hier, und da ich annehmen möchte, daß sich unter den Bäumen kein Strauchwerk befindet, so kann der Ring, welchen der Baumwuchs um die Bergkuppe bildet, nach dieser Seite hin gar nicht bedeutend sein. Das haben sie gewußt und darum richteten sie die Flucht dorthin.«

»Wie können sie das wissen? Sie sind doch selbst hier fremd!«

»Manach el Barscha ist schon oft hier gewesen, und der alte Mübarek befindet sich ja bei ihnen.«

Ich ging nun zur Hütte und riß eine Dachstange, welche brennend herabhing, gänzlich los. Da das Holz derselben sehr harzig war, brannte sie wie eine Fackel. Mit dieser Leuchte verfolgte ich die Richtung, welche die Flüchtlinge eingeschlagen zu haben schienen. Meine drei Begleiter schlossen sich mir an, indem sie die Gewehre schußfertig hielten.

Das Prasseln des Feuers hatte mich doch irre gemacht. Die Breite des von Bäumen bestandenen Areales war hier nicht so groß, wie ich gedacht hatte. Wir erreichten schon nach kurzer Zeit die außerhalb desselben beginnenden Büsche und sahen auch ganz deutlich die Stelle, an welcher sich die Flüchtlinge den Weg durch dieselben gebahnt hatten.

Wir folgten ihm und gelangten in demselben Moment ins Freie, als meine Fackel verlöschte.

Da hörten wir unter uns das Wiehern eines Pferdes, und gleich darauf erscholl lautes Pferdegetrappel durch die Nacht.

»Odschurola chowardalar – lebt wohl, ihr Schurken!« rief eine laute Stimme zu uns herauf. »Kyzartsiz jaryn dejil o bir gün dschehennemde – ihr bratet übermorgen in der Hölle!«

Das war sehr deutlich gesagt. Wenn ich noch nicht gewußt hätte, daß man uns auflauern wolle, so hätte ich es nun erraten. Sehr klug waren diese Leute denn doch nicht.

Mein kleiner Halef war höchlichst ergrimmt über diese Beleidigung. Er legte beide Hände an den Mund und brüllte mit aller Kraft seiner Stimme in das nächtliche Dunkel hinein:

»Ata binin schejtanile, jutylyn nenesinadan – reitet zum

Teufel, und werdet gefressen von seiner Großmutter! Koschyniz bana kambur üzerinde, on kerre jokarija hem jirmi kerre aschagha – lauft mir nach dem Buckel, zehnmal hinauf und zwanzigmal hinab!«

Er hatte sich in einen solchen Zorn hineingeredet, daß er ihnen noch nachrief:

»Siz haidudlar, öldürüdschülar, kundakdschylar, derisini tschykarmakdschilar, dar adschadschy ipleri – ihr Räuber, ihr Mörder, ihr Mordbrenner, ihr Schinder, ihr Galgenstricke ihr!«

Ein lautes Hohngelächter erscholl als Antwort herauf. Ganz atemlos vor Redeanstrengung fragte mich der Kleine:

»Herr, habe ich es ihnen nicht fein gesteckt? Habe ich es ihnen nicht deutlich gesagt?«

»Ja, so fein, daß sie dich auslachten, wie du ja gehört hast.«

»Sie haben keine Bildung. Sie wissen sich nicht zu benehmen. Sie haben keine Ahnung von dem Gesetze der Höflichkeit und von den Regeln der guten Sitten. Man muß selbst seinen Feind anständig behandeln, und mit schönen, wohlklingenden Komplimenten besiegen.«

»Ja, das hast du eben jetzt bewiesen, lieber Halef. Die Komplimente, die du ihnen nachgerufen hast, waren niedlich.«

»Das war nicht ich, sondern der Zorn. Hätte ich selbst gesprochen, so wäre ich höflich gewesen. Nun sind sie fort. Was ist zu tun?«

»Jetzt gar nichts. Wir stehen nun wieder grad so da, wie vor unserer Ankunft hier in Ostromdscha. Unsere Feinde sind vor uns; sie sind frei und haben sich sogar noch um einen Mann vermehrt. Jetzt kann die Jagd von neuem beginnen, und wer weiß, ob wir jemals wieder so günstige Gelegenheiten bekommen, wie hier.«

»Recht hast du, Sihdi. Diesen Kodscha Bascha sollte man an den Galgen hängen!«

»Er hat sie nicht nur frei gelassen, sondern ihnen auch ihre Pferde wieder gegeben.«

»Meinst du?«

»Selbstverständlich! Du hast doch gehört, daß sie Pferde hatten? Die haben für sie bereit gestanden.«

»Er wird es leugnen.«

»Seine Lügen nützen ihm nichts. Ich habe ihm ein Stück aus dem Kaftan gerissen, und es befindet sich in meiner Tasche.«

»Was aber willst du mit ihm machen? Hast du Gewalt über ihn?«

»Leider nicht.«

»Nun, so nehme ich die Sache in die Hand.«

»Was willst du tun?«

»Das wird sich finden.«

»Keine neue Uebereilung, Halef!«

»Sei unbesorgt, Sihdi! Ich werde mich nicht übereilen, sondern die Sache in der größten Ruhe und Gemächlichkeit erledigen. Müssen wir jetzt nicht nach der Hütte zurückkehren?«

»Ja. Vielleicht ist da noch etwas zu retten.«

Es wurde uns nicht schwer, den Weg, den wir nun kannten, trotz der Dunkelheit zurückzufinden.

Die Wohnung des Mübarek mußte viele das Feuer nährende Stoffe enthalten haben, denn die Flamme stieg sehr hoch empor. Es waren unterdessen Leute angekommen, welche der weithin sichtbare Brand herbeigelockt hatte.

Eben als wir unter den Bäumen hervortraten, kam von der andern Seite, wo der Weg mündete, der Kodscha Bascha herbeigelaufen. Dieser Titel ist übrigens ein sehr eigentümlicher für einen Stadtrichter oder Bürgermeister, denn er bedeutet, wörtlich übersetzt: ›Oberhaupt der Ehemänner‹. Als dieses Oberhaupt uns erblickte, erhob er den Arm, deutete auf uns und rief:

»Ergreift sie! Haltet sie fest! Sie sind die Brandstifter!«

Ich war über diese Frechheit mehr erstaunt als erzürnt. Der Mensch besaß eine geradezu verblüffende Unverschämtheit. Die Anwesenden, welche alle wußten, wie ich ihm heute mitgespielt hatte, beeilten sich natürlich gar nicht, seinen Befehl auszuführen.

»Habt ihr's gehört?« fuhr er sie an. »Ergreifen sollt ihr die Brandstifter!«

Da geschah etwas, dessen er sich wohl schwerlich versehen hatte. Der kleine Halef trat nämlich auf ihn zu und fragte:

»Ne mi iz sewgülüm – was sind wir, mein Liebling?«

»Harakadschilarsiz – Brandstifter seid ihr,« antwortete er.

»Du irrst, Kodscha Bascha. Wir sind etwas ganz anderes. Wir sind Gerber, und um dir das anschaulich zu machen, werden wir dir jetzt ein wenig das Fell gerben, nicht das ganze Fell, denn dazu haben wir keine Zeit, sondern nur denjenigen Teil, über dessen Festigkeit du dich dann königlich freuen wirst, da du ihn zum Sitzen brauchst. Osko, Omar, kommt herbei!«

Die beiden Genannten ließen sich das nicht zweimal sagen. Zwar warfen sie zunächst einen fragenden Blick auf mich, um zu erfahren, wie ich mich zu der Absicht des streitbaren Kleinen verhalten werde; aber da ich weder dafür noch dagegen sprach, sondern mich ganz neutral verhielt, so packten sie den alten Wackelkopf mit kräftigen Armen und legten ihn auf den Boden nieder.

Er merkte, was da vorgehen solle, und erhob ein angstvolles Geschrei.

»Allah, Allah!« rief er. »Was wollt ihr tun? Wollt ihr euch an der göttlichen und menschlichen Obrigkeit vergreifen? Allah wird euch vernichten, und der Padischah wird euch in alle seine Kerker stecken. Man wird euch die Köpfe abschlagen und dann eure Leiber an den Toren aller Städte und Dörfer aushängen!«

»Schweig!« befahl ihm Halef. »Der Prophet hat seinen Anhängern geboten, jedes Schicksal geduldig hinzunehmen, weil es im Buch des Lebens verzeichnet steht. Gestern habe ich darin gelesen, daß du Hiebe bekommen sollst, und weil ich ein gläubiger Sohn des Propheten bin, so werde ich dafür sorgen, daß dieses schöne Kismet an dir in Erfüllung geht. Legt ihn auf den Bauch, wenn er überhaupt einen hat, und haltet ihn fest!«

Osko und Omar befolgten pünktlich diesen Befehl. Zwar

wendete der Kodscha Bascha seine ganze Kraft auf, um sich seinem Verhängnis zu widersetzen, aber die beiden kräftigen Männer waren ihm jedoch so überlegen, daß sein Widerstand ihm ebensowenig nützte wie sein fortgesetztes Geschrei.

Gern gestehe ich, daß ich der Sache nicht gar sehr sympathisch gegenüberstand. Prügel auszuteilen, ist nichts Aesthetisches; auch waren wir hier fremd und konnten nicht wissen, wie die anwesenden Einheimischen sich dazu verhalten würden. Es waren ihrer viele da, und es kamen immer mehr. Aber dieses unwürdige Oberhaupt hatte sich überhaupt sehr feindselig gegen uns verhalten; sein Handeln war ungesetzlich gewesen, und nun gar seine Beschuldigung, daß wir die Brandstifter seien, war eine so freche, daß ihm ein Denkzettel gar nichts schaden konnte. Vielleicht wirkten die Hiebe dahin, daß er später ein besserer Ausleger der Paragraphen des Gesetzes wurde.

Was die Leute betraf, welche sich neugierig herbeidrängten und einen Kreis um uns schlossen, so fürchtete ich sie nicht. Der Kodscha Bascha hatte wahrscheinlich keinen Freund, der sich für ihn hätte opfern mögen.

Er wurde also in die bezeichnete Lage gebracht. Osko hielt ihn an den Schultern nieder, und Omar kniete ihm auf die Beine. Als nun der kleine Halef seine Peitsche aus dem Gürtel nahm, ließ sich doch eine laute Stimme vernehmen.

»Wollt ihr es dulden, daß unser Oberhaupt geprügelt werde? Verteidigt den Kodscha Bascha!«

Von einigen Gleichgesinnten, die sich zu dem Sprecher drängten, ward ein drohendes Murmeln erhoben. Sie schoben sich näher heran.

Ich schritt langsam auf sie zu, stieß den Kolben des Gewehres auf den Boden, legte die Arme gekreuzt auf die Mündung und sah ihnen in die Gesichter, ohne ein Wort zu sagen. Sie wichen zurück.

»Hakk, tamam, wuryniz onu, kesyniz onu – recht so, recht so, haut ihn, haut ihn!« riefen mehrere uns freundliche Stimmen.

Halef nickte überaus huldvoll nach der Seite hin, von welcher die Stimmen erschollen waren, und begann sein mildtätiges Werk. Er gab sich demselben mit rührendem Eifer hin. Als er seine Peitsche aus Nilpferdhaut wieder in den Gürtel steckte, gab er dem Bestraften folgenden guten Rat:

»Nun bitte ich dich, in den nächsten Tagen dich ja auf nichts Hartes zu setzen. Das könnte den Glanz deiner Augen, die Schönheit deines Angesichtes, die Harmonie deiner Züge und die Feierlichkeit deiner Rede beeinträchtigen. Du darfst die Wirkung unserer edlen Tat nicht stören und wirst dann von deiner gegenwärtigen Jugend an bis in das späte Alter hinein die Fremden segnen, deren Erscheinen dir so gnadenreich geworden ist. Wir hoffen, daß du den heutigen Tag alljährlich mit andächtiger Feier begehen wirst, und wir werden zu derselben Zeit deiner stets in ganz besonderer Zuneigung gedenken. Erhebe dich und gib mir den Kuß des Dankes, der mir gebührt!«

Ein lautes Gelächter erscholl nach dieser in hohem Ernst vorgetragenen Rede.

Der Kodscha Bascha, von Osko und Omar nun losgelassen, stand langsam auf und legte seine beiden Hände auf die von Halef bereits näher beschriebene Körpergegend. Als der Kleine sich ihm nahte, fuhr er ihn wütend an:

»Mensch, Kerl, Hund! Was hast du getan! Du hast den Leib der Obrigkeit entweiht. Ich werde dich und die Deinen in Fesseln legen lassen – – «

»Ereifere dich nicht!« unterbach ihn der Kleine. »Wenn du es eine Entweihung nennst, daß du nur zwanzig bekommen hast, so wollen wir den Fehler auf der Stelle verbessern. Legt ihn noch einmal nieder!«

»Nein, nein!« schrie der Bedrohte. »Ich gehe, ich gehe!«

Er wollte sich eiligst entfernen; da aber ergriff ich ihn am Arm.

»Bleib, Kodscha Bascha! Ich habe ein Wort mit dir zu reden!«

»Gar nichts hast du mit mir zu reden, gar nichts!« rief er, indem ich ihn in den Kreis zurückzog. »Ich mag von euch nichts mehr wissen. Ich habe genug von euch!«

»Das ist freilich sehr wahrscheinlich, aber ich will etwas von dir wissen, und darum wirst du noch einige Augenblicke bleiben. Nimm deine Hände da hinten weg! Es ziemt sich nicht, sie dort zu haben, wenn man mit einem Effendi spricht.«

Er versuchte, diesem Befehl nachzukommen, aber es wurde ihm so schwer, daß er abwechselnd bald die rechte, bald die linke Hand eine retrograde Bewegung machen ließ.

»Du hast uns als Brandstifter bezeichnet. Welchen Grund hast du dazu?« fragte ich ernst.

Diese Erkundigung verursachte ihm sichtlich Unbehagen. Blieb er bei seiner Behauptung, so konnten sich die Hiebe leicht wiederholen. Widersprach er sich aber, so stand er als Lügner da. Er kratzte sich also, während er die Rechte jenseits der Hüften hatte, mit der Linken den kahlen Scheitel und antwortete diplomatisch:

»Ich dachte es.«

»Und warum dachtest du es? Ein Kodscha Bascha muß einen jeden seiner Gedanken erläutern können.«

»Weil ihr vor uns hier gewesen seid. Wir sahen es brennen und eilten herbei. Als wir hier ankamen, befandet ihr euch schon da. Ist das kein Grund zum Verdacht?«

»Nein, denn wir können ja ebenso wie ihr herbeigeeilt sein, weil wir es brennen sahen. Aber besinne dich! Sind wir wirklich vor dir hier gewesen?«

»Natürlich! Ihr habt mich ja hier ankommen sehen.«

»Und ich denke, du warst vor uns da.«

»Unmöglich!«

»O doch! Wir sahen dich von hier kommen.«

»Das ist ein großer Irrtum von dir.«

»Gewiß nicht. Wir haben dich erkannt.«

»Herr, du täuschest dich. Ich war daheim und schlief. Da erwachte ich durch ein großes Geschrei. Ich erhob mich, blickte aus der Türe und sah das Feuer auf dem Berg und eilte herbei, denn als Obrigkeit bin ich dazu verpflichtet.«

»Bist du als Obrigkeit auch verpflichtet, flüchtige Verbrecher zu warnen?«

»Ich verstehe dich nicht.«

»Lüge nicht! Wo sind die vier Gefangenen, welche dir anvertraut worden sind?«

»Selbstverständlich im Gefängnisse.«

»Sind sie gut bewacht?«

»Doppelt. Ein Knecht steht vor der Türe und ein anderer vor dem Hause.«

»Wie viele Knechte hast du?«

»Diese zwei.«

»Was hat denn dieser hier oben zu suchen?«

Derjenige nämlich, welcher vorhin sich für den Kodscha Bascha geäußert hatte, stand ganz in der Nähe. Ich hatte in ihm gleich den Knecht erkannt, dem die Bewachung der Gefangenen anvertraut worden war, und zog ihn jetzt unter den übrigen hervor.

Der Beamte spielte den zornigen.

»Was hast du hier zu stehen?« schrie er den Knecht an. »Willst du augenblicklich fort, heim auf deinen Posten!«

»Laß ihn!« sagte ich. »Es gib nichts mehr zu bewachen. Die Gefangenen sind frei.«

»Frei?« fragte er, indem er sich den Anschein gab, erschrocken zu sein.

»Verstelle dich nicht! Du weißt es noch viel besser als ich. Du selbst hast sie freigelassen und dafür eine bedeutende Summe von dem Mübarek erhalten.«

Jetzt brachte er zum erstenmal die beiden Hände zugleich nach vorn. Er schlug sie zusammen und schrie:

»Was sagst du? Wessen beschuldigst du mich? Wer bist du, daß du es wagst, einen Kodscha Bascha zum Verbrecher zu stempeln? Geld hätte ich erhalten? Frei hätte ich die Gefangenen gelassen? Ich werde dich arretieren und mit der ganzen Strenge des Gesetzes gegen dich verfahren – – nein, nein, fort, laß mich!«

Diese letzten Worte galten Halef, der ihn beim Arme ergriff und, die Peitsche erhebend, in drohendem Tone fragte:

»Soll ich dir auch noch andere Gegenden gerben? Weißt du noch immer nicht, daß wir auf diese Weise nicht mit uns verhandeln lassen? Sagst du noch ein einziges Wort, welches meinem Ohre nicht behagt, so wird meine Peitsche sich über dich ergießen, wie ein Hagel, der durch die Dächer schlägt!«

Ich wendete mich an die Leute und erzählte ihnen, was ich von der Nebatja erfahren hatte, ohne aber ihren Namen zu nennen. Ich fügte dazu, daß der Kodscha Bascha uns dann begegnet sei und die Verbrecher gewarnt habe.

Da trat einer hervor, in welchem ich einen der Beisitzer des Gerichts erkannte, und sagte:

»Effendi, was du uns hier erzählst, erfüllt mich mit Staunen. Wir haben euch sehr viel zu verdanken, denn ihr habt den größten Verbrecher entlarvt, den es jemals hier gegeben hat. Sollten sie wirklich entflohen sein, er und seine Kumpane, so muß derjenige, der ihnen dazu verholfen hat, auf das allerstrengste bestraft werden. Ich habe dich heute gesehen und gehört; ich glaube, daß du nichts sagst, was du dir nicht vorher überlegt hast. Du mußt also wirkliche Gründe haben, den Kodscha Bascha anzuklagen. Da ich nun der Anwalt bin, also der Oberste nach ihm, so bin ich verpflichtet, an seine Stelle zu treten, wenn er sich seines Amtes unwürdig gemacht hat. Du wirst dich also nun an mich zu wenden haben.«

Der Mann schien brav zu denken, wenn ich ihm auch keine große Entschiedenheit zutraute. Ohne mich lange zu besinnen, antwortete ich ihm:

»Es freut mich, in dir einen Mann zu sehen, dem das Wohl der Bürger am Herzen liegt, und ich hoffe, daß du furchtlos und unparteiisch handeln wirst.«

»Das werde ich tun, doch wirst du mir die Wahrheit deiner Anschuldigung beweisen müssen.«

»Natürlich!«

»Du wirst mir also sagen, woher du weißt, daß der Kodscha Bascha mit den Flüchtlingen hier oben gewesen ist und von dem Mübarek Geld bekommen hat.«

»Nein, das werde ich nicht sagen.«

»Warum nicht?«

»Ich will die Person, welche alles gehört und gesehen hat, nicht in Schaden bringen.«

»Sie wird keinen Schaden haben.«

»Erlaube, daß ich daran zweifle. Du bist ein sehr braver Mann, aber nicht alle Beamten sind so, wie du. Ich kenne euch zur Genüge. Wenn ich fort sein werde, so wird dieser gute Kodscha Bascha wieder schalten und walten nach Belieben. Jener Person, von welcher ich alles erfahren habe, würde es schlecht ergehen. Es ist also besser, ich nenne ihren Namen nicht.«

»Aber dann kannst du deine Rede nicht beweisen!«

»O doch! Das Geld, welches der Kodscha Bascha erhalten hat, wird sich in seiner Tasche oder in seinem Hause finden, und daß er hier oben war und sich mir entriß, das ist auch sehr leicht zu beweisen; denn er hat ein Stück seines Kaftans in meiner Hand gelassen.«

»Das ist nicht wahr!« rief der Beschuldigte. »Schau her! Fehlt etwa ein Stück?«

Er deutete mit beiden Händen nach der Stelle, an welcher ich ihn gefaßt gehabt hatte. Der Kaftan war unversehrt.

»Siehst du, daß du dich irrst!« meinte der Gerichts-Anwalt.

»Du scherzest,« erwiederte ich lachend.

»Wieso?« fragte er erstaunt.

»Wenn ich die Klugheit deines Gesichtes mustere, so bin ich überzeugt, daß du gesehen hast, wie der Kodscha Bascha sich jetzt verraten hat.«

»Verraten?«

»Ja. Er will der oberste der Ehemänner sein und macht doch die Dummheiten eines Anfängers im Verbrechen. Hast du gesehen, wohin er zeigte, als er uns seinen Kaftan wies?«

»Ja freilich!«

»Nun, wohin denn?«

»Nach der oberen Brust, da links.«

»Habe ich euch aber erzählt, aus welcher Stelle ich das Stück gerissen habe?«

»Nein, Effendi.«

»Nun, ganz genau aus derselben Stelle, auf welche er gedeutet hat. Woher weiß er das?«

Der Vertreter des Gesetzes blickte mich sehr verblüfft an und fragte:

»Effendi, bist du vielleicht ein Oberster der Polizei?«

»Warum fragst du so?«

»Weil nur ein solch hoher Beamter so scharfsinnige Gedanken haben kann.«

»Da irrst du dich. Ich wohne nicht im Land des Padischah, sondern im Nemtsche memleketi, dessen Bürger so streng nach den Gesetzen handeln, daß jedes Kind sofort die Unvorsichtigkeit des Kodscha Bascha bemerkt und begriffen hätte.«

»So hat Allah eure Gegend mit mehr Verstand betraut, als die unserige.«

»Aber du siehst wohl ein, daß ich recht habe?«

»Ja, da er nach dieser Stelle deutete, muß er wissen, daß der Kaftan dort verletzt worden ist. Was sagst du dazu, Kodscha Bascha?«

»Ich sage nichts,« antwortete der Gefragte. »Ich bin zu stolz, mit einem Mann, wie dieser Nemtsche ist, noch länger zu verkehren.«

»Aber deine Haltung ist keineswegs eine stolze. Was suchst du mit den Händen hinter dir?« fragte ich ihn lachend.

»Schweig'!« schrie er mich zornig an. »Es wird ein großes Wehe über dich ergehen, und du wirst noch nach langen Jahren an die Folgen deiner Verleumdung denken müssen. Siehst du denn nicht, daß mein Kaftan gar nicht zerrissen ist?«

»Ganz gewiß. Ich sehe aber auch, daß es ein anderer Kaftan ist. Derjenige, welchen du heute anhattest und also auch vorhin getragen haben wirst, war älter als dieser.«

»Ich habe nur den einzigen.«

»Wollen sehen!«

»Ja, der Kodscha Bascha hat nur diesen einen Kaftan,« bestätigte der Knecht.

»Du hast nur zu sprechen, wenn du gefragt wirst,« belehrte ich ihn. Und mich an den Anwalt wendend, fuhr ich fort:

»Weißt du vielleicht, wie viele Kaftans der Kodscha Bascha hatte?«

»Nein, Effendi. Wer bekümmert sich um das Gewand eines andern?«

»Aber du weißt wohl, wohin er die Pferde der drei Verbrecher geschafft hat? Ich überließ sie ihm.«

»In seinen Stall.«

»Hat er selbst auch Pferde?«

»Ja.«

»Wie viele?«

»Vier. Er hält sie gewöhnlich in seiner Umzäunung, damit sie sich im Freien befinden.«

»Welche Farbe haben sie?«

»Sie sind schwarz, denn er hat eine Vorliebe für Rappen. Nicht wahr, Bascha?«

»Was gehen diese Menschen meine Pferde an!« antwortete der Gefragte.

»Sehr viel, das weißt du wohl auch,« erwiderte ich. »Du hast die Entflohenen mit Pferden unterstützt, und da sie Grund haben, die Farben ihrer bisherigen Rosse zu wechseln, so wirst du ihnen andere gegeben haben. Es wird sehr gut für dich sein, wenn wir dich im Besitz sämtlicher Tiere finden. Hier gibt es nichts zu retten. Die Hütte ist niedergebrannt, und in kurzer Zeit wird es dunkel sein. Der alte Mübarek ist so klug gewesen, sie vor seiner Entfernung anzuzünden, sonst hätten wir wohl viele Beweise schlimmer Taten darin gefunden. Er hat sogar Pulver vorrätig gehabt, sie in Brand zu setzen oder gar leicht in die Luft zu sprengen. Es war von dem Kodscha Bascha eine Verrücktheit, zu sagen, daß wir sie angezündet hätten. Grad uns lag alles daran, sie unversehrt zu finden. Gehen wir also jetzt zu der Wohnung des Gerichtes, um euch zu überzeugen, daß die Gefangenen wirklich fort sind.«

Als wir uns zum Gehen anschickten, sah ich den Hadschi eiligst davonspringen, und gleich darauf erscholl von dem Weg her seine drohende Stimme:

»Halt, du bleibst, sonst steche ich dir das Messer zwischen die Rippen!«

»Laß mich!« rief eine andere Stimme. »Was habe ich mit dir zu schaffen?«

»Gar nichts, aber ich desto mehr mit dir. Du bist gefangen.«

»Oho!«

»Ja, und wenn du dich nicht fügest, so habe ich hier eine Peitsche, welche der Knecht sehr leicht kennen lernen kann, nachdem bereits sein Herr ihre Liebkosungen erfahren hat.«

Aha! Der Knecht hatte sich beeilen wollen, vor uns nach der Wohnung des Kodscha Bascha zu kommen, wohl um die Familie zu warnen und vorzubereiten. Er wurde, wie sein Herr, in die Mitte genommen.

Und zum zeitenmal bewegte sich ein so sonderbarer Zug den Berg hinab. Einige Männer trugen Feuerbrände, um den Weg zu beleuchten. Alle Bewohner des Ortes waren alarmiert, und als wir den Hof erreichten, war er fast ebenso voll wie am Abend.

Das Gefängnis war natürlich leer. Die Pferde der Entflohenen standen in dem alten, baufälligen Stall, aber die Rappen des Kodscha Bascha waren fort. Die beiden Knechte behaupteten, daß sie auf dieselbe unerklärliche Weise verschwunden seien wie die vier Verbrecher.

»Jetzt wollen wir sehen, ob wir das Geld und den Kaftan des Kodscha Bascha finden,« sagte ich zu dem Anwalt.

»Wo willst du es suchen?«

»Bei seiner Frau.«

»Die wird leugnen.«

»Wir wollen es abwarten. Es kommt sehr viel auf den Ton an, in welchem man spricht. Komm mit herein!«

Wir beide traten in das Innere des Hauses, wozu wir bis jetzt niemand die Erlaubnis gegeben hatten, natürlich dem Besitzer schon gar nicht. Der Anwalt kannte die Oertlichkeit. Er tappte im Finstern voran und stieß dann eine Türe auf. Diese führte in eine kleine Stube, welche einen Tisch und einige Holzstühle enthielt. Längs der einen Wand lag ein langes Polster für diejenigen Personen, welche beliebten, sich nach orientalischer Weise zu setzen.

Auf dem Tisch stand eine Tonlampe, und neben demselben saß ein altes Weib.

»Das ist die Frau,« sagte mein Begleiter.

Ihr Gesicht war ängstlich auf uns gerichtet. Ich trat zu ihr, ließ den Gewehrkolben dröhnend auf den Boden niederfallen und fragte in meinem barschesten Ton:

»Jaschly kaftani senin kodschanün werde – wo ist der alte Kaftan deines Mannes?«

Wenn sie bereit gewesen war, zu leugnen, so hatte mein Ton sie ganz verblüfft; denn sie antwortete, nach einer zweiten Türe deutend:

»Sandykda – in der Kiste.«

»Onu getir – bringe ihn!«

Sie ging zu dieser Türe hinaus. Ich hörte einen Holzdeckel klappern, dann kam sie wieder und brachte das geforderte Kleidungsstück. Ich nahm es ihr aus der Hand und entfaltete es. Ein Stück des linken Brustteiles fehlte, und als ich den abgerissenen Fetzen aus der Tasche zog und an den Riß legte, paßte er ganz genau an die Stelle. Die Frau beobachtete unsere Bewegungen mit angstvollen Blicken. Sie war ganz sicher in alles eingeweiht.

»Getir aktscheji – bringe das Geld,« befahl ich ihr in demselben barschen Ton.

»Ne asl aktscha – welches Geld?« fragte sie zögernd.

»Dasjenige, welches dein Mann vorhin von dem Mübarek bekommen hat. Wo ist es? Schnell!« antwortete der Anwalt.

Er gab sich dabei Mühe, einen eben solchen Ton anzunehmen, wie der meinige gewesen war. Sie wurde auch wirklich so eingeschüchtert, daß sie zitternd gestand:

»Auch in der Kiste.«

»Her damit!«

Sie ging wieder in die dunkle Kammer, aber diesmal dauerte es länger bis sie zurückkehrte. Das Geld war tief in der Kiste versteckt worden. Man hatte es in ein altes, zerrissenes Turbantuch gewickelt. Der Anwalt zählte es, und es stimmte auf die Summe, welche die Pflanzensucherin mir genannt hatte.

»Was soll damit geschehen?« fragte er.

»Das mußt du wissen,« erwiderte ich.

»Ich konfisziere es.«

»Natürlich. Du hast es dem Obergericht einzusenden.«

»Gewiß, und das soll geschehen, sobald der Morgen ange-brochen ist. Gehen wir nun wieder hinaus?«

»Nein; ich habe erst noch ein Wort mit dieser Frau zu re-den, der es sehr schlimm ergehen wird, wenn sie mir die Wahrheit nicht sagt. Die Bastonnade ist für ein Weib in die-sem Alter eine lebensgefährliche Sache.«

Da sank sie auf den Boden nieder, hob die Hände empor und rief:

»Nicht die Bastonnade, nicht die Bastonnade, großer, be-rühmter, gnädiger Effendi! Ich sehe ja, daß alles verraten ist, und werde keine Unwahrheit sagen.«

»So stehe auf! Man darf nur vor Allah knien. Nicht wahr, dein Gemahl hat die vier Männer fliehen lassen?«

»So ist es.«

»Und ihnen dazu seine Rappen gegeben?«

»Ja, alle vier.«

»Wo sind sie hin?«

»Nach – nach – – nach Radowitsch.«

Da sie stockte, vermutete ich, daß sie jetzt nur teilweise ge-stand. Darum gebot ich ihr:

»Sage alles! Warum verschweigst du mir die übrigen Orte? Wenn du nicht aufrichtig bist, werde ich dennoch die Bank hereinbringen und dich von den Mägden peitschen lassen müssen.«

»Herr, ich will es sagen. Sie sind nach Radowitsch und wol-len von da weiter nach Sbiganzy.«

»Etwa zum Fleischer Tschurak, der dort wohnt?«

»Ja, zu diesem.«

»Und dann nach der Schluchthütte?«

»Herr, du kennst sie?«

»Antworte!«

»Ja, sie wollen dorthin.«

»Und dann weiter?«

»Das weiß ich nicht.«

»Was wollen sie dort?«

57

»Auch das habe ich nicht erfahren. Mein Mann sagt mir solche Dinge nicht.«

»Aber er kennt den Schut?«

»Vielleicht; ich weiß es nicht.«

»Er hat aber mit dem alten Mübarek stets Heimlichkeiten getrieben?«

»Was sie getrieben haben, das erfuhr ich nie; aber er war oft oben auf dem Berg, und der Mübarek kam des Nachts zu uns.«

»Hast du die Gefangenen heute betrachtet?«

»Ich habe sie gesehen.«

»Kanntest du sie?«

»Nur einen von ihnen, der früher zuweilen hier war.«

»Welchen? Wohl Manach el Barscha?«

»Ich weiß seinen Namen nicht. Er ist Einnehmer der Charadschsteuer in Uesküb gewesen.«

»So war er es. Was weißt du sonst noch von dieser Angelegenheit?«

»Nichts, gar nichts, Effendi. Ich habe dir alles gesagt, was ich selbst weiß.«

»Ich sehe dir an, daß du die Wahrheit sprichst, darum will ich dich nicht weiter quälen. Aber vielleicht hast du schon einmal den Namen ›Aladschy‹ gehört?«

»Auch nicht.«

»Effendi,« meinte der Anwalt, »was ist's denn mit diesen?«

»Kennst du sie?«

»Nein, aber ich hörte von den beiden reden.«

»Also zwei sind es? Was hast du über sie vernommen?«

»Es sind die schlimmsten Skipetaren, die es gibt; zwei Brüder in riesiger Gestalt, deren Kugeln niemals fehl gehen und deren Messer stets die Stelle treffen, nach welcher sie gerichtet sind. Ihre Heiduckenbeile sollen entsetzliche Waffen sein. Sie schleudern dieselben so weit, wie eine Kugel fliegt, und treffen damit so sicher den Nacken desjenigen, dem sie den Wirbel brechen wollen, als ob der Scheïtan selbst die Beile geworfen habe. Und auch im Gebrauch der Schleuder hat es ihnen noch niemand gleich getan.«

»Wo ist ihr Aufenthalt?«

»Sie sind überall, wo es gilt, einen Mord oder Raub zu verüben.«

»Waren sie schon einmal hier?«

»In Ostromdscha selbst noch nicht, aber in der Umgegend. Erst kürzlich sollen sie in der Gegend von Kodschana gesehen worden sein.«

»Das ist ja gar nicht weit von hier. Ich glaube, man muß diesen Ort wohl ungefähr in fünf Stunden zu Pferd erreichen können.«

»Es scheint, daß du unsere Gegend sehr genau kennst?«

»O nein, ich schätze nur so ungefähr. Woher die beiden Brüder stammen, weißt du wohl nicht?«

»Man sagt, sie seien oben von Kakandelen her, von den Bergen des Schar Dagh herab, wo die eingefleischten Skipetaren wohnen.«

»Und warum nennt man sie Aladschy?«

»Weil sie zwei Schecken reiten, Pferde, welche den Teufel ebenso im Leib haben, wie ihre Herren. Sie sollen am dreizehnten Tag des Monats Moharrem geboren sein; das ist der Tag, an welchem der Teufel aus dem Himmel verstoßen wurde. Ihre Herren geben ihnen täglich ein vollgeschriebenes Blatt des Kuran im Futter zu fressen; darum sind sie unverwundbar, schnell wie der Blitz, gegen jede Krankheit gefeit und tun niemals einen Fehltritt.«

»O wehe! Dann kann es mir schlimm ergehen.«

»Warum?«

»Der Mübarek hat diese Aladschy herbeigerufen, damit sie mir auflauern und mich töten.«

»Woher weißt du das?«

»Diejenige Person, welche oben an der Hütte alles erlauschte, hat es gehört.«

»Und du glaubst es?«

»Vollkommen.«

»Es läßt sich auch glauben, weil die beiden Unholde in unserer Nähe gesehen worden sind. Effendi, nimm dich in acht! Dreißig Männer wie du vermögen nichts, gar nichts gegen diese zwei Skipetaren. Wenn sie dich erwischen, so bist du verloren. Ich meine es gut mir dir.«

»Nimm meinen Dank für deine Teilnahme; aber ich fürchte sie nicht!«

»Herr, überhebe dich nicht!«

»Nein, das tue ich sicher nicht; aber ich habe einen Beschützer bei mir, auf welchen ich mich verlassen kann.«

»Wer ist denn dieser Beschützer?«

»Der kleine Hadschi, welchen du gesehen hast.«

Der Mann machte ein sehr langes Gesicht, zog die Brauen empor und sagte:

»Der? Dieser Knirps!«

»Ja, doch du kennst ihn nicht.«

»Wahrlich, die Peitsche versteht er vortrefflich zu führen; aber was tut man mit der Karbatsche gegen so gewaltige Helden!«

»Du meintest, dreißig Männer meiner Art hätten sich vor den beiden Schecken zu fürchten; aber ich sage dir, daß fünfzig solcher Burschen, wie sie sind, nichts, gar nichts gegen meinen kleinen Hadschi Halef vermögen. Ich stehe unter seinem Schutz und brauche keinen Feind zu scheuen. Das weiß ich ganz genau.«

»Wenn du das denkst, so ist dir freilich nicht zu helfen, und du bist verloren.«

»O nein! Du mußt wissen, daß der Hadschi täglich nicht nur ein Blatt, sondern eine ganze Sure des Kuran verspeist. Darum würde selbst eine Kanonenkugel von seinem Leibe abprallen. Er ist stich-, hieb- und kugelfest. Um das zu probieren, hat er bereits Messer, Bajonette, Pulver und Zündhölzer verschluckt, und doch ist ihm dies alles so gut bekommen, als ob er einen fetten Pillaw genossen hätte.«

Er schaute mir mit ernstem, forschendem Blick in das Gesicht und fragte nach einer Pause des Ueberlegens:

»Effendi, du scherzest wohl?«

»Ebensowenig, wie derjenige gescherzt hat, welcher zum erstenmal erzählte, daß die Pferde der beiden Skipetaren unverwundbar seien.«

»Aber es ist doch nicht zu glauben!«

»Ich glaube es auch von den Pferden nicht.«

»O, das ist etwas ganz, ganz anderes!«

»Es ist dasselbe.«

»Nein, Herr. Ein Blatt des Kuran ist für ein Pferd nicht gefährlich, es wird leicht verdaut; aber Messer und Bajonette verschlingen! Und gar Pulver und Zündhölzer dazu! Das muß ja den Kerl auseinander platzen machen.«

»Nun, einen kleinen Knall hat es zwar gegeben, aber derselbe verlief sich innerlich, und auch das wäre nicht geschehen, wenn er zwei Suren gegessen hätte – statt nur eine.«

»Herr, es ist mir unbegreiflich, aber der Prophet sitzt im siebenten Himmel, und seiner Macht ist alles möglich. Ich werde mir diesen wunderbaren Hadschi einmal genauer betrachten, als bisher.«

»Tue das! Ich bin überzeugt, daß er sich sogar vor hundert Skipetaren nicht fürchtet.«

»Darf ich es einmal probieren?«

»Wie willst du es anfangen?«

»Ich werde mich mit der Pistole hinter ihn schleichen und es versuchen, ihm eine Kugel heimlich in den Kopf zu schießen.«

»Tue das,« antwortete ich ebenso ernsthaft, wie er es mit seiner Probe meinte.

»Und du denkst, daß er gar nichts merken werde?«

»Nun, merken wird er es schon, denn so heimlich geht die Sache doch nicht ab. Wenn die Kugel von dem Kopf abprallt, so fühlt er es dennoch, das kannst du dir ja denken.«

»Allerdings.«

»Und dann befürchte ich, daß es dir nicht gut bekommen werde.«

»Wieso?«

»Die anprallende Kugel würde wahrscheinlich dich selbst verwunden.«

»Herr, das ist freilich recht gut möglich.«

»Und selbst wenn dies nicht geschehen sollte, so steht doch mit Sicherheit zu erwarten, daß der zornige Hadschi dir sein

Messer irgendwohin stößt, wo es deiner Gesundheit nicht zuträglich ist.«

»Weshalb sollte er sich so erzürnen?«

»Ueber deinen Unglauben. Er sieht es überhaupt nicht gern, daß man ohne seine spezielle Erlaubnis dergleichen Proben mit ihm anstellt.«

»So möchte ich es lieber ganz lassen oder wenigstens ihn um Erlaubnis fragen.«

»Tue das!«

»Meinst du, daß er sie mir gibt?«

»Ja, wenn nämlich ich deinen Wunsch befürworte.«

»Tue das, ich bitte dich darum.«

»Ich werde mit ihm sprechen; jetzt aber haben wir wichtigere Dinge vor. Bist du nun von der Schuld des Kodscha Bascha überzeugt?«

»Vollständig.«

»So gebe ich denselben in deine Hand. Auch der beiden Knechte mußt du dich bemächtigen, denn sie haben ihm geholfen. Was mich betrifft so mag ich mit der Sache nichts weiter zu tun haben.«

»Herr, wie soll ich ohne dich fertig werden?«

»Das mußt du selbst wissen, weil du ja der Kasa-Mufti bist. Indem der Padischah dir dieses wichtige Amt verleihen ließ, hat er dir dazu die nötigen Fähigkeiten zugetraut, und ich denke, daß du sein Vertrauen nicht täuschen wirst.«

»O nein, gewiß nicht. Ich werde ein sehr strenger und gerechter Richter sein. Soll ich auch diese Frau arretieren?«

»Nein, sie hat ihrem Mann gehorchen müssen. Das Weib besitzt keine Seele, es kommt nicht in die höheren Himmel des Paradieses; folglich soll es auch nicht bestraft werden für die Sünden, welche der Mann begeht.«

Das klang so freundlich in die Ohren der Alten, daß sie die herabhängenden Fransen meines Gürtelshawls ergriff und an ihre Lippen drückte. Ihren Dankesworten entzog ich mich, indem ich mich schnell entfernte.

Der ›Anwalt des Staates‹ folgte mir nach, den Kaftan in der Hand und das Geld in der Tasche tragend. Ich bin überzeugt, daß er es von diesem Augenblick an als sein rechtmäßiges Eigentum betrachtet hat. Ja, vielleicht hat er nach meiner Entfernung die kluge Behauptung aufgestellt, daß ich es zu mir genommen hätte.

Draußen hatte man auf uns gewartet, da indessen Andere angekommen waren, nämlich die Helden, welche sich unter dem Befehl der beiden Wirte aufgemacht hatten, um den Flüchtigen einen Hinterhalt zu legen. Ich war sehr neugierig, zu erfahren, was sie ausgerichtet hatten. Natürlich nichts, denn sonst hätten sie ja die Halunken jetzt mitgebracht.

Ibarek trat auf mich zu und fragte, zu meinem stillen Vergnügen, in ganz ernsthaftem Ton:

»Effendi, ihr habt sie nicht?«

»Nein, wie du hier wohl bereits erfahren haben wirst.«

»Wir auch nicht.«

»So! Dann brauchen wir uns wenigstens gegenseitig nichts vorzuwerfen.«

»Gewiß nicht. Wir alle haben unsere Pflicht getan.«

»Nun, wie habt ihr es denn angefangen, eure Pflicht zu tun?«

»Wir sind ausgezogen und haben ihnen aufgelauert.«

»Mein Lieber, das versteht sich ja ganz von selbst, denn das hatte ich dir aufgetragen. Was hast du aber unternommen, um diesen Auftrag auszuführen?«

»Wir beide haben die Nachbarn zusammengeholt und sind dorthin gelaufen, wo du uns hingeschickt hattest.«

»Das ist sehr schön von euch, sehr schön! Ich muß dich loben. – Weiter!«

»Jetzt kommen wir wieder.«

»So! Das sehe ich beinahe. Ist nichts passiert?«

»Nein, Effendi.«

»Auch das ist gut, denn sonst hätte vielleicht gar etwas passieren können. Wie viele Männer hattest du denn bei dir?«

»Wir waren zwölf.«

»Das hätte genügt: Zwölf gegen vier.«

»Und bewaffnet waren wir auch. Wir hätten alles niedergeschossen und niedergestochen.«

»Ja, ich weiß gar wohl, daß Ostromdscha berühmt ist wegen seiner tapferen Bewohner.«

»O, auch die Umgegend!« meinte er.

»Ja wohl! Du bist ja aus derselben. Hat sich denn nichts sehen oder hören lassen?«

»O doch! Mehreres.«

»Was denn? Berichte nur!«

»Wir sahen das Feuer und freuten uns natürlich sehr darüber.«

»Ah! Warum?«

»Weil wir glaubten, ihr hättet die Diebe in der Hütte verbrannt.«

»Nein, so übermäßig tapfer bin ich nicht; übrigens befanden sie sich gar nicht in der Hütte.«

»Dann sahen wir Leute mit einer Fackel durch die Büsche kommen.«

»Das war ich mit meinen Freunden.«

»Dann hörten wir euch rufen und schimpfen.«

»Erkanntet ihr nicht die Stimmen?«

»Sehr wohl. Erst rief der alte Mübarek zu euch hinauf, und dann brüllte dein Hadschi von oben herunter.«

»Also hast du gewußt, daß es der Mübarek war?«

»Natürlich. Wir alle erkannten seine Stimme.«

»So mußtet ihr ihn und seine Begleiter aufhalten.«

»Das ging ja nicht.«

»Doch, sehr leicht. Ihr seid tapfere Leute.«

»Wir durften aber nicht.«

»Warum nicht?«

»Das wäre ja gegen deinen Befehl gewesen.«

»Wie? Was? Inwiefern?«

»Du hattest uns befohlen, ihnen die Straße zu verlegen, und das haben wir auch getan.«

»Weiter!«

»Sie waren aber so klug, nicht auf der Straße zu reiten, sondern über die Brache, welche zwischen der Straße und dem Fluß liegt.«

»Und ihr begabt euch nicht dorthin?«

»Nein. Durften wir unsern Posten verlassen? Ein tapferer Mann hält da, wohin man ihn gestellt hat, bis zum Tode aus.«

Er sagte das in stolzem Selbstbewußtsein und blickte mich so herausfordernd an, als ob er ein ganz besonderes Lob erwartet hätte. Es ist höchst wahrscheinlich, daß ich in diesem Augenblick kein sehr geistreiches Gesicht gemacht habe, denn Halef gab mir einen Stoß und flüsterte mir zu:

»Sihdi, mach' den Mund zu. Willst du einen so wackeren Kerl verschlingen?«

Ich war allerdings über die sonderbare Logik einer solchen Verteidigungsrede etwas verblüfft geworden. Und war das ein Wunder? Was soll man mit solchen Leuten machen? Tadeln? Nein. Loben? Noch weniger. Glücklicherweise erschien ein Retter in der Not, nämlich der Anwalt. Diesen – als obrigkeitlichen Leiter der Angelegenheit – hätte der Bericht des tollkühnen Gastwirtes und Herbergsvaters auf das höchste interessieren sollen; aber er hatte gar nicht darauf gehört, sondern ohne Unterlaß den Hadschi betrachtet. Jetzt schob er sich zwischen diesen und mich und sagte leise:

»Effendi, jetzt ist es wohl die beste Zeit!«

»Wozu?«

»Zu deiner Fürsprache bei dem Hadschi, welche du mir versprochen hast. Oder willst du dein Wort nicht halten?«

War das zum Aergern oder zum Lachen? Der gute ›Staatsanwalt‹ interessierte sich viel mehr für die Kugelfestigkeit des Hadschi als für den ihm übergebenen Kriminalfall.

»Am Morgen, wenn wir ausgeschlafen haben, nicht jetzt,« antwortete ich ihm. »Jetzt hast du deine Pflicht zu tun.«

»Wie denn?«

»Dort steht der Kodscha Bascha, und hier hast du den Kaftan am Arm.«

»Ich soll ihm denselben zeigen?«

»Natürlich! Auch das Geld hast du. Diese Leute warten alle darauf, daß er überführt wird, und du zögerst noch? Es scheint nicht, daß du deiner Pflicht genügen willst.«

»O doch, Effendi! Du sollst sogleich erfahren, wie ernst und streng ich mich dieses wichtigen Falles annehmen werde.«

»Ich hoffe es und werde ja wohl hören.«

Die Mägde waren beordert worden, wieder einige der bereits erwähnten Feuer anzuzünden, und so war der Hof wenigstens so weit erleuchtet, daß man die Gestalten zu erkennen vermochte.

Der Anwalt trat vor und rief:

»Ihr Söhne des Kuran und Kinder des wahren Glaubens, ich stehe hier an Stelle des Padischah, dem Allah einst die Freude des Paradieses verleihen möge. Ich habe euch zu verkündigen, daß der Kodscha Bascha überführt ist. Wir haben seinen Kaftan gefunden, aus welchem der fremde Effendi ein Stück gerissen hat. Er wird dem Kodscha Bascha zwar nach dem Wortlaut des Gesetzes den Kaftan bezahlen müssen, was er sehr gern tun wird, denn er ist reich, und das Geld kommt in die Kasse des Gerichtes« – – das sollte natürlich eigentlich heißen, in seinen eigenen Beutel – – »aber er hat damit glänzend bewiesen, daß der Kodscha Bascha oben auf dem Berg gewesen ist. Auch das Geld haben wir gefunden, welches der Bascha erhalten hat, um die vier Halunken frei zu lassen. Ebenso erfuhren wir, daß er ihnen seine vier Pferde zur Flucht gegeben hat. Es ist also kein Zweifel mehr an seiner Schuld, und so frage ich dich denn, edler Effendi, wie viel du für den Kaftan bezahlen willst?«

»Allah akbar – Gott ist groß!« rief Halef neben mir.

Ich war natürlich nicht weniger erstaunt als er. Ich hatte unbedingt als nächste Folge dieser Beweisführung erwartet, daß der Kodscha Bascha als gefangen erklärt würde; anstatt dessen aber war die Wirkung die, daß ich den elenden Kaftan bezahlen sollte. Ich antwortete laut:

»Zu meiner Freude höre ich, o Kasa-Mufti, daß deine Gerechtigkeit ebenso groß wie dein Scharfsinn ist. Darum frage ich dich, wer eigentlich den Kaftan zerrissen hat.«

»Doch du, Effendi!«

»O nein!«

»Herr, ich erstaune! Es ist ja bereits erwiesen und uns allen bekannt.«

»Ich bitte dich um die Güte, mich anzuhören.«

»So sprich!«

»Ist es erlaubt, einen Mann, welcher auf den Weg des Verbrechens geht, anzuhalten?«

»Ja, das ist sogar die Pflicht eines wahren Gläubigen.«

»So kann ich doch nicht dafür bestraft werden, daß ich den Kodscha Bascha festhalten wollte!«

»Dafür nicht.«

»Und weiter habe ich nichts getan.«

»O doch! Du hast ihm den Kaftan zerrissen.«

»Nein. Ich forderte ihn auf, still zu stehen, und hielt ihn am Kaftan fest. Wäre dieses Kleid zerrissen, wenn sein Besitzer stehen geblieben wäre?«

»Sicherlich nicht.«

»Ist er aber stehen geblieben?«

»Nein, er entsprang.«

»Wer also hat den Kaftan zerrissen?«

Es dauerte eine Weile, ehe er antwortete:

»O Allah! Das ist eine schwierige Frage. Ich möchte über dieselbe weiter berichten.«

»Das ist nicht nötig. Deine Gerechtigkeit reicht aus, um diese Frage zu beantworten.«

»So will ich es mir überlegen.«

»Dazu habe ich keine Zeit und auch keine Lust. Ich gebe zu, daß der Kaftan zerrissen worden ist, und – –«

»O,« unterbrach er mich, »du gibst es zu? So sind wir ja fertig, du bezahlst ihn.«

»Warte noch! Ich frage dich: Ist das Stück aus dem Kaftan gerissen worden, oder ist der Kaftan von dem Stück weggerissen worden? Ich stand still und hielt fest; der Bascha aber riß sich und den Kaftan los.«

Der ›Staatsanwalt‹ blickte sinnend zur Erde, dann rief er laut:

»Hört, ihr Einwohner von Ostromdscha, ihr sollt erfahren, wie gerecht eure Richter sind. Ich entscheide im Namen des Gesetzes, welches im Kuran enthalten ist, daß der Kaftan von dem Stück losgerissen worden ist. Seid auch ihr derselben Meinung?«

Ein vielstimmiges »Ja« antwortete.

»So sollst du mir, Effendi, noch eine Frage beantworten. Du solltest den Kaftan bezahlen, weil wir meinten, daß du ihn zerrissen hättest. Meinst du nicht, daß ihn überhaupt derjenige zu bezahlen hat, welcher ihn zerriß?«

»Ganz gewiß!« antwortete ich, innerlich erfreut über diese unglaubliche Wendung, denn ich ahnte seine Absicht.

»Wer aber hat ihn zerrissen?«

»Der Kodscha Bascha.«

»Wer also hat ihn zu bezahlen?«

»Er selbst.«

»Und wohin kommt das Geld?«

»In die Kasse des Gerichtes.«

»Und wie viel muß er zahlen?«

»So viel, wie der Kaftan im unzerrissenen Zustand wert gewesen ist.«

»So ist's richtig. Du sollst ihn nun selbst taxieren. Wie hoch schätzest du ihn?«

»Er war sehr alt und schmierig; ich würde nicht mehr als fünfzehn Piaster dafür bieten.«

»Effendi, das ist zu wenig!«

»Er war nicht mehr wert.«

»Was sind fünfzehn Piaster für eine Kasse des Padischah!«

»Der Padischah nimmt auch die kleinsten Beträge an.«

»Du hast vollkommen recht. Aber ist es eines Kodscha Bascha würdig, einen solchen schmierigen Kaftan zu tragen?«

»Wohl kaum.«

»Gewiß nicht. Die Würde seines Amtes erfordert, daß er einen sehr guten langen Rock trägt, und es sollte ein neuer sein. Wie viel aber kostet ein neuer Kaftan?«

»Ich habe im Bazar von Stambul solche Kleidungsstücke zum Preis von dreihundert und auch fünfhundert Piaster gesehen.«

»Das sind noch lange nicht die teuersten. Ein Kaftan für dreihundert Piaster mag einem armen Basch Kiatib genügen; ein Kodscha Bascha aber muß wenigstens einen zu fünfhundert Piaster haben. Meinst du nicht?«

»Ich stimme dir bei.«

»Soll ich nun den Kodscha Bascha nach seinem Rang oder nach demjenigen eines Basch Kiatib taxieren und bestrafen?«

»Nach seinem eigenen.«

»So erteile ich ihm hiermit einen strengen Verweis, daß er seines Amtes so wenig geachtet hat, einen solchen schmierigen Kaftan zu tragen, und verurteile ihn, seiner Würde gemäß, zur Bezahlung eines neuen im Preis von fünfhundert Piaster. Wenn er das Geld nicht bar hat, so werde ich die Summe an seinem Eigentum pfänden und sie an die Kasse abführen. Das habe ich bestimmt und verordnet auf Grund des heiligen Kuran, der unsere Richtschnur ist. Und nun soll der Kodscha Bascha nebst seinen beiden Knechten gefangen genommen und eingesperrt werden. Die Strenge des Gesetzes wird ihn zermalmen.«

Der Bascha erhob kreischend Widerspruch. Ich aber hatte genug; ich mochte nichts mehr hören, kein Wort. Ich winkte meinen drei Gefährten und entfernte mich. Die beiden tapferen Wirte, welche so todesmutig auf ihrem Posten ausgehalten hatten, folgten uns.

Draußen an dem Tore stand eine Frau, welche sogleich auf mich zutrat, als sie mich erblickte. Es war die Nebatja.

»Herr,« sagte sie, »ich habe auf dich gewartet; ich hatte Angst.«

»Um wen? Um mich etwa?«

»O nein. Ich glaube nicht, daß dir etwas Böses widerfahren kann; aber ich sorgte mich um mich selbst.«

»Warum?«

»Ich fürchte die Rache der Herren vom Gericht. Hast du es verraten daß ich dir alles mitgeteilt habe?«

»Nein, kein Wort.«

»Ich danke dir! So kann ich also ruhig sein?«

»Ganz ruhig. Ich werde auch noch anderweit dafür sorgen, daß deine Not ein Ende hat. Wenn es Tag geworden ist, besuche ich dich.«

»Effendi, du bist mir hoch willkommen, denn dein Erscheinen ist mir wie der Aufgang der Sonne gewesen. Allah gebe dir einen ruhigen Schlaf und glückliche Träume!«

Sie ging von dannen. Da aber dachte ich an etwas, was mir schon da oben auf dem Berg in den Sinn gekommen war. Ich rief sie zurück und fragte: »Kennst du die Pflanze, welche Hadad (Bocksdorn) genannt wird?«

»Ja, sehr gut. Sie ist dornig und hat bittere Beeren von der Gestalt des Pfeffers.«

»Wächst sie hier?«

»Hier nicht, aber gegen Banja hin.«

»Schade! Ich brauche Blätter dieser Pflanze.«

»Die kannst du bekommen.«

»Von wem denn?«

»Von dem Apotheker, welchem ich Bocksdorn habe holen müssen.«

»Gegen welche Krankheiten verwendet er sie?«

»Als Pflaster gegen Geschwüre. Die Abkochung hilft gegen kranke Ohren und faules Zahnfleisch, gegen das Dunkel der Augen und das Schrunden der Lippen.«

»Ich danke dir! Ich werde mir davon kaufen.«

»Soll ich es dir bringen, Effendi?«

»Nein, ich hole es selbst.«

Die Pflanze hat eine eigenartige Wirkung, welche ich an mir in Anwendung bringen wollte. Nur war ich ungewiß, ob ich dieser Wirkung auch trauen dürfe.

Auf dem Heimweg erzählten die beiden Wirte viel von den Heldentaten, die sie getan hätten, wenn die vier Gesuchten ihnen in den Weg gekommen wären. Ich achtete nicht auf ihr Geschwätz. In unserer Herberge angekommen, stieg ich mit Halef hinauf in unsere Kammer; allein es wurde uns nicht leicht, sofort einzuschlafen. Der verflossene Tag war ein so einflußreicher gewesen, daß der aufgeregte Geist nur schwer zur Ruhe kam.

»Sihdi,« sagte der Hadschi, »wie lange werden wir hier bleiben?«

»Ich habe gar keine Lust, in diesem Nest länger zu verweilen als unbedingt notwendig ist.«

»Ich auch nicht, Sihdi. Ich habe einen Ekel gegen diese Menschen bekommen. Wollen wir nicht am liebsten schon morgen fortreiten?«

»Morgen? Du meinst doch heute, denn der Morgen ist schon nahe, woran ich gar nicht gedacht habe. Schlafen wir aus; dann besuche ich die Nebatja, nachher reiten wir fort.«

»Wenn man uns nicht zwingt, zu bleiben!«

»Ich lasse mich nicht halten.«

»War es recht, daß ich dem Kodscha Bascha die Nilhautpeitsche zu kosten gab?«

»Hm!«

»Oder hätten wir seine Beleidigung etwa ruhig hinnehmen sollen?«

»Nein; in dieser Beziehung gebe ich dir recht. Er hatte die Hiebe redlich verdient.«

»Ein Anderer ebenso!«

»Wen meinst du, Halef?«

»Diesen Kasa-Mufti. Er ist ein Halunke wie der andere. Wie wollte ich mich freuen, wenn du mir erlauben würdest, auch ihm meine Karbatsche fühlen zu lassen!«

»Lieber Halef, du bist ganz auf deine Peitsche versessen; aber bedenke, daß das seine großen Gefahren hat.«

»Herr, sind wir beide dazu geschaffen, diese Gefahren zu fürchten?«

»Ja, bisher hast du stets Glück gehabt.«

»Und werde es auch weiter haben.«

»Auch wenn ich nicht mehr bei dir bin? Es ist mir immer gelungen, dich los zu machen, wenn du dich mit der Peitsche verwickelt hattest. Später ist das nicht mehr möglich.«

»Sihdi, daran mag ich gar nicht denken. Wenn ich von dir scheiden soll, so können sie nur getrost kommen und mich selbst zu Tode peitschen; ich gebe keinen Laut von mir.«

»Und dennoch mußt du dich mit diesem Gedanken von Tag zu Tag vertrauter machen. Einmal muß doch geschieden sein. Dich ruft deine Heimat und mich die meinige, und leider liegen beide so weit entfernt voneinander, daß wir uns trennen müssen.«

»Für immer?«

»Höchst wahrscheinlich.«

»So willst du nie wieder nach Arabien kommen?«

»Was ist des Menschen Wille? Ein Hauch gegen Gottes Ratschluß.«

»So werde ich zu Allah flehen, daß er dich zwingt, wieder zu kommen. Was hast du denn daheim? Nichts, gar nichts, keine Wüste, keine Kamele, nicht einmal Datteln und armselige Koloquinten, die kein Schakal fressen mag.«

»Ich habe mehr als du – Eltern und Geschwister.«

»O, ich habe meine Hanneh, die Zierde der Frauen und Mädchen. Wo aber hast du eine Hanneh? Welches Mädchen bekommst du daheim, wo du fremd geworden bist? Bei den Beni Arab aber kannst du wählen und dir die schönste holen – – außer meiner Hanneh. Es mag in deiner Heimat schön sein, aber eine Wüste ist sie doch nicht. Bedenke doch: du darfst nicht einmal einen Menschen, der dich beleidigt, mit der Peitsche schlagen, denn sonst geht er zum Kadi, und du wirst eingesperrt oder mußt fünfzig Piaster Strafe bezahlen. Ich daheim würde sogar den Kadi prügeln, wenn er das verlangte. Und was für Sachen mußt du essen! O Allah!«

»Davon weißt du nichts.«

»O, einiges hast du mir gesagt, und vieles habe ich mir in Stambul über deine Heimat erfragt. Da gibt es Kartoffeln, zu denen ein kleiner Fisch verschlungen wird, den nur diejenigen essen sollen, welche vom Raki betrunken worden sind. Ferner rote Rüben und Pilze, deren Gift die Eingeweide zerfrißt. Sodann Austern, die den Schnecken gleichen, und wer wird eine Schnecke essen? Auch sollt ihr Krebse verspeisen, die von toten Kröten leben, und dazu gar den Unrat von Schnepfen. Das muß ein ganz entsetzliches Leben sein! Ueberdies fahrt ihr auf der Eisenbahn in Käfigen, in denen man nicht aufrecht stehen kann, und wenn ihr einander anschaut, müßt ihr den Hut vom Kopfe nehmen und euer Haupt beschimpfen. Wenn Einer bei dem Andern wohnt, so muß er dafür einen großen Mietzins bezahlen, und wer nach Allahs Gebot fleißig ist, um die Seinen zu ernähren, dem verlangt man eine Gewerbesteuer ab. Ist es zu kalt bei euch, so müßt ihr den Hunden Maulkörbe anlegen, und ist's zu warm, so kommt gar noch ein Strick dazu. Als wenn das gegen die Hitze oder gegen das Erfrieren helfen sollte! Wenn bei euch eine Frau ihr Schnupftuch fallen läßt, so müssen alle Männer springen, um es ihr aufzuheben; will aber ein Mann seine Pfeife rauchen, so muß er die Frauen erst um Erlaubnis bitten. Eure Weiber tragen Kleider, die oben zu kurz und unten zu lang sind, und eure Jünglinge stecken Ringe an die Finger wie die Frauen, und teilen sich den Haarwuchs hinten ab, daß man meint, der Kopf habe einen Riß bekommen. Wenn eure Leute sehen wollen, welche Zeit es ist, so starren sie die Kirchtürme an; wenn aber ein Prieser verlangt, daß ihr nach Allahs Willen leben sollt, so wird er Pfaff geschimpft. Wenn einer bei euch den Schnupfen hat und niest, was doch ein Zeichen der Besserung und Erleichterung ist, so ruft ihr ihm ein Helf Gott! zu; wenn er aber hustet, weil er die Schwindsucht hat, so schweigt ihr, obgleich sie weit gefährlicher als der Schnupfen ist. Eure Kinder werden in der Wiege seekrank geschaukelt, wozu die Mutter Eia poppei singt; eure Jungfrauen treiben mit dem Schnürleib den Selbstmord als Belustigung. Eure Jünglinge hängen sich Brillen von Fensterglas auf die Nase, und eure Männer studieren, statt den Kuran, das Kartenspiel bei Tag und bei Nacht. Wer bei euch einmal fröhlich sein will, der trägt die Kleider und Betten zum Pfandleiher und springt dann wie ein Unsinniger auf dem Tanzboden herum. Sage mir, ob es in einem solchen Land schön sein kann? Sage mir, ob du dich wirklich sehnen kannst, dort zu sein? Sage es mir aufrichtig, Sihdi!«

Der kleine, brave Hadschi hatte keine gute Vorstellung von dem Abendland. Aber was sollte ich ihm antworten? Wenn er auch übertrieb und manches wohl falsch verstanden hatte, so konnte ich ihm im ganzen doch nicht unrecht geben.

»Nun, was sagst du dazu?« wiederholte er, als ich nicht gleich antwortete.

»Von dem, was du sagst, ist vieles falsch. Ferner paßt alles auf sämtliche Länder des Westens, auf mein Vaterland aber wohl am wenigsten. Die Bildung bringt vieles mit sich, was eigentlich nicht zu loben ist, und – –«

»So danke ich für die Bildung, welche nichts Gutes bringt. Meine Bildung besteht darin, daß ich Allah gehorche, dich, meinen Herrn und Freund, liebe und einem jeden Schurken meine Peitsche zeige. Sobald ich die Gegend erreiche, in welcher die Bildung und der Branntwein beginnt, kehre ich um.«

»So würdest du mich also nicht weiter begleiten?«

»Dich? Hm! Ja, wenn ich bei dir sein könnte, und meine Hanneh bei mir hätte, dann würde ich bleiben, mich aber um das Andere niemals kümmern. Wie lange Zeit brauchen wir denn noch, bis wir dieses Gebiet erreichen?«

»Nun, wir hätten, wenn wir durch nichts aufgehalten würden, kaum länger als noch eine Woche zu reiten, bis wir an das Meer gelangen.«

»Und dann?«

»Dann kommt die Trennung.«

»O Sihdi, so schnell?«

»Leider! Du fährst mit dem Schiff nach Stambul und Aegypten, um von da zum Stamm deiner Hanneh zu gehen, und ich reise nach Norden, nach dem Land, dessen Verhältnisse dir so wenig gefallen, welches du aber lieben würdest, wenn du Gelegenheit gehabt hättest, es kennen zu lernen.«

»So schnell hatte ich es mir nicht gedacht; aber ich denke, daß ich noch einen Trost haben darf.«

»Welchen?«

»Daß wir hier nicht so rasch vorwärts kommen werden. Diese vier Burschen, welche da vor uns reiten, werden uns noch viel zu schaffen machen.«

»Das meine ich auch, zumal noch die Aladschy dazu kommen.«

»Die Scheckigen? Hast du Neues über sie vernommen?«

Ich erzählte ihm, was ich von dem famosen Staatsanwalt gehört hatte, und erwähnte auch, daß ihn nun der abergläubische Mann für kugelfest halte.

»Sihdi,« sagte Halef, »das kann mir sehr gefährlich werden!«

»O nein.«

»Gewiß! Wie nun, wenn mir dieser Mensch zur Probe eine Kugel in den Kopf jagt?«

»Das wird er unterlassen, denn er hat Angst vor deinem Messer.«

»Das ist wahr. Uebrigens sind wir nicht lange mehr hier, und ich werde mich in acht nehmen; aber Spaß würde es mir doch machen, wenn wir ihn täuschen könnten.«

»Ich habe auch schon daran gedacht. Es könnte das für uns von großem Vorteil sein.«

»Meinst du?«

»Ja. Unsere Feinde lassen gewiß aufpassen, und da hätten wir freilich wohl Nutzen davon, wenn wenigstens einer oder zwei von uns für kugelfest gälten.«

»Ist das nicht zu machen, Effendi?«

Der gute Hadschi war von diesem Gedanken so elektrisiert, daß er sich in seinem Bett aufsetzte.

»Hm! Vielleicht,« erwiderte ich.

»Sage nicht: vielleicht! Ich kenne dich. Wenn du in diesem Tone redest, so hast du stets einen bestimmten Gedanken oder Entschluß gefaßt. Gibt es nicht ein Taschenspielerstück, welches hier anzuwenden wäre?«

»Mehrere sogar.«

»Sage sie mir!«

»Man könnte das Gewehr mit einer dazu gefertigten Patrone laden; aber das taugt nichts, denn es erregt Verdacht.«

»Weiter!«

»Man ladet das Gewehr und zeigt vorher die Kugel vor. Indem man sie in das Pflaster wickelt, läßt man sie in den Aermel fallen und stößt nur das Pflaster in den Lauf. Doch die Kugel kann leicht daneben fallen, und dann ist die Absicht der Täuschung verraten.«

»Das ist auch nichts. Nein, nicht so! Derjenige, welcher auf sich schießen läßt, darf nicht selbst laden. Der Ungläubige muß laden. Er und alle Andern müssen überzeugt sein, daß wirklich eine Kugel in dem Flintenlauf steckt, und sie muß auch tatäschlich darin stecken. Geht das nicht?«

»Vielleicht.«

»Man müßte einen Panzer haben.«

»Das würde der Schall des Aufschlages verraten. Und wie nun, wenn der Panzer nicht gut gearbeitet wäre?«

»O Allah! Da wäre es mit deinem armen, guten Halef vorbei, Sihdi!«

»Ja, freilich, und das darf nicht sein.«

»Dennoch weiß ich, daß du ein Mittel hast; ich sehe es dir an.«

»Ich kenne eines, glaube aber nicht, daß es hier zu haben sein wird.«

»Was ist es?«

»Es gibt zwei Metalle, welche – in den richtigen Mengen miteinander vermischt – eine feste harte Kugel geben, die ebenso wie eine Bleikugel aussieht und auch fast genau so schwer ist. Beim Schuß aber fliegt die Mischung ungefähr zwei Fuß vor der Gewehrmündung in Atomen auseinander.«

»Welche Metalle sind es?«

»Quecksilber und Wismut. Letzteres kennst du nicht; es ist sehr teuer und wird hier wohl kaum zu haben sein.«

»Wo wäre es zu bekommen?«

»Nur in der Apotheke. Ich werde nach unserm Erwachen einmal hingehen.«

»Und bist du auch ganz sicher, daß die Kugel auseinanderfliegt? Sonst wäre es um deinen Hadschi dennoch geschehen.«

»Keine Sorge! Ich würde erst eine Probe machen. Ich habe das Kunststück in einem Zauberbuch gelesen und es dann gleich probiert. Es gelingt ganz vortrefflich.«

»Sind aber dann die Stücke des Metalls nicht zu sehen?«

»Nein. Das Metall zerfliegt in ganz kleine, unsichtbare Teilchen. Viel Effekt würde das Kunststück machen, wenn du eine wirkliche Bleikugel in der Hand hieltest. Beim Schuß tut man dann so, als ob man die aus dem Gewehr kommende Kugel auffangen wolle, und zeigt natürlich statt derselben die andere Kugel vor oder schleudert sie von sich zur Erde.«

»Das tun wir, Sihdi!«

»Wenn ich Wismut bekommen kann, ja; sonst ist es unmöglich.«

»Denkst du vielleicht, daß die Skipetaren es erfahren werden, mir könne keine Kugel schaden?«

»Ich glaube, daß sie gewiß irgend jemand hier haben, von dem sie Nachricht empfangen.«

»Dann wäre es gut, wenn sie dächten, daß auch du von keiner Kugel getroffen werden kannst.«

»Freilich wohl.«

»Also laß auch einmal auf dich schießen.«

»Es kommt darauf an, ob und wie viel wir Munition bekommen können. Uebrigens müssen wir gegen so gewalttätige Leute möglichst listig sein. Ich werde diese Burschen in Beziehung auf mich täuschen.«

»Wieso, Sihdi?«

»Morgen werde ich blondes Haar und einen blonden Bart haben – –«

»Wie willst du das anfangen?«

»Es gibt eine Pflanze, deren Blätter, in Lauge gekocht, dem dunkelsten Haar sofort für einige Zeit eine helle Farbe geben. Solche Blätter sind in der hiesigen Apotheke zu haben.«

»Ah, das ist die Pflanze, von welcher du mit der Nebatja sprachst?«

»Richtig. Also das wird die beiden Burschen täuschen. Ferner werde ich euch voranreiten, um den Weg zu untersuchen.«

»Sie werden dich dennoch erkennen, denn man wird ihnen mitteilen, daß du deinen Rih reitest, einen echt arabischen Rappenhengst mit roten Nüstern.«

»Ich werde ihn eben nicht reiten.«

»Was denn?«

»Dein Pferd. Du aber reitest den Rappen.«

Kaum hatte ich das gesagt, so tat es drüben, wo Halef im Bett gesessen hatte, einen Plumps. Im nächsten Augenblick saß Halef auf dem Rand meines Bettes.

»Was machst du denn, Kleiner?« fragte ich.

»Einen Purzelbaum habe ich gemacht aus meinem Bett heraus und bis herüber zu dir,« antwortete er mit fliegendem Atem. »Ist es dein Ernst, Sihdi; ich soll den Rih reiten?«

»Ich scherze nicht.«

»O Allah, w' Allah, l'Allah! Den Rih, den Rih soll ich reiten? Welch ein Glück! Ich reise mit dir schon so lange, lange Monde und habe ihn doch erst zweimal reiten dürfen! Weißt du noch, wo das war?«

»Jawohl, so etwas merkt man sich.«

»Und morgen nun zum drittenmal! Vertraust du ihn denn mir auch gern an?«

»Sehr gern. Du bist der Einzige, welcher ihn richtig zu behandeln versteht.«

Wenn er geahnt hätte, daß ich die Absicht hatte, ihm bei unserer Trennung das kostbare Pferd zu schenken, er hätte noch mehrere Purzelbäume geschlagen, vielleicht gar durch die dünne Schilfwand hindurch.

»Ja, mein lieber, mein guter Effendi, ich habe es dir abgelauscht. Rih hat mehr Verstand, als mancher dumme Mensch; er versteht jedes Wort, jeden Laut, jeden Wink. Er ist dankbarer als ein Mensch für alles, was man für ihn tut. Ich werde ihn behandeln wie meinen Freund und Bruder.«

»Davon bin ich überzeugt.«

»Ja, du kannst dich darauf verlassen. Wie lange darf ich denn in deinem Sattel sitzen? Eine ganze Stunde?«

»Noch länger, viel länger. Vielleicht einen ganzen Tag, und es ist möglich, auch noch längere Zeit.«

»Was! Wie! Effendi, Sihdi, Freund und Besitzer meiner Seele! Mein Herz ist voll von Wonne – es will zerspringen. Ich bin nur ein armer, geringer, dummer Ben Arab und du bist der Würdigste der Würdigen; aber dennoch mußt du mir erlauben, daß mein Mund deine Lippen berührt, die mir eine so frohe Botschaft verkündigt haben. Wenn ich dir keinen Kuß gebe, zerplatze ich vor Entzücken!«

»Na, Halef, zerplatzen sollst du nicht; bist du doch nicht zerplatzt, als du Messer, Bajonette, Pulver und Zündhölzer gegessen hattest.«

»Nein, zerplatzt nicht, aber einen innerlichen Krach hat es gegeben,« rief er, lustig lachend. Dann fühlte ich seinen Bart, sechs Haare rechts und sieben links, über meinen Schnurrwichs streichen. Sein Respekt war so tief, daß er einen eigentlichen Kuß gar nicht wagte. Ich drückte den guten, herzensbraven Kerl fest an mich und applizierte ihm einen kräftigen, deutschen ›Schmatz‹ auf die Wange, worüber er nicht etwa vor Wonne außer Rand und Band geriet, sondern er fuhr empor und stand dann mäuschenstill vor mir, bis ich fragte:

»Nun, Halef, reden wir nicht weiter?«

»O Sihdi,« antwortete er, »weißt du, was du gemacht hast? Geküßt hast du mich, geküßt!«

Dann hörte ich ihn einige Schritte tun und in seinen Sachen herumsuchen.

»Was machst du denn?« fragte ich.

»Nichts, gar nichts. Du wirst es morgen sehen.«

Es verging eine Weile, bis ich hörte, daß er wieder an sein Bett trat und sich in dasselbe setzte. Dann fragte er:

»Also einen ganzen Tag oder gar noch länger soll ich den Rih reiten? Warum so lange? Wirst du nicht bei uns sein?«

»Auf diese Frage kann ich dir jetzt noch keine Antwort geben, weil ich jetzt noch nicht weiß, was geschehen wird. Ich werde mich bemühen, mein Aeußeres möglichst zu verändern, und dann – –«

»O, dich wird man dennoch erkennen!«

»Das bezweifle ich, denn die Aladschy haben mich noch gar nie gesehen. Ich bin ihnen nur beschrieben worden.«

»Ja, dann ist's möglich, daß du sie täuschest. Aber werden sie nicht etwa selbst herein nach Ostromdscha kommen?«

»Das ist nicht wahrscheinlich.«

»Warum nicht? Meinst du, daß sie hier für ihre Sicherheit zu fürchten haben?«

»Durchaus nicht. Wie sie mir beschrieben worden sind, würden sie im Gegenteil befähigt sein, die ganze hiesige feige Bevölkerung einzuschüchtern. Aber sie dürfen sich hier nicht von mir sehen lassen und lauern uns deshalb im Freien auf; das ist gewiß. Ich werde sogar meine Gewehre nicht mitnehmen, sondern euch überlassen. Ich reite ganz allein und tue, als ob ich ein schlichter Bewohner dieses Landes sei. Jedenfalls bekomme ich sie zu sehen.«

»Auch wenn sie sich versteckt haben?«

»Auch dann. Finde ich einen Ort, der sich zu einem Ueberfall eignet, so werde ich schon nach Spuren suchen, und finden werde ich sie ganz gewiß. Was dann geschieht, das weiß ich freilich jetzt noch nicht.«

»Aber wir müssen doch wissen, was geschehen soll!«

»Natürlich. Ihr reitet ganz einfach in gemächlichem Schritt immer auf der Straße von hier bis Radowitsch. Nach zwei Stunden geht es über den Fluß, und dann nach höchstens drei Stunden seid ihr dort. Hat sich unterwegs nichts ereignet und ist euch auch nichts aufgefallen, so kehrt ihr im ersten Gasthof ein, welcher zu eurer Rechten liegt. Da können drei Fälle eintreten. Entweder bin ich noch da – –«

»So ist's ja gut, Sihdi.«

»Oder ich bin wieder fort – –«

»So hast du uns Botschaft zurückgelassen.«

»Oder ich bin noch gar nicht da; dann wartet ihr bis ich komme.«

»Und wenn du aber nicht kommst?«

»Ich komme gewiß!«

»Du bist ein Mensch und kannst dich irren. Es kann dir etwas zustoßen, infolgedessen du unserer Hilfe bedarfst.«

»So reitest du zurück, du allein, am nächsten Tag, aber nicht vor dem Mittag und nicht auf dem Rappen. Dieser bleibt im Khan bei Omar und Osko zurück. Ihn will ich keiner Gefahr aussetzen. Auf diesem Rückweg wirst du schon Zeichen von mir finden. Das ist es, was wir vorher besprechen mußten. Etwas weiteres läßt sich heute nicht sagen. Und nun wollen wir unser Gespräch beenden. Wir bedürfen der Ruhe und wollen versuchen, ob der Schlaf uns erquicken mag.«

»Bei mir kehrt der Schlaf nicht ein; das Kugelkunststück und der Rappe lassen mir keine Ruhe. Gut Nacht, Sihdi!«

»Gute Nacht!«

Ich glaubte es dem lieben Kerl sehr gern, daß er sich in

einer bedeutenden Aufregung befand. Es gab drei Geschöpfe, welchen sein Herz gehörte. Daß ich da voran stand, das wußte ich. Dann kam Hanneh, die ›Zierde der Frauen und Mädchen‹, und hernach Rih, der Rappe. Daß er diesen reiten sollte, das war ein über alle Maßen außerordentliches Ereignis. Ich war überzeugt, daß er nicht schlafen würde.

Und so geschah es auch. Ich selbst war ziemlich aufgeregt und fand keine wirkliche Ruhe. Wenn die gute Nebatja nicht auf den Berg gegangen wäre, um ihre Marienkreuzdistel zu holen, so hätte sie das Gespräch nicht belauschen und mich auch nicht warnen können. In diesem Fall hätte mir morgen der sichere Tod bevorgestanden. Wie nichtig ist doch der Wille des Menschen gegen Gottes Ratschluß! Wenn ich der kühnste, stärkste, klügste und umsichtigste Mensch wäre, ohne Nebatja war ich verloren.

Solche Gedanken pflegen die Türe zu öffnen, durch welche man in die Vergangenheit blickt. Wohl dem Menschen, welcher dann erkennt, daß er zwar selbstbestimmend auf sein Schicksal einzuwirken vermag, daß aber doch eine mächtigere Hand ihn immer hält und leitet, selbst dann, wenn er diese Hand von sich zu stoßen vermeint! So lag ich, abwechselnd sinnend und halb träumend, bis ich endlich doch in Schlummer fiel.

2. Kapitel

Die beiden Aladschy

Als ich aus dem Schlaf erwachte und den Laden aufstieß, drang das helle Tageslicht zu mir herein. Meine Uhr sagte mir, daß ich dritthalb Stunden geschlafen hatte. Halef war schon aufgestanden. Ich fand ihn unten in dem Stalle; er putzte an dem Rappen herum, und zwar mit einem solchen Eifer, daß er meinen Eintritt gar nicht bemerkte. Als er mich dann doch erblickte, fragte er:

»Du auch schon auf? Im Hause schläft noch alles. Aber es ist gut, daß du schon munter bist, denn du hast sehr notwendige Besorgungen vor.«

»So? Was denn?« erkundigte ich mich, obgleich ich sehr wohl wußte, was er meinte.

»Du mußt in die Apotheke gehen.«

»Das hat noch Zeit.«

»Nein, Sihdi. Es dauert sehr lange, bis man solche Kugeln fertig bringt.«

»Woher weißt denn du das?«

»Ich bin nicht so dumm, daß ich es mir nicht denken könnte, Sihdi.«

»Nun, recht magst du haben, zumal ich mir auch noch die Blätter zu kochen habe; aber ich weiß ja nicht, wo die Apotheke ist, und in der ganzen Stadt wird noch niemand auf den Beinen sein, um mir das Haus zu zeigen.«

»So ein Spuren- und Fährtensucher wird doch wohl auch eine Apotheke finden können?«

»Ich will es versuchen.«

Hierauf öffnete ich das Tor und trat hinaus auf den freien

82

Platz. Ich sagte mir, daß die Apotheke nicht in irgend einem Gassenwinkel, sondern möglichst leicht zu erreichen und in der Mitte des Ortes liegen möge, und da befand ich mich ja.

Indem ich von Haus zu Haus blickte, bemerkte ich ein sehr altes, baufälliges Ding, das wohl ein Haus sein sollte. Nur noch an zwei wahrscheinlich auch bereits lockeren Nägeln hing ein langes Brett windschief herab, dessen Inschrift glücklicherweise noch deutlich zu lesen war.

»Hadsch Omrak Doktor hakemi we bazar bahari.«

So stand mit weißer Schrift auf grünem Grund zu lesen. Auf deutsch: »Der Mekkapilger Omrak, Doktor der Medizin und Verkaufsladen von Arzneiwaren.« Dieser Hadschi war also ein Arzt, welcher entweder den Doktortitel wirklich besaß oder sich ihn anmaßte.

Die Türe war verschlossen, aber ein kräftiger Stoß mit der Hand hätte mir sofort Eingang verschafft. Eine Klingel war nicht zu sehen, doch hingen an den beiden Enden eines Strikkes zwei Holzdeckel grad so hoch, daß sie von einem erwachsenen Menschen erreicht werden konnten. In der Ahnung, daß dies die Hausglocke vorstellen solle, ergriff ich die Dekkel und schlug sie zusammen. Das gab allerdings ein Geräusch, welches ganz geeignet war, einen Schlafenden zu wecken.

Ich mußte längere Zeit das Cymbal schlagen, bevor ich Erhörung fand. Ueber mir wurde ein Laden geöffnet, stückweise, denn die Bretter hingen nicht mehr zusammen; dann kam folgendes zum Vorschein: eine elfenbeingelbe Glatze, eine aus lauter Querrunzeln bestehende Stirn, zwei kleine, schläfrig blinzelnde Augen, eine Nase, welche der Schnauze einer großen, braunen tönernen Kaffeekanne glich, wie man sie bei uns auf den Dörfern sieht, ein breiter, lippenloser Mund, ein gebogenes Kinn, welches gar nicht breiter als die Nase war, und endlich ertönte es zwischen den Lippen hervor:

»Kim dir – wer ist da?«

»Bir chasta – – ein Patient,« antwortete ich.

»Ne asl chastalyk – welche Krankheit?«

»Mibim kyran – ich habe den Magen gebrochen,« erklärte ich frisch von der Leber weg.

»Schimdi, tez – gleich, sogleich!« schrie der Herr ›Doktor‹ mit einer Stimme, der ich entnahm, daß ihm ein solcher Hauptfall noch gar nicht vorgekommen sei.

Der Kopf fuhr in allerhöchster Eile zurück; mir aber, der ich so verwegen war, noch in die Höhe zu blicken, fielen die Bestandteile des Ladens ins Gesicht. Ich war so geistesgegenwärtig, erst dann zur Seite zu springen, als die Bretter bereits auf der Erde lagen.

Nach kaum einer Minute hörte ich hinter der Türe einen Lärm, als ob ein Erdbeben im Anzug sei. Einige Katzen kreischten, ein Hund heulte, Gefäße wurden umgerissen, eine unaussprechlich wundersame Frauenstimme schrie dazwischen; dann flog etwas, was wohl der Arzt selbst war, gegen die Türe, denn sie ging auf, und der gelehrte Herr lud mich mit einer tiefen, tiefen Verbeugung ein, gütigst näher zu treten.

Aber was für eine Gestalt sah ich da vor mir! Dieser ›Doktor und Arzneiladen‹ hätte, in ein heimatliches Rübenfeld gestellt, allen Hänflingen, Stieglitzen, Zeisigen und Spatzen einen so heillosen Schreck eingejagt, daß sie sicher sofort nach Marokko geflogen wären, um niemals in ihrem Leben wiederzukommen.

Sein Gesicht sah jetzt, in der Nähe betrachtet, noch viel vorweltlicher aus als vorher. Es war so voll von Falten und Runzeln, daß es auch nicht eine einzige, noch so kleine glatte Stelle darin gab. Sein Morgenkleid war ein hemdähnliches Ding, welches zwar von der Schulter bis auf die Knöchel reichte, aber die Blöße doch nur halb bedeckte, da es fast nur aus Löchern und ellenlangen Rissen bestand. An dem einen Fuße hatte er einen abgeschlurften rotledernen Pantoffel und an dem anderen einen Reisestiefel aus schwarzem Filz. Doch war auch dieser Filz so luftbedürftig geworden, daß er den Zehen einen ungehinderten Ausblick in alle Gegenden des türkischen Reiches gestattete. Seine Glatze hatte er mit einer alten Nachthaube für Frauen bedeckt, deren hinterer Teil nach vorn, der vordere Teil aber nach hinten zu liegen gekommen war, jedenfalls eine Folge der Eile, mit welcher er meinem gebrochenen Magen hatte Rettung bringen wollen.

»Herr, komm näher!« sagte er. »Tritt herein in die armselige Gesundheitsfabrik deines geringen Dieners!«

Er beugte den Kopf fast bis zur Erde und bewegte sich dabei storchartig rückwärts, bis hinter ihm ein schriller Weheruf erscholl:

»O jazik – o wehe! Kojun, basar sen nassyrlarmüz üzeri – Schaf, du trittst mir ja auf meine Hühneraugen!«

Er fuhr erschrocken empor und zur Seite. Da bekam ich das zarte Wesen zu sehen, welches diese sanften Worte gelispelt hatte.

Dasselbe schien aus einem Gesicht, einem uralten Teppich und zwei nackten, schrecklich schmutzigen Füßen zu bestehen. Dennoch waren diese Füße unendlich anziehender als das Gesicht. Der Besitzer der ›Gesundheitsfabrik‹ war ein wahrer Apollo gegen sein Weibchen. Am liebsten widme ich der Schönheit ihres Antlitzes ein ohnmächtiges Schweigen.

Sie trat vor und verbeugte sich ebenso tief, wie vorhin ihr Gemahl.

»Chosch geldiniz Sultanum – willkommen hoher Herr!« begrüßte sie mich. »Wir sind entzückt, die Morgenröte deines Angesichtes zu schauen. Was wünschest du von uns? Der Wasserfall unsers Gehorsams wird sich über dich ergießen.«

»Sen güzel tscha ilahessi bunum hejranli tschaghlaganün – und du bist die schöne Nymphe dieses entzückenden Wasserfalles!« antwortete ich höflich, indem ich auch ihr eine respektvolle Verneigung machte.

Da klappte sie einige Male die untere Kinnlade gegen die obere, nickte ihrem Gemahl zu, erhob mahnend die rechte Hand, stieß ihm den Zeigefinger gegen die Stirn und sagte:

»Bak, ad komar beni güzel – schau, er nennt mich schön! Dati tschok daha eji katschan seninki – sein Geschmack ist viel besser als der deinige.«

Und sich im huldvollsten Tone an mich wendend, fuhr sie fort, ihrer Stimme einen möglichst lieblichen Klang erteilend:

»Dein Mund weiß angenehm zu sprechen, und dein Auge erkennt die Vorzüge deiner Mitmenschen. Das konnte ich freilich von dir erwarten.«

»Wie? Kennst du mich?«

»Sehr gut. Du hast mit Nohuda, meiner Busenfreundin, und mit Nebatja, die uns Pflanzen bringt, unten am Gesundheitsbrunnen gesprochen, und sie haben uns von dir erzählt. Sodann haben wir dich beim Bascha gesehen. Die Welt ist deines Lobes voll, und mein Herz duftet dir seine Lobgesänge entgegen. Wir weinen bittere Tränen, daß dich die Krankheit zu uns führt. Aber wir haben alle iki bin bir iladschlar[1] studiert und werden dich von deinem Leiden erlösen. Es ist noch kein Mensch von uns gegangen, ohne Hilfe und Rettung zu finden. Darum darfst du dich mir getrost anvertrauen.«

Das klang ja sehr verheißungsvoll. Sie sah ganz so aus, als ob sie diese zehntausend und eine Arznei nicht nur studiert, sondern auch hinuntergeschluckt habe und jetzt noch an der Wirkung derselben laboriere. Diesen beiden Leuten hätte ich mich im Krankheitsfall anvertrauen mögen! Darum sagte ich:

»Verzeihe, o Günesch esch schifa[2], daß ich dich nicht bemühe. Ich bin selbst ein Hekim Baschi, ein Oberarzt meines Landes, und ich kenne meinen Körper. Er bedarf ganz anderer Mittel als der Leib eines hiesigen Menschen. Ich bin nur gekommen, um mir die Mittel zu holen, deren ich zur Heilung bedarf.«

»Jazyk, adschynadschak – das ist schade, jammerschade!« rief sie aus. »Wir hätten den Riß deines Magens untersucht und genau gemessen. Wir besitzen ein Midemelhemi[3], welches wir dir auf die Ecke eines Turbantuches gestrichen hätten. Hättest du es aufgelegt, so wäre das Loch in wenigen Stunden zugeheilt.«

»Vielleicht ist euer Pflaster grad auch das meinige, denn dieses wirkt ganz ebenso rasch. Doch erlaube, daß ich es mir selbst bereite.«

1 Alle zehntausend und eine Arznei.
2 Sonne der Heilung.
3 Magenpflaster.

»Dein Wille ist auch der unserige. Komm also herein in die Kammer der Wundersalben und suche dir das aus, was dein Herz begehrt.«

Sie öffnete eine Seitentür und trat vor mir ein. Ich folgte ihr, und hinter mir stelzte auch der glückliche Besitzer dieser Apotheke und dieser ›Nymphe des Wasserfalles‹ herein.

Was ich sah, erfüllte mich mit jener eigenartigen Seelenstimmung, welche man vulgär mit dem Wort ›gruseln‹ zu bezeichnen pflegt.

Ich befand mich in einem Raum, welcher sich wohl eher zu einem Gänsestall als zu einer Apotheke geeignet hätte. Ich stieß mit dem Kopf oben an. Der Fußboden war die liebe Mutter Erde, und die Wände bestanden aus Bretterschwarten, von denen die Rinde nicht abgelöst worden war. An Nägeln hingen ganze Reihen kleiner Leinwandsäckchen, eines neben dem andern. Vom Mittelpunkt der Decke baumelte eine Schnur herab, an welcher eine riesige Klistierspritze angebunden war. Auf einem Brett lagen mehrere wunderlich gestaltete Scheren, alte Schröpfköpfe, Barbierbecken und Zahnzangen mit zolldicken Backen. Auf dem Boden stand allerlei ganzes und zerbrochenes Geschirr, und rundum herrschte ein Geruch, der geradezu unbeschreiblich zu nennen war.

»So!« sagte sie. »Das ist unsere Patientenküche. Jetzt sage uns, aus welchen Mitteln du deine Magensalbe zusammensetzest.«

Der Apotheker drängte sich vor mich hin und sah mir mit höchster Spannung in das Gesicht. Er freute sich sichtlich darauf, mir mein Rezept abzulauschen.

»Habt ihr Sadar in einem dieser Säckchen?« fragte ich.

»Sadar ist da,« antwortete die Holde, sich gegen die Wand richtend.

»Sadar?« bemerkte ihr Mann. »Ilm *lotos* komar – die Wissenschaft nennt es *lotos*.«

Dieser wirkliche Doktor und Hekim wollte mir zeigen, daß er den lateinischen Namen der Pflanze inne habe. Da derselbe aber leider veraltet war, entgegnete ich:

»Tanam ilm *celtis australis* komar – die wirkliche Wissenschaft nennt es *Celtis australis*.«

Er tat den Mund sehr weit auf, sah mich erstaunt an und fragte:

»Gibt es denn zwei verschiedene Wissenschaften?«

»O, mehr als hundert.«

»Allah! Ich kenne nur diese eine. Wie viel willst du von dem Sadar, Herr?«

»Eine große Handvoll.«

»Schön! Ich werde es dir in eine Düte tun. Herr! was willst du noch?«

Unten auf dem Fußboden lag ein Papier. Ich hätte fünfhundert Piaster gewettet, daß dasselbe von der Straße aufgelesen worden war. Sie hob es auf, drehte es zusammen, fuhr mit der Zunge über die Kante, damit es kleben sollte, und tat mir eine Handvoll der *Celtis australis* hinein. Da ich das Mittel äußerlich anwenden wollte, so erhob ich keinen Einspruch gegen dieses familiäre Gebaren der Apothekerin.

»Hast du Alkali?« fragte ich.

Sie blickte mich verwundert an, obgleich das Wort ein bekanntes arabisches war. Er aber zog den Mund zu einem sehr selbstbewußten Lächeln in die Breite und erkundigte sich:

»Von welchem willst du?«

»Das ist mir gleich.«

»Herr, ich habe erfahren, daß deine Heimat im Westen liegt. Ich besitze ein sehr gutes Alkali von dort her, und wenn du es willst, kannst du es haben.«

»Wie nennst du es?«

»Schawell suju.«

»Zeige es mir!«

Er brachte wirklich, wie ich vermutete, ein Fläschchen zum Vorschein, auf welchem zu lesen war: ›*Eau de Javelle, fabrique de Charles Gautier, Paris.*‹

»Wie kommst du zu diesem Alkali?« fragte ich ihn.

»Ich kaufte mehrere Fläschchen von einem Kommis voyageur, welcher bei mir war. Er kam aus der Hauptstadt von Fransa, die Praga heißt.«

»Du irrst. Prag ist die Hauptstadt von Böhmen, während die Hauptstadt von Fransa Paris heißt.«

»Effendi, das weißt du alles?«

Da fiel seine Gemahlin schnell ein:

»Sus – schweige! Das habe ich längst gewußt. Du bist ein Dummkopf, aber kein Arzt und Apotheker! Herr, was willst du noch?«

»Hast du Quecksilber?«

»Ja. Wir brauchen es zum Füllen des Barometers und Thermometers, die wir verfertigen.«

»Wie? Ihr macht sie selbst?«

»Ja. Traust du es uns nicht zu?«

»O, sehr gern! Wer so viele Arzneien studiert hat, der kann alles!«

»Nicht wahr? Ja, du bist ein vernünftiger und hochgebildeter Mann. Jetzt haben wir Vorrat aus Saloniki bekommen. Wenn wir einmal kein Quecksilber haben, tun wir Ziegenmilch in die Röhren; die sieht auch weiß aus und zeigt das Wetter genauer an als das Quecksilber.«

»Sprichst du im Ernst?«

»Gewiß. Hast du das noch nicht gewußt?«

»Nein, meine Verehrte.«

»So hast du nun den Beweis, daß wir hier klüger sind, als ihr in den westlichen Ländern. Die Ziegen wissen ganz genau, was für Wetter wird. Wenn es regnen will, rennen sie stracks nach dem Stalle. Also muß die Milch ein gutes Mittel in die Röhren sein.«

»Du bist eine kluge Frau. Das habe ich dir freilich auf der Stelle angesehen.«

»Wie viel willst du von dem Quecksilber, Herr?«

»Ungefähr 500 Gramm. Hast du so viel?«

»Noch mehr.«

»So warte noch. Ich muß erst sehen, ob ihr noch einen Stoff habt, den ich dazu brauche.«

»Welchen meinst du?«

»Kül kurschuni[1]. Das ist freilich ein seltenes Metall. Solltest du es haben?«

»Kül kurschuni haben wir nicht, aber Kül kalaji[2], welches wir brauchen, um eine schöne, weiße Schminke daraus zu bereiten.«

»Auch das geht an. Hast du ein Vikiey davon, so gib es mir und zwei Vikiey Quecksilber dazu.«

»Soll ich es dir auch gleich hier in die Düte gießen?«

»O nein! Das Quecksilber würde uns sofort entweichen.«

»Ach freilich! Es ist wie die Liebe der Männer, die auch sofort verschwindet, wenn – wenn – –«

»Wenn man sie in eine solche Düte schüttet?«

»Ja, aber die Düte ist das Herz. Es vermag eure Liebe nicht festzuhalten. O, die Liebe, die Liebe! Die hat schon manches arme Weib unglücklich gemacht.«

Sie warf einen wütenden Blick auf ihren Mann, riß ihm die Haube vom Kopf, schwang sie auf ihr eigenes Haupt und zürnte:

»Mensch, wie kannst du dich mit einer Zienet müenneslükün[3] schmücken! Willst du die Seele deines Weibes entweihen?«

Er bedeckte seine Glatze schnell mit beiden Händen und schrie:

»Weib, du versündigst dich an der heiligen Würde des Mannes! Weißt du nicht, daß es uns verboten ist, das Haupt unseres Körpers zu entblößen!«

Aber die geistreiche Frau wußte sich zu helfen. Sie antwortete:

»Bunda, jokary kaldyr haß kutuju – da, setze die Mehlschachtel auf!«

Zu gleicher Zeit griff sie nach einer runden Pappschachtel, in welcher sich noch ein Rest feines Mehl befand, und stülpte ihm dieselbe, ohne auf das Mehl zu achten, verkehrt auf das ›Haupt seines Körpers‹. Sein Angesicht war sofort bepudert;

1 Aschblei = Wismut.
2 Aschzinn, auch Wismut.
3 Zierde der Weiblichkeit.

er wagte aber nicht, ein Wort zu sagen, und behielt diese Kotillonmütze ruhig auf dem kahlen Wohnsitz seiner Gelehrsamkeit. Als strenger Moslem, der sein Haupt nicht entblößen darf, war er ganz glücklich, daß es wieder bedeckt war. Welchen Eindruck aber diese Bedeckung auf mich machte, das schien ihm sehr gleichgültig zu sein.

Er kniete auf den Boden nieder und wirrte in den alten Gefäßen herum.

»Was suchst du denn?« fragte ihn seine schönere Hälfte.

»Eine Flasche, um dem Effendi das Quecksilber hinein zu tun; hier ist eine.«

Er erhob sich und reichte seiner Frau die Flasche. Dieselbe war so groß, daß sie wohl seinen ganzen Quecksilbervorrat gefaßt hätte, und vielleicht auch noch mehr. Die Frau hielt sie gegen das Licht, schaute nach dem Inhalt und sagte:

»Da ist ja noch alter Firnis drinnen!«

»Was schadet es?«

»Sehr viel. Nimm Wasser und wasche sie aus!«

Er entfernte sich sehr gehorsam mit der Flasche.

Nach einer Weile, während welcher ich mich mit der gelehrten Frau unterhalten hatte, kehrte er zurück, hochrot im Gesicht vor Anstrengung, und sagte im Ton der Verzweiflung:

»Ich bringe sie nicht rein; versuche du es selbst.«

»Du bist ein Tolpatsch!« sagte sie. »Ihr Männer habt zu nichts Geschick.«

Sie entfernte sich mit der Bouteille. Ich ließ es geschehen, ohne ein Wort zu sagen. Er erzählte mir im Vertrauen einige Beispiele seines großen Eheglückes, bis sie zurückkehrte, noch viel röter, als er vorhin war.

»Effendi,« klagte sie, »die Flasche ist verzaubert. Der Firnis geht nicht heraus.«

»Das habe ich gewußt.«

»Wie? – Wirklich?«

»Ja. Er ist nicht mit Wasser, sondern nur mit Terpentinöl zu entfernen. Der Firnis nimmt kein Wasser an.«

»Das konntest du uns doch sagen!«

»O nein; das hätte euch ja beleidigt.«

»Warum denn?«

»Ein Apotheker muß das wissen; überhaupt weiß das auch einer der nicht grad Chemie studiert hat. Hätte ich euch darauf aufmerksam gemacht, so wäre dies eine Unhöflichkeit gewesen, denn es hätte so geklungen, als ob ich nicht glaubte, daß ihr zweitausend und ein Arzneimittel studiert habt.«

»Da hast du recht. Du bist ein höflicher und sehr rücksichtsvoller Mann. Dafür sollst du nun auch den Firnis umsonst bekommen. Ich schütte dir das Quecksilber darauf. Wo hast du die Wage, Mann?«

»Sie ist im Hof. Ich habe gestern das Kaninchen damit gewogen, welches wir heute essen wollen.«

»Hole sie herein!«

O weh! Eine Apothekerwage, auf welcher man ein geschlachtetes Kaninchen wiegen kann! Als er sie brachte, sah ich, daß er sich den Wagebalken wohl selbst aus Holz zurechtgeschnitzt hatte. Die Zunge war ein Stück Draht, welches sich zwischen den beiden Zinken einer Speisegabel bewegte. Die Schalen bestanden aus einer runden Holzschachtel und ihrem Deckel. Doch war das wunderliche Instrument ganz leidlich ins Gleichgewicht gebracht worden.

Mit dieser Wage wurde mir nun das Verlangte abgewogen, und ich war sehr zufrieden mit dem Preis, den mir die Frau Apothekerin stellte, zumal das Wismut in sehr gut ausgebildeten Rhomboëdern kristallisiert war.

Nachdem ich mir auch Blei gekauft hatte, verließ ich den sonderbaren Laden und erhielt die besten Wünsche für mein Wohlergehen mit auf den Weg.

Von da begab ich mich zu der guten Nebatja, die auch schon wach war und mich mit großer Freude empfing.

Sie zeigte mir ihren Distelkönig, den ich nun beim Tageslicht genau betrachtete. Sie wollte mir ihn schenken, aber ich nahm ihn nicht an. Natürlich bedankte ich mich wegen ihrer Warnung und erklärte ihr, wie wichtig mir dieselbe sein werde. Als ich ihr sagte, daß sie durch dieselbe wohl meine Lebensretterin sei, zeigte sie sich ganz entzückt darüber.

Das brave Weib hatte mir die herzlichste Teilnahme abgerungen. Schon gestern war mir der Gedanke gekommen, wie leicht ich ihr die Zukunft minder schwer machen könne, und jetzt führte ich diesen Gedanken aus.

Ich besaß das Geld, welches bei Manach el Barscha, Barud el Amasat und dem Gefängniswärter gefunden worden war. Eigentlich sollte ich dasselbe abgeben. Aber an wen? An die saubere Behörde von Ostromdscha? Pah! An die Oberbehörde? Persönlich hätte ich dies nicht tun können, denn dazu war keine Zeit vorhanden. Und einen Boten senden? Der Mann hätte sich wohl in das Fäustchen gelacht. Uebrigens waren die drei, denen wir es abgenommen hatten, entflohen. Ihnen das Geld wieder zu geben, dieser Gedanke wäre Wahnsinn gewesen. Ich konnte jedenfalls gar nichts Besseres tun, als es armen, bedürftigen Leuten schenken. Und zu denen gehörte die Nebatja an erster Stelle.

Freilich durfte ich ihr nicht sagen, woher ich es hatte; sie hätte sich vielleicht geängstigt. Die ganze Summe wollte ich ihr freilich nicht geben; ich konnte sicher sein, noch genug ebenso Bedürftige zu finden, und ich wußte, daß der für sie bestimmte Anteil völlig ausreichen würde, um sie vor Not zu bewahren.

Sie war ganz starr vor freudigem Staunen, als ich ihr unter vier Augen das Geld gab. Sie wollte gar nicht glauben, daß eine solche Summe, welche für sie ein Reichtum war, ihr gehören könne. Die Tränen rollten ihr über die Wangen herab. Ganz besonders entzückt war sie davon, daß sie nun einen wirklichen Arzt für ihren Knaben haben könne. Ich mußte mich ihren Worten und Händedrücken mit Gewalt entziehen.

Halef hatte mich unterdessen mit Ungeduld erwartet. Er stand unter dem Tor und rief mir von weitem entgegen:

»Endlich, endlich, Sihdi! Wir haben's so eilig, und doch bleibst du so lange fort! Wie steht es denn mit dem Kunststück?«

»Sehr gut. – Ist der Wirt schon wach?«

»Alle sind bereits munter.«

»So will ich an den Herd. Ich muß kochen und schmelzen.«

»Ich werde dabei sein, und du wirst mir alles erklären, damit ich es nachmachen kann.«

»Nein, mein Lieber, mit dem Nachmachen ist es nichts. Es gehören einige Kenntnisse dazu, welche du nicht besitzest, und selbst derjenige, welcher dieselben hat, kann durch eine kleine Unachtsamkeit einen Fehler begehen, welcher ihm oder einem andern das Leben kostet. Darum werde ich niemals jemandem alle vier Ingredienzien nennen oder ihm die Art und Weise der Mischung verraten. Osko mag mir seine Kugelform mitbringen; sie hat das Kaliber der hiesigen Gewehrläufe.«

Unsere Vorbereitungen nahmen nicht mehr als eine halbe Stunde in Anspruch. Die Sadarblätter wurden in verdünntem *Eau de Javelle* gekocht, und die Lauge ward durch ein altes Leintuch gegossen. Das vorhandene Metall gab acht Kugeln, welche reinen Bleikugeln täuschend ähnlich waren. Außerdem wurden mehrere Bleikugeln gegossen und mit der Messerspitze leicht gezeichnet. Dann ging ich mit Oskos Gewehr hinter das Haus, wobei mich niemand begleiten durfte. Ich lud eine der Quecksilberkugeln in den Lauf, hielt die Mündung, nur anderthalb Fuß entfernt, gegen ein Brett und drückte ab. Der Schuß krachte wie ein gewöhnlicher, aber das Brett war vollständig unversehrt. Am Boden zeigte sich nicht das kleinste Teilchen der zerstiebten Kugel.

Diese Probe war notwendig gewesen, denn nun wußte ich, daß kein Unglück geschehen könne. Einen Verrat hatte ich nicht zu befürchten, da nur Halef, Osko und Omar eingeweiht waren, und diese drei hatten mir ihre Verschwiegenheit zur Genüge bewiesen.

Das war alles noch zur rechten Zeit geschehen, denn als ich zurückkehrte, kam soeben der Kasi-Mufti mit dem Naib und dem Ajak Naib. Sie hatten noch Andere dabei. Als der Erstere mich bemerkte, ging er auf mich zu, zog mich zur Seite und sagte:

»Effendi, ahnst du, weshalb ich komme?«

»Du willst mir melden, wie es mit dem Kodscha Bascha steht.«

»Nein, o nein! Ich möchte dich fragen, ob du deinen kleinen Hadschi um die Erlaubnis gefragt hast, daß ihm jemand eine Kugel durch den Kopf schießen darf.«

»Liegt dir das denn gar so sehr am Herzen?«

»Ja, denn es ist entsetzlich wunderbar. Hat er heute schon seine Kuranblätter gegessen?«

»Frage ihn selbst!«

»Ich will ihn lieber nicht fragen, er könnte es übelnehmen. Weißt du, sein Messer! Und mit der Peitsche ist er auch so flink und freigebig!«

»Ja, er ist ein wackerer kleiner Kerl.«

»Also sage: hast du ihn gefragt?«

»Ja, noch ehe wir schlafen gingen.«

»Und was hat er geantwortet?«

»Hm! Er schien nicht übel Lust zu haben.«

»Das wäre prächtig, herrlich! Wann kann die Geschichte beginnen?«

»Nur Geduld! Das geht nicht so schnell, wie du es wünschest. Mein Beschützer hat seine Eigenheiten. Uebrigens habe ich dir gestern noch nicht alles gesagt. Wir alle – nämlich meine drei Begleiter und ich – haben die gleiche Eigenschaft. Wir brauchen uns vor keiner Kugel zu fürchten.«

»Was? – Auch du?«

»Wie ich dir sage.«

»So speisest auch du Kuranblätter?«

»Frage nicht zu viel! Solche Geheimnisse verrät man selbstverständlich nicht gern.«

»So könnten wir also ganz nach unserm Belieben auf euch schießen?«

»Ja, wenn euch nämlich euer Leben zum Ueberdruß geworden ist.«

»Wieso? Ich verspüre noch gar nichts von einem solchen Ueberdruß.«

»Dann nimm dich in acht, und schieße ja nicht etwa auf irgend einen von uns, ohne vorher um Erlaubnis gefragt zu haben.«

»Warum denn nicht, Effendi?«

»Wenn wir die Genehmigung dazu erteilen, so kann man es ohne Schaden tun. Wer es aber hinterrücks verübt, dessen Kugel fliegt auf ihn zurück, und zwar genau auf diejenige Stelle seines Körpers, auf welche er bei dem unsrigen gezielt hat.«

»Also wenn ich auf den Kopf deines Hadschi oder auf den deinigen ziele, so fliegt mir die Kugel in meinen eigenen Kopf?«

»Ganz sicher. Willst du es einmal probieren?«

»Nein, Effendi, ich danke! Aber warum habt ihr es denn grad so eingerichtet und nicht anders?«

»Das kann dir dein Scharfsinn sehr leicht sagen: nämlich um etwaiger Feinde willen. Um diese zu bestrafen ist es nicht genug, daß ihre Kugeln uns nicht schaden, sondern sie müssen sich selbst genau so treffen, wie sie uns treffen wollten. Das ist das alte Gesetz der gerechten und genauen Wiedervergeltung.«

»Ewwet, göz itschün göz, disch itschün disch – ja, Auge um Auge, Zahn um Zahn. Da mag ich nicht euer Feind sein. Wann reitet ihr wieder fort von hier?«

»Du freust dich wohl auf unsere Entfernung?«

»Nein; ich wollte lieber, ihr bliebet immer da. Aber eine große Umwälzung hast du uns gebracht.«

»Jedoch zum Guten!«

»Ja, und dafür sind wir dir dankbar, obgleich man lieber alles lassen soll, wie Allah es gemacht hat.«

»Hat Allah es gewollt, daß der Mübarek euch betrog, und daß der Kodscha Bascha eure Gefangenen befreite?«

»Das wohl nicht.«

»Wie geht es dem Kodscha Bascha?«

»Er steckt fest.«

»Hoffentlich wirst du nichts unternehmen, was geeignet wäre, ihn der gerechten Strafe zu entziehen.«

»Was denkst du von mir! Ich bin ein getreuer Diener des Padischah und tue stets meine Pflicht. Dafür aber könntest du mir nun auch den Gefallen erweisen und dem Hadschi ein gutes Wort geben.«

»Nun, ich will ihn erinnern.«

»Und erlaubst du, daß ich noch einige Leute hole?«

»Ich habe nichts dagegen.«

»Ich bin bald wieder da. Ich muß es dem guten Toma sagen, der es so gern sehen möchte.«

»Wer ist dieser Toma?«

»Er ist einer, welcher Aufträge besorgt, und macht den Boten zwischen hier und Radowitsch.«

»Ein braver Mann?«

»Recht brav. Als du dich gestern entfernt hattest, lobte er dich gar sehr. Ich erzählte ihm, daß dein Hadschi Kuranblätter verspeist und infolgedessen kugelfest ist. Er wollte das so gern auch sehen; er freut sich über euch und ist euer Freund. Darf ich ihn holen?«

»Bringe ihn!«

Er ging eiligen Schrittes davon.

Diese Leute waren so durchsichtig! Mir kam der Verdacht, daß dieser brave Botenmann Toma vielleicht von den beiden Aladschy beauftragt sei, uns zu beobachten und ihnen dann Meldung zu machen.

Bald bemerkten wir die Wirkung der Bemühungen des Kasi-Mufti. Es kam eine Menge von Menschen herbei, deren bewundernden Blicken wir uns dadurch entzogen, daß wir uns in die Stube setzten; aber der ›Staatsanwalt‹ suchte uns dort auf.

Er hatte einen krummbeinigen Menschen bei sich, den er mir mit den Worten vorstellte:

»Sieh, Effendi, das ist der Bote, von dem ich dir erzählt habe.«

Ich faßte den Mann fest ins Auge und fragte ihn:

»Also du gehst zwischen hier und Radowitsch hin und her?«

»Ja, Herr,« antwortete er; »aber ich gehe nicht, sondern ich reite.«

»Wann reitest du das nächstemal?«

»Uebermogen.«

»Eher nicht?«

Er verneinte, und ich sagte:

»Das ist sehr gut für dich.«

»Warum?«

»Weil dieser Weg heute für dich gefährlich werden könnte.«

»Effendi, aus welchem Grunde?«

»Das ist nun Nebensache: aber wenn du heute reiten wolltest, so würde ich dich warnen.«

»Du reitest ja doch wohl selbst?«

So aufrichtig und ehrlich er mich bisher angeschaut hatte, jetzt bei dieser Frage wurde sein Blick scharf und stechend.

»Allerdings,« antwortete ich unbefangen.

»Wann, Effendi?«

»Genau um die Mitte des Tages.«

»Das ist keine gute Zeit. Man soll aufbrechen zur Zeit des Nachmittaggebetes, zwei Stunden vor Sonnenuntergang.«

»Das tut man in der Wüste, nicht aber hier. Man reitet nicht gern des Nachts durch unbekannte Wälder, zumal die Aladschy in der Nähe sind.«

»Diese?« fragte er mit ziemlich gut geheucheltem Erstaunen.

»Kennst du sie?« entgegnete ich.

Er verneinte kurzweg.

»Aber du hast von ihnen gehört?« forschte ich weiter.

»Nur wenig. Der Kasi-Mufti hier sagte mir, daß sie dich überfallen wollen.«

»Ich habe es erfahren.«

»Von wem?«

»Von einem guten Freund. Wenn sie klug sind, so lassen sie ihre Hand von mir, denn ich lasse nicht gern mit mir scherzen.«

»Ja, das habe ich gehört, Herr,« lächelte er verschmitzt. »Dich und die Deinigen kann keine Kugel treffen.«

»O, das ist noch nicht alles!«

»Ja, die Kugel fliegt sogar auf denjenigen zurück, welcher sie abgeschossen hat.«

Dabei streifte mich sein Blick mit einem listigen Blinzeln,

als ob er mir sagen wollte: »Höre, du bist auch nicht auf die Nase gefallen, ebensowenig wie ich; machen wir uns also nichts weis.« Er war klüger als der ›Anwalt des Kasagerichtes‹. Dieser letztere mochte das Lächeln auch gesehen und richtig gedeutet haben, denn er fragte ihn:

»Du willst es wohl nicht glauben, Toma?«

»O, wenn der Effendi selbst es sagt, muß man es doch glauben!«

»Das rate ich dir auch. Daran zu zweifeln, wäre eine Beleidigung; du aber bist stets ein höflicher Mann gewesen.«

»Ja, Allah weiß es. Darum denke ich, der Effendi wird auch ein wenig höflich sein und es uns beweisen, daß er kugelfest ist.«

Halef hatte ihn und mich beobachtet. Es war seine Gewohnheit, wenn wir auf einen Menschen trafen, stets in meinem Gesicht zu lesen, wie ich von demselben denke. Jedenfalls sah er es mir jetzt an, daß ich diesem Botenmann keine Freundschaft entgegenbrachte, denn er legte die Hand an den Griff seiner Peitsche und sagte:

»Mann, willst du etwa unsern berühmten Emir belehren, wie er die Höflichkeit üben soll? Wenn du meinst, dies tun zu dürfen, so bin ich bereit, dir sämtliche Paragraphen des Höflichkeitsgesetzes mit dieser Peitsche auf den Rücken zu schreiben. Du wärst mir derjenige Frosch, von welchem wir uns anquacken lassen!«

Er war aufgestanden und machte einige drohende Schritte auf den Mann zu. Dieser wich schleunigst bis an die Türe zurück und rief:

»Dur, dur, ej hadschijim – bleib' stehen, bleib' stehen, o Hadschi! Es ist mir ja nicht eingefallen, euch ein Gebot zu geben. Laß deine Peitsche im Gürtel! Ich habe kein Verlangen, eine Brüderschaft mir ihr zu schließen.«

»Dann verhalte dich so, daß wir zufrieden mit dir sein können. Wir sind Kinder des einzigen Propheten und Söhne des Padischah und lassen uns nichts gefallen von einem, welcher den Namen Toma führt; denn so kann nur ein Ungläubiger heißen, der von den Wassermelonen des Moslem nur die

Schalen essen darf. Uebrigens werden wir euch beweisen, daß wir euch keine Unwahrheit sagen, sondern daß von uns Zeichen und Wunder verrichtet werden, über welche ihr die Maulsperre bekommen werdet. Effendi, wollen wir es tun?«

»Ja, Halef, wenn es dir recht ist.«

»Mir ist es recht. Laß uns hinaus in den Hof gehen!«

Als wir hinaus kamen, war der Hof ganz mit Menschen angefüllt, welche neugierig des Wunders harrten, welches von dem Kasa-Mufti verheißen worden war. Diejenigen, an denen wir vorüber kamen, staunten uns mit weit aufgerissenen Augen an, und die ferner stehenden streckten die Hälse, um jede unserer Bewegungen zu sehen.

Der kleine Hadschi ergriff die Peitsche und schaffte durch rechts und links ausgeteilte Hiebe eine freie Bahn, welche auf einen kleinen Schuppen mündete.

»Sihdi, gibst du mir die Kugeln?« fragte er mich dann leise.

»Nein; denn ich will ganz sicher gehen, um einen Unfall zu verhüten. Zuerst nehmen wir eine wirkliche Bleikugel. Rede du mit den Leuten. Du besitzest ein größeres Rednertalent als ich.«

Er fühlte sich durch dieses Lob außerordentlich geschmeichelt. Seine Gestalt streckte sich, und seine laute Stimme erscholl:

»Ihr Leute und Männer von Ostromdscha, ihr sollt jetzt das unverdiente Glück haben, vier tapfere Männer zu sehen, durch deren Körper keine feindliche Kugel dringen kann. Oeffnet eure Augen und strengt euer Gehirn an, damit euch nichts von dem Wunder entgehe und ihr es erzählen könnt euren Kindern, Kindeskindern und Enkelskindern der entferntesten Urenkel, wenn ihr dann noch lebt. Haltet gute Ordnung und macht keinen Lärm, damit keine Störung entstehe, und sendet mir jetzt den Mann, den ihr für den besten Schützen haltet, mit seiner Flinte her.«

Es entstand ein halblautes Murmeln. Man suchte nach einem solchen Mann, und endlich trat einer vor, welcher sein Gewehr in der Hand hatte. Sonst sah ich überhaupt keinen, der mit einer Flinte bewaffnet war.

»Ist dein Gewehr geladen?« fragte ich ihn laut.

»Ja,« antwortete er.

»Hast du mehrere Kugeln bei dir?«

»Nein, Herr.«

»Es schadet nichts, ich werde dir von den meinigen geben. Aber vorerst mußt du uns zeigen, daß du ein tüchtiger Schütze bist. Siehst du das neue Brett, welches man da an den Schuppen genagelt hat? Es ist ein Ast darin. Versuche einmal, denselben zu treffen.«

Der Mann trat zurück, legte an und schoß. Mehrere der Anwesenden sahen nach und fanden, daß er das Ziel nur um einen halben Zoll gefehlt hatte.

»Das ist nicht ganz gelungen,« sagte ich. »Versuche es noch einmal.«

Ich gab ihm eine der neugegossenen Bleikugeln. Osko lieferte die Munition dazu. Der zweite Schuß war besser: der Mann hatte jetzt sorgfältiger gezielt. Ich gab ihm nun drei der andern Kugeln, nahm heimlich eine Bleikugel in die rechte Hand und sagte:

»Nun versuche, ob du in das Loch treffen kannst, welches du soeben in das Brett geschossen hast. Zeige aber vorher diesen Leuten die Kugeln, damit sie sich überzeugen, daß du richtig ladest.«

Die Kugeln gingen von Hand zu Hand, was einige Zeit in Anspruch nahm, da ein jeder sie sehen und befühlen wollte. Als er sie zurückerhalten hatte, lud er seine Flinte.

»Tritt näher!« gebot ich ihm, indem ich ihn weiter nach dem Ziel hinschob. »Jetzt kannst du schießen.«

Bei diesen Worten stellte ich mich an das Brett. Er ließ das erhobene Gewehr wieder sinken.

»Herr,« sagte er, »wie kann ich denn so das Brett treffen?«

»Warum denn nicht?«

»Du stehst mir ja im Wege!«

»Das tut nichts.«

»Du hast grad deine Brust vor meinem Ziel.«

»So schieße hindurch.«

»O, Herr, dann bist du tot!«

»Nein. Ich will euch ja zeigen, daß die Kugel mich nicht treffen darf.«

Er fuhr mit der Hand an den Kopf, um sich verlegen hinter dem Ohr zu kratzen.

»Das ist es ja eben!« meinte er. »Die Sache ist sehr gefährlich für mich.«

»Wieso?«

»Die Kugel wird von dir abprallen und dann mir durch die Brust gehen.«

»Sei ohne Sorgen. Ich werde sie mit der Hand auffangen und festhalten.«

Ein Gemurmel des Erstaunens ging durch die Reihen der Anwesenden.

»Ist das auch wirklich wahr, Effendi? Ich bin der Ernährer einer Familie. Wenn ich sterbe, so wird nur Allah für sie sorgen.«

»Du stirbst nicht. Ich verspreche es dir beim Barte des Propheten.«

»Wenn du das sagst, so will ich es versuchen, Herr.«

»Schieße getrost!«

Ich hatte Toma, den Boten, scharf beobachtet. Er kam jetzt ganz nahe herbei und wendete kein Auge von mir. Der Schütze legte auf mich an. Er stand nur zehn oder elf Schritte von mir entfernt. Aber er senkte das Gewehr noch einmal und sagte:

»Ich habe noch nie auf einen Menschen gezielt. Herr, du verzeihst mir doch, wenn ich dich treffe?«

»Ich werde dir nichts zu verzeihen haben, denn du triffst mich nicht.«

»Aber wenn dennoch?«

»So darfst du dir keine Vorwürfe machen, denn ich habe es dir ja befohlen.«

Ich erhob die rechte Hand, ließ aber dabei heimlich die bleierne Kugel in den Aermel rollen, zeigte hierauf die leere Hand und sagte:

»Mit dieser Hand werde ich die Kugeln auffangen. Also ich zähle. Bei ›drei‹ kannst du abdrücken.«

Ich ließ den Arm sinken und fing dabei die aus dem Aermel

rollende Kugel mit der hohlen Hand wieder auf. Es gab kein Auge, welches nicht auf mich gerichtet war.

»Eins – zwei – drei!«

Der Schuß krachte. Ich griff mit der Hand nach vorn, der Gewehrmündung entgegen, als ob ich die abgeschossene Kugel auffangen wollte, und hielt dann die bereitgehaltene Kugel zwischen Daumen und Mittelfinger empor.

»Hier hast du sie. Oder nimm du sie, Toma! Betrachte sie, ob es nicht dieselbe ist, welche in den Lauf gestoßen worden ist.«

Natürlich sah sie derselben ganz und gar ähnlich. Der Bote stand mit weit offenem Mund da und starrte mich an, gleichsam als wäre ich ein Gespenst. Die Wirkung auf die übrigen Leute war geringer. Man hatte wohl bis zum letzten Augenblick gezweifelt; nun aber war das vermeintliche Wunder dennoch geschehen. Die Kugel wurde weiter gegeben. Als der Schütze sie zurück erhielt, sagte ich so laut, daß alle es hören könnten:

»Jetzt lade sie abermals in den Lauf und ziele nach dem Brett.

Er tat es und schoß. Die Kugel schlug natürlich ein Loch in das Brett.

»Siehst du, ein solches Loch hätte ich nun in der Brust, wenn ich nicht kugelfest wäre. Jetzt magst du ganz nach Belieben auch auf meine drei Gefährten schießen.«

Daß die Kugel beim zweiten Male die gewöhnliche Wirkung hatte, obgleich ich vorher nicht getroffen worden war, ja sie aufgefangen hatte, das brachte die schlichten Leute in ungeheure Aufregung. Sie kamen herbei, um meine Hand zu betrachten, und konnten nicht genug Worte finden, ihr Erstaunen darüber auszudrücken, daß auch nicht die mindeste Spur einer Beschädigung an derselben zu sehen war.

»Allah onun ile – Allah ist mit ihm!« hörte ich einen sagen.

»Scheïtan sahibi – er hat den Teufel!« entgegnete ein anderer.

»Wie kann der Teufel ihm beistehen, da er den Kuran verspeist? Nein, Allah ist groß!«

Es wurden die verschiedensten Meinungen ausgetauscht, indessen ich dem Schützen drei Kugeln gab und Halef, Osko und Omar an den Schuppen postierte.

Vielleicht hatten diese drei vorher dem Experiment doch nicht getraut. Nachdem dasselbe mir aber nichts geschadet hatte, waren sie ohne Furcht bereit, auf sich schießen zu lassen. Nur die Finte mit dem Auffangen der Kugel mußten sie selbstverständlich unterlassen, da dieselbe ihnen wohl kaum gelungen wäre. Das wollte ich lieber selbst besorgen. Ich stellte mich neben sie hin und griff beim Losdrücken in die Luft, um dann allemal eine Bleikugel zurückzugeben, mit welcher hierauf die Probe gemacht wurde, daß sie durch das Brett schlage.

Als auch die drei Gefährten ihre Kugelfestigkeit bewiesen hatten, erhob sich ein Beifallssturm, der gar nicht zu beschreiben ist. Die Leute drängten sich an uns heran, um uns zu betasten, zu betrachten, zu befragen. Es hätte mehrere Tage bedurft, um alle die Erkundigungen zu beantworten, welche an uns gerichtet wurden. Um dem Andrang zu entgehen, retirierten wir uns in die Stube.

Von dort aus betrachtete ich Toma, den Botenmann. Er hatte seinen Unglauben vollständig aufgegeben, das merkte ich an seinen heftigen, begeisterten Gebärden, mit welchen er jenen Personen, die ferner gestanden hatten, den Vorgang anschaulich zu machen suchte. Ich winkte meinen Hadschi zu mir, zeigte ihm den Boten und sagte:

»Laß ihn nicht aus dem Auge. Und wenn er geht, so folge ihm unbemerkt nach, um ihn zu beobachten.«

»Warum, Sihdi?«

»Ich habe ihn im Verdacht, von den Aladschy beauftragt worden zu sein, uns zu belauern.«

»Ah! Darum also zogst du das eine Auge zusammen, als du ihn betrachtet hast. Ich habe sogleich gedacht, daß du ihm nicht traust. Aber was kann er uns schaden?«

»Er wird den beiden Skipetaren melden, daß wir zur Mittagszeit von hier abreisen.«

»Er sagte doch, daß er nicht reitet.«

»Er hat gelogen, verlaß dich darauf. Wenn er jetzt heimkehrt, so gehst du zur Stadt hinaus und versteckst dich irgendwo an der Straße, welche nach Radowitsch führt. Wenn er vorüber ist, meldest du es mir.«

»Und wenn er nicht kommt?«

»Nun, so kehrst du nach ungefähr zwei Stunden zurück. Es ist anzunehmen, daß er dann nicht reiten wird.«

Nun, erkundigte ich mich nach einem Frisier- und Barbierladen und begab mich dorthin, um mir Haar und Bart stutzen zu lassen. Der Besitzer des Ladens hatte unser Wunder auch gesehen. Im Orient bilden die Stuben der Barbiere einen beliebten Versammlungsort für alle Neuigkeitskrämer; daher war ich gar nicht überrascht, als ich die Stube voll von Menschen fand.

Diese guten Leute lauerten auf jede meiner Bewegungen und verhielten sich, solange der Barbier an mir herumschnitt, tief schweigend.

Einer von ihnen, welcher hinter mir saß, langte immer vor, um die Haarspitzen zu erwischen, welche herunterfielen, bis der Barbier, nachdem seine grimmigen Blicke nichts gefruchtet hatten, ihm einen leidlich kräftigen Fußtritt versetzte und ausrief:

»Dieb! Was hier herabfällt, ist mein Eigentum. Bestiehl mich nicht!«

Auf dem Rückweg trat ich in den Laden eines Strumpfwarenhändlers und auch eines Brillenhändlers. Bei dem ersten kaufte ich ein Paar lange Strümpfe, welche bis zum Oberschenkel hinauf reichten, und beim letzteren eine Brille mit blauen Schutzgläsern.

In einem dritten Laden erwarb ich mir ein grünes Turbantuch, wie nur die Abkömmlinge des Propheten es tragen dürfen. Somit hatte ich alles, was ich brauchte.

Ich war über eine Stunde fort gewesen. Als ich heimkehrte, war Halef schon wieder da.

»Sihdi, du hattest recht,« meldete er mir. »Der Kerl ist fort.«

»Wann?«

»Nur einige Minuten später, nachdem er nach Hause gekommen war.«

»Also war er schon vorher bereit dazu.«

»Jedenfalls, denn er hätte seine Tiere satteln müssen.«

»Was für Tiere waren bei ihm?«

»Er ritt ein Maultier und führte hinter sich vier beladene Esel, von denen jeder an den Schwanz des vorherigen, der vorderste aber an den Schwanz des Maultieres gebunden war.«

»Ritt er langsam?«

»Nein. Er tat, als ob er Eile habe.«

»Er will seine Botschaft möglichst schnell an den Mann bringen. Nun, uns soll das nichts schaden. Ich reite jetzt weiter, und ihr Andern verlaßt Ostromdscha um Mittag.«

»Und bleibt es bei dem, was du mir vor dem Schlafen gesagt hast?«

»Natürlich.«

»Ich reite den Rih?«

»Ja, und ich nehme dein Pferd. Sattle es und gehe dann wieder hinaus vor die Stadt; nimm aber deine Pantoffeln des Gebetes mit.«

»Warum, Sihdi?«

»Du sollst sie mir borgen, weil ich dir meine langen Stiefel zurücklasse.«

»Soll ich etwa dieselben anziehen?«

»Nein, Kleiner; du könntest mir darin verschwinden. Ich werde dir jetzt alles geben, was du mir aufbewahren sollst, besonders die Gewehre. Dann verabschiede ich mich.«

Dieses Letztere wurde mir freilich schwerer gemacht, als ich gedacht hatte. Der Herbergsvater Ibarek, welcher nun auch nach Hause zurückkehren wollte, versprach mir, die beiden Brüder, welche sich bei ihm eingenistet hatten, gehörig durchpeitschen zu lassen, doch glaube ich nicht, daß der wackere Held den Mut dazu besessen hat.

Endlich, endlich konnte ich in den Sattel steigen. Die beiden Wirte wunderten sich, daß ich nicht den Hengst reiten wollte, erfuhren aber meine Gründe nicht.

Draußen vor der Stadt stand Halef und neben ihm – die Nebatja. »Herr,« sagte sie, »ich hörte, daß du uns verlassen willst, und ich bin gekommen, dir noch einmal zu danken, hier, wo niemand es sehen kann. Ich werde an dich denken und deiner nie vergessen.«

Ich drückte ihr die Hand und ritt dann schnell von dannen. Es tat mir wehe, ihr in die nassen Augen zu sehen.

Halef folgte mir noch eine Strecke, bis wir an einem Buschwerke vorüber kamen. Dort stieg ich ab und trat hinter die Sträucher.

Der kleine Hadschi hatte das Gefäß mitnehmen müssen, in welchem sich der Sadar-Absud befand. Mit Hilfe eines Läppchens, welches er zu diesem Zwecke mitgebracht hatte, mußte er mir von der Flüssigkeit vorsichtig in das Haar des Kopfes und des Bartes streichen.

»Sihdi, weshalb lässest du denn dein Haupt mit dieser Brühe salben?« fragte er dabei.

»Das wirst du sehr bald sehen.«

»Sollte sich das Haar wirklich dadurch verändern?«

»Ich denke, daß du darob staunen wirst.«

»So bin ich neugierig darauf. Aber da ziehst du diese ewig langen Strümpfe aus der Tasche; willst du sie etwa anlegen?«

»Ja, und deine Gebetspantoffeln ziehe ich darüber.«

Der Kleine trug auf der Reise diese Pantoffeln bei sich, um sie beim Besuch einer Moschee stets bei der Hand zu haben, da man sich der Fußbekleidung entledigen muß.

Als er die ›Salbung‹ meines Hauptes beendet hatte, zog er mir die Reitstiefel aus, und ich zog an Stelle derselben die Strümpfe an. Die Pantoffeln waren mir ein wenig zu klein, aber es ging doch. Als er dann wieder nach meinem Kopf blickte, schlug er verwundert die Hände zusammen und rief:

»O Allah! Welch ein Wunder! Dein Haar beginnt ja, ganz hellblond zu werden!«

»Wirklich? Wirkt die Brühe schon?«

»Stellenweise.«

»So müssen wir an den dunklen Stellen nachhelfen. Hier hast du den Kamm, um die Feuchtigkeit zu verteilen.«

Er setzte das begonnene Werk fort, und als ich mich dann in dem kleinen Taschenspiegel besah, war ich hochblond geworden. Nun setzte ich den Fez auf, und Halef mußte mir das grüne Turbantuch um denselben winden, so daß rechter Hand das ausgefranste Ende desselben herabhing.

»Sihdi, ich begehe da eine große Sünde,« sagte er kleinlaut. »Nur die direkten Nachkommen des Propheten dürfen diese Auszeichnung tragen. Du aber bist nicht einmal ein Anhänger des Kuran, sondern des Kitab el mukaddas[1]. Werde ich diese Entweihung verantworten können, wenn ich einmal über die messerschneideschmale ›Brücke des Todes‹ gehen muß?«

»Ganz gewiß.«

»Ich ab er zweifle daran.«

»Sei unbesorgt. Ein Mohammedaner würde sich freilich an den Nachkommen des Propheten versündigen, wenn er deren Abzeichen trüge; ein Christ aber hat diese Regel denn doch nicht zu beobachten. Die Anhänger der Bibel dürfen sich kleiden, wie es ihnen beliebt.«

»So habt ihr es weit besser und bequemer, als wir. Aber einen Fehler begehe ich dennoch. Wenn du selbst dir das Tuch umlegtest, so würde es dein Gewissen nicht beschweren. Da ich es aber tue, ich, ein gläubiger Sohn des Propheten, so werde ich wohl strafbar sein.«

»Habe keine Sorge! Ich will diese Sünde gern auf mein Gewissen nehmen.«

»Und an meiner Stelle in der Hölle braten?«

»Ja.«

»O Sihdi, das gebe ich nicht zu; da habe ich dich doch zu lieb. Lieber brate ich selbst, denn ich glaube, ich halte es besser aus, als du.«

»Traust du dir mehr Kraft zu, als mir?«

»Nein, aber ich bin doch viel kleiner, als du. Vielleicht finde ich eine Stelle, wo ich mich unter und zwischen den Flammen niederstrecken kann, so daß sie mir nicht wehe tun.«

Der Schalk meinte es mit seinem Bedenken gar nicht so

1 »Das heilige Buch« = Bibel.

ernst. Ich wußte doch, daß er schon längst im Herzen ein Christ geworden war.

Um die Verwandlung zu vollenden, setzte ich nun die Brille auf und schlang die Reitdecke um meine Schultern, ungefähr so, wie ein Mexikaner seine Serape trägt.

»Müdschüzat allahi – Wunder Gottes!« rief Halef aus. »Sihdi, du bist ganz und gar ein Anderer geworden!«

»Wirklich?«

»Ja. Ich weiß nicht, ob ich dich erkennen würde, wenn du so an mir vorüberrittest. Nur an deiner Haltung würde ich es sehen, daß du es bist.«

»O, die wird auch eine andere. Aber das habe ich gar nicht nötig. Die Aladschy haben mich ja noch niemals gesehen. Sie kennen mich nur aus der Beschreibung, und es ist also sehr leicht, sie irre zu machen.«

»Aber der Bote kennt dich!«

»Den treffe ich vielleicht nicht.«

»Ich denke, der wird bei ihnen sein.«

»Schwerlich. Sie wollen uns zwischen hier und Radowitsch auflauern; er aber hatte seine Esel bepackt und will die Waren dort abliefern. Er beabsichtigt also, nach Radowitsch zu reiten. Es ist also anzunehmen, daß er sie unterwegs benachrichtigt und dann weiter reitet.«

»Und glaubst du wirklich, ganz allein mit ihnen zurechtkommen zu können?«

»Ja, gewiß.«

»Die Scheckigen sind aber berüchtigt; vielleicht wäre es besser, wenn ich dich begleiten würde. Ich bin ja dein Freund und Beschützer.«

»Jetzt hast du Osko und Omar zu beschützen. Diese Beiden vertraue ich dir an.«

Das tröstete ihn und erhob sein Selbstgefühl. Darum antwortete er schnell:

»Da hast du vollkommen recht, Sihdi. Was wären die Beiden ohne mich, deinen tapferen Hadschi Halef Omar? Nichts, gar nichts! Uebrigens habe ich den Rih, dem ich meine ganze Seele widmen muß. Mir ist sehr viel anvertraut.«

»So mache dich dieses Vertrauens auch würdig. Weißt du noch alles, was wir besprochen haben?«

»Alles. Mein Gedächtnis ist wie der Rachen eines Löwen, dessen Zähne alles festhalten, was sie einmal gepackt haben.«

»So wollen wir jetzt scheiden. Lebe wohl! Mache keinen Fehler!«

»Sihdi, kränke meine Seele nicht mit dieser Ermahnung. Ich bin ein Mann, ein Held; ich weiß, was ich zu tun habe.«

Er warf den nun nicht mehr zu brauchenden Topf zwischen die Sträucher, schwang sich meine langen Stiefel auf die Achsel und schritt nach der Stadt zurück. Ich aber ritt nach Nordwest, einer gefährlichen und vielleicht verhängnisvollen Zukunft entgegen.

Zunächst hatte ich freilich keine Veranlassung, eine Gefahr zu befürchten. Hätten die Aladschy mich gekannt und erblickt, so wäre an einen heimtückischen Ueberfall, an eine Kugel aus dem Hinterhalt zu denken gewesen. So aber hatte ich im schlimmsten Fall einen offenen räuberischen Angriff zu erwarten, wie jeder andere Reisende auch. Und dazu bot meine jetzige Erscheinung eben nicht viel Verlockendes.

Ich sah aus wie ein armer direkter Nachkomme Mohammeds, bei dem gar nicht viel zu holen war, und wenn ich auch meine Gewehre zurückgelassen hatte, so trug ich doch die beiden Revolver in der Tasche, und diese genügten vollständig, um auch noch mehr als nur zwei Angreifer unschädlich zu machen. Dieselben sahen nur mein Messer und mußten annehmen, daß ich sonst unbewaffnet sei. Das hätte sie jedenfalls zu einer Sorglosigkeit verleitet, die ihnen gefährlich werden konnte.

Die Gegend von Ostromdscha nach Radowitsch ist sehr fruchtbar. Felder und Weiden wechseln mit Waldungen. Die Strumnitza ist die Fee, welche der Gegend diese Wohltat verleiht.

Zur Linken hatte ich die nordöstlichen Berge des Welitza Dagh, und zur Rechten senkten sich die Höhen des Plaschkawitza Planina hernieder. Keinen Menschen traf ich, und erst nach mehr als einer Stunde kam mir ein einsamer Bulgare entgegen, den ich an der Kleidung als solchen erkannte.

Meines grünen Turbans wegen blieb er stehen und verbeugte sich, um mich ehrerbietig vorübergehen zu lassen. Auch der reichste Moslem ehrt den ärmsten, zerlumptesten Scherif; er achtet in ihm den Abkömmling des Propheten, dem es schon bei Lebzeiten vergönnt war, die Himmel Allahs zu schauen.

Ich hielt mein Pferd vor ihm an, erwiderte seinen demütigen Gruß und fragte ihn:

»Allah segne den Ausgangspunkt deiner Reise! Wo kommst du her, mein Bruder?«

»Mein Weg begann in Radowitsch.«

»Und wohin willst du?«

»Nach Ostromdscha, wohin ich glücklich gelangen werde, wenn du mir deinen Segen dazu nicht verweigerst.«

»Er soll dich in vollem Maße begleiten. Bist du vielen Wanderern begegnet?«

»Nein. Der Weg war so einsam, daß ich meine Gedanken ungestört auf die Wohltaten Allahs richten konnte.«

»So hast du gar niemand gesehen?«

»Auf der Straße nur einen einzigen, nämlich den Boten Toma aus Ostromdscha.«

»Kennst du diesen Mann?«

»Alle in Radowitsch kennen ihn, denn er besorgt unsere Botschaften hin und her.«

»Hast du mit ihm gesprochen?«

»Ich wechselte einige Worte mit ihm. Er war in dem kleinen Weiler eingekehrt, welchen du bald finden wirst, da wo der Weg dich über den Fluß führt.«

»Bist du auch dort eingekehrt?«

»Nein, ich hatte keine Zeit dazu.«

»So weißt du vielleicht, wo der Bote einkehrt, wenn er nach Radowitsch kommt?«

»Willst du ihn finden?«

»Vielleicht.«

»Er kehrt in keinem Khan ein, wie du wohl denken magst,

sondern bei einem Verwandten, den er dort hat. Wenn ich dir den Namen desselben sagte, so würdest du ihn doch nicht ohne Hilfe finden, da ich dir die Gassen nicht so genau beschreiben kann. Ich bitte dich daher, in Radowitsch dich noch einmal zu erkundigen.«

»Ich danke dir. Allah führe dich!«

»Und dir öffne sich der Himmel!«

Er schritt weiter, und ich setzte meinen Weg ebenso gemächlich fort, wie ich bisher geritten war.

Nun konnte ich mir denken, wie die Sache stand. In Radowitsch hielten sich die beiden Aladschy sicherlich nicht auf, weil es für sie zu gefährlich gewesen wäre; sie hatten also wohl in dem Weiler den Boten erwartet, und was sie ferner unternehmen würden, das kam ganz auf die Mitteilungen des Boten an. Keinesfalls mochten sie zu einem offenen Angriff geneigt sein, und ob sie uns hinterrücks mit Kugeln beschenken wollten, das war nun auch zweifelhaft, da sie uns ja jetzt für kugelfest halten mußten.

Es war noch nicht Mittag; darum meinte ich, daß ich sie noch in dem Weiler treffen könnte. Der Bote hatte ihnen gewiß gesagt, daß ich erst zu dieser Zeit aufbrechen würde. Da hatten sie also noch Zeit genug, sich ein Versteck zu suchen. Ich freute mich natürlich darauf, ihnen ein Schnippchen zu schlagen und an ihnen vorüber zu kommen, ohne von ihnen belästigt zu werden.

Nach ungefähr einer halben Stunde erreichte ich den Weiler, welcher nur aus einigen Häusern bestand. Der Weg machte eine rechtwinkelige Biegung nach der Brücke zu, und ich erhielt dadurch einen Blick nach der hinteren Seite eines Gebäudes, welches nahe der Brücke stand. Dort weideten zwei Kühe, einige Schafe und auch drei Pferde, von denen zwei gesattelt und – weiß und dunkelbraun gescheckt waren.

Ich sah sofort, daß es halbblütige Tiere waren, und schätzte, daß sie von einer Mescherdi-Stute stammen mochten. Diese Pferde sind sehr hart, genügsam, haben einen kräftig aufgesetzten Hals und kräftige Hinterbeine, sind aber trotzdem sehr schnell und ausdauernd. Ein guter Reiter kann einem solchen Roß schon etwas zumuten.

Sollten dies die Pferde der zwei Aladschy sein? Sollten die beiden sich in dem Hause befinden, an welchem ich unbedingt vorüber mußte?

Es lag mir viel daran, mit ihnen zu sprechen, doch mußte das möglichst unauffällig eingeleitet werden, damit nicht etwa ihr Mißtrauen erweckt würde.

Als ich die Krümmung hinter mir hatte, konnte ich nun auch die vordere Seite des Hauses sehen. Es gab da ein auf vier Säulen ruhendes Vordach, unter welchem einige Tische und Bänke standen, roh aus Brettern zusammengenagelt. Sie waren leer – bis auf einen, an welchem zwei Männer saßen. Sie sahen mich kommen. Ueberhaupt schienen sie sorgfältig nach beiden Seiten aufzupassen, denn Leute solchen Schlages müssen stets auf ihrer Hut sein.

Ich sah, mit welch scharfen, mißtrauischen Blicken sie mich bobachteten, und tat, als ob ich vorüberreiten wollte. Da aber erhoben sie sich von ihren Plätzen und traten um einige Schritte vor.

»Dur – halt!« begann der eine, indem er gebieterisch die Hand erhob. »Willst du nicht ein Gläschen Raki mit uns trinken?«

Ich war überzeugt, die Gesuchten vor mir zu haben. Sie mußten Brüder sein – sie sahen einander ungemein ähnlich. Beide – gleich hoch und breitschulterig – waren länger und stärker als ich. Ihre dichten, lang ausgezogenen Schnurrbärte, die Wetterfarbe ihrer Gesichter und ihre Waffen verliehen ihnen ein sehr kriegerisches Aussehen. Ihre Gewehre lehnten an den Tischen. In ihren Gürteln funkelten Messer und Pistolen, und an der linken Seite hatte jeder ein Heidukkenbeil gleich einem Säbel hängen.

Ich schob die Brille auf der Nase zurecht, betrachtete sie mir, wie ein Pädagog einen ungezogenen Jungen betrachten würde, und fragte:

»Wer seid ihr denn, daß ihr einen Enkel des Propheten in seinem frommen Nachdenken stört?«

»Wir sind fromme Söhne des Propheten, ebenso wie du. Darum wollen wir dich ehren, indem wir dir eine Erfrischung anbieten.«

»Raki? Das nennst du eine Erfrischung? Kennst du nicht das Wort des Kuran, welches den Raki verbietet?«

»Ich weiß nichts von ihm.«

»So gehe zu einem Ausleger der heiligen Suren, und laß dich unterrichten!«

»Dazu haben wir keine Zeit. Willst du es nicht lieber selber tun?«

»Wenn du es wünschest, bin ich bereit dazu, denn der Prophet sagt: Wer eine Seele aus der Hölle erlöst, der kommt sogleich nach seinem Tod in den dritten Himmel. Wer aber zwei Seelen rettet, der geht gleich in den fünften Himmel ein.«

»So verdiene dir den fünften. Wir sind bereit, dir in denselben zu helfen. Steige also ab, frommer Mann, und mache uns so heilig, wie du selber bist!«

Er hielt mir den Steigbügel, und der Andere faßte mich beim Arm und zog mich herab, so jeder weiteren Weigerung zuvorkommend.

Als ich nun aus dem Sattel war, hinkte ich gravitätisch zu dem Tisch, an welchem sie gesessen hatten und sich nun wieder niederließen.

»Du schleppst ja ein Bein hinter dir her,« lachte der Eine. »Hast du dich beschädigt?«

»Nein. Es ist mein Kismet,« erwiderte ich kurz.

»So bist du lahm geboren. Da hat es Allah gut mir dir gemeint, denn wen er lieb hat, dem schickt er ein Leiden. Willst du nicht uns unwürdigen Sündern deinen heiligen Namen nennen?«

»Wenn ihr in die Tabellen der Nakyb-el-Eschraf schaut, die in jeder Stadt über uns geführt werden, so werdet ihr ihn finden.«

»Das glauben wir dir. Da wir aber diese Tabellen nicht hier haben, so wirst du uns doch wohl die Gnade erzeigen, deinen Namen uns zu nennen.«

»Nun denn, ich bin Scherif Hadschi Schehab Eddin Abd el Kader Ben Hadschi Gazali el Farabi Ibn Tabit Merwan Abul Achmed Abu Baschar Chatid esch Schonahar.«

Die beiden Wegelagerer hielten sich die Hände vor die Ohren und stießen ein lautes Gelächter aus. Sie schienen gar keine Lust zu haben, sich durch meine Eigenschaft als Scherif imponieren zu lassen. Wären sie griechisch-katholische Skipetaren gewesen, so hätte mich das gar nicht gewundert; da ich aber ihrer Kleidung nach annehmen mußte, daß sie sich zum Islam bekannten, so war zu vermuten, daß sie sich aus den Lehren und Satzungen desselben nur blutwenig machten.

»Woher kommst du denn, du mit dem langen Namen, den kein Mensch sich merken kann?« fragte der Eine weiter.

Ich warf ihm über die Brille weg einen langen, ernsten, ja vorwurfsvollen Blick zu und antwortete:

»Den kein Mensch sich merken kann! Habe ich dir denn nicht soeben meinen Namen gesagt?«

»Allerdings.«

»Also muß ich ihn doch wissen und ihn gemerkt haben.«

Alle beide lachten wieder hellauf.

»Ja du! Das wäre doch auch gar zu schlimm, wenn du nicht deinen eigenen Namen wüßtest. Aber du wirst wohl der Einzige sein, der ihn hat merken können.«

»Er kann nie vergessen werden, denn er ist in dem Buch des Lebens eingetragen.«

»Ah so! Du bist ja Scherif, und von euch kommt keiner in die Hölle. Aber du wolltest doch uns aus derselben erlösen und uns erklären, daß der Raki verboten ist.«

»Das ist er auch, und zwar streng.«

»Und das steht im Kuran?«

»Gewiß und wahr.«

»Hat es denn, als der Prohpet die Offenbarungen erhielt, schon Raki gegeben?«

»Nein, denn davon steht in keiner Welt- und Naturgeschichte ein Wort geschrieben.«

»So kann er also auch nicht verboten worden sein.«

»O doch! Das betreffende Wort lautet nämlich: ›Kullu muskürün haram‹ – alles, was trunken macht, ist untersagt, ist verboten, ist verflucht. Also ist auch der Raki verflucht.«

»Er macht uns aber nicht trunken!«

»Wohlan, so ist er euch auch nicht verboten.«

»Und der Wein ist uns gleichfalls nicht gefährlich.«

»So genießt ihn mit Andacht und in bescheidener Menge.«

»Das ist gut! Das hört man gern! Du scheint kein übler Ausleger zu sein. Wirst du denn betrunken vom Raki?«

»Wenn ich nur wenig trinke, nicht.«

»Und was nennest du wenig?«

»Einen Fingerhut voll, mit einer solchen Flasche Wassers verdünnt.«

Ich zeigte auf die große, dicke Schnapsflasche, welche vor uns stand.

»Ja, dann kannst du allerdings nicht berauscht werden. So will ich dir Wasser holen, und dann trinkst du mit uns.«

Er stand auf und brachte bald einen mit Wasser gefüllten Topf und ein Glas. Er goß das Glas zum vierten Teil voll Wasser und füllte es dann mit Raki bis oben an.

»So,« sagte er, es vor mich hinstellend. »Jetzt ist Wasser dabei. Nun kannst du mit uns trinken, ohne dich an den Geboten des Kuran zu versündigen. Allah segne dein Leben!«

Er setzte die Flasche an den Mund, tat einen langen Zug und gab sie dann seinem Bruder, der sich ebenso reichlich bediente. Ich nippte bescheiden aus meinem Glas.

Dieser Eine schien überhaupt, während der Andere sich schweigend und beobachtend verhielt, das Wort führen zu wollen. Er fragte bald wieder:

»Also, woher kommst du?«

»Eigentlich komme ich von Avret Hissar.«

»Und wo willst du hin?«

»Nach Skopia, um die Gläubigen dort in den Gesetzen und Regeln des Kuran zu unterrichten.«

»In Skopia? Da wirst du nicht viel Freude erleben.«

»Warum?« fragte ich mit schüchternem Befremden.

»Weißt du denn nicht, daß man dort die Frömmigkeit verlacht?«

»Ich habe es vernommen und eben deshalb will ich hinreisen.«

»So wirst du dir die Schwindsucht an den Hals reden, aber keinen Menschen bekehren.«

»Was geschehen soll, das geschieht. Es ist in dem Buch des Lebens verzeichnet.«

»Du scheinst dieses Buch sehr genau zu kennen?«

»Allah kennt es, und nur er allein liest es. Ich hoffe, daß einige Bewohner von Skopia auch drinnen verzeichnet sind.«

»Das bezweifle ich stark. Es sollen viele Skipetaren dort sein, und die taugen nichts.«

»Leider habe ich das auch gehört.«

»Daß die Skipetaren nichts taugen?«

»Jawohl.«

»Wieso denn?«

»Der Scheïtan hat sie besessen. Ich kenne sie nicht, aber sie sollen Diebe, Räuber und Mörder sein. Die Hölle selbst ist noch viel zu gut für sie geschaffen.«

»Hast du denn noch keinen Skipetar gesehen?«

»Ich habe noch nie das große Unglück gehabt, einem dieser Sünder zu begegnen,« antwortete ich mit einem Seufzer. Dazu schnitt ich ein möglichst einfältiges Gesicht. Sie stießen sich unter dem Tisch mit den Füßen an und schienen großes Vergnügen an meiner Albernheit zu haben.

»Aber hast du denn keine Furcht vor ihnen?« fragte er weiter.

»Warum sollte ich mich fürchten? Könnten sie mir etwas Anderes tun, als was mir bereits vorher bestimmt wäre!«

»Hm! Du reisest ja nach dem Land der Skipetaren. Wenn dich nun ein solcher Räuber überfällt?«

»Das wäre jammerschade um seine Mühe. Dies ist mein ganzes Vermögen.«

Sechs Piaster warf ich auf den Tisch, und ich hatte auch die Wahrheit gesagt, denn ich trug nicht mehr bei mir, weil ich dem kleinen Halef mein Geld übergeben hatte.

»Da können sie sich bei dir allerdings nicht viel holen, aber du mußt doch auf der Reise Geld haben!«

»Geld? – Wozu?«

»Nun, um leben zu können.«

»Dazu brauche ich nichts. Hat der Prophet nicht befohlen, gastfreundlich zu sein?«

»Ah, du bettelst?«

»Betteln! Willst du einen Scherif beleidigen? Speise, Trank und ein Nachtlager finde ich überall.«

»Wo hast du denn in letzter Nacht geschlafen?«

»In Ostromdscha.«

»Ah, dort! Das ist uns interessant.«

Beide warfen einander einen Blick zu, welcher heimlich sein sollte.

»Warum? Seid ihr etwa von dort?«

»Das nicht; aber wir hörten, daß in letzter Nacht dort ein großes Feuer gewesen sei.«

»Groß? O nein!«

»Es soll die halbe Stadt niedergebrannt sein.«

»Das hat euch ein großer Lügner gesagt. Einen Brand hat es gegeben, das ist wahr; aber er war ganz unbedeutend und nicht einmal in der Stadt.«

»Wo denn?«

»Oben auf dem Berg.«

»Dort gibt es doch gar kein Haus!«

»Aber eine Hütte.«

»Etwa diejenige des alten Mübarek?«

»Ja, dieselbe.«

»Kennt man denn den Brandstifter?«

»Der Mübarek ist es selbst gewesen.«

»Das glaube ich nicht. Ein solch frommer Mann soll ein Brandstifter sein?«

»O, er ist nicht so fromm gewesen, wie er sich gestellt hat.«

»Also wäre es doch wahr, was wir hörten!«

»Was habt ihr denn gehört?«

»Daß er eigentlich ein großer Schlingel, ein Verbrecher sei.«

»Diesmal seid ihr recht berichtet.«

»Weißt du das genau?«

»Ja, denn ich war dabei, als er gefangen genommen wurde. Ich war auch bei dem Feuer und überall.«

»So hast du vielleicht auch die vier Fremden gesehen, welche das alles angestellt haben?«

»Ich habe sogar mit ihnen in demselben Khan gewohnt und geschlafen.«

»Wirklich? Wohl auch mit ihnen gesprochen?«

»Mit allen vieren!«

»Würdest du sie wieder erkennen, wenn sie dir jetzt begegneten?«

»Augenblicklich!«

»Das ist gut, sehr gut. Wir erwarten sie nämlich, denn wir müssen mit ihnen reden. Da wir sie aber noch nicht gesehen haben, so können wir uns sehr leicht irren. Willst du uns nicht auf sie aufmerksam machen, wenn sie kommen?«

»Sehr gern, wenn ich nicht etwa zu lange warten muß.«

»Du hast doch Zeit!«

»Nein, ich muß übermorgen in Skopia eintreffen.«

›Du brauchst nur etwa noch drei Stunden zu warten.«

»Das ist mir viel zu lange.«

»Wir bezahlen dich dafür.«

»Bezahlen? Ah, das könnte der Sache eine andere Wendung geben. Wie viel wollt ihr denn bezahlen?«

»Fünf Piaster, bis sie kommen.«

»Und wenn sie aber nicht oder sehr spät kommen, so daß ich dann nicht weiter reiten kann, weil es dunkel ist?«

»So bezahlen wir für dich hier das Nachtquartier und das Essen.«

»So bleibe ich; aber ihr müßt mir die fünf Piaster sofort auszahlen.«

»Scherif! Denkst du etwa, daß wir kein Geld haben?«

»Nein, sondern ich denke, daß ich keins habe; darum möchte ich solches bekommen.«

»Nun, diese Kleinigkeit können wir sehr leicht vorauszahlen. Da!«

Er warf mir zehn Piaster hin, und als ich ihn erstaunt anblickte, sagte er verächtlich:

»Nimm es nur, wir sind reich.«

Sie waren allerdings gut bei Geld, denn der Geldbeutel
dieses Menschen war groß, und es klang darin nach Gold.

Nun wurde ich über meine eigene Person gefragt. Ich
mußte mich und meine Begleiter genau beschreiben und
dann auch sagen, ob ich gesehen, daß uns die Kugeln nicht
getroffen hätten.

Ich erzählte alles, was geschehen war, dann fragte der Skipetar:

»Hast du denn nicht gehört, wann diese vier Männer aufbrechen wollen?«

»Ich war dabei, als der eine von ihnen sagte, daß sie zur
Mittagszeit fortreiten würden.«

»Das haben auch wir erfahren; aber wir denken, daß sie
dennoch nicht kommen werden.«

»Warum nicht?«

»Weil sie sich fürchten.«

»O, diese Fremden sehen nicht so aus, als ob sie sich
fürchten könnten! Vor wem auch sollen sie denn Angst haben?«

»Vor den Skipetaren.«

»Das glaube ich nicht; habe doch nicht einmal ich selbst
Angst vor ihnen. Und nun gar diese vier! Ihr sollt nur die
Waffen des Einen sehen.«

»Ich habe davon gehört. Man soll ihm jedoch gesagt haben, daß Skipetaren ihm auflauern wollen.«

»Davon weiß ich nichts; wohl aber habe ich von zwei Räubern gehört.«

»Also doch! Was ist's mit ihnen?«

»Der alte Mübarek hat zwei Räuber gedungen, diese vier
Fremden unterwegs zu töten.«

»Woher weiß man denn das?«

»Aus einem Gespräch, welches belauscht worden ist.«

»Teufel! Wie unvorsichtig! Hat man die Namen der Räuber gewußt?«

»Nein, und ich glaube, man kennt dieselben überhaupt nicht.«

»Und was sagen denn die vier Fremden dazu?«

»Sie lachen.«

»Allah w'Allah! Sie lachen?« brauste er auf. »Sie lachen über diejenigen, von denen sie angefallen werden sollen?«

»Ja, über wen sonst?«

»Ich meine, wenn es sich um wirkliche Skipetaren handelt, so kann diesen Fremden das Lachen sehr leicht vergehen.«

»Das glaube ich nicht.«

»Wie? Du glaubst es nicht? Meinst du, daß die Skipetaren schwache Knaben sind?«

»Sie mögen so stark sein, wie sie wollen; diesen vier Männern können sie nichts anhaben, weil dieselben kugelfest sind.«

»Kugelfest? Verflucht! Ich habe niemals daran geglaubt und es stets für ein albernes Märchen gehalten, daß sich ein Mensch kugelfest machen könne. Hast du es aber auch genau gesehen?«

»Sehr genau; ich stand unmittelbar dabei.«

»Die Kugeln trafen nicht? Und der Mensch fing sie sogar auf?«

»Mit der Hand. Dann, als abermals mit denselben Kugeln geschossen wurde, durchbohrten sie das Brett.«

»Es ist kaum glaublich!«

»Aber über fünfhundert Menschen waren dabei, haben es gesehen und sich die Kugeln geben lassen.«

»Dann muß man es freilich glauben. Wenn ich das Kunststück auch machen könnte, ich verzehrte alle Tage einen ganzen Kuran.«

»Es wird sich wohl nicht bloß darum handeln, sondern ich vermute, daß dabei noch gewisse Geheimnisse zu beobachten sind.«

»Ohne Zweifel. Ich gäbe sehr viel darum, wenn ich diese Geheimnisse erfahren könnte.«

»Das wird keiner verraten.«

»Hm! Vielleicht doch.«

»Ich glaube es nicht.«

»Und ich wüßte doch vielleicht zwei Personen, die es erfahren könnten.«

»Wer wären diese?«

»Die Räuber, die ihnen auflauern.«

»O, diese am allerwenigsten!«

»Das verstehst du nicht, obwohl du ein Scherif bist. Ich nehme an, daß die Skipetaren einem von den Fremden das Leben schenken, jedoch nur unter der Bedingung, daß er ihnen das Geheimnis verrate.«

»Dabei vergissest du aber die Hauptsache,« sagte ich mit kühler Ruhe.

»Was wäre dies?« fragte er hastig.

»Daß sich diese Männer gar nicht vor den Skipetaren zu fürchten brauchen; sie sind ja kugelfest, wie ihr nun selbst zugeben werdet.«

»Wir müssen es freilich zugeben, denn wir haben es vorhin aus einem ganz zuverlässigen Mund gehört; aber ich frage dich: sind sie denn auch hieb- und stichfest?«

»Hm! Das weiß ich nicht.«

»So sind sie es auch nicht, denn sie hätten sich jedenfalls dessen gerühmt. Also kann man ihnen doch zu Leibe gehen. Oder meinst du, daß wir, wenn wir diese Skipetaren wären, uns vor diesem Fremden, welcher den Araber reitet, zu fürchten hätten?«

»Im Ringen gewiß nicht.«

»Also sind sie doch nicht so sicher. Aber auch ich bin überzeugt, daß ihnen nichts geschieht, zumal wir ihnen beistehen würden.«

»Ihr wolltet dies wirklich tun?« fragte ich gemächlich.

»Warum zweifelst du? Wir sind ihnen von Radowitsch aus entgegen geritten, wir wollen sie empfangen und sie überraschen. Sie sollen nämlich bei uns wohnen. Wir werden ihre Gastfreunde sein. Wehe dem Menschen, der ihnen ein Leid tun wollte!«

»Hm! Das glaube ich wohl. Aber sie können vielleicht überfallen werden, bevor sie hierher kommen.«

»O nein; da gibt es keinen passenden Ort.«

»Verstehst du das so genau?« fragte ich, indem ich ein recht einfältiges Gesicht zu machen mich bemühte.

»Ja, denn ich bin Soldat gewesen. Weiter oben, nach Radowitsch zu, ist ein passender Ort, nämlich da, wo es durch den Wald geht. Da gibt es große Felsenbrocken zu beiden Seiten des Weges, und das Gehölz ist so dicht, daß man weder rechts noch links entfliehen kann. Wenn sie dort angefallen würden, so wären sie rettungslos verloren.«

In der Pause, welche nun entstand, weil er sinnend vor sich niederblickte, hörte ich jetzt ganz deutlich wimmernde Töne aus dem Hause dringen. Ich hatte sie schon vorhin gehört, aber nicht so deutlich; es schien eine Kinderstimme zu sein. Die Sache wollte mir beinahe verdächtig vorkommen, doch dachte ich mir, daß die Skipetaren es gar nicht hätten wagen können, hier eine Untat zu verüben und dann so ruhig sitzen zu bleiben.

»Wer wimmert denn da drin?« fragte ich.

»Wir wissen es nicht.«

»Ist dieses Haus ein Khan?«

»Nur eine kleine Herberge.«

»Wo ist der Wirt?«

»In der Stube.«

»Ich will einmal nachsehen,« sagte ich, stand auf und ging auf die Türe zu.

»Halt! – Wohin?« fragte der Eine.

»Hinein zu dem Wirt.«

»Geh hier an den Laden!«

Ich erriet sofort, daß sie mich nicht mit dem Wirt allein sprechen lassen wollten. Jedenfalls kannte er sie, und sie fürchteten, von ihm verraten zu werden. Ich hinkte also zu dem offenen Laden und steckte den Kopf hinein. Das Wimmern dauerte fort.

»Konakdschy – Wirt!« rief ich hinein.

»Hier,« antwortete eine männliche Stimme.

»Wer wimmert so da drinnen?«

»Meine Tochter.«

»Warum?«

»Sie hat Zahnweh.«

»Wie alt ist sie?«

»Zwölf Jahre.«

»Warst du bei einem Berber oder Hekim?«

»Nein, ich bin zu arm.«

»So werde ich helfen, ich komme hinein.«

Die beiden Aladschy hatten jedes Wort gehört. Als ich mich jetzt wieder nach der Türe wendete, standen sie auf und folgten mir.

Die Stube sah überaus ärmlich aus, selbst nach dortigen Begriffen. Es war niemand da, als der Wirt und die Patientin, welche wimmernd in einer Ecke hockte. Der Mann saß auf einem Schemel, die Ellbogen auf die Knie und das Kinn in die Hände gestemmt, und schaute uns gar nicht an.

»Also du bist der Wirt?« fragte ich ihn. »Wo ist die Wirtin?«

»Tot,« antwortete er dumpf, ohne mich anzuschauen.

»Da bist du zu bedauern. Hast du auch noch andere Kinder?«

»Noch drei kleinere.«

»Wo sind dieselben?«

»Draußen am Fluß.«

»Welche Unvorsichtigkeit! Kinder läßt man nicht ohne Aufsicht an das Wasser.«

Jetzt erhob er den Kopf und sah mich verwundert an. Hatte er etwa keine solche Teilnahme erwartet?

»Warum holst du sie nicht zu dir?« fragte ich weiter.

»Ich kann nicht.«

»Aus welchem Grund?«

»Ich darf nicht hinaus.«

»O, wer sollte dir es verwehren?«

Er warf einen finstern Blick auf die beiden Aladschy, und zugleich bemerkte ich, daß der eine derselben ihm mit dem Finger drohte. Ich tat, als hätte ich nichts gesehen, und ging in die Ecke, sagte der Kleinen einige freundliche Worte und führte sie zu dem offenen Laden hin.

»Komm her!« bat ich in mildem Ton, um ihr Vertrauen zu erwecken. »Ich werde dir sofort die Schmerzen nehmen. Oeffne einmal den Mund und zeige mir den Zahn.«

Sie tat es ohne Zögern. Dem Zahn war nichts anzusehen; vielleicht war der Schmerz ein rheumatischer. Da gab es freilich kein Mittel. Aber ich wußte aus Erfahrung, welchen Einfluß, besonders bei Kindern, die Einbildung übt. Vor allem mußte das Weinen aufhören.

»Nun schließe einmal den Mund, und antworte mir durch Nicken oder Schütteln,« sagte ich. »Hast du noch Schmerzen?«

Sie nickte.

»So paß auf. Ich werde dir eine kleine Weile meine Hand an die Wange legen, dann sind die Schmerzen fort.«

Ich zog den Kopf der Patientin an mich und legte ihr die hohle Hand auf die betreffende Wange, dieselbe leise streichelnd. Vom Lebensmagnetismus verstehe ich allerdings nichts, aber ich verließ mich auf die Einbildungskraft des Kindes und auf das wohltuende Gefühl, wenn eine freundliche, warme Hand einen schmerzenden Backen leise berührt.

»Nun, ist der Schmerz fort?« fragte ich nach einer Weile.

Sie nickte.

»Ganz und gar?«

»Ja ganz!« antwortete sie, indem das Gesichtchen strahlte und ihre Augen mich dankbar anlächelten.

»Sprich nicht, und hole noch eine Weile durch die Nase Atem; dann wird der Schmerz nicht wieder kommen.«

Das war alles so einfach, so selbstverständlich gewesen und doch trat, als ich jetzt wieder hinausgehen wollte, der Mann auf mich zu, ergriff meine Hand und sagte:

»Herr, sie hat schon seit gestern gejammert; es war nicht zum Aushalten, und darum sind die anderen Kinder fort. Du kannst Wunder tun!«

»Nein, es ist kein Wunder. Ein sehr einfaches Mittel ist es, welches ich angewendet habe, und es wird helfen, wenn du dein Töchterchen heute noch in der Stube behältst. Deine drei anderen Kinder werde ich holen.«

»Du, Herr, du?« fragte er.

»Freilich, denn du kannst ja nicht.«

Die beiden Aladschy warfen ihm wütende Blicke zu. Er aber bückte sich, als ob er etwas aufheben wollte, kam mir dadurch näher und raunte mir zu, indem er sich wieder erhob:

»Nimm dich in acht! Es sind die Aladschy.«

»Was war das?« schrie der eine der Beiden, welcher vielleicht einen Hauch gehört hatte. »Was hast du gesagt?«

»Ich? Nichts!« antwortete der Wirt möglichst unbefangen.

»Ich habe es doch gehört!«

»Da täuschest du dich.«

»Hund, lüge nicht, sonst schlage ich dich nieder!«

Der Skipetar erhob die Faust – ich packte seinen Arm und sagte:

»Freund, was tust du! Weißt du nicht, daß der Prophet verboten hat, daß der Gläubige sein Gesicht vom Zorn entstellen lasse?«

»Was geht mich dein Prophet an!«

»Ich begreife dich nicht. Du gebärdest dich wie ein schlimmer Mensch und willst doch der Freund dieser vier Fremden sein, die keinen Wurm beleidigen?«

Er ließ den Arm sinken, warf dem Wirt noch einen finsteren Blick zu und antwortete mir:

»Du hast recht, Scherif. Aber ich liebe die Wahrheit und hasse die Lüge; darum wurde ich so grimmig. Komm wieder heraus!«

Ich folgte ihm, und draußen tat ich, als sei es ganz selbstverständlich, mich frei zu bewegen, und hinkte zu dem Fluß hin. Es war kein Zweifel, daß die Aladschy mich so halb und halb als ihren Gefangenen betrachteten. Zurück durften sie mich nicht lassen und vorwärts auch nicht, weil ich sie sonst leicht verraten konnte, selbst wenn ich sie gar nicht kannte und auch keine Verräterei beabsichtigte. Darum mußten sie mich unter ihren Augen behalten.

Unten, ganz nahe am Wasser, saßen drei Kinder, welche ich für diejenigen des Wirtes hielt. Ich gab ihnen die zehn

Piaster, welche ich erhalten hatte, und sagte ihnen, daß sie zu dem Vater kommen sollten, weil ihr Schwesterchen gesund geworden sei. Jubelnd sprangen und krochen sie an dem Ufer hinauf und liefen in das Haus hinein. Als ich mich nun wieder an den Tisch setzte, sah ich es den Aladschy an, daß sie einen Entschluß gefaßt hatten.

Hier waren sie nicht ganz sicher vor gefährlichen Begegnungen, und es nahte auch die Zeit, in welcher wir hier erwartet werden konnten; darum erriet ich, daß sie wohl übereingekommen sein mochten, nun aufzubrechen. Und richtig: der Eine, der bisher am meisten gesprochen hatte, sagte:

»Ich habe dir bereits mitgeteilt, daß es nur eine einzige Stelle gibt, an welcher diese Fremden überfallen werden können. Sage uns einmal aufrichtig, wie du ihnen gesinnt bist. Wohl feindlich?«

»Warum sollte ich feindlich gegen sie sein? Sie haben mir ja nichts getan!«

»Also freundlich?«

»Ja.«

»Das freut uns, denn nun kannst du uns ein wenig helfen, für ihre Sicherheit und zugleich auch mit für die deinige zu sorgen.«

»Das werde ich sehr gern tun, obgleich ich nicht weiß, wer sich die Mühe geben sollte, meine Sicherheit zu bedrohen. Sagt mir nur, was ich tun soll.«

»Nun, glaubst du vielleicht auch, daß die Fremden überfallen werden sollen?«

»Ich habe es als ganz sicher gehört.«

»So stecken die Skipetaren nur an der Stelle dort, welche ich erwähnte. Mein Bruder ist der Meinung, und ich stimme ihm bei, daß es sehr gut wäre, wenn auch wir uns dort verstekken würden. Dann könnten wir den Ueberfallenen Hilfe bringen. Bist du bereit dazu?«

»Hm! Mich geht die Sache eigentlich gar nichts an.«

»O doch! Wenn die Skipetaren dort lauern, so werden sie auch dich anfallen, sobald du weiter reitest. Uebrigens wünschen wir, dir einmal so ein echtes und rechtes Skipetarenstückchen zu zeigen, welches du dann in Skopia erzählen kannst.«

»Da machst du mich allerdings neugierig, und ich reite mit.«

»So steige auf!«

»Habt ihr den Raki bezahlt?«

»Nein, der Wirt hat ihn uns umsonst gegeben.«

Umsonst geben müssen! So war es wohl richtig. Ich trat zum Fenster und warf meine wenigen Piaster hinein. Natürlich wurde ich von den Beiden ausgelacht. Der Eine ging hinter das Haus, um die Pferde herbeizuholen, und der Andere blieb bei mir, damit ich ihnen sicher sei.

Als wir dann über die Brücke ritten, wendete ich mich einmal im Sattel um. Vor seiner Türe stand der Wirt und erhob warnend die Hand. Ich dachte nicht, daß ich ihn wiedersehen würde.

Jenseits der Brücke führte die Straße zuerst zwischen Feldern dahin, dann kamen Weiden, hierauf Buschwerk, und endlich ritten wir in einem dichten Wald.

Kein Wort ward gesprochen.

Diese Skipetaren hielten mich ohne Zweifel für einen sehr wenig urteilsfähigen Menschen, denn in dem, was sie gesagt hatten und taten, lagen grelle Widersprüche, die auch einem befangenen Menschen auffallen mußten.

Wenn wirklich Feinde in dem Wald versteckt lagen, so war es doch eine helle Dummheit, die Bedrohten dadurch retten zu wollen, daß wir uns gleichfalls versteckten und dann erst im Augenblick des Kampfes zur Hilfe kamen. Wir hätten vielmehr den Standort der Räuber beschleichen und dann die Bedrohten warnen sollen. Vielleicht konnten sie den gefährlichen Ort umreiten, und wenn das wegen der Dichtheit des Waldes nicht möglich war, so konnten wir zu Fuße vereint den Skipetaren heimlich in den Rücken kommen und ihnen eine prächtige Schlappe bereiten.

Mitten in dem Wald senkte sich der Weg, unter welchem man sich ja nicht etwa eine deutsche Heerstraße zu denken hat, abwärts und machte zugleich eine scharfe Wendung.

Rechts und links gab es Felsenstücke, hinter denen man sich verbergen konnte, um dann von dem hohen Rand aus in die Höhlung des Weges hinabzuschießen. Das war ein Platz wie zu einem Ueberfall geschaffen, und wirklich machten die Beiden hier auch Halt.

»Das ist der Ort,« sagte der Eine. »Hier müssen wir uns verstecken. Reiten wir da links die Böschung hinan!«

Er sprach leise, um mich glauben zu machen, daß er wirklich meine, die Skipetaren könnten hier irgendwo verborgen sein. Dann mußten sie uns ja hören und sehen, nicht aber wir sie! Ich kam zu der Ueberzeugung, daß mein Gesicht schon von Natur ein nicht sehr geistreiches sein müsse, denn ihm ein so dummes Aussehen zu geben, dazu reichte meine ungeschulte Verstellung doch jedenfalls nicht aus. Und geradezu albern mußte man ja sein, um diese Burschen nicht sofort zu durchschauen.

Da oben auf dem hohen Rand des Weges standen an dieser Stelle die Bäume weniger dicht, so daß wir noch eine kleine Strecke weit reiten konnten; dann aber mußten wir die Pferde führen.

Nun wurde Halt gemacht. Die Pferde sollten beieinander angebunden werden. Dieser Umstand gefiel mir nicht, denn es war meine Absicht, mich später heimlich zu entfernen. Zu diesem Zweck mußte mein Pferd von den anderen so weit entfernt stehen, daß die Skipetaren es nicht sehen konnten.

Ich hatte einen sehr hohen, auf der einen Seite ziemlich spitzen Kragenknopf in der Tasche. Diesen zog ich unbemerkt hervor. Dann tat ich, als ob ich meinem bei den Schecken angebundenen Pferd zur Bequemlichkeit den Sattelgurt lockern wolle, schnallte ihn aber viel fester als vorher, so fest, als ich es nur vermochte, und steckte vorher den Knopf unter den Sattel, so daß seine Spitze auf den bloßen Leib des Pferdes zu liegen kam. Der Knopf mußte dem Pferd Schmerzen bereiten. Das Weitere war nun abzuwarten.

Inzwischen hatten die Aladschy sich einen passenden Platz ausgesucht, von welchem aus sie einen Teil der rückwärts liegenden Straßenstrecke überblicken konnten, ohne selbst gesehen zu werden. Ihre Gewehre lagen neben ihnen, und sie schnallten auch die Wurfbeile los. Ich erriet ihr Vorhaben. Sie glaubten, daß ihre Kugeln uns nichts anhaben könnten und wollten uns mit den Beilen töten.

Diese Leute besitzen eine große Gewandtheit im Werfen dieser Waffe; doch glaubte ich, obgleich ich noch keine in der Hand gehabt hatte, es ihnen gleich tun zu können, da ich ja eine ziemliche Fertigkeit im Werfen des Tomahawk besaß.

Ich setzte mich zu ihnen, und nun wurde die Unterhaltung nur leise geführt. Sie taten ganz so, als ob sie kampfbereit seien, nur um die Fremden, also uns, von den Skipetaren zu befreien. Das Skipetarenstück, welches sie mir in Aussicht gestellt hatten, bestand natürlich nur darin, daß sie sich meiner Mitwirkung versichert hatten, obgleich sie selbst die Mörder waren. Ich mußte im Augenblick des Ueberfalles darob ganz entsetzt sein und konnte dann davon erzählen und mich wegen meiner Dummheit auslachen lassen.

Schon längst hatte mein Knopf gewirkt: das Pferd Halefs war unruhig geworden – es schnaubte und schlug um sich.

»Was ist denn das mit deinem Pferd?« wurde ich gefragt.

»O, nichts!« antwortete ich gleichmütig.

»Nichts soll das sein? Es kann uns verraten!«

»Wie so?«

»Wenn es so fortmacht, wie jetzt, so steht zu erwarten, daß die hier versteckten Skipetaren den Lärm hören; dann sind wir verloren.«

Er meinte aber, daß die erwarteten vier Fremden den Lärm hören und dadurch zur Vorsicht gemahnt werden könnten.

»Es wird noch schlimmer werden,« sagte ich.

»Warum denn?«

»Mein Gaul kann's nicht leiden, in der Nähe anderer Pferde angebunden zu sein. Das ist so eine Mucke von ihm, die ich ihm nicht abgewöhnen kann. Ich muß ihn immer eine große Strecke von andern entfernt halten.«

»So schaffe ihn fort!«

Ich stand auf.

»Halt! Laß deine Decke und dein langes Messer da. Auch dein Turbantuch.«

»Aber warum denn nur?«

»Damit wir wissen, daß du wiederkommst. Setze den Turban ab!«

Das hätte eine schöne Geschichte gegeben! Sie hätten gesehen, daß ich mein volles Haar trug und also kein guter Moslem, viel weniger ein Sherif sein könnte. Darum antwortete ich mit erzwungener Ruhe:

»Was fällt dir ein! Kann ein Sherif jemals sein Haupt entblößen? Ich ein Kenner des Mukteka el Ebhur[1], des Mischkat al Masabih[2] und der berühmten Fetavi von Alem Ghiri und von Hamadan. Ich weiß sehr wohl, was dem Gläubigen verboten ist, und jetzt soll ich meine Seele den Lüften übergeben, daß der Sturm sie von dannen treibe?«

»So mag es bei dem Messer und bei der Decke bleiben. Gehe nun!«

Ich band das Pferd los und führte es eine Strecke weit fort. Dort band ich es zunächst nur flüchtig an, dann aber rannte ich in höchster Eile fort, durch Busch und Strauch, bald springend, bald kriechend, bis ich die vorhin zurückgelegte Krümmung des Weges erreichte und nun die Straße betreten konnte, ohne von den beiden Räubern gesehen zu werden. Dort riß ich ein Blatt meines Notizbuches heraus und schrieb darauf:

»Ajry ajry hazyrlamyn. Osko, Omar jawaschly, Halef böjück dört nal gitir, ileri icki bin ademler tahminen – reitet einzeln vorüber. Osko und Omar langsam. Halef in stärkster Karriere, ungefähr zweitausend Schritte weit.«

Diesen Zettel befestigte ich mittels eines Holzpflöckchens, welches ich schnitzte, und des Taschenmessers an den Stamm eines hart am Wege stehenden Baumes, so daß er unbedingt gesehen werden mußte. Freilich konnten auch andere Leute vorher des Weges kommen, aber das war nicht zu ändern; vielleicht ließen sie den Zettel hängen. Uebrigens war Halefs Kommen in jedem Augenblick zu erwarten.

Das hatte kaum zwei Minuten gedauert, und nun rannte

1 »Zusammenfluß der Meere,« d. i. ein berühmtes Rechtsbuch.
2 Ein theologischer Kommentar in 24 Büchern.

ich ebenso schnell wieder zu dem Pferd zurück, um es jetzt fester anzubinden und von dem Knopf zu befreien. Ich war noch nicht ganz fertig damit, so hörte ich schon Schritte. Der eine Skipetar kam, um mich zu suchen.

»Wo bist du so lange?« fragte er in strengem Ton.

»Hier bei dem Pferd,« antwortete ich geistreich, indem ich ihn ganz verdutzt anschaute.

»Das sehe ich! Aber muß das so lange dauern?«

»Nun, bin ich denn nicht mein eigener Herr?«

»Nein, jetzt nicht mehr; jetzt gehörst du zu uns und hast dich nach uns zu richten.«

»Habt ihr mir etwa gesagt, wie lange ich fortbleiben darf?«

»Frage nicht so albern, Esel! Packe dich fort, dahin, wo wir sitzen.«

»Wenn es mir gefällig ist,« erwiderte ich, da mir sein Verhalten trotz meiner Rolle als Scherif zu unausstehlich wurde.

»Dir hat gar nichts gefällig zu sein, verstanden? Wenn du nicht augenblicklich kommst, so helfe ich nach!«

Da trat ich zu ihm heran und sagte:

»Höre, treibe es nicht zu arg! Du nennst mich einen Esel. Wenn du keine Ehrfurcht vor der Abstammung eines Scherif hast, so verlange ich wenigstens Achtung für meine Person. Und wenn du mir sie verweigerst, so werde ich sie mir zu verschaffen wissen.«

Das hatte er mir nicht zugetraut.

»Welch eine Frechheit!« rief er aus. »Mensch, ich Achtung vor deiner lächerlichen Person! Ich brauche dich ja nur anzurühren, so fällst du vor Schreck zu Boden.«

Er faßte mich am linken Arm und drückte mir denselben so derb, daß ein weniger Kräftiger als ich wohl laut aufgeschrien hätte. Aber ich lächelte ihm ruhig ins Gesicht und entgegnete:

»Da müßtest du anders zugreifen, etwa so, so!«

Ich legte meine Hand in der Weise auf seine linke Achsel, daß der Daumen unter das Schlüsselbein zu liegen kam, die anderen vier Finger aber den nach oben und außen ragenden Teil des Schulterblattes erfaßten, welcher mit dem Oberarmknochen das Achselgelenk bildet. Wer diesen Griff kennt und ihn anzuwenden versteht, der kann den stärksten Mann mit nur einer Hand zur Erde zwingen. Ich zog die Hand in schnellem, kräftigem Druck zusammen. Da stieß er einen lauten Schrei aus, wollte sich loswinden, kam aber nicht dazu, denn der Schmerz ging ihm so durch den ganzen Körper, daß er in die Knie brach und auf den Boden niedersank.

Der Schrei rief den andern Bruder herbei.

»Sandar, was ist geschehen?« fragte er.

»Tanry hakky – bei Gott, das begreife ich nicht!« antwortete der Gefragte, indem er sich vom Boden erhob. »Dieser Mensch hat mich mit nur einer seiner Hände niedergerungen. Ich muß die Schulter gebrochen haben.«

»Gerungen? Warum?«

»Weil ich ihn wegen seines langen Fortbleibens auszankte.«

»Alle Teufel! Mensch, was fällt dir ein? Soll ich dich zermalmen?«

Er packte mich an der Brust, um mich zu schütteln. Eine Gegenwehr lag nicht in meiner Scherifrolle; aber mich fassen und schütteln zu lassen, wie einen kleinen Jungen, das war gegen meinen Geschmack. Ich nahm ihn also ebenso bei der Brust, zog ihn erst an mich und stieß ihn dann so rasch auf volle Armeslänge von mir ab, daß er mich loslassen mußte. Nun bückte ich mich ein wenig, legte ihm den Unterarm, aber ohne mit der Hand loszulassen, nach abwärts an den Leib, hob dann den Kerl mit einem blitzschnellen Ruck empor und warf ihn zur Erde.

Er blieb eine Sekunde lang liegen, ganz verblüfft vor maßlosem Staunen, schnellte dann empor und streckte beide Hände nach mir aus.

»Noch einmal?« fragte ich, einen Schritt zurücktretend.

Ich war zornig geworden. Vielleicht hatten meine Augen jetzt einen ganz anderen Ausdruck, als für die Sehwerkzeuge eines salbungsvollen Scherif passend war, denn der Aladschy prallte zurück, starrte mich an und rief dann:

»Mensch, du bist ja ein Riese!«

Ich neigte das Haupt und antwortete in demütigem Ton:

»Das steht wohl so im Buch des Lebens verzeichnet. Ich kann nicht dafür.«

Die beiden brachen in ein lautes Gelächter aus.

»Weißt du, Bybar, der Kerl ahnt gar nicht, was für Kräfte er hat,« sagte Sandar.

Dieser aber betrachtete mich mit mißtrauischem Blick vom Kopf bis zum Pantoffel herab und antwortete:

»Das ist nicht bloß Riesenkraft, er hat auch Uebung. Diesen Griff macht ihm nur einer nach langem Wiederholen nach. Scherif, wo hast du das gelernt?«

»Bei den heulenden Derwischen in Stambul. Wir balgten uns zum Spaß in freien Stunden.«

»Ah so! Schon glaubte ich, du seiest ein ganz Anderer, als du zu sein scheinst. Das ist dein Glück; denn wenn du uns täuschen wolltest, so wäre dein Leben gerade so viel wert, wie dasjenige einer Fliege im Schnabel eines Vogels. Du wirst dich jetzt nicht wieder neben, sondern zwischen uns setzen. Dich müssen wir vorsichtig behandeln.«

Wir kehrten zu unserem vorigen Platz zurück, und die Beiden nahmen mich dort in ihre Mitte. Ihr Mißtrauen war wach geworden. Meine Lage hatte sich nun verschlimmert, doch bangte mir trotzdem nicht, da ich mit den Revolvern ihnen auf alle Fälle weit überlegen war.

Es ward gar nicht mehr gesprochen. Die beiden Helden der Landstraße mochten denken, daß unter den jetzigen Verhältnissen das Schweigen am ratsamsten sei. Mir war das freilich ganz lieb. Wenn ich ja einige Besorgnis hegte, so war es nicht für mich, sondern für meine Gefährten. Vielleicht wurde mein Zettel doch nicht von ihnen bemerkt oder von vorher kommenden Leuten oder durch irgend einen Zufall abgerissen. Das mußte ich nun freilich mit Ruhe abwarten.

Ein angenehmes Gefühl ist es jedoch nicht, zwischen zwei bärenstarken und bis an die Zähne bewaffneten Wegelagerern zu sitzen. Daß es in der Türkei eine Menge solcher Menschen geben kann, das ist sehr leicht erklärlich; es liegt an den dortigen Verhältnissen. Liest man doch sogar heutzutage in fast jeder Nummer irgend einer Zeitung von gewaltsamen Grenzüberschreitungen, Räubereien und Ausplünderungen. Erst kürzlich hat die Regierung eine Bekanntmachung erlassen, in welcher sie befiehlt, daß jeder Richter nun endlich doch einmal nach dem Gesetz urteilen solle. Ein bekannter und >mächtiger< Pascha sendet die Drohung an die Pforte, daß er sofort seine Entlassung nehmen werde, wenn es ihm nicht erlaubt sein solle, die in seinem Bezirk überhandnehmenden Räubereien zu bestrafen. Ist es da ein Wunder, wenn in solchen Gegenden der Reisende sich selbst sein Recht spricht, weil er es sonst nicht findet? Ist es unbegreiflich, daß immer neue Banden auftauchen, wenn kaum eine alte zersprengt worden ist? Der friedliche Bewohner ist fast gezwungen, es mit diesen Leuten zu halten. Sie sind die wahren Herren und führen ein grausames Regiment.

Wir hatten nun so lange dagesessen, daß mir die Geduld ausgehen wollte; da endlich hörten wir von rechts her ein Geräusch.

»Horch! Es kommt jemand,« sagte Sandar und griff nach seinem Beil. »Vielleicht sind sie es!«

»Nein,« antwortete sein Bruder. »Es ist nur ein einzelner Reiter. Dort biegt er um die Ecke.«

Ich blickte zurück und sah zu meiner Freude Omar kommen, und zwar ganz allein. Man hatte meinen Zettel also gesehen und gelesen.

Er kam langsam herbei, den Kopf tief geneigt, wie in Gedanken versunken. Er sah weder rechts noch links.

»Wollen wir – –?« fragte Bybar, indem er auf seine Flinte deutete.

»Nein,« antwortete Sandar. »Der Kerl hat nichts; das sieht man ihm ja an.«

Sie genierten sich also gar nicht, in meiner Gegenwart von ihrem eigentlichen Handwerk zu sprechen.

Omar ritt vorüber, ohne nur einmal aufzublicken. Er hatte erkannt, daß dies das allerbeste war.

Nach einiger Zeit bemerkte Sandar:

»Dort kommt wieder Einer!«

»Auch so ein Habenichts!«

»Aber – wollen wir denn alle vorüberlassen?«

»Jetzt, ja. Bedenke, daß unsere Schüsse gehört werden müssen.«

»Natürlich – von den Skipetaren, die hier versteckt sind,« stimmte ich mit Einfalt bei. »Diese bemerken dann, daß wir hier sind, um ihnen das Handwerk zu legen.«

»Dummkopf!« grinste mich Sandar an.

Osko war es, der jetzt kam. Auch er gab sich den Anschein eines ganz sorglosen und unbefangenen Menschen. Sein Aeußeres ließ auf keine Reichtümer schließen, und er gelangte glücklich vorüber.

Nun mußte Halef kommen. Bei diesem hatte ich Grund zur Besorgnis. Ihn konnten sie aus dem Sattel schießen wollen, um sich des prächtigen Rappen zu bemächtigen. Zwar hätte ich es nicht dazu kommen lassen – lieber hätte ich jedem eine Kugel gegeben; aber es war doch besser, dies zu vermeiden. Darum mußte ich versuchen, ihre Aufmerksamkeit abzulenken. Ich spähte scharf, doch verstohlen nach der Ecke, um welche er kommen mußte. Jetzt sah ich ihn hervorsprengen. Die Beiden bemerkten ihn noch nicht – ich stand auf.

»Wohin?« fragte mich Sandar rauh.

»Zu meinem Pferd. Hörst du nicht, daß es wieder unruhig wird?«

»Der Scheïtan hole dein Pferd! Du bleibst!«

»Du hast mir nichts zu befehlen,« erwiderte ich barsch und tat, als ob ich fortgehen wollte. Da sprang er auf und ergriff mich beim Arm.

»Bleib, oder ich gebe dir ein – –«

Er wurde durch einen Ausruf Bybars unterbrochen, welcher zuerst seinen Blick auf uns gerichtet hatte, nun aber Halef sah.

»Ein dritter Reiter! Still!« gebot er.

Sandar sah nach der Straße hin.

»Jük gürültü – Millionen Donner!« rief er aus. »Welch ein Pferd! Das ist der Fremde, das muß er sein!«

»Nein, der Reiter ist zu klein.«

»Aber der Rappe ist ein Vollblutaraber, ein echtes reines Blut! O Allah! Er fliegt wie der Wind!«

Er hatte freilich wörtlich recht. Der Name meines Hengstes war Rih, und dieses Wort bedeutet ja Wind. Hundert und hundert Male war ich auf seinem Rücken mit dem Wind um die Wette geflogen, aber gesehen hatte ich es noch nicht, welch einen prachtvollen Anblick das herrliche Pferd in voller Karriere gewährte.

Der Leib berührte fast den Boden. Die Beine waren nicht zu unterscheiden. Die Mähne flog dem Reiter um das Gesicht, und der Schweif lag wie ein Steuer grad und lang nach hinten. Und doch sah ich, daß Rih nur erst spielte. Hätte ich im Sattel gesessen, so wäre er noch ganz anders geflogen, und nun gar, wenn ich sein ›Geheimnis‹ in Anwendung brachte, so daß er sich in Todeseile legte!

Mein kleiner, wackerer Halef stand in den Bügeln, weit nach vorn geneigt. Sein Gewehr und auch die meinigen beiden Schußwaffen hingen ihm über die Schulter. Hinter dem Sattel hatte er meinen Kaftan und auch die langen Reitstiefel aufgeschnallt. Sei eigener Kaftan wehte hinter ihm her, getragen von dem Luftzug, welcher durch die unvergleichliche Schnelligkeit des Pferdes verursacht wurde. Er ritt ausgezeichnet, glanzvoll. Der mit großen und kleineren Steinbrocken besäte Weg bot einem solchen Jagen ungeheure Schwierigkeiten. Bei einem Fehltritt konnten beide, Roß und Reiter, die Hälse brechen. Aber mein Rih hatte ja noch niemals einen solchen Fehltritt getan. Die Schärfe seines Auges und die elastische Kraft und Leichtigkeit seiner Glieder bewährten sich auch jetzt auf das entzückendste. Wäre der Direktor irgend eines Krongestütes jetzt anwesend gewesen, wer weiß, welch eine Summe er für den hochedlen und vollständig fehlerfreien Rapphengst geboten hätte!

Und wie lange dauerte es, bis Pferd und Reiter von der Ecke bis zu uns gelangt waren? Es ging so rasend schnell, daß man gar keine Zeit gefunden hätte, an die wenigen Sekunden oder Augenblicke zu denken. Kaum hatte ich Halef kommen sehen und nur die wenigen Worte mit Sandar gewechselt, so war er auch schon da und flog, wie auf einem Pfeil sitzend, durch den Hohlweg.

»Halt ihn auf! Schieß ihn herab! Schnell, schnell!« rief Sandar, seine Flinte aufraffend.

Bybar riß auch die seinige an die Wange. Aber der Rappe schoß so schnell vorüber, daß zum Zielen gar keine Zeit vorhanden war. Auch für mich blieb kein Augenblick übrig, die Schüsse zu verhüten; sie krachten. Aber wie weit, wie weit hinter Halef flogen wohl die Kugeln über den Weg!

»Ihm nach!« schrie Sander, fast von Sinnen bei dem Gedanken, daß die kostbare Beute ihm entgehen solle. »Da vorn ist der Wald zu Ende, da können wir zielen!«

Er sprang die Steilung hinab, von Stein zu Stein, und sein Bruder folgte ihm, jetzt ebenso erregt wie er. An mich dachten sie nicht mehr. Jetzt hätte ich Zeit und Gelegenheit gehabt, mich zu salvieren. Aber so durfte es nicht geschehen. Um Halef war mir nicht bange – – und dennoch auch um ihn. Ich konnte mir wohl denken, daß die Drei nach ungefähr zweitausend Schritten zwar nicht halten, aber doch wieder im Schritt reiten würden, und dann konnten sie von den Skipetaren unbemerkt eingeholt und von den Pferden herabgeschossen werden. Allerdings hatten die Wegelagerer keine Schüsse mehr in ihren einläufigen Flinten, aber sie konnten schnell wieder laden. Also – ich mußte sie am Forteilen hindern.

Ein mächtiger Sprung brachte mich zu ihren Schecken, und im Nu waren dieselben losgebunden. Ich zog die Peitsche aus dem Gürtelschal und schlug auf sie ein. Sie bäumten auf und schossen davon, in das Buschwerk hinein, wo sie allerdings nicht weit kommen konnten, denn sie mußten mit den Zügeln hängen bleiben.

Nun sprang ich wieder vor und schrie den beiden Skipetaren nach:

»Sandar, Bybar, halt, halt! Die Schecken haben sich losgerissen!«

Das wirkte – sie blieben stehen. Ihre vortrefflichen Pferde wollten sie doch nicht einbüßen.

»Binde sie wieder an!« rief Sandar zurück.

»Sie sind ja fort!«

»Hölle und Teufel! Wohin denn?«

»Weiß ich es? Frage doch sie selbst!«

»O du Dummkopf!«

Sie kamen zurückgerannt. Ich an ihrer Stelle hätte mich nicht so sehr beeilt, sondern vielleicht doch den Rappen bekommen. Die Schecken waren ihnen ja doch sicher.

Sie stiegen die Böschung herauf, aus vollen Hälsen auf mich schimpfend. Sandar war der erste, welcher oben anlangte. Ein rascher Blick überzeugte ihn, daß die Pferde wirklich fort waren. Er fuhr auf mich los und schrie:

»Hund! Warum hast du sie nicht gehalten?«

»Ich habe nicht nach den Pferden, sondern nach dem Reiter geschaut, ebenso wie ihr.«

»Du konntest aber aufpassen!«

»Sie sind durch eure Schüsse erschreckt. Warum schießt ihr auf Leute, die euch nichts zuleid tun! Uebrigens gehören die Pferde nicht mir, sondern euch. Ich bin nicht euer Knecht und habe nicht auf sie zu achten.«

»Das wagst du, uns zu sagen? Nimm dies dafür!«

Er hatte die Flinte in der rechten Hand und holte mit der geballten Linken aus, um nach mir zu schlagen. Ich erhob den Arm, um mit einem Gegenhieb zu parieren, hatte aber einen Stein, welcher hinter mir lag, nicht beachtet und stürzte über denselben hinweg und zu Boden.

Da erhob er den Kolben und gab mir einen Stoß an die Brust, den ich nur halb zu parieren vermochte. Der Stoß benahm mir den Atem; aber im nächsten Augenblick schnellte ich empor, packte ihn mit beiden Händen beim Gürtel, hob ihn in die Höhe und warf ihn an den Stamm eines mehrere Ellen von mir stehenden Baumes, daß er an dem Fuß desselben regungslos zusammensank.

Da aber wurde ich von hinten gepackt.

»Schuft, das sollst du büßen!« rief Bybar, welcher inzwischen herbeigekommen war. Er hatte mich um den Leib gefaßt und wollte mich aufheben. Das hatte noch niemand vermocht. Ich spreizte die Beine aus, zog die Schultern zusammen und holte tief Atem, um mich schwer zu machen. Da aber fühlte ich im linken Fußgelenk einen stechenden Schmerz. Der Fuß versagte mir den Dienst – ich mußte ihn bei dem Fall verletzt haben.

Der hinter mir stehende Skipetar strengte seine ganze Kraft an, mich empor zu bringen. Er keuchte vor Zorn und Anstrengung. Sein Bruder lag besinnungslos an dem Baum. Vielleicht hielt er ihn gar für tot und sah es infolgedessen auf mein Leben ab. Ich fühlte, daß ich nicht länger durch das bloße Verharrungsvermögen widerstehen könne; es war notwendig, mich aus der Umarmung zu lösen. Darum zog ich das Messer und versetzte meinem Gegner einen Stich in die Hand.

Er ließ los, brüllte vor Wut und Schmerz und knirschte: »Du stichst? So schieße ich!«

Natürlich hatte ich mich schnell umgedreht. Ich sah, daß er die Pistole aus dem Gürtel riß. Beide Hähne knackten. Noch konnte ich ihm vielleicht mit dem Revoler zuvorkommen, aber ich wollte ihn ja doch nicht töten. Er hob die Waffe. Ich schlug gegen dieselbe, just als er den einen Lauf abfeuerte. Der Schuß ging fehl. Blitzschnell erhielt er einen zweiten Faustschlag, und zwar von unten herauf in das Gesicht, an die Nase, daß ihm der Kopf in das Genick flog. Ein Griff und ich hatte ihm die Pistole entrissen, die ich fortschleuderte.

Er hielt einige Augenblicke lang die Hände an Mund und Nase, welche beide verwundet waren. Dann stieß er einen gellenden Schrei aus und langte nach mir. Aber ich bückte mich, unterlief ihn, faßte ihn bei den Oberschenkeln, daß ich glaubte, meine Finger drängen in das Fleisch ein, und schleuderte ihn nach hinten über mich hinweg. Mich nun schnell umdrehend stürzte ich mich auf den Daliegenden, um ihm keine Zeit zu lassen, sich wieder aufzuraffen, und gab ihm einen Hieb an die Schläfe, daß er mit einem langen, verlöschenden Atemzug ohnmächtig wurde.

Was ich nicht für möglich gehalten hätte, ich war den beiden Aladschy nicht unterlegen! Als ich ihre gewaltigen Körper regungslos da vor mir liegen sah, konnte ich kaum an diesen Erfolg glauben. Ganz gewiß war jeder von ihnen stärker als ich; aber ich war hurtiger als sie gewesen und – ich kannte meine Griffe, die ich freilich nicht bei den heulenden Derwischen gelernt hatte.

Ich untersuchte beide. Tot waren sie nicht – sie mußten bald wieder zu sich kommen, und so war es ratsam, mich nach vorwärts zu konzentrieren. Um sie aber noch für einige Zeit unschädlich zu machen, nahm ich ihnen die Pulverbeutel, welche sie an den Gürteln hängen hatten, und zertrat ihre Gewehre.

Bei diesem Geschäft fühlte ich nun deutlich, daß mein linker Fuß verletzt war. Hatte ich mich vorher hinkend gestellt, so hinkte ich nun gezwungenermaßen zu meinem Pferd, nachdem ich die ›Gebetspantoffeln‹ des kleinen Hadschi, welche mir während des Kampfes von den Füßen geglitten waren, vom Boden aufgelesen und wieder angesteckt hatte. Ich band das Tier los und führte es an einer geeigneten Stelle auf den Weg hinab, wo ich endlich aufsteigen konnte. Der Schmerz im Fuß war durch das Gehen stärker geworden.

Jetzt als mein Gaul sich mit mir in Bewegung setzte, atmete ich erleichtert auf. Ich war mit meinen Gefährten einer großen Gefahr entgangen, und das hatte ich der guten Nebatja zu danken. Hätte ich einen sichern Boten an sie gehabt, wahrhaftig, ich hätte den Aladschy ihr zusammengeraubtes Geld abgenommen und hätte es ihr geschickt. So aber mußte ich es ihnen lassen. Es gab keinen andern rechtlich legitimierten Besitzer desselben. Und es der Behörde übergeben? Ich hatte in Ostromdscha keine dazu aufmunternden Erfahrungen gemacht. Mit Vergnügen aber dachte ich daran, was die Skipetaren sagen würden, wenn sie erführen, wer der dumme Scherif eigentlich gewesen sei.

Nachdem ich eine Weile geritten war, hörte der Wald auf. Der Weg führte in dem Tal des Flusses hin, den letzteren zur linken Hand. In nicht allzu weiter Entfernung sah ich Halef, Osko und Omar halten. Sie erkannten mich augenblicklich und sandten mir laute Freudenrufe entgegen. Ich gab dem Pferd – nicht die Sporen, sondern die Pantoffeln und galoppierte zu ihnen hin.

»O Sihdi, was haben wir für Sorge um dich gehabt!« rief mir Halef von weitem zu. »Wo hast du denn gesteckt?«

»Da hinten im Wald, wie ihr jetzt seht, denn ich komme aus demselben.«

»Das dachten wir uns gleich, als wir deinen Zettel lasen.«

»Ihr habt ihn doch herabgenommen?«

»Ja, aber auch wieder angesteckt.«

»Warum?«

»Zum Gaudium. Wir dachten, oder vielmehr ich dachte, wie die Halunken sich ärgern würden, wenn sie später zu sehen bekämen, wie wir es angefangen haben, ihnen eine lange Nase zu drehen. Oder war das nicht richtig?«

»Ein Fehler ist es nicht; jedenfalls finden sie den Zettel und werden sich mächtig ärgern, zumal, wenn sie aus dessen Inhalt schließen, daß ich, auf den es abgesehen war, mehrere Stunden bei ihnen gewesen bin.«

»Wie? Du warst bei ihnen?«

»Ich habe mit ihnen gesprochen, getrunken und sogar gekämpft. Und jetzt liegen sie besinnungslos im Wald.«

»Sihdi, da müssen wir doch schnell zu ihnen zurück, damit auch ich ein Wörtchen mit ihnen sprechen kann.«

»Das ist nicht nötig; sie haben genug von mir gehört. Ich habe mit der Faust zu ihnen gesprochen.«

»Erzähle es uns schnell!«

»Sogleich; aber dabei können wir immer weiter reiten.«

»So komm her, den Rih zu besteigen.«

»Nein, ich bleibe hier im Sattel. Du sollst den Rih bis Radowitsch reiten zum Lohn dafür, daß du ihn vorhin so prächtig geritten hast.«

»Hast du mich denn gesehen?«

»Sehr genau. Du bist ganz nahe an uns vorüber geritten.«

»Und ich saß gut im Sattel?«

»Prächtig. Besser noch als ich.«

»Höre, Sihdi, das ist Hohn! Das darfst du mir nicht antun.«

»Nun, so will ich einfach sagen, daß ich mich über dich gefreut habe. Aber hast du denn auch gehört, daß man nach dir geschossen hat?«

»Nein, davon hatte ich keine Ahnung.«

»Nur die Schnelligkeit des Rappen hat dich gerettet. Beide Aladschy schossen nach dir. Sie wollten dich vom Pferd schießen, um dasselbe zu erlangen.«

Da hielt er den Rappen an und rief:

»Wir werden doch nach dem Wald zurückreiten müssen, Sihdi. Ich muß mich bei diesen Halunken für ihre beiden Kugeln bedanken. Ich werde ihnen meine Peitsche so zu kosten geben, daß ihre Haut aussehen soll wie eine alte Fahne, die hundert Schlachten mitgemacht hat!«

»Pah! Komm nur, Kleiner! Diese Aladschy lassen nicht mit sich spaßen. Sie sind wahre Riesen; sie können dich mit zwei Fingern erwürgen.«

»Da möchte ich doch einmal dabei sein! Aber wenn du denkst, daß es besser sei, sie nicht aufzusuchen, so gehorche ich dir. Vielleicht kommen sie mir doch noch in den Weg, und dann will ich ihnen zeigen, wie der Großvater Salat ißt!«

Nun erzählte ich den Gefährten im Weiterreiten mein Zusammentreffen mit den Skipetaren. Sie hörten selbstverständlich mit größtem Interesse zu. Als ich geendet hatte, sagte Halef: »Meinst du, Herr, daß sich dieser liebe Bakadschi Toma noch da vorn in Radowitsch befinde?«

»Jedenfalls, sonst wäre er uns ja begegnet.«

»Wollen wir ihn nicht ein wenig aufsuchen? Ich möchte ihm den gebührenden Dank abstatten für sein Verhalten. Soll ich mir nachsagen lassen, daß ich die Regeln des Anstandes nicht kenne?«

»Dieser Vorwurf würde dich nicht treffen. Ich kann dir das Zeugnis erteilen, daß du in anderen Fällen sehr höflich gewesen bist, zum Beispiel gegen den Khawassen Selim und gegen den Kodscha Bascha in Ostromdscha, welche die Süßigkeit deiner Peitsche zur Genüge gekostet haben.«

»So wollen wir ihn also nicht aufsuchen, Sihdi?«

»Nein; aber wenn er uns begegnet, so tun wir so, als ob wir ihn gar nicht kennen.«

»Sihdi, das widerstrebt meinem guten Gemüt. Sage mir wenigstens, wie lange wir in Radowitsch bleiben werden.«

»Das weiß ich leider nicht genau. Besser wäre es jedenfalls, wenn wir ohne Verzug durch den Ort reiten könnten; aber ich muß erst meinen Fuß untersuchen. Vielleicht erfordert seine Behandlung, daß ich bleiben muß; wahrscheinlich habe ich ihn bei dem Niederstürzen verstaucht und werde wohl einen Verband anlegen müssen.«

»Wenn das ist, Sihdi, so soll mir dieser gute Botenmann ja nicht in die Hände laufen, sonst mache ich ihm um den Rücken einen Verband, an welchen er seine Lebtage denken wird. Uebrigens hätte es schon in Ostromdscha Leute gegeben, denen ich sehr gern so etwas beigebracht hätte.«

»Wer war es?«

»Die beiden Brüder, welche uns verfolgten und unsere Ankunft oben in der Ruine melden sollten.«

»Die bei dem Herbergsvater Ibarek sich einquartiert hatten?«

»Ja. Sie müssen ihren Rausch eher ausgeschlafen haben, als wir dachten, denn du warst kaum fort, so kamen sie.«

»Wo hast du sie gesehen?«

»Wo? In demselben Konak, in welchem wir geblieben sind. Sie hatten keine Ahnung von dem Geschehen gehabt und waren gleich zu der Ruine hinauf geritten. Nachdem sie dort nur die Brandstätte gefunden hatten, kamen sie in den Konak zurück, um sich zu erkundigen. Du kannst dir denken, was für Gesichter sie schnitten, als sie erfuhren, was sich ereignet hatte.«

»Hast du mit ihnen gesprochen?«

»Nein. Sie hatten ihre Pferde in den Stall gestellt und waren dann verschwunden. Auch kamen sie nicht wieder zurück, bevor sie fortreiten mußten.«

»Hm! Sie werden Erkundigungen eingezogen haben. Vielleicht sehen wir sie wieder.«

3. Kapitel

EIN HEKIM

Der Fuß, welchen ich mir im Kampfe mit den Aladschy verletzt hatte, begann mich zu schmerzen; es war notwendig, ihn
zu untersuchen. Darum ließ ich die Pferde in Galopp setzen,
um baldigst am Ziel anzukommen. Als wir uns kurz vor Radowitsch wieder dem Fluß näherten, sah ich ein winziges Häuschen, vor welchem ein alter Mann saß, der uns mit einer auf-
fallenden Aufmerksamkeit betrachtete. Es lag eine Art von
Zweifel in seinen Mienen.

Ohne eigentlich einen klaren Grund zu haben, hielt ich an
und grüßte ihn. Er stand auf und dankte mir ehrerbietig, vermutlich wegen meines grünen Turbans.

»Kennst du uns etwa, Väterchen?« fragte ich ihn.

»O nein. Ich habe euch noch niemals gesehen,« antwortete
er.

»Du schautest uns aber doch so seltsam an; hattest du einen
Grund dazu?«

»Ich hielt euch für böse Skipetaren.«

»Sehen wir denn wir Skipetaren aus?«

»Gewiß nicht; aber dieses schwarze Pferd machte mich
irre. Wenn der Reiter desselben von größerer Gewalt wäre,
so würde ich, trotzdem ihr nicht so gekleidet seid, doch denken, ich hätte diese Skipetaren vor mir.«

»Welche meinst du denn?«

»Verzeihe, Herr! Ich soll ja nicht davon sprechen.«

»So, so! Nun, ich versichere dir, daß es keinem braven
Menschen einen Schaden machen wird, wenn du es uns
sagst.«

»Vielleicht doch. Wenn du es weiter erzählst, könnten die Skipetaren es erfahren und die braven Leute noch weiter verfolgen.«

»Ich sage es niemand. Halef, gib dem alten Vater ein Bakschisch!«

Der Hadschi zog den Beutel und warf ihm etwas in den Schoß. Der Alte rieb sich die eingefallene Wange und entschied sodann:

»Herr, du bist ein Nachkomme des Propheten; ich möchte dir gern zu Diensten sein, aber ich darf es nicht. Mein Gewissen verbietet es mir, denn ich habe versprochen, zu schweigen. Nimm dein Geld also wieder.«

»Du sollst es dennoch behalten, denn ich sehe, daß du arm bist. Du hast also, wie es scheint, Skipetaren erwartet, welche hier vorüberkommen werden?«

»So ist es, Herr.«

»Wie viele Skipetaren werden kommen?«

»Vier. Der eine von ihnen, der lange Stiefel an den Füßen und einen großen, dunklen Bart im Gesicht trägt, soll einen arabischen Rappen reiten. Ist dieser Hengst nicht vielleicht ein Araber?«

»Jawohl.«

»Das dachte ich mir und habe euch deshalb beinahe mit jenen Mördern verwechselt.«

»Wer hat dir denn gesagt, daß Skipetaren kommen wollen?«

»Hm! Das darf ich nicht verraten.«

»Du bist ein sehr verschwiegener Mann.«

»Ich würde vielleicht nicht so verschwiegen sein; aber ihr habt etwas bei euch, was mir verdächtig vorkommt.«

»So? Und was ist denn das?«

»Die beiden langen Stiefel, welche da hinter dem Sattel angeschnallt sind. Der Rappe ist da, die Stiefel sehe ich auch. Nun fehlt nur noch derjenige, der auf dem Rappen sitzen und die Stiefel an den Beinen haben soll. Wärest du nicht ein gesegneter Abkömmling des Propheten, den – – ah, dort kommt er ja wieder!«

Ein junger Mann kam über die Brache herüber, grad auf das Häuschen zu.

»Wer ist das?« fragte ich.

»Mein Sohn, welcher den Wegweiser – – o Allah, davon sollte ich ja nicht sprechen!«

Ich begann zu ahnen, um was es sich handelte. Jedenfalls hatte der Mübarek mit seinen drei Begleitern hier angehalten, um den jungen Mann als Wegweiser nach einem Ort mitzunehmen, zu welchem sie den Weg nicht genau kannten. Da sie annahmen, daß wir hier vorüberkommen und uns erkundigen würden, falls wir den Aladschy entwischten, so hatten sie dem Vater und dem Sohne irgend eine Lüge aufgebunden und wahrscheinlich uns für Skipetaren ausgegeben. Ich hoffte, daß der Sohn gesprächiger sein werde, als sein Vater.

Als er näher herbeigekommen war, sah ich, daß er ein sehr verdrießliches Gesicht machte. Er grüßte uns kaum und wollte in die Hütte treten. Der Alter aber ergriff ihn beim Gewand und fragte:

»Nun, warum sagst du nichts? Hast du nicht das schöne Bakschisch erhalten?«

»Ja, Bakschisch! Etwas ganz anderes habe ich bekommen, aber kein Bakschisch,« antwortete der Sohn, welcher sehr erzürnt zu sein schien. »Die Menschen werden immer schlechter. Sogar den Heiligen darf man nicht mehr trauen.«

»Du meinst wohl den alten Mübarek?« fragte ich ihn.

»Wie kommst du auf den? Bist du etwa ein guter Freund von ihm?«

»O, ich bin grad das Gegenteil. Wir sind die Skipetaren, vor denen er euch gewarnt hat.«

»Allah, Allah!« rief der Alte erschrocken. »Habe ich es doch geahnt! Herr, ich hoffe, daß du uns verschonen wirst. Wir sind blutarme Leute. Mein Sohn ist Korbflechter und flicht die Weiden, welche meine Enkel grad jetzt dort am Fluß schneiden. Ich aber bin zu gar nichts nütze; ich kann nicht einmal Ruten schälen, denn die Gicht hat mir die Finger krumm gezogen, wie du hier sehen kannst.«

Er streckte mir die Hände entgegen.

»Sei ruhig!« antwortete ich. »Hast du schon einmal einen Skipetaren gesehen, welcher das Turbantuch des Propheten trägt?«

»Nein, niemals.«

»Unter den Skipetaren gibt es keinen einzigen, welcher vom Propheten stammt; also kann ich doch kein Räuber sein.«

»Du hast aber doch soeben gesagt, daß ihr diejenigen Skipetaren seid, vor denen wir gewarnt worden sind.«

»Wir sind diejenigen, ja; aber daß wir Skipetaren seien, das ist eine Lüge.«

»Wo ist denn der Reiter, der auf den Rappen gehört?«

»Der bin ich. Wir haben die Pferde gewechselt, und ich legte eine andere Kleidung an, um von denjenigen Leuten, welche ich fangen will, nicht sogleich erkannt zu werden. – Du aber scheinst schlechte Erfahrungen mit dem Mübarek gemacht zu haben?«

Der Sohn, an welchen diese Frage gerichtet war, antwortete, aber zu seinem Vater gewendet:

»Jawohl, aber nicht bloß ich, sondern auch der Schwager. Hast du dir ihre Pferde angesehen?«

»Wie konnte ich? Ich befand mich doch noch auf dem Lager, und es war noch nicht vollständig Tag. Der Nebel lag noch dick um die Hütte. Was ist es mit dem Schwiegersohn?«

»Bestohlen haben sie ihn!«

»O Allah! Diesen armen Menschen, der noch dazu erst vor kurzem seine Frau, deine Schwester und meine Tochter, verloren hat. Was haben sie ihm genommen?«

»Das beste von seinen zwei Pferden.«

»O Himmel! Warum haben sie ihm das getan! Sie konnten sich ein anderes Pferd von einem reichen Mann stehlen, das wäre Allah wohlgefälliger gewesen. Und der Mübarek war dabei? Seit wann sind die heiligen Einsiedler Pferdediebe geworden?«

»Es gibt keine Heiligen mehr wie früher. Es ist alles List, Trug und Täuschung. Mir kann der frömmste Marabut oder der vornehmste Scherif kommen, ich traue ihm nicht mehr.«

Bei dem Wort Scherif warf er mir einen bezeichnenden, höchst mißtrauischen Blick zu. Ich wußte nun, was er erfahren hatte, und konnte mir auch denken, was gesprochen worden war. Darum sagte ich zu ihm:

»Du hast recht; es gibt viel Betrug und Hinterlist in dieser Welt. Ich aber will ehrlich und aufrichtig mit dir sein. Ich bin weder ein Skipetar noch ein Scherif, sondern ich bin ein Franke, der gar kein Recht hat, den grünen Turban zu tragen. Sieh' einmal her!«

Ich nahm den Turban ab und zeigte ihm mein volles Haar.

»Herr,« rief er erschrocken, »wie kühn bist du! Du wagst ja das Leben!«

»O, so sehr schlimm ist es nicht. In Mekka freilich wäre es gefährlicher als hier, wo es so viele Christen gibt.«

»Also bist du gar kein Moslem, sondern ein Christ?«

»Ich bin ein Christ.«

»Und trägst das Hamaïl am Hals, den in Mekka geschriebenen und nur dort zu erlangenden Kuran!«

»Ich habe ihn von dort.«

»Und bist dennoch ein Christ? Das kann ich nicht glauben!«

»Ich werde es dir gleich beweisen, indem ich dir erkläre, daß euer Mohammed tief unter Christus, dem Sohn Gottes, knieen muß, um ihn anzubeten. Würde ein Moslem diese Worte sagen?«

»Nein, niemals. Du sagst einen Frevel gegen unseren Glauben, aber du hast damit bewiesen, daß du ein Christ, ein Franke bist. Vielleicht bist du derjenige, welcher dem Mübarek in den Arm geschossen hat.«

»Wann soll das geschehen sein?«

»Gestern abend bei der Hütte des Mübarek.«

»Das bin ich allerdings gewesen. Also diesen Mann habe ich getroffen? Es war dunkel, so daß ich die Personen nicht erkennen konnte. Also du weißt auch davon?«

»Sie sprachen ja immerwährend davon. So seid ihr denn wohl die Fremden, welche den Mübarek und die andern Drei gefangen genommen hatten?«

»Ja, die sind wir.«

»Herr, so verzeihe, daß ich dich beleidigte. Freilich habe ich nur Böses über dich vernommen; aber das Böse, welches schlechte Menschen über Andere sagen, verwandelt sich in Gutes. Ihr seid die Feinde dieser Diebe und Betrüger, und darum seid ihr gute Menschen.«

»Also hast du nun Vertrauen zu uns?«

»Ja, Herr.«

»So erzähle uns, wie du mit diesen Menschen zusammengekommen bist.«

»Gern, Herr. Steige herab, und setze dich auf die Bank. Der Vater wird dir Platz machen, während ich erzähle.«

»Ich danke dir. Er mag ruhig sitzen bleiben. Sein Haar ist grau; ich aber bin noch jung. Auch habe ich einen kranken Fuß, so daß ich lieber im Sattel sitzen bleibe. Erzähle uns nun.«

»Es war heute in der Frühe; ich war eben aufgestanden, um mein Tagewerk zu beginnen. Der Nebel war noch so dick, daß man kaum einige Schritte weit sehen konnte. Da hörte ich Reiter kommen, welche vor meiner Hütte hielten und mich riefen.«

»Kannten sie dich denn?«

»Der Mübarek kannte mich. Als ich in das Freie trat, sah ich vier Reiter, welche ein Packpferd bei sich hatten. Der eine war der Mübarek; in dem einen andern erkannte ich erst später, als es heller geworden war und wir uns bereits unterwegs befanden, Manach el Barscha, den früheren Steuereinnehmer von Uskub. Sie wollten nach Taschköj reisen und fragten mich, ob ich den Weg dorthin genau kenne. Ich bejahte es, und nun baten sie mich, sie dorthin zu führen, und versprachen mir dafür ein Bakschisch, welches wenigstens dreißig Piaster betragen sollte. Herr, ich bin ein armer Mann, und dreißig Piaster verdiene ich mir sonst in einem ganzen Monat kaum. Auch kannte ich den alten Mübarek und hielt ihn für einen Heiligen. Darum war ich mit Freuden bereit, ihnen als Führer zu dienen.«

»Sagten sie, weshalb sie nach Taschköj wollten?«

»Nein, aber das sagten sie, daß sie von vier Skipetaren verfolgt würden, die ja nicht erfahren dürften, wohin ich sie habe führen müssen.«

»Das war eine Lüge.«

»Später habe ich das freilich eingesehen.«

»Wo liegt dieses Taschköj?«

Der Name bedeutet Felsen- oder Steindorf. Darum nahm ich an, daß der Ort wohl oben in den Bergen liegen müsse. Der Korbmacher antwortete:

»Es liegt fast grad im Norden von hier. Es führt nicht einmal von Radowitsch aus eine Straße dorthin, und man muß den Wald und die Berge genau kennen, um sich nicht zu verirren. Das Dorf ist klein und arm und liegt in der Richtung, in welcher man dann nach der Bregalnitza gegen Sbiganzy hin bergabwärts steigt.«

Sbiganzy! Das war ja der Ort, welchen ich von Radowitsch aus nordwärts aufsuchen sollte, um bei dem Fleischer Tschurak nach der Derekuliba zu fragen und dort das Nähere über den Schut zu hören. Wollte etwa der Mübarek auch dorthin reisen? Vielleicht fand man da die ganze saubere Gesellschaft beisammen?

»Und noch bevor ihr von hier aufbracht,« fragte ich weiter, »sagten sie dir, daß du nichts verraten solltest?«

»Ja. Der Mübarek erzählte mir, daß er unterwegs von vier Skipetaren überfallen worden, ihnen aber entronnen sei. Sie hätten eine Blutrache gegen ihn und seine Begleiter und würden ihm wahrscheinlich folgen. Er müsse nach Norden, wolle aber nicht über Radowitsch, weil er dort gesehen werde und die Skipetaren also Auskunft erhalten könnten, wohin er sich gewendet habe. Er beschrieb euch sehr genau, wie ich nun sehe, nur daß du jetzt andere Kleider trägst und nicht auf dem Rappen sitzest. Wenn ihr hier vorüberkommen und nach ihm fragen würdet, sollten wir euch keine Auskunft erteilen. Für diese Verschwiegenheit gab er uns seinen Segen. Dann brachen wir auf. Als es heller wurde, erkannte ich in dem Packpferd das Roß meines Schwagers, glaubte aber, mich zu irren; darum sagte ich nichts.«

»Sahen die Pferde dieser Leute nicht sehr angestrengt aus?«

»Allerdings! Hier vor dem Hause schwitzten sie, und der Schaum troff ihnen von den Mäulern.«

»Das läßt sich denken. Wenn sie so zeitig hier angekommen sind, müssen sie sehr schnell geritten sein, was bei Nacht und bei dieser Art von Weg eine ziemliche Anstrengung bedeutet. Erzähle weiter!«

»Sie ritten alle; ich aber war zu Fuß. Doch blieb ich ihnen immer voran. Da hörte ich denn manches von dem Gespräch, welches sie halblaut führten. Zuerst vernahm ich, daß sie erst nur vier Pferde gehabt hatten. Jeder hatte ein Stück Gepäck bei sich gehabt. Dann aber, als sie nahe an den Weiler kamen, weißt du, wo die Straße über die Brücke geht, waren sie auf zwei Reiter getroffen; diese hatten ihnen gesagt, daß mein Schwager zwei Pferde hinter seinem Hause habe, und unter dem Vordach hänge auch ein Packsattel.«

Ich begann zu ahnen, wer dieser Schwager sei, und sagte:

»Ich bin auch durch diesen Weiler gekommen, und habe dort nur ein einziges Haus mit einem Vordach gesehen. Unter demselben hing ein Reitsattel, wenn ich mich recht erinnere. Es war ein Einkehrhaus und lag rechts von der Brücke.«

»Das ist's – das ist's!«

»Also dieser Wirt ist dein Schwager?«

»Ja, er ist der Mann meiner Schwester, welche vor kurzem gestorben ist.«

»Ich bin bei ihm eingekehrt.«

»So hast du ihn gesehen, mit ihm gesprochen?«

»Ja. Also diesen armen Mann haben sie bestohlen! Es befand sich, als ich dort war, ein Pferd hinter dem Hause.«

»Das ist das andere. Er hatte deren zwei. Auch zwei Sättel besaß er, einen zum Reiten und einen zum Gepäck.«

»Haben sie nichts von den beiden Reitern gesagt, mit welchen sie zusammengetroffen waren?«

»Ja, doch ich konnte nicht klug daraus werden. Sie sprachen immer von zwei Schecken; das sind aber doch nicht Menschen, sondern Pferde!«

»In diesem Falle sind beide gemeint, Menschen und Pferde.«

»Diese Schecken sollten jemanden überfallen und töten.«

»Nämlich uns.«

»Euch, Herr? – Warum?«

»Aus Rache. Diese Schecken sind nämlich zwei berüchtigte Skipetaren, die nur von Raub leben. Man hat ihnen diesen Beinamen gegeben, weil sie scheckige Pferde reiten.«

»So also ist's, so! Und diese Skipetaren haben euch nicht aufgelauert?«

»O doch!«

»Aber ihr befindet euch ja hier! – Ihr seid ihnen entkommen?«

»Durch eine List, nämlich dadurch, daß ich mich verkleidet habe. Ich traf sie bei deinem Bruder und war mehrere Stunden bei ihnen. Jetzt aber werden sie wissen, daß ich sie getäuscht habe, und nach uns suchen.«

»Vielleicht kommen sie auch hierher?«

»Das ist möglich.«

»Wenn sie sich nach euch erkundigen, soll ich ihnen Auskunft geben?«

»Ich will dich nicht zu einer Lüge verleiten. Sage ihnen immerhin, daß wir hier gewesen sind und dann nach Radowitsch ritten. Aber von dem, was wir jetzt sprechen, brauchst du ihnen nichts zu sagen.«

»Nein, Herr, sie erfahren kein Wort.«

»So erzähle weiter.«

»Ich hörte also, daß sie meinem Schwager das Pferd und den Sattel genommen und darauf ihr Gepäck geladen hatten. Ausführliches konnte ich freilich nicht erlauschen, denn sie redeten nicht laut, und sodann gab es doch auch längere Pausen, in denen ich nicht horchen konnte. Aber ich hörte doch so viel, daß ich daraus schließen konnte, der Mübarek müsse ein großer Dieb und Räuber gewesen sein. Das Beste von dem, was er sich zusammengeraubt hat, befand sich auf dem Packpferde. Das andere, was wertloser war und viel Platz wegnahm, hatte er mit seiner Hütte verbrannt. Am meisten freuten sich die Flüchtigen darüber, daß die Schecken so schön bei der Hand gewesen sind. Sie halten ihre Verfolger, also euch, wie ich nun weiß, für verloren.«

»Da irren sie sich glücklicherweise gewaltig. Sie werden uns nicht los, denn wir bleiben ihnen auf den Fersen.«

»O, wenn ich da mit euch könnte!«

»Warum?« fragte ich.

»Weil sie meinen Schwager bestohlen und mich um mein Bakschisch betrogen haben.«

»Ah, das ist stark! Du bist bis nach Taschköj mit ihnen gegangen?«

»Noch eine ganze Strecke weiter.«

»Wie weit ist es bis dorthin?«

»Wir haben fünf volle Stunden gebraucht.«

»Und wohin gingen sie dann?«

»Sie wollten hinab nach dem Tal der Bregalnitza. Weiter erfuhr ich nichts.«

»So kann ich mir denken, wohin sie wollten. Bist du denn nicht darauf bestanden, deinen Lohn zu erhalten?«

»Natürlich! Sie waren so klug gewesen, mich weiter als Taschköj mitzunehmen, denn dort hätte ich vielleicht Hilfe gefunden und sie zwingen lassen können, mich zu bezahlen. Mitten im Walde dann hielten sie an, um mir zu sagen, daß sie meiner nicht mehr bedürften. Ich bat sie um das Bakschisch; sie aber lachten mich aus.

Ich wurde nun zornig und verlangte das Pferd meines Schwagers zurück. Da sprangen sie von den Pferden. Zwei warfen mich nieder und hielten mich, und der dritte schlug mich mit der Peitsche. Ich mußte es dulden, denn ich war zu schwach gegen sie. Herr, es hat mich noch kein Mensch geschlagen. Nun bin ich zwölf Stunden angestrengt gelaufen. Mein Rücken ist wund von den Hieben. Ich habe einen Tag Arbeit versäumt, und meine Zunge ist heiß vor Hunger. Statt dreißig Piaster mit nach Hause zu bringen, besitze ich nun nicht die kleinste Münze. Was soll ich essen? Was soll ich dem Vater und den Kindern geben, wenn ich nichts habe? Wäre ich daheim geblieben, so hätte ich nach Radowitsch gehen können, um einige Körbe zu verkaufen. Dafür konnten wir satt werden.«

»Tröste dich!« bat sein Vater. »Ich habe von diesem Scherif, der leider kein Scherif ist, fünf Piaster geschenkt erhalten. Da kannst du nach Radowitsch gehen und Brot kaufen.«

»Herr, ich danke dir!« sagte der Korbmacher. »Ich habe dich für einen bösen Menschen gehalten, du aber bist gut gegen uns. Ich wünsche, ich könnte dir einen Dienst erweisen.«

Bevor ich antworten konnte, ergriff Halef das Wort. Er hatte sich im Sattel umgedreht und schnallte an meinen langen Stiefeln herum, welche so rund und glatt aussahen, als ob ich meine Beine drin stecken hätte.

Während unseres Gespräches waren die Kinder des Korbmachers herbeigekommen, mit Weidenruten beladen, welche sie geschnitten hatten.

»Habt ihr Hunger, ihr kleines Völkchen?« fragte er sie.

Die größeren nickten, die kleinste aber fing zu weinen an. Es ist in der Türkei ebenso, wie bei uns. Wenn man so ein Dirndl von zwei Jahren nach seinem Appetit fragt, so sind gleich Tränen zu sehen.

»Nun, da hole einmal einen Korb heraus!« befahl der kleine Hadschi dem Vater dieser hungrigen Schar. »Aber nicht zu klein darf er sein.«

»Wozu?« erkundigte sich der Mann.

»Ich will diese ewig langen Stiefel ausschütten.«

Der Korbmacher brachte ein Geflecht, welches schon etwas zu fassen vermochte, und hielt es empor. Nun schüttete der Hadschi aus beiden Stiefeln eine ganze Menge von Früchten, Fleisch- und Backwaren in diesen Korb, so daß derselbe ganz voll wurde.

»So!« sagte er. »Nun laß deine Kinder essen, und Allah möge es euch segnen!«

»Herr!« rief der Korbmacher, ihm die Hand küssend, »das alles soll unser sein?«

»Freilich!«

»Das können wir ja in einer ganzen Woche nicht aufessen!«

»Das hat euch auch niemand befohlen. Verfahrt also hübsch genügsam, und verzehrt den Korb nicht mit.«

»Herr, ich danke dir! Dein Herz ist der Güte voll, und dein Mund trieft von Munterkeit.«

»Das will ich nicht grad sagen. Allzu lustig bin ich nicht gestimmt, sondern das Herz blutet mir, wenn ich diese leeren Stiefel betrachte. In jedem derselben steckte auch ein gebratenes Huhn, so braun und knusperig, wie es nur im dritten Paradies gebacken wird. Meine ganze Seele hängt an solchen Hühnern. Daß ich von ihnen scheiden muß, erfüllt mein Gemüt mit Traurigkeit und mein Auge mit Tränen. Da diese Hennen aber nun einmal ihr Leben haben lassen müssen, um verspeist zu werden, so ist es schließlich ganz gleich, in wessen Magen sie begraben werden. Also verzehrt sie mit Bedacht und andächtigem Behagen und hebt mir die Knochen auf, bis ich wiederkomme!«

Er sprach das so ernst und würdevoll, daß wir alle lachen mußten.

»Aber, Halef, wie kommst du denn auf den sonderbaren Gedanken, dich mit einem solchen Proviant zu versehen und meine Stiefel als Magazin zu benutzen?«

»Ich selbst kam nicht auf diesen schönen Gedanken. Als ich den Wirt bezahlen wollte, wie du mich beauftragt hattest, so sagte er, daß er uns schuldig sei, nicht aber wir ihm. Für den Dienst nämlich, den wir seinem Bruder Ibarek erwiesen hätten. Hier ist wieder einmal zu sehen, daß Allah jede gute Tat doppelt lohnt, denn wir haben bei Ibarek auch nichts zu bezahlen brauchen.«

»Weiter doch!«

»Ja, weiter! Vorsichtigerweise hatte ich auch ein Wörtchen fallen lassen, daß Brathuhn meine Lieblingsspeise sei – –«

»Schlingel, du!«

»Verzeihe, Sihdi! Man hat den Mund nicht zum Schweigen, sondern zum Sprechen erhalten. Das Ohr des Wirts war offen gewesen, und sein Gedächtnis hatte das Brathuhn aufbewahrt. Als ich unsere Sachen zusammenpackte, brachte er mir die beiden Hühner und wünschte mir, daß ihr Genuß uns das Leben verlängern möge. Da erklärte ich ihm, daß der Mensch noch länger lebe, wenn er zu dem Huhn noch andere passende Sachen speise.«

»Halef, wenn das wahr wäre, verdientest du die Peitsche!«

»Ich verdiene deinen Dank, Sihdi, weiter nichts. Wenn du mir diesen widmest, bin ich ebenso zufrieden, wie ich es war, als der Wirt mir dann die Zuspeisen brachte, welche du hier in diesem Korb in holder Eintracht versammelt siehst.«

»Du hättest nichts nehmen sollen!«

»Verzeihe, Sihdi! Wenn ich nichts genommen hätte, so könnten wir jetzt auch nichts geben.«

»Wir könnten trotzdem geben!«

»Aber nichts, was den Hunger dieser kleinen Menschen augenblicklich stillen kann. Uebrigens habe ich mich geweigert, bis es mir endlich fast an das Leben ging. Ich sagte, daß ich dazu deiner Erlaubnis bedürfe und also nichts nehmen könne, weil du nicht anwesend seiest. Ich brachte alle Einwürfe vor, welche sich sämtliche Khalifen aussinnen könnten, aber der Wirt bestand auf seinem Willen. Er erklärte, daß er es nicht mir, sondern dir schenke. Das erweichte mein gutes Herz, ich gab nach. Um aber ganz sicher zu gehen, hielt ich mich fern davon. Die Gabe war für dich bestimmt, und da der Wirt sie dir nicht selbst überreichen konnte, so stellte ich ihm die Stiefel als deine Stellvertreter und Bevollmächtigte hin und ging von dannen. Als ich sie dann zu meiner Freude wiedersah, waren sie dick und fett geworden von den Erzeugnissen der lieben Tierwelt und des holden Pflanzenreiches. Ich aber übermittelte dem Wirt deinen Dank in einer wohlgesetzten Rede, stopfte die Stiefel oben zu und schnallte sie hinter dem Sattel fest. Habe ich da gesündigt, so bitte ich um eine gnädige Beurteilung meines Fehltrittes.«

Man konnte diesem lieben Menschen gar nicht gram sei. Ich war überzeugt, daß es ihm gar nicht eingefallen war, durch irgend ein Wort den Wirt zu dieser Gabe zu veranlassen. Halef hätte so etwas nie vermocht, denn er besaß ein außerordentlich empfindliches Ehrgefühl. Aber er häkelte gern ein wenig mit mir, und es machte ihm großes Vergnügen, wenn ich so tat, als ob ich mich von ihm herausfordern ließe.

»Ich werde dir später deine Strafe diktieren,« drohte ich ihm. »Wenigstens wirst du für lange Zeit auf dein Lieblingsgericht verzichten müssen. Deinetwegen soll nicht so bald wieder eine unschuldige Henne von ihren Küchlein scheiden müssen.«

»So nehme ich auch mit einem jungen Hähnchen fürlieb, Sihdi, und es soll mir so gut schmecken, wie diese Aepfel da den Kleinen munden.«

Die Kinder hatten sich um den Korb versammelt und zuerst nach den Aepfeln gegriffen. Es war eine Lust, zu sehen, wie eifrig die kleinen Mäuler arbeiteten. Dem Alten standen vor Freude die Tränen in den Augen. Sein Sohn hatte ihm ein Stück Fleisch in die Hand gedrückt, aber er aß nicht; er vergaß sich selbst aus Freude darüber, daß die Enkel nun befriedigt waren.

Der Korbmacher reichte einem jeden von uns die Hand und sagte zu mir:

»Herr, ich wiederhole es, daß es mir große Freude machen würde, wenn ich dir einen Dienst erweisen könnte. Ist das nicht vielleicht möglich?«

»Ja, es gibt einen Dienst, um den ich dich sogar bitten möchte.«

»Sage ihn mir!«

»Du sollst uns nach Taschköj führen.«

»Wie gern, wie gern! Wann denn, Herr?«

»Das weiß ich noch nicht. Komm morgen früh nach Radowitsch; da werde ich es dir sagen können.«

»Wo treffe ich dich?«

»Hm, auch das weiß ich noch nicht. Kannst du mir nicht einen Konak angeben, wo es sich gut wohnen läßt?«

»Am besten wohnst du in dem Gasthof zur Hohen Pforte. Ich kenne den Wirt und werde dich hinführen.«

»Das kann ich nicht zugeben; du bist ermüdet.«

»O, bis Radowitsch gehe ich leicht. Wir sind in einer Viertelstunde dort. Ich muß dich dem Wirt empfehlen; ich arbeite zuweilen dort, und er hält auf mich, obgleich ich nur ein armer Mann bin. Morgen früh werde ich dich dann besuchen, um zu erfahren, wann du nach Taschköj reisen willst.«

»Das wird von meinem Fuß abhängen, den ich mir verletzt habe. Gibt es in der Stadt einen guten Arzt, dem man sich anvertrauen kann?«

»Wenn du einen Chirurg meinst, so gibt es einen, der weit und breit berühmt ist und alle Schäden an Menschen und an Tieren heilt. Er kann sogar das Impfen der Pocken, was sonst keiner versteht.«

»Da ist er allerdings ein Wunder von einem Arzt! Aber wir müssen nun auch von dem Bakschisch sprechen, welches du dir ausbedingst.«

»Wofür denn, Herr?«

»Dafür, daß du uns nach Taschköj führst.«

»Herr, da nehme ich nichts!«

»Und ich mag es nicht umsonst.«

»Ihr habt uns bereits reich beschenkt.«

»Das war Geschenk; das Andere aber wirst du dir verdienen. Beides ist nicht zu verwechseln.«

»Aber ich kann doch kein Geld von dir verlangen; ich müßte mich ja schämen.«

»Nun gut, so mag es nicht Lohn, sondern nur Bakschisch sein. Ich werde es deinem Vater geben.«

Ich ließ mir von Halef meine Brieftasche und meinen Beutel reichen und winkte den Alten heran. Als er fünfzig Piaster in seinen gekrümmten Fingern sah, wollte er außer sich geraten vor Freude und mir das Geld größtenteils zurückgeben.

»Ich nehme keinen Piaster wieder,« sagte ich mit Entschiedenheit.

»So weiß ich nicht, wie ich dir danken soll,« erwiderte er. »Möge es dem Hekim gelingen, dir deinen Fuß recht bald wieder gesund zu machen!«

»Das wollen wir hoffen. Aber sage, Küfedschi, wie heißt denn dieser so berühmte Arzt?«

»Sein Name ist Tschefatasch.«

»O wehe! Wenn seine Kuren seinem Namen angemessen sind, so danke ich für seinen Beistand.«

Tschefatasch heißt nämlich auf deutsch ›Marterstein‹.

»Du brauchst keine Sorge zu haben,« tröstete mich der Korbmacher. »Er wird dir ja nicht seinen Namen, sondern ein Pflaster auf den Fuß legen. Und das versteht er auf das vortrefflichste.«

»So komm jetzt, wenn du mit uns gehen willst!«

Er steckte sich einen Imbiß ein, um ihn unterwegs zu verzehren, und dann brachen wir auf. Wir erreichten die Stadt nach einer Viertelstunde. Unser Führer brachte uns durch einen offenen Basar in eine Gasse und durch einen Torweg in einen sehr geräumigen und auch sauber gehaltenen Hof. Halef begab sich mit ihm zu dem Wirt. Ich selbst blieb noch im Sattel, um mir den Fuß nicht durch unnötiges Gehen anzustrengen.

Nach kurzer Zeit brachten beide den Wirt herbei, welcher mir unter vielen Höflichkeiten und Entschuldigungen erklärte, daß er leider nur ein winziges Stübchen habe, welches an den allgemeinen Gastraum stoße. Es sei hier gar nicht gebräuchlich, daß Einkehrende ein besonderes Zimmer verlangen; es sei in der ganzen Stadt kein solches vorhanden, und auch das seinige müsse für mich erst gereinigt und hergerichtet werden, weshalb ich zunächst mich nach der Gaststube bemühen möge.

Ich war ganz zufrieden damit und stieg ab. O weh! Der Fuß war angeschwollen. Ich konnte nur mit Schmerz auftreten und mußte mich fest auf Osko stützen.

Als wir in die Stube kamen, befand sich niemand darin. Ich setzte mich in die hinterste Ecke neben die Türe, welche in das für mich bestimmte Stübchen führte. Halef, Osko und Omar gingen in den Hof zurück, um zunächst für die Pferde zu sorgen.

Ich hatte unterwegs gar nicht daran gedacht, meine Verkleidung abzulegen. Inmitten einer fanatischen Bevölkerung wäre das höchst gefährlich gewesen; hier aber hatte es nicht so viel zu bedeuten.

Der Korbmacher erbot sich, mir den Arzt zu holen, und ich stimmte zu. Er war soeben hinaus, als ein Gast eintrat. Ich saß mit dem Rücken nach der Türe und drehte mich halb um, um den Mann anzusehen. Es war kein anderer als – der Bokadschi Toma, der Botenmann, welcher uns den beiden Scheckigen verraten hatte.

»Na, laß dich nur nicht vor dem Hadschi sehen!« dachte ich und drehte mich wieder um, da ich mit ihm nichts zu tun haben mochte. Er war aber nicht gleichen Sinnes. Vielleicht hatte er Lust, sich ein wenig zu unterhalten. Ich war der Einzige, den er hier fand, und so schritt er einige Male hin und her, blieb dann seitwärts vor mir stehen und fragte:

»Bist du hier fremd?«

Ich tat, ob als ich die Frage gar nicht gehört hätte.

»Bist du hier fremd?« wiederholte er mit erhobener Stimme.

»Ja,« antwortete ich jetzt.

»Schläfst du heute hier?«

»Ich weiß es noch nicht.«

»Wo bist du her?«

»Aus Stambul.«

»Ah, aus der Hauptstadt, dem Wangenglanz des Weltenantlitzes! Da bist du ein sehr glücklicher Mensch, in der Nähe des Padischah zu wohnen.«

»Seine Nähe beglückt nur die Guten.«

»Meinst du, daß es dort viele Böse gibt?«

»Wie überall.«

»Was bist du denn?«

»Ein Schreiber.«

»Also ein Gelehrter. Mit solchen Leuten spreche ich gern.«

»Aber ich nicht mit andern.«

»Allah! Bist du abstoßend! Schon wollte ich dich fragen, ob es mir nicht erlaubt sei, mich neben dich zu setzen.«

»Es ist erlaubt, wird dir aber keine Freude machen.«

»Warum nicht?«

»Mein Gesicht gefällt nicht einem jeden.«

»So will ich sehen, ob es mir gefällt.«

Er setzte sich an meinen Tisch auf die Bank gegenüber und schaute mich dann an.

Das Gesicht, welches er schnitt, ist gar nicht zu beschreiben. Ich hatte noch den Turban auf dem Kopf und die Brille auf der Nase; das machte ihn irre, obgleich mein Gesicht nicht im geringsten verändert worden war. Sein Mund tat sich auf, seine Brauen zogen sich in Form zweier spitzer Winkel empor, und seine Augen ruhten auf mir mit einem Ausdruck, daß ich mich anstrengen mußte, nicht laut aufzulachen.

»Herr – Effendi – wer – wer bist du?« fragte er.

»Ich sagte es dir bereits.«

»Hast du die Wahrheit gesagt?«

»Willst du es wagen, mich der Lüge zu zeihen?«

»Nein, um Allahs willen, nein, denn ich weiß, daß du – daß – –«

Er konnte vor Angst und Zweifel nicht weiter sprechen.

»Was denn? Was weißt du von mir?«

»Nichts, gar nichts, als daß du ein Schreiber bist und in Stambul wohnst.«

»Was redest denn du so verwirrtes Zeug?«

»Verwirrt? Ach Herr, es ist auch gar kein Wunder, denn du scheinst derjenige zu sein, von dem ich denke, daß er derjenige ist, von dem derjenige – o Allah! Du hast ganz recht. Ich bin völlig irre geworden, denn diese Aehnlichkeit ist auch gar zu groß.«

»Wem bin ich denn so ähnlich?«

»Einem toten Effendi.«

»Ah! Wann ist er gestorben?«

»Heute – unterwegs.«

»Das ist traurig, wenn der Gläubige auf der Reise von hinnen geht. Da können die Seinen ihm nicht in der letzten Stunde die Sure des Todes vorbeten. Woran ist er denn gestorben?«

»Er wurde ermordet.«

»Schauderhaft! Hast du seine Leiche gesehen?«

»Nein, Herr.«

»So haben dir andere Leute von seinem Tod berichtet?«

»So ist es.«

»Wer hat ihn denn ermordet?«

»Das weiß man nicht. Er lag mitten im Wald zwischen hier und Ostromdscha.«

»Durch diesen Wald bin ich ja auch vorhin gekommen. Warum habe ich da nichts von dem Mord vernommen? Hat man ihn denn berauben wollen?«

»Nein. Es soll aus Rache geschehen sein.«

»Wohl eine Blutrache?«

»Eine andere. Dieser unvorsichtige Mann hat in Ostromdscha eine förmliche Revolution hervorgebracht, die Leute gegeneinander gehetzt und sogar dann des Abends noch die Wohnung eines frommen Mannes angezündet.«

»Das ist freilich ein Verbrechen, welches Allah niemals vergeben kann.«

»O, dieser Mann glaubte nicht an Allah. Er war ein Giaur, ein Christ, welcher Schweinefleisch ißt.«

»So wird sich ihm die Hölle öffnen.«

»Aus Rache hat man ihm aufgelauert und ihn umgebracht.«

»Ist er allein gewesen?«

»Nein. Noch drei waren bei ihm.«

»Wo sind denn diese?«

»Verschwunden. Man glaubt, daß auch sie ermordet wurden.«

»Wohin ist denn seine Leiche geschafft worden?«

»Das weiß ich nicht.«

»Sonderbar! Und diesem Ungläubigen sehe ich ähnlich?«

»Du hast ganz genau seine Gestalt und sein Gesicht, nur daß dein Haar und Bart kürzer und viel heller ist, als bei ihm.«

»So besteht zwischen ihm, dem Giaur, und mir, dem Scherif, doch wenigstens ein Unterschied, dessen sich mein Herz erfreut. Wer aber bist denn du?«

»Ein Bakadschi aus Ostromdscha.«

»So mußt du das alles freilich sehr genau wissen. Aber – hm, ich hörte heute unterwegs, daß es zwei Räuber geben soll, zwei

Skipetaren, welche man die Scheckigen nennt. Hast du schon einmal von ihnen gehört?«

»Ja; denn wir Botenleute erfahren alles.«

»Und kennst du sie?«

»Nein, Herr. Wie kann ein ehrlicher Mann Räuber kennen! Was ist's mit ihnen?«

»Sie sind heute morgen in der Nähe von Ostromdscha gesehen worden.«

»So sei Allah dieser Gegend gnädig!«

»Auch ein Bakadschi war bei ihnen. Er soll, meine ich, Toma heißen.«

Der Botenmann zuckte vor Schreck, ich aber fragte ruhig:

»Kennst du ihn vielleicht?«

»Sehr gut. Er ist ein – ein Kamerad von mir.«

»So magst du ihn warnen, wenn du ihm begegnest. Dieser Mann wird von der Polizei gesucht.«

»Allah, w' Allah! Weshalb?«

»Weil er an dem Mord mitschuldig ist, denn er hat diesen Christ verraten – an die beiden Aladschy, die Mörder. Er hat ihnen die Zeit gesagt, in welcher die Fremden Ostromdscha verlassen wollten.«

»Ist – ist das wahr?« stotterte er.

»Der Ermordete hat es selbst gesagt.«

»Kann denn ein Toter reden?«

»Er ist nicht tot, er ist nicht ermordet. Es weiß gar niemand, daß er ermordet werden sollte, als du allein, Toma.«

Der Bote schnellte von seinem Sitz empor.

»Du kennst mich?« rief er bestürzt.

»Ja wohl, und diese dort kennen dich auch.«

Ich nahm die Brille und das Turbantuch ab und deutete nach der Türe, zu welcher eben Osko, Omar und Halef hereintraten. Der Mann war für einige Augenblicke starr vor Schreck, denn jetzt erkannte er mich. Dann aber rief er:

»Ich muß fort, schnell fort! Ich habe noch dringende Geschäfte.«

Er sprang zu der Türe, aber Halef hatte ihn schon beim Kragen.

»Warum willst du uns so schnell verlassen, lieber Freund?« fragte er in freundlichem Ton.

»Weil ich noch viel zu besorgen habe.«

»Ich denke, du besorgst nur herwärts. Also nimmst du auch von hier Sachen mit nach Ostromdscha?«

»Ja wohl, ja; halte mich nicht auf.«

»Du könntest auch von mir etwas mitnehmen.«

»An wen?«

»Das schreibe ich dir auf.«

»Was ist es?«

»Ein Gruß, nur ein Gruß.«

»Den werde ich sehr gern ausrichten; nun aber laß mich fort!«

»Das geht nicht. Du mußt noch warten, da ich dir ja den Gruß aufschreiben will und die Adresse dazu.«

»Dauert es lange?«

»Gar nicht lange. Ich mache bei solchen Freundschaftsbriefen nicht viel Umstände. Ich brauche weder Papier, noch Tinte, denn ich schreibe da gleich auf ungegerbtes Pergament. Und der Botenlohn kommt auch gleich dazu. Ich habe den Bleistift draußen im Stall. Du wirst dich mit mir hinausbemühen müssen, lieber Toma. Also komm!«

Der Bote sah den Kleinen forschend an. Er traute dem Landfrieden nicht; aber Halef sprach ja so außerordentlich freundlich. Er folgte ihm also hinaus, und Omar und Osko gingen lächelnd hintendrein.

Von meinem Platz aus konnte ich durch das offene, scheibenlose Fenster fast den ganzen Hof überblicken. Ich sah die vier über denselben hinübergehen und hinter einer Türe, jedenfalls der Stalltüre, verschwinden, welche dann zugemacht wurde.

Nach einer kleinen Weile hörte ich von weitem jene Laute, welche man heutzutage nur noch in China und in der Türkei zu hören bekommt, jene unbeschreiblichen Töne, welche die Folge des innigen Verkehres einer Peitsche mit einer Menschenhaut zu sein pflegen.

Dann wurde die Türe wieder geöffnet, und der Bote trat

heraus. Seine Haltung war nicht sehr imponierend, und sein Antlitz schien einen gestörten Seelenfrieden verwinden zu wollen. Sein Gang glich beinahe demjenigen eines Orang-Utan, der sich ohne Hilfe eines Stockes auf den Beinen bewegen muß: die Knie nach vorn gebeugt, die Brust zusammengedrückt und der Kopf hintenüber gelegt.

Er war auch offenbar gar nicht neugierig, welchen Eindruck sein dramatischer Abgang machte, denn er sah sich gar nicht um, sondern er tat das, was der drastische Berliner mit den Worten bezeichnet: ›er jondelte sich um die Ecke‹.

Die drei Exekutoren suchten mich sofort wieder auf.

»Den hatte sein Kismet hergeführt!« sagte Halef, sich den dünnen Bart streichend und dabei ein überaus zufriedenes Lächeln zeigend. »Was sagte denn der Kerl, als er dich erblickte, Sihdi?«

Ich erzählte es.

»Ah, ein so frecher Bursche! Nun, er mag die dreißig aufrichtigen Grüße, welche ich ihm aufgetragen habe, mit nach Ostromdscha nehmen und sie dort austeilen, an wen er will.«

»Wehrte er sich nicht?«

»Er hatte nicht übel Lust dazu, aber ich sagte ihm sehr teilnahmsvoll, wenn er sich wehre, bekomme er fünfzig; lege er sich aber freiwillig auf den Boden nieder, so erhalte er nur dreißig. Er war so klug, das letztere zu wählen. Aber ich habe dafür gesorgt, daß die dreißig Grüße sein Gemüt ebenso ergriffen haben, wie fünfzig es getan hätten. Bist du einverstanden, Effendi?«

»Diesmal, ja.«

»Wenn das Kismet mir doch öfters diese Freude machen wollte, wenn es sich um solche Schurken handelt! Es gibt noch einige andere, denen ich von Herzen gern die Wahl zwischen dreißig oder fünfzig lassen möchte. Hoffentlich begegne ich dem einen oder andern von ihnen zu guter Stunde. Wie aber steht es mit deinem Fuß, Sihdi?«

»Nicht zum besten. Omar mag sehen, ob hier in der Stadt vielleicht Gips zu bekommen ist und mir ungefähr fünf Liter davon bringen. Du aber holst ein Gefäß mit Wasser, in welches ich den Fuß stellen kann, und ziehst mir nachher den Strumpf herab.«

Jetzt kam auch der Korbflechter zurück und teilte mir mit, daß er lang gesucht habe, bis er den Doktor ›Marterstein‹ endlich fand. Dieser Herr sei eben außerordentlich beschäftigt, werde aber gleich kommen.

Ich dankte ihm für seine Mühe, schenkte ihm eine kleine Quantität Tabak und ließ ihn dann nach Hause gehen.

Halef brachte das Wasser. Als ich nun den angeschwollenen Fuß untersuchte, fand ich, daß eine Verrenkung vorhanden war, glücklicherweise aber nur eine unvollkommene. Ich hätte mir das Gelenk auch wohl selbst einrichten können, aber ich wollte doch lieber den Arzt dabei haben. Ein Fehler hätte mich auf lange Zeit hier festhalten können. Einstweilen steckte ich den Fuß in das kalte Wasser.

Endlich kam der Arzt. Aber ich hätte ihn viel eher für einen chinesischen Briefträger als für einen europäischen Aeskulap gehalten.

Er war von kleiner Statur und außerordentlich dick. Seine Wangen glänzten wie hübsche Weihnachtsäpfel. Seine kleinen, etwas schief liegenden Aeuglein verrieten, daß die Wiege seines Geschlechtes von der Stange eines mongolischen Zeltes herabgehangen habe. Auf dem glatt geschorenen Haupt saß – weit nach hinten geschoben, so daß die Stirn frei wurde – ein alter, abgegriffener Fez, welcher an Stelle der Troddel mit einem Bündel roter, blauer und gelber Zigarrenbändchen geschmückt war. Sein kurzer Kaftan reichte ihm nur bis an das Knie, schien aber aus einer einzigen, ungeheuren Tasche zu bestehen; denn er war an allen Seiten, oben und unten, rechts und links, hinten und vorn, weit aufgebauscht. Er enthielt jedenfalls die wandernde Apotheke des Arztes.

Zum Ueberfluß hing diesem Heilkünstler noch ein ziemlich großer, viereckiger Korb an einem Riemen von der Schulter herab, jedenfalls das Etui seiner kostbaren Instrumente.

Er hatte dicke wollene Strümpfe mit doppelten Filzsohlen an, und mit diesen steckten die Füße dann in Pantoffeln, welche mit großen Zwecken beschlagen waren und zu derjenigen Sorte zu gehören schienen, die man sehr drastisch mit den Worten bezeichnet: »In zwei Schritten über den Rhein hinüber«.

Als er eintrat, schnallte er diese Pantoffeln von den Füßen und kam in den Strümpfen auf mich zu, eine Höflichkeit, die bei ihm chronisch geworden zu sein schien.

Da ich den Fuß im Wasserbad hatte, wußte er natürlich gleich, daß ich es sei, der seiner Hilfe bedürfe. Er machte mir eine Verneigung, bei welcher ihm der Korb nach vorn rutschte und es schien, als ob der Riemen ihn erwürgen wollte. Ich erwiderte diesen Gruß nach bestem Wissen und Können. Jetzt nahm er den Korb herab, setzte ihn auf den Boden nieder und fragte:

»Sprichst du gern viel?«

»Nein,« antwortete ich kurz.

»Ich auch nicht. Also kurze Fragen, kurze Antworten und schnell fertig!«

Eine solche Energie hatte ich dem Dicken gar nicht zugetraut. Mit ihr konnte er in Radowitsch freilich imponieren und gute Geschäfte machen. Er stellte sich breitbeinig vor mich hin, betrachtete mich von oben bis unten und examinierte dann:

»Du bist doch der mit dem Fuß?«

»Nein, der mit zwei Füßen!«

»Was! Alle beide gebrochen?«

Er hatte meine Ironie nicht verstanden.

»Nur einen, den linken.«

»Doppelbruch?«

O wehe! Er sprach von Doppelbruch! Warum nicht gleich Dezimalbruch! Uebrigens war das seine Sache. Von mir konnte er nicht verlangen, zu wissen, wie es mit der Verletzung stand.

»Nur Verrenkung,« antwortete ich.

»Zunge heraus!«

Das war noch hübscher! Aber ich tat ihm den Gefallen und zeigte sie ihm. Er betrachtete sie, befühlte sie, schob die

Spitze hin und her, auf und ab und meinte dann kopfschüttelnd:

»Gefährliche Verrenkung!«

»Nein, nur unvollständig!«

»Still! Ich sehe es an der Zunge! Seit wann verrenkt?«

»Drei Stunden, höchstens vier.«

»Schon viel zu lange! Kann leicht Blutvergiftung eintreten!«

Fast hätte ich ihm in das Gesicht gelacht; aber ich beherrschte mich und wunderte mich nur darüber, daß das Wort ›Blutvergiftung‹ sich auch schon im Türkischen eingebürgert hatte.

»Schmerz?« fragte er weiter.

»Zum Aushalten.«

»Appetit?«

»Stark und vielseitig.«

»Sehr gut, ganz gut! Werden's überstehen. Den Fuß zeigen!«

Er kauerte sich nieder. Da ihm das nicht recht bequem war, setzte er sich ganz neben das Wassergefäß, und ich legte ihm zutraulich den triefenden Fuß in den Schoß.

Er betastete ihn erst leise und dann stärker mit den Fingerspitzen, nickte endlich und fragte mich:

»Schreist du leicht?«

»Nein.«

»Sehr gut!«

Ein schneller Griff, ein kräftiger Ruck, ein leichtes Knirschen im Gelenk – dann sah er mich blinzelnd an und fragte:

»Nun, wie war's?«

»Allerliebst.«

»So sind wir fertig!«

»Ganz?«

»Nein. Nun noch verbinden.«

Als Chirurg war er jedenfalls ein ganz tüchtiges Kerlchen. Wer weiß, wie ein anderer mich gequält hätte, nur um die Sache gefährlicher erscheinen zu lassen und ein besseres Honorar zu verdienen.

»Womit verbinden?« fragte ich.

»Mit Schienen. Wo ist Holz?«

»Mag ich nicht!«

»Warum nicht?«

»Taugt nichts.«

»Taugt nichts! Willst du etwa silberne oder goldene Schienen mit Brillanten besetzt?«

»Nein, ich will einen Gipsverband.«

»Gips? Bist du toll? Mit Gips schmiert man Wände und Mauern an, aber keine Beine!«

Hier lag seine schwache Seite. Ich befand mich eben in der Türkei.

»Und mit Gips macht man auch prachtvolle Verbände,« behauptete ich.

»Möchte ich sehen!«

»Kannst's sehen. Habe nach Gips geschickt.«

»Wie willst du das machen?«

»Warte es ab!«

»Wenn du aber keinen Gips bekommst?«

»So mache ich den Verband aus Kleister.«

»Kleister!« schrie er auf. »Willst du mir etwas aufbinden?«

»Nein.«

»Das bilde dir auch nicht ein!«

»O, wenn ich nur wollte!« lachte ich.

»Was! Ich bin ein Gelehrter!«

»Ich auch.«

»Was hast du studiert?«

»Alles!« antwortete ich kurz genug.

»Und ich noch dreimal mehr! Ich kenne sogar das erste Dispensatorium von Sabur Ibn Saheli!«

»Und ich habe das ganze medizinische Wörterbuch von Abd al Medschid im Kopf!«

»Ich habe es nicht bloß im Kopf, sondern im ganzen Leib und in allen Gliedern. Ein Verband von Gips oder gar Kleister! Gips ist Mehl, und Kleister ist weich und flüssig. Ein Verband muß aber fest sein.«

»Gips und Kleister werden fest. Du wirst dich wundern.

Ueberhaupt darf der Verband jetzt noch gar nicht angelegt werden. Erst muß ich Umschläge machen, bis die Geschwulst sich gesetzt hat und die Schmerzen sich gemildert haben. Verstanden?«

»Allah! Du redest ja wie ein Arzt!«

»Ich verstehe es auch!«

»Nun, so renke dir deine Knochen selber ein, wenn du sie dir ausgerenkt hast. Warum ließest du mich holen?«

»Um dir meine Zunge zu zeigen.«

»Da ist eine Rinderzunge größer und imponierender. Das merke dir! Mein Besuch kostet zehn Piaster. Du bist ein Fremder und zahlst doppelt. Verstanden?«

»Hier hast du zwanzig Piaster. Komme mir aber ja nicht wieder!«

»Fällt mir gar nicht ein! Ich habe an diesem einen Mal genug.«

Er warf das Geld in einen Schlitz seines Kaftans, hing sich den Korb wieder über die Schulter und ging an die Türe. Dort fuhr er in die Pantoffeln und wollte eben, ohne mich eines Abschiedsgrußes zu würdigen, zur Türe hinaus, als Omar eintrat, mit einem Gefäß in der Hand.

Der Arzt blieb stehen, betrachtet den Inhalt des Gefäßes und fragte:

»Was hast du da?«

»Altschy – Gips.«

»Ah, das ist also der Gips, aus welchem die Schienen gemacht werden sollen? So eine Verrücktheit, so ein Unsinn; das ist doch so im höchsten Grade lächerlich, daß nur ein Uebergeschnappter daran denken kann!«

Noch hatte Omar die Türe offen, unter deren Oeffnung er stand. Jetzt zog er sie hinter sich zu, daß der Arzt ja nicht hinaus könne, setzte das Gefäß auf den Boden nieder, faßte den dicken Mediziner hüben und drüben bei den Armen und fragte:

»Du, Molch, wer bist du denn eigentlich?«

»Ich bin der Arzt, verstanden!«

»Na, du magst auch ein schöner Pflasterstreicher sein! Was

hast du denn da von Verrücktheit, Unsinn und Lächerlichkeit zu reden? Unser Effendi hat den Gips verlangt; er braucht ihn, und er weiß stets, was er tut. Tausend solche Wänste wie du haben nicht so viel Klugheit in ihren leeren Köpfen, wie bei ihm an der Spitze eines seiner Haare klebt. Wenn du ihn mit solchen Worten beleidigst, so kannst du sehr leicht in den Quark zu sitzen kommen! Dir sieht man es ja gleich an, daß die Dummheit deine Mutter ist!«

Das war dem Mann der Wissenschaft wohl noch nie passiert. Er riß sich von Omar los, trat einige Schritte zurück, holte tief Atem und platzte los, als ob seine Lunge mit Pulver geladen gewesen sei:

»Soll ich dir etwa hier mit meiner Mütze das – das lose Maul stopfen? Hier hast du sie, du Sohn eines Affen, du Enkel und Urenkel eines Pavian!«

Er riß sich die Mütze vom Kopf, ballte sie zusammen und warf sie Omar in das Gesicht. Dieser ergriff sie, langte mit der anderen Hand in sein Gefäß, füllte sie mit Gipsmehl und sagte:

»Da hast du den Deckel deines durchlöcherten Verstandes wieder!«

Und er warf ihm die mit Gips gefüllte Mütze in das vor Zorn hochrote Angesicht. Der Gips flog aus dem Fez heraus, und im nächsten Augenblick sah der Arzt aus, wie ein aus weißem Pfefferkuchen gekneteter Weihnachtsmann. Das Gipsmehl war ihm in die Augen geraten. Er wischte und wischte, stampfte dabei mit den Füßen, verlor die Pantoffeln, schrie, wie wenn er am Spieß steckte, und riß endlich, als er wieder sehen konnte, den Riemen seines Korbes über den Kopf von der Achsel herab und wollte den Korb Omar an den Kopf werfen. Dieser aber war darauf vorbereitet und fing den Korb auf; dabei öffnete sich der Deckel, und der ganze Inhalt kollerte zu Boden: Zangen, Scheren, Spateln, Pinzetten, Schachteln und allerlei anderes Zeug, dabei natürlich das Hauptinstrument, dessen sich ein orientalischer Arzt bedient, die Klystierspritze.

Der gewandte Araber bückte sich schnell und begann den

Doktor mit diesen Gegenständen zu bombardieren. Dieser konnte in seiner Wut zu keinem andern Entschlusse kommen, als das Recht der Vergeltung zu üben. Er hob die einzelnen Gegenstände, welche von seinem Körper zur Erde fielen, wieder auf und schleuderte sie mit aller Gewalt auf Omar zurück, indem er sie mit den Geschossen von Schimpfwörtern begleitete, in denen er Virtuose zu sein schien und welche gar nicht wiedergegeben werden können.

Dieses Bombardement machte einen so komischen Anblick, daß wir Andern unwillkürlich in ein schallendes Gelächter ausbrachen. Dieses wurde draußen im Hof vernommen und lockte den Wirt nebst dessen Leute herbei, welche angesichts des sonderbaren Zweikampfes in unser Gelächter einstimmten.

Nun kam Halef auf den Gedanken, seinem Freund und Gefährten zu Hilfe zu kommen.

»Sihdi, tu' den Fuß aus dem Wasser!« sagte er. Bei diesen Worten hatte er auch schon mein Bein erfaßt und hob es empor. Er ergriff das Gefäß und eilte damit nach der Türe, um dem Arzt die Flucht abzuschneiden. Dann raffte er die Klystierspritze vom Boden auf und begann den Dicken so eifrig und sicher zielend anzupusten, daß derselbe in wenigen Augenblicken triefte, wie ein begossener Pudel.

»Schön, herrlich, prächtig!« rief Omar. »Jetzt soll er auch den ganzen Gips zu kosten bekommen. Spritze nur wacker, Halef!«

Er ergriff das Gefäß und schüttete das Gipsmehl über sein Opfer aus, während Halef für die nötige Bewässerung sorgte.

Ich wollte Einhalt tun, kam aber vor Lachen gar nicht dazu, denn der Arzt bot einen Anblick, der nicht anders als ›schauderhaft-schön‹ zu bezeichnen war. Selbst der galligste Melancholikus hätte hier in die Lustigkeit einstimmen müssen. Die Zuschauer schüttelten sich vor Lachen.

Am meisten lachte der Wirt. Er war nicht groß, hatte schmale Schultern, ein ansehnliches, spitzes Bäuchlein und ein Paar dünne Beinchen, welche den Leib nur mit Mühe zu tragen vermochten. Sein Stumpfnäschen und sein breiter

Mund mit den weißen Zähnen paßten ungemein zu dem lustigen Gebaren. Er hatte die Hände gefaltet und unter den wackelnden Bauch gelegt, um denselben zu stützen. Die Tränen standen ihm in den Augen. Er krähte förmlich vor Entzücken, rief aber ein über das andermal:

»Hai, wai, tenim, wüdschudüm, karnim, midim, dschyjerim, dallakim, böbrekim, wai hazmim, sindirmim – o wehe, o wehe, mein Leib, mein Leib, mein Bauch, mein Magen, meine Leber, meine Milz, meine Nieren! O wehe, meine Verdauung, meine Verdauung! Patlamarim, patlamarim – ich zerplatze, ich zerknalle!«

Er sah auch ganz so aus, als ob seine Haut die erschütterten Körperteile nicht mehr zusammenhalten könne.

Der Jünger Aeskulaps hatte sich in die Ecke geflüchtet. Dort stand er und hielt die Aermel seines Kaftans vor das Gesicht; aber unter diesen Aermeln heraus schrie, zeterte und schimpfte er mit unversieglicher Kraft. Als die Spritze nicht mehr ziehen wollte, nahm Halef das Gefäß und schüttete ihm den ganzen Inhalt desselben über den Kopf mit den Worten:

»So muß es einem Jeden ergehen, der unsern Effendi einen Uebergeschnappten nennt. Osko, hole wieder Wasser herein, daß der Sihdi seinen Fuß kühlen kann. Diesen klugen Mann des Pflasters, der Salben und der hölzernen Beinschienen aber wollen wir hier auf diesen Stuhl setzen, um ihm das Antlitz abzuputzen. Halte still, Freundchen, sonst schabe ich dir dein Näschen mit herunter!«

Er hatte den Doktor auf den Stuhl gezogen, dann hob er ein hölzernes Spatel vom Boden auf und begann ihm den Gips aus dem Gesicht zu barbieren. Was er herunterbrachte, strich er ihm in die Ohren, und dabei verfuhr er sehr gemächlich.

Der Barbierte ließ es sich gefallen, schimpfte dabei aber immer weiter. Je mehr seine Zunge von dieser Anstrengung ermüdete, desto gröber wurden die Brocken, die sie über die Lippen stieß. Er brachte die ungeheuerlichsten Beleidigungen zum Vorschein und schien dennoch der Ansicht zu sein, damit noch nicht genug zu tun.

Der Gips erhärtet bekanntlich sehr schnell; schon nach einigen Minuten wird er zur steinharten Masse. Hier ging dies um so schneller, je rascher die Kleider die Feuchtigkeit aufsaugten. Erst als der Ueberzug vollständig weiß aussah und fest geworden war, hielt Halef mit dem Schaben inne.

»So!« sagte er. »Ich habe dich gereinigt, denn man soll selbst dem Feind nur Gutes erweisen. Aber mehr kannst du nicht verlangen. Deine Sachen magst du dir selbst zusammenlesen, um sie in den Korb zu tun. Stehe auf! Die Kur ist beendet.«

Der Dicke wollte sich von dem Stuhl erheben, fand aber, daß sein Gewand so steif geworden war, daß es ihn hinderte. Das war auch ein Grund gewesen, daß ich dem Uebermut nicht Einhalt getan hatte. Die Möglichkeit, den Gips zum Verbande zu verwenden, wurde ihm dadurch *ad oculos* demonstriert.

»Ich kann nicht aufstehen, ich kann nicht aufstehen!« rief er, indem er alle zehn Finger weit auseinander spreizte. »Mein Kaftan ist wie Glas, mein Kaftan zerbricht!«

Halef faßte den Fez bei der Zigarrenbändertroddel, nahm ihm denselben vom Haupt, auf welches er ihn vorhin wieder gestülpt hatte, hielt ihm die Mütze vor die Augen und sagte:

»Siehe, das ist die würdige Bedeckung deines gelehrten Hauptes. Wie gefällt sie dir?«

Der Fez bildete jetzt ein hartes, weißs, glockenförmiges Ding, welches genau die Form des Schädels angenommen hatte. Es war zu spaßhaft!

»Meine Mütze, meine Mütze!« rief der Dicke. »Sie hat seit meiner Jugend auf meinem Haupt gesessen, und nun wird die Ehre ihres Alters und die Würdigkeit ihrer hohen Tage von euch Müflüslar[1] entweiht! Gieb sie her!«

Er wollte nach ihr greifen. Als er den Arm erhob, begann der Gips seines Aermels zu brechen.

»O jazik, o jazik, – o wehe, o wehe!« schrie er. »Da geht das Heil meines Armes und die Gediegenheit meiner Extremitä-

---

1 Bankerotte Menschen.

ten verloren! Was soll ich tun! Ich muß fort. Meine Patienten warten auf mich.«

Er wollte sich erheben: aber als der Kaftan abermals zu prasseln begann, sank er schnell wieder zurück.

»Habt ihr es gesehen? Habt ihr es gehört?« fragte er in weinerlichem Ton. »Die Umrisse meiner Gestalt und die Linien meines Körperbaues bröckeln ab. Ich fühle, daß auch mein Inneres in Brocken zerfällt. Die Zierlichkeit des Ebenmaßes ist verschwunden, und die weiche Rundung der Taille hat sich in schauerliche Falten gelegt. Ihr habt mich zu einer Gestalt ohne Ansehen und zu einem Mann ohne Lieblichkeit gemacht. Die Bewunderung meiner Beschauer wird sich in Lachen und das Wohlgefallen ihrer Blicke sich in Spott verwandeln. Auf der Gasse wird man mit den Fingern auf mich zeigen, und im Gemach meiner Teuersten wird die Zärtlichkeit über den Verlust meiner Vorzüge klagen. Ich bin ein geschlagener Mann und kann mich nur gleich hinaus auf den Kirchhof schaffen lassen, wo die Zypresse ihre Tränen weint. O Allah, Allah, Allah!«

Sein Zorn hatte sich in Wehmut verwandelt. Der Verlust seiner Eleganz ging ihm nahe. Schon wollte man ihm durch erneutes Lachen antworten, da gebot ich Schweigen und antwortete ihm: »Jammere nicht, Hekim! Deine Trauer wird sich in Freude verwandeln, denn du hast hier Gelegenheit gefunden, eine für dich hochwichtige Erfahrung zu machen.«

»Ja, diese Erfahrung habe ich gemacht, aber wichtig ist sie nicht für mich. Ich habe erfahren, daß man sich nicht mit Leuten abgeben soll, welche keine Bindung besitzen.«

»Meinst du etwa, daß sie bei dir zu finden sei, Hekim?«

»Ja, denn ich bin der Mann, der die kranken Leiber heilt und die müden Herzen erfrischt. Das ist die wahre Bildung.«

»Du bist der Mann, der dem Patienten sagt, daß seine Zunge nicht so imponierend sei, wie diejenige eines Rindes. Wenn du das Bildung nennst, so bist du freilich ein hochgebildeter Gelehrter. Wie du übrigens meiner Zunge ansehen willst, ob die Verrenkung meines Fußes gefährlich sei oder nicht, das begreife ich nicht.«

»Du wirst in deinem Leben noch sehr wenig begriffen haben. Das sehe ich dir an. Jedenfalls begreifst du auch nicht, daß ihr mich in eine Lage gebracht habt, welche meiner Ehre schadet und mein Ansehen im Lande begräbt.«

»Nein, das begreife ich allerdings nicht.«

»So ist deine Klugheit so kurz wie eine Kan sudschuki[1], deine Dummheit aber so lang wie die Mötewazilar[2], die man um die Erde zieht. Und dennoch rümpfst du die Nase und sitzest da mit einem Gesicht und führst Reden, als ob du ein Professor aller möglichen Weisheiten seiest.«

»Dir gegenüber bin ich auch ein Professor gewesen, denn ich habe dir praktischen Unterricht in der Lehre des Verbandes gegeben.«

»Davon habe ich freilich kein einziges Wort vernommen.«

»Ich sprach von einem praktischen Unterricht; da war vom Sprechen keine Rede. Was du jetzt gelernt hast, das kann dich zum berühmtesten Hekim aller Länder machen, welche der Padischah beherrscht.«

»Willst du mich auch noch verspotten? Wenn du wirklich so weise bist, wie du behauptest, so gib mir einen guten Rat, wie ich aus der Schale des Gipses herauskommen kann.«

»Davon nachher! Du hast mich ausgelacht, als ich dir sagte, daß man aus Gips einen Verband herstellen könne, und doch ist derselbe der allerbeste, den es gibt. Du ließest mich nicht zum Wort kommen, darum bist du durch die Tat belehrt worden. Greif' deinen Kaftan an! Vorher war er weich, jetzt ist er hart und fest wie Stein, so hart, wie ein Verband sein muß, wenn er dem Glied Halt verleihen soll. Merkst du noch nichts?«

Er zog die Brauen empor und blickte mich nachdenklich an. Ich fuhr fort:

»Wenn du ein gebrochenes Bein schienest, so werden die Schienen das Glied sehr belästigen, weil sie sich nicht der Form desselben anbequemen. So ein Verband taugt nichts.«

»Aber es gibt keinen andern Verband. Die größten Aerzte

1 Blutwurst.
2 Parallelkreise.

des Reichs haben sich ihre Köpfe vergebens zerbrochen, um einen Verband zu finden, welcher fest ist und doch sich an die Form des Gliedes schmiegt. Ich selbst besitze ein Buch, dessen Titel lautet: Schifa kemik kyryklarin[1]. Da ist zu lesen, daß man diese Brüche nur mit Schienen behandeln kann.«

»Wer ist denn der Verfasser des Buches?«

»Der berühmte Arzt Kari Asfan Zulaphar.«

»Nun, der hat fast vor zweihundert Jahren gelebt. Damals mag er recht gehabt haben, jetzt aber würde man ihn auslachen.«

»O, ich lache ihn nicht aus.«

»So passen deine Kenntnisse und Ansichten nur für jene Zeit, nicht aber für die heutige. Es gibt jetzt noch ganz andere Verbände. Hast du vorhin den Fez betrachtet, welcher jetzt wieder dein Haupt beschützt?«

»Warum soll ich ihn nicht angesehen haben? Diese kleine giftige Kröte hat ihn mir ja nahe genug an die Nase gehalten.«

»So sage, welche Form er angenommen hat.«

»Diejenige meines Kopfes.«

»Und zwar ganz genau. So ist es auch mit einem jeden anderen Glied. Wenn ich den Arm gebrochen habe und mir ihn einrichten lasse, so umwickle ich ihn zunächst mit einem dünnen Zeugstoff. Diesen tränke ich sodann mit Gips, den ich in Wasser aufgelöst habe, mache darüber noch mehrere Umwickelungen, deren jede ich abermals mit Gips tränke. Wenn dieser dann trocken und hart geworden ist, so habe ich einen Verband, welcher sehr fest ist und genau auf die Form des Armes paßt.«

»Ah – oh – aah!« stieß er hervor, erst mich eine Weile anstarrend und sodann sich an Halef wendend: »Gib mir rasch noch einmal meine Mütze herab!«

Der Hadschi tat ihm den Gefallen und hielt sie ihm vor die Augen, indem er sie nach allen Seiten drehte.

»Noch besser ist's,« fuhr ich fort, »wenn man das Zeug gleich mit dem nassen Gips tränkt und es erst dann um das

---

[1] Ueber die Heilung der Knochenbrüche.

Glied windet. Und damit es dann, wenn der Gips erhärtet ist, das kranke Glied nicht drückt, so bringt man zuvor eine Lage Watte an. Dann ruht das Glied weich in dem festen und ganz genauen Verband.«

Wieder sah er mich an und rief endlich aus:

»Allah, Allah! Nazik idschad bulma, azametli keschf! – Allah, Allah! Köstliche Entdeckung, herrliche Erfindung! Ich laufe, ich eile; das muß ich mir aufschreiben!«

Er sprang auf, ohne auf die Steifheit seines Kaftans zu achten, und sprang zu der Türe.

»Warte, warte! Nimm deinen Korb der Werkzeuge mit!« rief Halef. »Und setze zuvor deine Mütze auf!«

Der Arzt blieb stehen. Er bot einen köstlichen Anblick. Der Gips brach kreuz und quer und bröckelte von ihm herab. Der Kaftan wollte nicht aus den Brüchen und Falten, nicht aus der Haltung, die er während des Sitzens eingenommen hatte. Der hintere untere Teil starrte nach vorn und hinderte am Gehen. Da kehrte der Dicke dem kleinen Hadschi den Rücken zu, hielt ihm die Arme nach hinten hin und sagte:

»Zieh an den Aermeln! Ich muß heraus!«

Halef faßte an und hielt ihn fest. Der Aeskulap zog und zog und drängte und schoß endlich mit solcher Gewalt aus dem gegipsten Kleidungsstück heraus, daß er an die Türe flog und, da er sie schon aufgeklinkt hatte, durch sie hinaus in den Hof schoß.

»Tekrar gelirim, tekrar gelirim, schimdi tekrar gelirim; ich komme wieder, ich komme wieder, ich komme gleich wieder!« schrie er, indem er zu Boden stürzte, sich schnell wieder aufraffte und dann forteilte.

Die Begeisterung für den Verband hatte ihn ergriffen. Er mußte nach Hause, um sich meine Anweisung zu notieren. Daß er die Pantoffeln, den Kaftan, den Fez samt dem Instrumentenkorb zurückgelassen hatte und nun barhäuptig durch die Straßen rannte, das focht ihn nicht an.

Er war jedenfals mit Leib und Seele bei seinem Beruf, hatte aber leider weiter nichts lernen können, als was Andere wußten, die – – nichts wußten.

Nun galt es, die Stube zu säubern. Der steife Kaftan ward über die Stuhllehne gehängt, und man sammelte die Instrumente. Dann wurde mir mein Stübchen hergerichtet. Osko hatte mir längst wieder Wasser gebracht, und ich bemerkte zu meiner Freude, daß die Geschwulst sich minderte. Schmerz fühlte ich gar nicht mehr. Später ließ ich mich in meine Kammer tragen und auf das bereitete Lager betten. Ich machte Umschläge und wollte dann am Abend den Verband anlegen. Dazu war nun allerdings Watte, Gaze und wieder Gips zu holen.

Als ich ungefähr drei Stunden gelegen hatte, hörte ich durch die Türe die Stimme des Arztes.

»Wo ist der Effendi?«

»Da in der kleinen Stube,« vernahm ich Halefs Antwort.

»Melde mich an!«

Halef öffnete die Türe, und der Arzt kam herein, aber wie!

Er war wie ein Bräutigam gekleidet. Ein blauseidener Kaftan umhüllte den Leib bis herab zu den Füßen, welche in feinen Saffianpantoffeln steckten, und das Haupt war geschmückt mit einem blau und weiß gestreiften Turban, an welchem eine Granatgraffe glänzte. Seine Miene war feierlich, und sein Gang überaus würdevoll. Unter der Türe blieb er stehen, kreuzte die Arme über der Brust, verneigte sich tief und sagte:

»Effendim, japarim ziaret schükürün ittibarün – mein Effendi, ich mache dir die Visite des Dankes und der Hochachtung. Girisch bana ruchsat wer – erlaube mir, einzutreten!«

Ich neigte feierlich mein Haupt und antwortete:

»Jaklaschdyr, chosch sen – tritt näher, du bist willkommen!«

Er machte drei kleine Schritte, räusperte sich und hob an:

»Effendim, dein Kopf ist die Wiege des Menschenverstandes, und dein Gehirn beherbergt das Wissen aller Völker. Dein Geist ist scharf wie die Schneide eines Rassiermessers und dein Nachdenken so spitz wie die Nadel, mit welcher man einen bösen Schwären öffnet. Darum hattest du das Kismet, die große Frage zu lösen, wie die Brüche, Verstauchungen und Verrenkungen zu behandeln sind. Dein Ingenium hat alle Sphären durchmessen und alle Gebiete der Wissenschaft durchforscht, bis es auf den schwefelsauren Kalk gekommen ist, welcher von unwissenden Barbaren Gips genannt wird. Du hast Wasser dazu getan und ihn umgerührt, damit er seines Kristalles beraubt werde und auf Leinwand gestrichen werden kann, die man um die Gelenke, Knochen und Röhren wickelt, um denselben Halt zu geben, wenn sie dessen bedürfen. Dadurch wirst du im Laufe der Zeit Millionen von Beinen und Armen vor Verkrümmung und Verunstaltung bewahren, und die Professoren der Zukunft werden Piaster sammeln, um dir ein Denkmal zu erbauen, auf welchem dein Kopf in Stein ausgehauen oder deine Gestalt in Erz gegossen ist. Auf der Platte des Denkmals wird dein Name in goldener Schrift glänzen. Bis dahin aber soll er in meinem Buche der Notizen stehen, und ich bitte dich, ihn mir zu nennen, damit ich ihn aufschreiben kann.«

Er hatte das feierlich, im Deputationston gesprochen. Leider bestand die Deputation nur aus ihm allein.

»Ich danke dir!« erwiderte ich ihm. »Die Wahrheitsliebe gebietet mir, dir mitzuteilen, daß nicht ich es bin, der die große Erfindung gemacht hat. In meinem Vaterland ist sie so verbreitet, daß alle Aerzte und Laien sie kennen. Willst du dir den Namen des Erfinders aufschreiben, so sollst du ihn erfahren. Der gelehrte Mann, dem so viele Leute ihre Wohlgestalt zu verdanken haben werden, hieß Mathysen und war ein berühmter Wundarzt im Lande Holland. Ich habe deinen Dank nicht verdient, aber es freut mich sehr, daß die Erfindung dir gefällt, und ich hoffe, daß du sie fleißig in Anwendung bringen wirst.«

»Daß ich fest entschlossen bin, sie in Anwendung zu bringen, werde ich dir beweisen. Aber den Dank darfst du nicht ablehnen. Wenn du auch nicht der Erfinder selbst bist, so hast du doch diese unvergleichliche Wohltat hier eingeführt. Ich werde des heutigen Tages nicht vergessen und habe zu meiner Freude gesehen, daß mein Kaftan noch vorhanden ist. Er soll von nun an mein Firmenschild sein, und ich werde ihn neben der Türe meines Hauses aufhängen, damit alle, die gebrochene Glieder haben, zu ihrer Beruhigung sehen, daß ich sie mit schwefelsaurem Kalk einwickele. Ich habe bereits versucht, wie es zu machen ist, und bitte dich, mein Werk in Augenschein zu nehmen, um mir meine Zensur zu geben. Willst du das?«

»Sehr gern!« antwortete ich.

Er trat an die Fensteröffnung und klatschte in die Hände. Die Türe zur großen Stube ward geöffnet, und ich hörte schwere Tritte.

»Hier herein!« gebot er.

Zunächst erschienen zwei Männer, welche einen großen Kübel trugen, der bis an den Rand mit flüssigem Gips gefüllt war. Der Eine hatte einen Vorrat von Watte, welcher ausgereicht hätte, zehn Personen einzuwickeln, und der Andere hielt einen Pack Kattun in der Hand. Sie legten ihre Lasten ab und entfernten sich.

Als dadurch Platz entstanden war, kamen abermals zwei Männer herein, welche eine Bahre trugen. Darauf lag ein bärtiger Mensch, dessen Leib bis an den Hals zugedeckt war. Sie setzten die Bahre nieder und gingen dann hinaus.

»Hier sollst du die ersten Verbände sehen, welche ich anlegte,« begann der Arzt. »Ich habe mir das Material gekauft und diesen Arbeiter kommen lassen, um mir als Modell zu dienen. Er bekommt für den Tag zehn Piaster und die Kost. Erlaube, daß ich das Tuch wegnehme, und betrachte dir den Patienten.«

Er entfernte die Hülle. Als mein Blick auf das Modell fiel, mußte ich an mich halten, um nicht herauszuplatzen. O Allah, sah der Mensch aus! Der Dicke hatte sich alle möglichen Brüche und Luxationen gedacht und den armen Kerl entsprechend eingegipst. Aber wie!

Die Achseln, die Ober- und Unterarme, die Ober- und Unterschenkel, sogar die Hüften steckten in Gipsüberzügen, die sicher eine Hand breit dick waren. Auch der Brustkasten war mit einem Panzer versehen, durch welchen eine Pistolenkugel nur schwer hätte dringen können.

Der Mann lag da wie ein wirklicher Patient, welcher dem Tode nahe ist. Er konnte sich nicht bewegen; ja, er konnte kaum Atem holen. Und das alles für ungefähr achtzehn Groschen pro Tag. Pro Tag! Da war ja das Heitere bei der Sache. Also tagelang sollte er die Verbände tragen, und wozu?

»Wie lange willst du dieses Experiment währen lassen?« fragte ich.

»So lange, bis er es nicht mehr aushalten kann. Ich will die Wirkung studieren, welche der schwefelsaure Kalkverband auf die verschiedenen Körperteile hat.«

»An einem Gesunden? Die einzige Wirkung wird die sein, daß er es nicht lange aushalten kann. Was ist denn mit seiner Brust geschehen?«

»Er hat fünf Rippen gebrochen, rechts zwei und links drei.«

»Und mit den Achseln?«

»Die Schlüsselbeine sind entzwei.«

»Und wie steht's mit den Hüftgelenken?«

»Er hat sich beide Kugeln ausgefallen. Nun aber fehlt noch eins; nämlich der Unterkiefer hat sich ausgehakt, und nun ist eine Mundklemme eingetreten. Wie man das mit Gips verbindet, weiß ich nicht und werde das nun nach deiner Anweisung tun.«

»O Hekim, das wird ja nie verbunden!«

»Nicht? – Warum?«

»Hat man die Verrenkung des Unterkiefers eingerichtet, so ist die Sperre vollständig beseitigt, und es bedarf des Gipses nicht.«

»Gut! Wenn es dir beliebt, so wollen wir annehmen, daß ihm der Mund wieder zugefallen ist.«

»Sei so gut und mache auch seine Rippen frei! Er schnappt ganz angstvoll nach Luft.«

»Wie du willst; ich werde von dem Wirt das Werkzeug holen.«

Sehr neugierig war ich, was er bringen werde. Bei seiner Rückkehr war ich eben beschäftigt, einen Umschlag um den Fuß zu legen, und sah erst empor, als ich Hammerschläge hörte.

»Um Gottes willen, was machst du denn? Was hast du in den Händen?«

Ich konnte es nämlich nicht sehen, weil er mir den Rücken zukehrte.

»Tschekidsch ile kalemkiarlyk – Hammer und Meißel,« antwortete er unbefangen.

»Da wirst du ihm in Wirklichkeit die Rippen zerschlagen oder ihm den Meißel in die Brust treiben.«

»Ja, was nimmt man denn?«

»Schere, Messer oder eine passende Säge, je nach der Stelle und Stärke des Verbandes.«

»Die Knochensäge befindet sich in meinem Korb, und ich werde sie holen.«

»Bringe meinen kleinen Gefährten mit herein. Der mag dir helfen, da ich es nicht kann.«

Als Halef kam, genügten einige Winke, und er macht sich über die Gipskrusten her, obgleich der Arzt dagegen protestierte. Es war eine harte Arbeit, und es dauerte so lange, bis das ›Modell‹ von allen Verbänden befreit war, daß inzwischen Licht angezündet werden mußte, denn es war Nacht geworden. Der arme Kerl, welchem der Arzt nebst allen möglichen Brüchen und Verrenkungen auch noch die Mundklemme hatte aufzwingen wollen, hatte nicht ein einziges Wort gesprochen. Als aber der letzte Verband entfernt war, sagte er zu mir:

»Ich danke dir, Herr!«

Ein Sprung, und er war hinaus.

»Halt!« schrie der Dicke ihm nach. »Ich brauche dich ja noch! Es geht wieder los!«

Aber dieser Ruf blieb vergeblich.

»Da läuft er hin! Was tue ich nun mit dem schönen Gips, mit der Watte und dem Baumwollenstoff?«

»Laß ihn laufen!« antwortete ich. »Was hast du denn gedacht? Mit dem Inhalt dieses Kübels kannst du zwei Häuser angipsen. Einen kleinen Teil davon kann ich brauchen, und ich glaube, daß es nun Zeit sein wird, mich zu verbinden.«

»Schön, schön, Effendim! Ich werde gleich beginnen.«

»Langsam, langsam! Verfahre genau nach meiner Anweisung!«

Der Mann war Feuer und Flamme. Während des Verbindens erzählte er mir von den unglaublichen Kuren, die er schon ausgeführt hatte. Als wir fertig waren, meinte er:

»Ja, das ist freilich etwas ganz anderes! Ich werde nun den Versuchspatienten wieder holen und ihn dann morgen dir herschaffen lassen.«

»Und wann willst du ihn verbinden?«

»Heute abend noch.«

»O Allah! Da soll er bis morgen liegen? Du wirst ihn töten. Wenn du dich an ihm üben willst, so darfst du es nicht an allen Gliedern zugleich tun, sondern nur an einem einzigen, und sodann mußt du den Verband auch sofort wieder abnehmen, wenn er erstarrt ist. Merke dir übrigens auch, daß man in den Verband Fenster schneiden kann.«

»Wozu?«

»Zur Besichtigung und Behandlung einzelner Stellen. Du hast keinen Lehrer, der dich darin unterrichtet, und auch kein Buch zum Studium. Du mußt also selbst nachdenken und Versuche machen.«

»Effendim, bleibe da und gib mir Unterricht! Alle Aerzte dieser Gegend werden deine Schüler sein.«

»Ja, und wir Andern geben uns als Modelle dazu her!« lachte Halef. »Das fehlte noch! Du hast genug gelernt an diesem Nachmittag; nun sieh zu, wie du dir weiter hilfst.«

»Wenn ihr keine Zeit dazu habt, so muß ich auf den Unterricht verzichten. Und es ist wahr, ich habe heute sehr viel gelernt und weiß gar nicht, wie ich dankbar sein soll. Geld wirst du nicht nehmen. So will ich dir ein Andenken geben, Effendim; du wirst dich darüber freuen.«

»Was ist es denn?«

»Mehrere Gläser mit Spiritus und allen Arten von Band- und Darmwürmern, an denen ich sehr große Freude habe. Dir aber gönne ich sie von Herzen.«

»Ich danke dir! Die Gläser würden mir während der Reise nur unbequem werden.«

»Das tut mir leid; aber du sollst dennoch sehen, daß ich dir dankbar bin. Ich gebe dir das liebste, was ich besitze: ein Skelett. Ich habe die Knochen selbst abgeschabt, gekocht, gewässert und gebleicht.«

»Auch dafür muß ich leider danken.«

»Willst du mich beleidigen?«

»Gewiß nicht. Du siehst ein, daß ich kein Skelett zu mir auf das Pferd nehmen kann.«

»Das ist freilich wahr. So erlaube mir wenigstens, daß ich dir die Hand recht herzlich drücke.«

Der Hekim war, wie die meisten dicken Leute, im Grund ein ganz gemütlicher Mann. Er besaß Lernbegierde und Dankbarkeit und hatte sich seit dem Nachmittag sehr geändert. Er fühlte sich ganz glücklich, als ich ihn einlud, unser Abendmahl mit uns einzunehmen, und verabschiedete sich nach demselben mit einer Herzlichkeit, als ob wir alte, gute Freunde wären.

Seine Träger hatten so lange warten müssen und schleppten dann ihre Lasten wieder mit fort. Anstatt des ›Modelles‹ aber lag der Instrumentenkorb und der steife Kaftan, den er als Firmenschild benutzen wollte, auf der Bahre.

Der übrige Teil des Abends verlief unter Gesprächen darüber, was wir am nächsten Tag beginnen sollten. Ich war entschlossen, trotz meines Fußes abzureisen, denn wir durften den vier Männern, welchen wir folgten, keinen so bedeutenden Vorsprung lassen, daß wir ihre Spur verlieren konnten.

Auf dem Zettel, welchen Hamd el Amasat geschrieben hatte und der mir in Edreneh in die Hände gekommen war, stand zu lesen:

»*In pripeh beste la karanorman chan ali sa panajir menelikde* – sehr schnell Nachricht in Karanorman-Khan, aber nach dem Jahrmarkt in Menelik!«

Menelik lag nun hinter uns, und wir waren dem Bruder Hamd el Amasats bis heute gefolgt, ohne noch eine Ahnung zu haben, wo eigentlich dieses Karanorman liege. Jedenfalls war dieser Ort sein Ziel, und wahrscheinlich trafen die Beiden dort zusammen. Sie hatten Schlimmes vor, was wir verhüten wollten. Aus diesem Grund hatten wir den Ritt unternommen. Wenn wir ihnen einen größeren Vorsprung gestatteten, so konnte sehr leicht unser Zweck verfehlt werden. Darum mußten wir morgen unbedingt weiter reiten.

Halef betrachtete mich als Patienten und verlangte, daß ich mich schonen sollte. Osko und Omar aber waren ganz mit mir einverstanden. Letzterer ließ den Rachespruch der Wüste hören:

»Ed dem b' ed dem – Blut um Blut! Ich habe geschworen, den Tod meines Vaters zu rächen, und ich muß mein Wort halten. Wenn ihr morgen nicht mitreitet, so reite ich allein. Ich habe keine Ruhe, bis mein Messer dem Mörder im Herzen sitzt.«

Das klang wild und unmenschlich. Als Christ hing ich an der lieblichen Lehre: »Liebet eure Feinde,« aber wenn ich mich jenes Augenblicks erinnerte, an welchem sein Vater, unser Führer, unter der entsetzlichen Salzkruste des Schotts versank, so war es mir doch, als ob diese Tat gesühnt werden müsse. Ob freilich auf Omars Weise, das konnte nur der Moment ergeben. Jedenfalls war ich gesonnen, keinen nackten, barbarischen Mord zu dulden.

Ich hätte wohl weit in den Morgen hinein geschlafen, wenn ich nicht geweckt worden wäre. Der Korbflechter stand draußen und wollte mit mir sprechen. Ich empfing ihn beinahe zornig über die Störung; als ich aber seinen Schwager, den Gastwirt des Weilers, hinter ihm eintreten sah, ahnte ich, daß ein triftiger Grund vorläge, mich aus dem Schlaf zu wecken, und zeigte ein freundlicheres Gesicht.

»Herr,« sagte der Wirt des Weilers, »ich glaubte nicht, daß ich dich bald wiedersehen würde. Verzeihe, daß wir dir die Ruhe rauben; aber ich muß dir Wichtiges mitteilen; es handelt sich um euer Leben.«

»Abermals! Hoffentlich ist es nicht so schlimm, wie du meinst.«

»Es wäre so schlimm, wenn ich dich nicht warnen könnte. Die beiden Aladschy sind hier bei meinem Bruder gewesen.«

»Ah! – Wann?«

»Als der Tag graute,« antwortete der Korbflechter, an welchen ich die letzte Frage gerichtet hatte. »Wir waren sehr bald erwacht, denn die Freude über deine Geschenke ließ uns nicht schlafen. Sogar die Kinder waren schon aufgestanden. Ich war hinunter an den Fluß gegangen, um nach den Nachtangeln zu sehen, welche ich gestern abend noch gelegt hatte. Als ich zurückkam, hielten zwei Reiter auf scheckigen Pferden vor der Türe, wo sie mit den Kindern sprachen. Mein Vater befand sich noch auf dem Lager. Als sie mich kommen sahen, fragten sie mich, ob gestern nicht vier Reiter vorübergekommen seien, von denen der eine den Turban des Schirfa[1] und eine farbige Brille getragen habe; unter den Pferden sei ein schwarzer arabischer Hengst gewesen.«

»Was hast du geantwortet?« fragte ich mit Spannung.

»Ich dachte mir gleich, daß es die Aladschy seien, von denen wir gesprochen hatten, und verschwieg ihnen die Wahrheit.«

»Hm! Das wird dir schlecht bekommen sein.«

»Ahnst du es?«

»Deine Kinder werden es wohl bereits verraten gehabt haben.«

»So ist es allerdings. Sie schlugen mit den Peitschen auf mich ein und drohten mir, mich zu töten, wenn ich nicht die Wahrheit sagen würde.«

»So ist es ganz recht, daß du ihnen die Wahrheit gestanden hast.«

»Weißt du denn, daß ich es getan habe?«

»Ich sehe es deinem unsicheren Blick an. Du befürchtest, einen Fehler gemacht zu haben, und hast deshalb kein ruhiges Gewissen.«

»Effendi, dein Blick sagt dir freilich das Richtige. Ich hätte mich ihren Schlägen wohl entziehen können, aber dann wären sie wahrscheinlich grausam gegen den Vater und die Kinder gewesen. Und weil die letzteren doch schon geplaudert hatten, so gestand ich, daß du da gewesen seiest.«

1 Plural von Scherif.

»Aber doch wohl weiter nichts?«

»Ich wollte nur das sagen, aber sie hatten die Kleinen schon vollständig ausgefragt und von ihnen erfahren, daß ihr die Stiefel ausgeschüttet und dem Großvater Geld gegeben hättet, und daß ich euch heut nach Taschköj führen solle, wo ich vorher mit den bösen Männern gewesen sei.«

»Da hast du es freilich eingestehen müssen.«

»Ja, ich konnte nicht anders. Du wirst es mir verzeihen.«

»Ich kann dir nicht darüber zürnen; ich hätte mich hüten sollen, vor den Kindern davon zu sprechen. Hatten die Räuber Gewehre?«

»Ja, und sie selbst sahen aus, als ob es ihnen schlecht ergangen sei. Der Eine trug ein Pflaster auf der Oberlippe, und die Nase hatte die Farbe einer Pflaume.«

»Das ist Bybar gewesen, dem ich mit einem Hieb die Lippe aufgerissen hatte. Aber er trug doch einen Bart?«

»So hat er sich denselben abgeschnitten, um den Riß zusammen zu pflastern. Mein Bruder wird das wissen. Er redete auch gar nicht, sondern der Andere sprach. Dieser saß so schlecht im Sattel, wie wenn er das Kreuz gebrochen hätte.«

»Ich schleuderte ihn gegen einen Baum, und das wird er noch spüren. Was taten sie dann?«

»Sie gaben mir noch einige Hiebe und ritten dann nach Radowitsch zu.«

»Das glaube ich nicht. Ich meine, daß sie nach dem Wald geritten sind, durch welchen du uns zu führen hast. Sie werden uns dort überfallen wollen. Ohne Zweifel kennen sie die Gegend.«

»Du hast ganz recht geraten, Effendi. Auch ich hatte denselben Gedanken und schlich ihnen nach. Bald bogen sie wirklich rechts ein, nach den Bergen zu.«

»Nun stecken sie dort und warten auf uns. Vor allen Dingen muß ich wissen, wie weit deine Geständnisse gegangen sind. Du hast also eingeräumt, daß ich in Radowitsch bin; hast du aber auch von meinem kranken Fuß gesprochen, und daß ich vielleicht in Radowitsch bleiben müsse?«

»Nein – kein Wort.«

»So werden sie uns heute erwarten. Fragten sie nicht, wann wir aufbrechen würden?«

»Ja, und ich sagte, daß ich dies erst noch erfahren müsse. Dann schwuren sie, daß sie mich ermorden und meine Hütte niederbrennen würden, wenn ich sie verraten würde. Dabei sagten sie mir, daß sie die Aladschy seien, von denen ich wohl gehört habe, und sie würden ihre Drohung sicher wahr machen.«

»Und dennoch sagst du es mir?«

»Das ist meine Pflicht und meine Dankbarkeit, Effendi. Vielleicht kannst du es so einrichten, daß sie glauben, ich sei verschwiegen gewesen.«

»Das wird sich leicht ermöglichen lassen. Natürlich bin ich dir dankbar für deine Warnung, ohne welche es uns schlecht ergehen könnte.«

»Ja, Herr, du wärest verloren gewesen,« fiel sein Bruder ein. »Ich habe es mit diesen meinen Ohren gehört.«

»So sind sie also wieder zu dir gekommen?«

»Natürlich! Aber Freude habe ich nicht darüber gehabt, denn ich hatte an ihrem ersten Besuch genug.«

»Das war gestern nachmittag? Oder hattest du sie schon früher gesehen?«

»Gehört hatte ich von ihnen, aber sie noch nicht gesehen. Sie kamen schon am Morgen zu mir, verlangten Raki und setzten sich an den Tisch vor dem Hause, nachdem sie die Pferde hinter dasselbe gebracht hatten, und blieben da sitzen.«

»Ahntest du, wer sie seien?«

»Ja. Ihre Pferde waren scheckig, und ihre riesigen Gestalten paßten genau zu der Beschreibung, welche man mir von ihnen gemacht hatte. Ich war ergrimmt gegen sie, denn ich hielt sie für die Diebe meines Pferdes und Packsattels.«

»Du wußtest also schon, daß beides verschwunden war?«

»Natürlich! Ich sah es gleich, nachdem ich aufgestanden war.«

»Konntest du nicht meinen, daß das Pferd fortgelaufen sei?«

»O, das hatte es noch nie getan, und dann wäre ja der Sattel noch dagewesen.«

»Sehr richtig, denn der Sattel läuft nicht mit dem Pferd davon.«

»Ich erzählte ihnen von dem Diebstahl, und sie mochten wohl bemerken, daß sich mein Verdacht gegen sie richtete, denn sie wurden bösartig gegen mich und zwangen mich schließlich, in der Stube zu bleiben.«

»Und du ließest es dir gefallen?«

»Was sollte ich dagegen tun?«

»Die Hilfe der Nachbarn anrufen.«

»Ich konnte ja nicht fort, sie zu holen, und selbst wenn dies möglich gewesen wäre, so hätte ich es dennoch nicht getan. Zu wem die Aladschy kommen, der tut am besten, ihnen zu gehorchen; denn wenn er auch für den Augenblick einen Vorteil über sie erränge, so würden sie sich doch später an ihm rächen. Ich blieb also ruhig in der Stube. Nicht einmal die Kinder durfte ich holen, was nachher du selbst getan hast, Effendi.«

»Kehrte denn in dieser Zeit niemand bei dir ein? Ich denke, die Ankunft eines Gastes hätte sie vielleicht vertrieben.«

»Haben sie sich durch deine Ankunft vertreiben lassen, Effendi?«

»Freilich nicht.«

»Es ging niemand vorüber, und nur ein einziger kam und hielt bei mir an, nämlich – – «

»Der Bakadschi Toma aus Ostromdscha,« fiel ich ihm ins Wort. »Dieser wußte, daß die Aladschy auf ihn warteten. Uebrigens hatten sie sich schon in der vorhergehenden Nacht in der Nähe befunden und auch gewußt, daß du zwei Pferde besaßest. Sie sind die eigentlichen Urheber des Diebstahles.«

»Das habe ich nun von meinem Bruder erfahren.«

»Hielt Toma nur kurze Zeit bei ihnen an?«

»O nein! Er stieg von seinem Maultier, setzte sich zu ihnen, und sie saßen wohl eine Stunde lang beisammen.«

»Du konntest nicht hören, was sie sagten?«

»Von der Stube aus nicht; aber ich hielt sie für die Diebe meines Pferdes, und ich vermutete Schlimmes von ihnen, weil ich das Haus nicht verlassen durfte. Darum nahm ich mir vor, zu horchen. Du wirst gesehen haben, daß in meiner Stube eine Leiter unter das Dach führt, wo das Maisstroh liegt. Ich stieg hinauf und von da aus konnte ich leise durch die Luke auf das Vordach gelangen. Ich hörte jedes Wort und vernahm, was in Ostromdscha geschehen war. Der Bote erzählte es ausführlich und sagte, daß ihr um Mittag aufbrechen, also ungefähr nicht ganz zwei Stunden später an meinem Hause vorüberkommen müßtet. Ferner hörte ich, daß er schon am vorigen Abend mit ihnen gesprochen hatte.«

»Ah! Jetzt erst ist es mir erklärlich,« erwiderte ich, »wie der Mübarek gar so schnell die Aladschy finden und auf mich hetzen konnte.«

»Es scheint, daß er sie schon vor eurer Ankunft bestellt hatte, um irgend einen Streich auszuführen. Ihr habt ihn dabei gestört, und so hat er ihre Anwesenheit zur Rache gegen euch benutzen wollen.«

»Was hörtest du noch?«

»Daß der Mübarek mit den drei Andern entkommen sei, und daß ihr sterben müßtet. Er bezeichnete sogar den Platz, an welchem ihr überfallen werden solltet, nämlich nicht weit hinter der einzigen scharfen Biegung, welche der Weg im Wald macht.«

»Dort hat allerdings der Kampf zwischen ihnen und mir stattgefunden.«

»Und du hast sie besiegt, wie mein Bruder mir erzählte. Effendi, Allah ist mit dir gewesen, sonst wärst du ihnen unterlegen!«

»Gewiß! – Weiter!«

»Der Bote sagte ihnen, daß sie sich ja nicht auf ihre Flinten oder Pistolen verlassen sollten, denn ihr wäret kugelfest. Da lachten sie aus vollem Hals. Als er ihnen aber aufs genaueste erzählte, was geschehen war, da wurden sie nachdenklich und meinten endlich, daß ihr wirklich kugelfest seid.«

»Nun, was sagst du dazu?« fragte ich.

»Effendi, es gibt zweierlei Zauberei. Bei der einen bedient man sich der Hilfe Allahs und bei der anderen der Hilfe des Teufels. Ihr habt die Magie gelernt, aber die gute, bei welcher Allah euch hilft.«

Da antwortete ich ihm:

»Meinst du denn wirklich, daß der Allmächtige von einem seiner schwachen Geschöpfe durch Worte, Zeichen oder Zeremonien gezwungen werden könne, ihm zu Willen zu sein?«

»Hm! Nein, denn dann wäre dieser Mensch ja mächtiger als Allah selbst. Aber, Herr, ich erschrecke. So zaubert ihr ja mit Hilfe des Teufels?«

»O nein! Wir zaubern gar nicht, wir verstehen nicht mehr als andere Menschen.«

»Aber ihr seid ja kugelfest!«

»Wir würden uns allerdings sehr freuen, wenn das wirklich wahr wäre. Leider aber würde eine Kugel ein ebenso großes Loch durch unsere Haut machen, wie durch diejenige anderer Leute.«

»Das kann ich nicht glauben. Du hast ja die Kugeln mit der Hand aufgefangen.«

»Auch das war nur Schein. Ich habe mir bereits Vorwürfe gemacht, jene Leute in ihrem Aberglauben bestärkt zu haben. Vielleicht kann ich das durch dich wieder gut machen. Wenn du nach Ostromdscha kommst, so wirst du von uns sprechen hören. Sage den Leuten, wie es geschehen ist. Ich hatte gehört, daß wir überfallen oder aus dem Hinterhalte erschossen werden sollten, und da kam mir der Gedanke, die Meinung zu verbreiten, daß wir kugelfest seien, weil man dann wahrscheinlich nicht auf uns schießen würde. Wie ich das angefangen habe, sollst du erfahren.«

Nun erklärte ich ihm alles. Sein Gesicht wurde länger und länger. Dann erholte er sich von seinem Erstaunen, hörte mir bis zum Ende zu und sagte lachend:

»Das freut mich außerordentlich, Herr, daß du mir diese Geschichte erzählt hast. Ich werde in Ostromdscha eine große Rolle spielen, indem ich die Leute auslachen und ihnen den Sachverhalt erklären kann. O, wenn ich es ihnen zeigen könnte!«

»Das kannst du. Ich habe noch mehrere Kugeln. Wenn du mir versprichst, vorsichtig zu sein und sie ja nicht mit anderen zu verwechseln, so will ich sie dir schenken.«

»Gib sie mir; du machst mich ganz entzückt vor Freude. Aber weißt du, daß ich nun noch größeren Respekt vor euch habe, als vorher?«

»Warum?«

»Weil es etwas ganz anderes ist, sich durch Klugheit zu schützen, als durch Zauberei. Jetzt meine auch ich, daß die Magie aus nichts als nur aus solchen Kunststücken besteht. Deinen Zweck hast du erreicht, denn die Aladschy beschlossen, daß sie nicht auf euch schießen, sondern euch mit den Beilen und Messern angreifen wollten. Der Bote beschrieb euch so genau, daß keine Irrung möglich war, und dann entfernte er sich. Nur eine Viertelstunde später kamst du.«

»Wen glaubtest du, zu sehen?«

»Einen Scherif. Ich konnte nicht ahnen, daß du der fremde Effendi seiest, welcher ermordet werden sollte.«

»Hast du auch unsere Unterredung belauscht?«

»Nein, denn deine Person schien mir nicht wichtig zu sein. Du kamst dann herein und warst freundlich mit mir und den Kindern. Du heiltest sogar mein Töchterchen von den Schmerzen ihres Zahnes. Ich wußte zwar nicht, was sie mit dir beabsichtigten; aber du warst freundlich mit uns gewesen, und so warnte ich dich.«

»Mit eigener Gefahr!«

»Die war nicht groß. Ich riskierte nur einige Peitschenhiebe. Als sie mit dir fortritten, wurde es mir doch bange um dich; sie hatten sich gar so eigenartige Blicke zugeworfen. Darum winkte ich dir noch einmal zu, als du dich auf der Brücke umdrehtest.«

»Ich verstand, daß du mich zur Vorsicht mahnen wolltest. Was tatest du hierauf?«

»Ich suchte die Nachbarn auf, erzählte ihnen den Vorgang, und forderte sie auf, mit mir in den Wald zu gehen, um dich aus der Hand der Räuber zu befreien und auch die vier Fremden zu retten, welche überfallen werden sollten.«

»Da machten sie aber nicht mit,« ergänzte ich seine Erzählung. »Sie fürchteten sich vor der Rache der Aladschy und blieben hinter ihren vier Pfählen furchtsam stecken. Ja, das kann ich mir denken. Die Furcht ist die größte Feindin dessen, der sich eben fürchtet. Anderwärts wären die Aladschy nicht weit gekommen; man hätte sie baldigst dingfest gemacht.«

»Meinst du, in deinem Vaterland?«

»Ja, gewiß.«

»So ist dort jedermann ein Held?«

»Nein, aber es ist dort unmöglich, daß ein Skipetar die Leute in Angst und Schreck versetzen kann. Wir haben nicht strengere, sondern viel mildere Gesetze als ihr, aber sie werden so gehandhabt, wie es geboten ist. Darum hat niemand Furcht vor der Rache eines Menschen, denn die Polizei ist stark genug, jeden guten und ehrlichen Menschen zu schützen. Wer schützt aber euch?«

»Niemand, Herr. Die Furcht ist unser einziger Schutz. Wer es zum Beispiel wagen wollte, den Aladschy zu widerstehen, wenn sie zu ihm kommen und ihm ihre Befehle erteilen, der wäre ihrem Grimm verfallen, und keine Obrigkeit vermöchte ihn zu schützen. Darum durfte ich mich nicht darüber wundern, daß meine Nachbarn nichts mit der Sache zu tun haben wollten.«

»Es sind ihrer wohl nur wenige?«

»Ja, und überdies herrscht die Meinung, daß jeder der zwei Aladschy leicht zehn Mann auf sich nehme.«

»Hm! So nehme ich leicht zwanzig auf mich, denn ich habe sie überwältigt.«

»Nur mit Allahs Hilfe, Effendi! Diese Räuber sind gar fürchterlich. Dennoch nahm ich mir vor, die Fremden zu warnen. Darum setzte ich mich vor mein Haus auf eine der Bänke und wartete auf sie.«

»Hast du sie gesehen?«

»Nein. Es war unter den Kindern ein Streit entstanden; sie

weinten, und ich ging hinein, um die Uneinigkeit zu schlichten. Während dieser Zeit müssen die Fremden vorübergekommen sein. Später sah ich zu meinem Schreck die Aladschy zurückkehren.«

»Mit ihren Pferden?«

»Freilich, Effendi.«

»So haben sie dieselben also bald gefunden. Waren sie guter Laune?«

»Wie kannst du so fragen? Ich mußte mit ihnen in die Stube, und es war, als ob mit ihnen tausend Scheïtans eingetreten seien. Es ist mir schlimm ergangen. Aber was ich aus ihren Reden entnahm, das machte mir heimliche Freude. Ich erfuhr, daß der alberne Scherif sie bezwungen habe.«

»Sie ahnten also nicht, daß der Scherif der Anführer derjenigen gewesen war, denen sie auflauern wollten?«

»Diesen Gedanken hatten sie nicht. Aber später, als sie ruhiger geworden und wieder beim Raki saßen, zog der Eine einen Zettel hervor, den sie lasen. Ich hörte, daß er an einem Baum gesteckt hatte. Sie konnten aber nicht klug daraus werden und wußten nur, daß drei Reiter vorüber gekommen waren, welche sich genau nach diesem Zettel gerichtet hatten.«

»Hielten sie diese drei für die Erwarteten?«

»Nein; es fehlte ja die Hauptperson. Sie glaubten, ihr würdet noch vorüberkommen. Obgleich der Bote ihnen gesagt hatte, daß ihr gewarnt worden seiet, wollten sie es doch mit euch aufnehmen. Sie befanden sich in einem Zustand der Wut, in welchem es für sie gar kein Bedenken gab. Ihre Gewehre waren ihnen zerbrochen worden. Sie hatten die Stücke bei sich. Ich habe dieselben alle auf meinem Rücken fühlen müssen. Die Kinder weinten laut darüber und erhielten auch Fußtritte und Schläge. Der Eine konnte den Körper nicht aufrecht halten; du hattest ihn an den Stamm eines Baumes geworfen. Er zog sich aus, und ich mußte ihm mehrere Stunden lang das Rückgrat mit Raki und Butter abwechselnd einreiben. Der Andere blutete immerfort. Du hattest ihm von unten herauf einen Hieb versetzt und ihm dabei die

Oberlippe zerrissen; er sagte, mit dem Daumen deiner Faust. Die Nase stand ihm empor und war geschwollen; sie war rund und birnenförmig wie ein Wespennest. Er rieb sie mit Raki ein. Später, als die beiden Andern kamen, schnitt der Eine von ihnen ihm den Bart ab und ging, um aus dem nahen Wald Harz zu holen, von welchem mit Butter ein Pflaster gemacht wurde, das er auf die Lippe legte.«

»Zwei Andere kamen? Wer waren diese?«

»O, das waren erst die richtigen Galgengesichter. Du hättest sie nur sehen sollen! Sie hatten die vorige Nacht in Dabila bei dem Wirt Ibarek geschlafen und – –«

»Ah, ich kenne sie. Es waren Brüder. Hast du das nicht bemerkt?«

»Ja, ich hörte bald, daß sie ebenso Brüder seien, wie die Aladschy. Sie kannten sowohl diese als auch euch.«

»Und hatten sie gewußt, daß sie die Aladschy treffen würden?«

»Nein. Beide Brüderpaare waren über den Zufall erstaunt; aber ihre Freude war größer als ihr Erstaunen, da sie hörten, daß der gleiche Zweck sie hierher geführt habe – die Rache an euch.«

»Das glaube ich. Nun wird erzählt worden sein!«

»Viel, sehr viel: von Edreneh, von Menelik, wo ihr so schnell entkommen waret, obgleich ihr dort unschädlich gemacht werden solltet. Ihr waret ihnen dadurch nun doppelt gefährlich geworden, daß ihr vom Taubenschlag aus die Unterredung belauscht hattet, denn ihr wußtet nun, daß diejenigen, die ihr verfolgt, in der Ruine von Ostromdscha zu suchen seien. Und noch gefährlicher war es, daß der Bruder des Wirtes zu Ismilan euch für rechtmäßige Besitzer der Koptscha gehalten und infolgedessen gesagt hatte, daß ihr nach Sbiganzy gehen solltet.«

»Ja, da hat er freilich eine große Dummheit begangen. Aber es wird uns nun wohl schwer oder ganz unmöglich werden, von diesem Vorteil Gebrauch zu machen.«

»Das ist wahr. Als die Aladschy hörten, daß ihr von der Derekulibe bei Sbiganzy wüßtet, gerieten sie außer sich und sagten, dies müsse auf alle Fälle verhütet werden, und sollten sie euch gleich hier auf offener Straße angreifen.«

»So waren sie also selbst jetzt noch immer der Meinung, daß wir noch nicht vorüber gekommen seien?«

»Ja. Sie hatten sich so gesetzt, daß kein Mensch vorüber konnte, ohne von ihnen gesehen zu werden. Die beiden Andern wollten ihnen beistehen. Sie waren nun vier gegen vier, und die Aladschy erklärten, daß sie jetzt so mutig seien, um es mit einem ganzen Heere aufzunehmen. Dieser Irrtum dauerte nur so lange, bis Toma von Radowitsch zurückkam.«

»Ah, der hat ihnen den Star gestochen!«

»Sie riefen ihn herein. Als er sie erblickte, schrie er auf über das Aussehen des Einen. Sie sagten ihm, die Vier seien noch nicht vorüber; er aber antwortete, daß er euch in Radowitsch gesehen und sogar eine gute Tracht Peitschenhiebe von euch bekommen habe. Nun war das Erstaunen groß. Weder verstand er sie, noch vermochten sie ihn zu begreifen. Endlich fragte er, ob sie denn nicht den Scherif gesehen hätten, der jedenfalls den Rappen geritten hätte. Das seiest du gewesen, denn du hättest dich verkleidet gehabt.«

»Schade, daß ich nicht dabei sein konnte! Ich hätte die Gesichter sehen mögen.«

»Ja, Effendi, es war spaßhaft, aber auch entsetzlich. So ein Fluchen und Lästern habe ich noch nie in meinem Leben gehört. Was in der Stube nicht niet- und nagelfest war, wurde zerbrochen. Sie haben gewütet und gewüstet wie die Teufel. So etwas war ihnen noch nie passiert. Sie hatten dem albernen Scherif einen Streich spielen wollen, und nun waren sie von ihm genarrt worden. Sie vermochten gar nicht, sich zu besänftigen, und glichen wild gewordenen Stieren, vor denen nichts hilft, als nur die Flucht allein.«

»Das glaube ich sehr gern. Was meinte denn der Bote?«

»Ihm war himmelangst. Er hatte dir selbst erzählt, daß du ermordet worden seist, und sich dadurch verraten. Du wußtest übrigens bereits, daß er mit den Aladschy im Bund sei, und nun befürchtete er, daß ihr nach Ostromdscha zurückkehren würdet, um ihn dem Gericht zu übergeben.«

»Da mag er ruhig sein. Wir wollen ihn seinem bösen Gewissen überlassen.«

»O, das wird ihn nicht sehr peinigen. Es verursacht ihm jedenfalls weniger Schmerzen, als die Peitschenhiebe, welche er bekommen hat.«

»Erzählte er dies?«

»Ja, und er war voll Wut über den kleinen Hadschi. Besonders ärgerte es ihn, daß er sich selbst die dreißig Hiebe auswählen mußte. Er sagte, sie seien mindestens soviel wert gewesen, wie sonst hundert. Das Gewand klebte ihm auf dem wunden Rücken, und er bat die Aladschy inständigst, euch doch zu töten, erstens aus Rache und zweitens, damit er nicht von euch angezeigt werden könne.«

»Versprachen sie ihm das?«

»Sie schwuren es ihm zu und wollten gleich nach Radowitsch aufbrechen; aber er sagte ihnen, da ihr dort übernachten würdet, so hätten sie Zeit bis zum Anbruch des Morgens. Sie sollten also schlafen, um sich zu erholen und morgen frisch zu sein. Dabei machte er sie darauf aufmerksam, daß sie bei meinem Bruder wohl Näheres erfahren könnten, denn er habe zufälligerweise in Radowitsch gehört, daß dieser die vier Fremden nach der Locanda babi humajuni geführt habe.«

»Dieser Vorschlag wurde natürlich befolgt?«

»Ja. Mir war dies freilich höchst unlieb, denn sie beschlossen, die Nacht bei mir zu bleiben, und ich war Gefangener in meinem eignen Hause. Sie trauten mir nicht, und ich durfte nicht vor die Türe treten. Die Aladschy hatten in der letzten Nacht nicht geschlafen und sollten der Ruhe pflegen, während die Andern abwechselnd wachten.«

»Und Toma, der Bote?«

»Er ritt nach Hause, aber er will morgen schon wieder nach Radowitsch kommen, um zu erfahren, ob die Scheckigen euch eingeholt und ermordet haben.«

»Bei wem will er das erfragen?«

»Das weiß ich nicht. Sie nannten den Namen, indem sie die Köpfe zusammensteckten, so leise, daß ich ihn nicht hören konnte. Als der Bote fort war, kauften die Aladschy den beiden Andern die Gewehre nebst Munition ab. Du hattest die ihrigen zerbrochen und ihnen auch die Pulverbeutel genommen. So wütend sie über dich waren, sie lachten dich doch aus, daß du ihnen das Geld gelassen hattest.«

»Ich bin zu ehrlich gewesen. Sollten sie mir wieder in die Hände fallen, so werde ich mich nicht zum zweitenmal auslachen lassen. Was aber wollten die beiden Andern tun? Sie sind doch heute nicht mitgeritten.«

»Sie kehren nach Menlik zurück und haben ihren Auftrag den Aladschy übergeben. Sie sollen nämlich einen gewissen Barud el – el – el – wie war doch der Name!«

»Barud al Amasat.«

»Ja, so lautet er. Also diesem sollen sie melden, daß sein Sohn gestorben sei; ferner, daß ihr die Koptscha habt, und endlich, daß ihr euch bei einem Fleischer in Sbiganzy nach der Derekulibe erkundigen könnt.«

»Nun, vielleicht gelingt es uns, den Boten zuvorzukommen.«

»Effendi, hüte dich! Sie reiten auch nach Sbiganzy und kennen den nächsten Weg über Taschköj dahin sehr genau. Willst du ihnen zuvorkommen, so mußt du unbedingt diesen Weg einschlagen, und sie im Wald umreiten. Du weißt aber nicht, wo sie sind. Im Gegenteil, sie werden euch auflauern und überfallen.«

»Darauf sind wir vorbereitet. Wenn man eine Gefahr genau kennt, so ist sie nur halb so groß. Hätte ich nicht einen kranken Fuß, so würde ich trotzdem diesen Weg einschlagen. Ich würde ihre Fährte lesen und immer ganz genau wissen, woran ich bin. Dazu aber ist nötig, daß ich oft absteige und das kann ich heute nicht. Auch darf ich es aus demselben Grund nicht zu einem Kampf kommen lassen. Im Wald kämpft man nicht zu Pferde, und zu Fuß würde ich eine traurige Rolle spielen. Wir werden also einen anderen Weg nehmen.«

»Welcher aber länger ist.«

»Das tut nichts.«

»So wirst du ihnen nicht zuvorkommen, Effendi.«

»Wahrscheinlich doch. Wir werden von hier nach Karbinzy reiten und von da vielleicht direkt oder über Warzy nach Sbiganzy, je nach den Umständen.«

»Das ist aber ein schlimmer Weg, Herr.«

»Eigentlich nicht. Wenn wir von hier nach Istib und von da über Karaorman nach Warzy reiten, so haben wir stets Straße; aber da machen wir einen Winkel, welcher viel Zeit erfordert. Lieber reite ich direkt nach Karbinzy, obwohl das ein böser Ritt werden wird, denn ich glaube nicht, daß es einen gebahnten Pfad dorthin gibt.«

»Den gibt es freilich nur stellenweise,« bestätigte der Korbmacher. »Aber wenn ich dich führen darf, so verspreche ich dir einen leidlichen Ritt.«

»Kennst du die Gegend?«

»Sehr genau. Führen soll ich dich nun einmal, und da ist es mir sehr gleichgültig, ob wir nach Taschköj oder nach Karbinzy gehen. Auch die Entfernung ist ziemlich dieselbe. Ich kann es so einrichten, daß wir den ungebahnten Wald vermeiden und meist über freie Strecken kommen. Bergauf und bergab wird aber sehr oft miteinander wechseln.«

»Nun, das ist auszuhalten.«

»Wann reitest du, Effendi? Kann ich zuvor erst noch einmal heim?«

»Ja; aber in einer halben Stunde solltest du wieder hier sein. Könntest du dir nicht ein Pferd borgen?«

»O, der Wirt hier gibt mir sofort eins.«

»So sprich mit ihm; ich bezahle es.«

»Du kannst auch das meinige bekommen, welches draußen steht,« erklärte sein Bruder.

»Nein, das brauchst du selbst; dein Weg nach Hause ist weit.«

»Ja, und ich wüßte auch nicht, ob es Schritt halten könnte, denn es ist sehr alt. Diese Schufte haben mir das gute Pferd genommen. Ich werde es nie wieder sehen und habe auch kein Geld, mir ein anderes zu kaufen, obgleich ich es so notwendig brauche.«

»Wie viel war es denn wert?« fragte ich ihn.

»Unter Verwandten hundertfünfzig Piaster.«

»Ich will es dir abkaufen.«

»Abkaufen?« fragte er verwundert. »Effendi, ist das dein Ernst?«

»Warum denn nicht?«

»Weil ich das Pferd nicht habe.«

»Das tut nichts. Ich werde es mir holen.«

»Wo denn?«

»Bei den Dieben. Wenn ich sie ereile, werde ich ihnen auch nebenbei dein Pferd abnehmen.«

»Und wenn es dir nicht gelingt?«

»Das ist meine Sorge. Kurz und gut, ich kaufe es dir ab, wenn du überhaupt auf diesen Handel eingehen willst.«

»Mit Freuden, denn ich bekäme das Tier doch niemals wieder. Aber, Effendi, nimm es mir nicht übel! Du willst das Pferd gewiß erst dann bezahlen, wenn du es wirklich hast?«

»O nein! Wer weiß, wie lange ich diesen Halunken nachreiten muß und wann ich sie treffe! Wie wollte ich dir dann das Geld zustellen? Ich gebe dir die zweihundert Piaster sofort.«

»Hundertfünfzig habe ich gesagt.«

»Nein, zweihundert!«

»So hast du mich falsch verstanden.«

»Das ist mein Fehler. Ich habe zweihundert Piaster gedacht und dir erklärt, daß ich es dafür kaufe. Willst du?«

»Aber es ist zu viel.«

»Und als Schwanzgeld gebe ich dir noch fünfzig Piaster für deine Kinder mit. Hier hast du also zweihundertfünfzig!«

Das ergab in Summa kaum fünfzig Mark für das beste Pferd dieses Mannes. Aber in jenen Gegenden hat man für Pferde gewöhnlichen Schlages ganz andere Preise als bei uns daheim. Auf dem Lande besitzt selbst der Arme ein Pferd, denn billige, oft kostenlose Weide gibt es überall. Daß der Korbflechter kein Pferd besaß, war ein sicheres Zeichen seiner großen Armut.

Trotz der Geringfügigkeit der Summe stiftete ich mit ihr doch eine große Freude. Der Verlust, welchen der brave

Mann erlitten hatte, war mehr als ersetzt. Und mir tat ich doch keinen Schaden, denn ich bezahlte das Pferd ja von dem Geld derjenigen, die es gestohlen hatten. Jetzt bedauerte ich, nicht auch die Beutel der beiden Aladschy zu mir gesteckt zu haben. Ich hätte mit dem Inhalt derselben armen und braven Leuten Gutes erweisen können.

Wir frühstückten und rüsteten uns dann zum Aufbruch. Dabei kam ich wegen meines Fußes in Verlegenheit. Was sollte ich anziehen? Eben dachte ich über diese Frage nach, da trat der Arzt herein.

»Effendim,« sagte er, »ich komme, um dir meinen Morgenbesuch zu machen und dich zu fragen, wie du geruht hast.«

Er war ganz so gekleidet, wie gestern abend, und hatte ein Päckchen in der Hand.

»Ich danke dir,« antwortete ich. »Meine Ruhe war eine sanfte, und ich wünsche, daß die deinige ebenso gewesen sei.«

»Allah hat dir deinen Wunsch nicht erfüllt, denn ich habe die ganze Nacht nicht geschlafen. Ich hatte den Kopf so voll des schwefelsauren Kalkes, daß es mir unmöglich war, zu schlafen. Und als ich doch einmal einschlummerte, da träumte mir, das Weltmeer sei voll von Gips und Wasser, der Himmel aber sei lauter Kattun und werde in das Gipsmeer getaucht und dann unaufhörlich um mich herumgewickelt. Dieser entsetzliche Verband hüllte mich endlich so vollständig ein, daß mir der Atem ausging. Ich schrie vor Angst laut auf und – erwachte. Aber ich hatte mich so sehr gegen das Verbinden gewehrt, daß ich von dem Schlafkissen herab und bis in die Mitte der Stube hinüber gerollt war.«

»So hast du nun wohl eine Ahnung, wie es gestern deinem ›Modell‹ zumute war?«

»Gefallen wird es ihm nicht haben, dennoch liegt er wieder seit einer Stunde bei mir. Er hat den linken Oberschenkel und zwei Finger der rechten Hand gebrochen. Er ist sehr schön verbunden, raucht Tschibuk und trinkt Limonade von Apfelsinen dazu.«

»Kam er denn freiwillig?«

»Nein, ich selbst habe ihn holen müssen.«

»Und wie steht es mit deinem Gipskaftan?«

»Der hängt bereits neben der Haustüre an einer Eisenstange, und viel Volk steht vor dem Hause. Ich habe einen Jüngling hingestellt, welcher dem Publikum die wichtige Bedeutung des Kaftans erklären muß, und dann darf ein jeder unentgeltlich eintreten, um den Finger- und Schenkelverband meines Modells zu betrachten. Es werden nicht viele Tage vergehen, so bin ich ein berühmter Mann, und das habe ich dir zu danken. Wie geht es deinem Fuß?«

»Sehr gut!«

»So empfehle ich als dein Leibarzt die größte Ruhe des Gliedes. Draußen im Hofe werden Pferde gesattelt. Du willst doch nicht etwa abreisen?«

»Freilich will ich es.«

»Hm! Das ist unvorsichtig.«

»Ich weiß, daß ich es wagen kann.«

»Ja, du warst schon gestern abend gewillt, heute zu reiten. Aber was willst du während des Rittes an den Fuß ziehen?«

»Ich dachte soeben darüber nach.«

»Und ich habe während der Nacht daran gedacht. Da ist mir etwas Gutes eingefallen. Ich habe draußen auf dem Lande einen reichen Patienten, welcher von der Gicht gepeinigt wird. Seine Füße sind geschwollen, und es zwickt und kneipt ihn in allen Zehen. Für den hatte ich hier in der Stadt ein Paar schöne, weiche Gichtstiefel anfertigen lassen, welche ich ihm hinausschicken wollte. Ich kann ihm leicht ein anderes Paar machen lassen. Du hast weder die Bandwürmer, noch das Skelett von mir annehmen wollen, und so hoffe ich, du wirst mich nicht schamrot machen, sondern mir erlauben, dir mit diesen Stiefeln einen Beweis meiner Ehrerbietung und Dankbarkeit zu geben.«

Er wickelte das Päckchen auf und brachte die Stiefel zum Vorschein. Sie waren aus sehr starkem Tuch gemacht, hoch besohlt und rundum mit Leder besetzt.

»Erfreue mich, Effendi, und probiere den Linken einmal an,« bat er.

Ich tat ihm recht gern den Willen. Der Stiefel paßte, und ich erklärte, daß ich das Geschenk annehmen werde. Seine Freude war groß, und er bedankte sich bei mir. Als ich ihm klar machen wollte, daß ich in seiner Schuld stehe, nicht aber er in der meinigen, eilte er zur Türe hinaus und warf mir, ehe er dieselbe schloß, noch den Wunsch einer glücklichen Reise herein.

Als dann der Korbflechter wieder kam, sollte aufgebrochen werden, und ich fragte den Wirt nach dem Betrag unserer Rechnung.

»Nichts, Effendi,« antwortete er kurz.

»Aber wir müssen doch bezahlen!«

»Es ist bezahlt.«

»Von wem?«

»Von dem Hekim. Du hast ihm etwas gelehrt, was ihm sehr viel Geld einbringen wird. Er läßt dich noch untertänigst grüßen und dir eine fröhliche Ankunft in deinem Vaterlande wünschen.«

»Shidi,« flüsterte Halef mir zu, »sprich nicht dagegen, sondern laß es dir gefallen! Dieser Hekim ist ein klügerer und anständigerer Mann, als ich erst dachte. Er weiß die Freuden der Gastlichkeit zu würdigen, und dafür wird ihm im Buch des Lebens ein sanfter Tod verzeichnet sein.«

Ich kam mit Mühe in den Hof und wurde auf das Pferd gehoben. Einmal im Sattel, machte sich die Sache sehr gut. Wir trabten zum Hof hinaus, wieder einmal, ohne – bezahlt zu haben.

In einer der engen Gassen, durch welche wir ritten, sah ich eine Menge Menschen stehen. An dem Hause, vor welchem sie sich postiert hatten, hing ein weißer Gegenstand. Als wir näher kamen, erkannte ich den Kaftan, über dessen Kragen der Fez mit der Zigarrenbändertroddel gestülpt war. Der Hekim hatte also nicht im Scherz gesprochen. Da hing der Kaftan in Wirklichkeit – ein wunderbares Beispiel türkischer Reklame.

Mir kam die Sache gar nicht lächerlich vor. Und auch die Menschen, durch welche wir uns drängten, zeigten sehr

ernsthafte Gesichter. Ich hielt an und schickte den Korbflechter hinein, um mich zu erkundigen, ob der Herr daheim
sei. Er kehrte mit einer verneinenden Antwort zurück; der
Frau Doktor konnten wir unmöglich eine Abschiedsvisite abstatten.

Als wir die engen Gassen mit ihren unansehnlichen Basars
hinter uns hatten, lenkten wir nach der Straße ein, welche
nach Skopia führt. Die Entfernung bis dorthin ist ziemlich
dieselbe, wie diejenige von Ostromdscha nach Radowitsch.
Aber wir durchmaßen nur einen kleinen Teil derselben. So
lange wir uns auf der Straße befanden, ging es im Galopp vorwärts. Dann bog der Führer rechts ab, zwischen zwei bewal-
dete Höhen hinein, deren Tal von einem Bach durchflossen
wurde.

Dieses Tal stieg rasch und ziemlich steil auf, und dann sahen wir einen glatten, baumlosen Höhenkamm vor uns, welcher grad gegen Norden strich und dem wir im Trab folgten.

Was soll ich über die Gegend sagen? Man merkt sich bekanntlich nur diejenigen Orte gut, an denen man etwas erlebt
hat, und dies war hier nicht der Fall. Der Korbflechter führte
uns durch meist unbewaldete Gebiete, denen kein landschaft-
liches Interesse abzugewinnen war.

In Karbinzy, einem Dorf unweit des linken Ufers der Bregalnitza, machten wir Halt und verabschiedeten uns von ihm.
Er erhielt noch eine Extrabelohnung, über welche er außerordentlich erfreut war. Dann ritten wir über den Fluß, um
nach Warzy zu kommen, welches am rechten Ufer liegt.
Durch dieses Dorf führt der schon vor alten Zeiten bekannte
und viel benutzte Reitsteg, welcher die südlich von Istib liegenden Hauptorte mit Karatowa, Kostendil, Dubnitza, Ra-
domir und schließlich Sofia verbindet. Wir setzten noch über
die kleine Sletowska und befanden uns dann in dem Dorf Sbiganzy, dem heutigen Ziel unseres Rittes.

Ungefähr morgens neun Uhr nach unserer Zeit hatten wir
Radowitsch verlassen, und um drei Uhr nachmittags kamen
wir an. Bei gewöhnlichem Schritt hätten wir das Dorf vor
nachts nicht erreicht.

4. Kapitel

IN DER SCHLUCHTHÜTTE

Das Dorf Sbiganzy ist kein unansehnlicher Ort; ich möchte denselben, da es einen Basar da gibt, lieber als Marktflecken bezeichnen. Mitten zwischen der Bregalnitza und der Sletowska gelegen, ist das Land gut bewässert und sehr fruchtbar. Und entgegen andern Orten, durch welche wir gekommen waren, deutete die Bauart der Häuser darauf, daß die Bewohner sich einer gewissen Wohlhabenheit erfreuten.

Natürlich ließen wir uns sofort einen Khan zeigen. Er bestand aus verschiedenen Gebäuden, welche einen sehr großen Hof umschlossen, und machte den Eindruck eines kleinen Rittergutes. Man sah es der Wirtschaft sogleich an, daß der Besitzer ein Bulgare sein müsse. Und so war es auch.

Er empfing uns überaus freundlich, gab mir die vornehmsten Titel, wohl weil er ein Pferdekenner war und meinen Rih bewunderte, und lud uns ein, in die Stube zu kommen.

Der Mann hatte sogar zwei Stuben, eine für den gewöhnlichen Verkehr und eine bessere für diejenigen Gäste, welchen er eine Auszeichnung erweisen wollte.

Zwei Knechte mußten mich vom Pferd nehmen und in die vornehmere Stube tragen, wo es zu meinem Erstaunen ein Ding gab, welches aus einem Lehngestell bestand, auf welchem ein langes, breites und weiches Polster lag. Man hätte dieses Möbel beinahe ein Kanapee nennen können.

Als er den Blick bemerkte, mit welchem ich dieses Möbel betrachtete, auf das ich niedergesetzt wurde, sagte er, indem er selbstgefällig lächelte:

»Du wunderst dich, dieses Sofa hier zu finden, Herr? Es ist

in Sofia gebaut und auf einem Wagen hierher gekommen. Du wirst das Rahat otturmak[1] gewöhnt sein, denn ich sehe, daß du ein Muselmann und Hadschi bist; ich aber bin ein Christ und darf mit ausgestreckten Beinen sitzen. Da die deinigen geschwollen sind, so wirst du es sehr bequem finden.«

»Ich bin diese Art von Sitzen von Jugend auf gewöhnt,« lautete meine Antwort. »Ich bin kein Moslem.«

»Und trägst das Hamaïl der Mekkapilger!«

»Ist das verboten?«

»Ja, sehr streng.«

»Von wem?«

»Durch die Gesetze der Khalifen.«

»Die gehen mich als Christ nichts an. Ich habe auch nichts dawider, wenn ein Mohammedaner unsere Bibel bei sich trägt.«

»Wenn du ein Christ und an das Sofa von Jugend auf gewöhnt bist, so bist du wohl sehr weit her?«

»Ich bin aus Alemania.«

»O, das kenne ich genau!«

»Wirklich? Das freut mich.«

»Ja, es liegt neben Baweria[2], wo die Wolga fließt, und neben Iswitschera[3], wo die Tuna[4] in den Ak deniz adalary[5] mündet.«

»Mit Freuden höre ich, daß du die Grenzen meines Vaterlandes kennst. Solche kenntnisreiche Leute gibt es hier sehr selten.«

»Weil sie nichts lernen wollen und nichts merken können,« antwortete er geschmeichelt. »Ich aber halte die Augen und die Ohren offen und lasse mir nie etwas aus dem Gedächtnis schwinden. Ich weiß noch mehr, noch viel mehr von deinem Vaterland.«

»Das merke ich bereits.«

---

1 Wörtlich: Ruhe der Glieder = Sitzen mit untergeschlagenen Beinen nach Art der Orientalen.
2 Bayern.
3 Schweiz.
4 Donau.
5 Mittelländischer Archipel.

»Euer Sultan heißt Gillem muzafer[1] und doch auch Gillem baryschdyrydschy[2]. Sein Großwesir ist Ismark bila satschly[3], und eure Kanonen werden Jakma ijneleri[4] genannt. Die Hauptstadt ist Münik, wo das beste Arpa suju[5] gebraut wird, von welchem du bei mir trinken kannst, so viel du willst, und in – –«

»Arpa suju hast du?« unterbrach ich ihn. »Das brauest du wohl selbst?«

Ich dachte, ob wohl auch hier das brave Bayer eingekehrt sei, um gegen sein Bierrezept freie Zeche zu bekommen.

»Ja,« antwortete er, »ich mache es selbst, und es wird sehr gern getrunken, besonders im Sommer.«

»Was nimmst du dazu?«

»Herr, das kann ich nicht verraten.«

»Warum nicht?«

»Es ist ein großes Geheimnis.«

»O, in Baweria kennt jedes Kind dieses Geheimnis. Ich kenne sogar mehrere Geheimnisse der Biere und weiß, wie man dunkle und lichte macht, schwere und leichte, auch ganz helle, welche man Ak arpa suju[6] nennt.«

»Herr, so bist du noch ein viel geschickterer Brauer, als derjenige, welcher bei mir war und von welchem ich es gelernt habe.«

»Woher kam der Mann?«

»Aus Stambul.«

Aha! Er war es ganz gewiß.

»Und wo wollte er hin?«

»In seine Heimat.«

»Aber von hier aus auf welchem Wege?«

»Nach der Tuna.«

Nach der Donau, also nach Norden. Und ich wollte nach Westen. Da konnte ich den eifrigen Sendling des Gambrinus

---

1 Wilhelm der Siegreiche.
2 Wilhelm der Friedensstifter.
3 Bismarck ohne Haar.
4 Zündnadeln.
5 Bier.
6 Weißbier.

freilich nicht einholen. Ich wäre gern noch eine kleine Weile ›errötend seinen Spuren‹ gefolgt, errötend wegen der Leistung desjenigen seiner Schüler, bei welchem ich kürzlich ein türkisches Erzeugnis seines deutschen Rezeptes getrunken hatte.

»Ich habe bereits von ihm gehört und auch von seinem Bier getrunken,« bemerkte ich.

»Wie war es, Herr?«

»Sehr – warm!«

»So muß man sehr kaltes Brunnenwasser dazuschütten. Willst du einen Krug voll davon haben?«

»Allerdings.«

»Einen großen Krug?«

»Gib mir erst einen kleinen, damit ich es probieren kann.«

Er entfernte sich in dem Augenblick, als meine drei Gefährten hereinkamen. Sie hatten die Pferde auf eine hinter dem Hause liegende Weide geführt und der Obhut eines Hüters übergeben. Als ich ihnen sagte, daß sie Bier zu trinken bekämen, äußerten sie eine lebhafte Freude darüber. Es schien mir aber, als ob sie das mehr mir zu Gefallen als aus ›innerem‹ Antrieb täten. Sie mußten sich natürlich über den Haupt- und Krafttrank meines Heimatlandes freuen.

Der Wirt brachte einen Krug, welcher vielleicht anderthalb Liter faßte. Ich öffnete kühn die Säume meines Mundes und setzte den Krug an. Wahrhaftig, es stieg mir so eine Ahnung von Kohlensäure in die Nase.

»Wo bewahrst du dieses Arpa suju auf?« fragte ich.

»In großen Krügen, deren Oeffnungen ich fest verstopft habe.«

»Wozu verstopfest du sie?«

»Weil dann in dem Arpa suju eine Blähung entsteht, wodurch es besser schmeckend wird. Es steigen Blasen und Perlen auf.«

»Wer hat dir das gezeigt?«

»Der Bawerialy, der mir das Kochen des Arpa suju gelehrt hat. Koste es nur einmal!«

Ich kostete nicht, sondern ich trank, denn das Gebräu war

gar nicht so übel. Meinen Gefährten ging es ebenso. Darum bestellte ich mir nun einen viel größeren Krug, womit ich mir, wie ich erkannte, das Herz des Bulgaren im Flug eroberte.

Er brachte einen Krug, an welchem wir bis zum späten Abend genug haben konnten, und fragte, ob wir auch einen Imbiß dazu wünschten.

»Später, jetzt noch nicht,« antwortete ich. »Wir haben vorher noch eine kleine Besprechung mit einem Bewohner dieses Ortes. Kennst du die Leute hier alle?«

»Alle miteinander.«

»Auch den Fleischer Tschurak?«

»Auch diesen. Er war Fleischer, ist aber jetzt Viehhändler und reist überall herum.«

Am liebsten wäre ich zu Tschurak gegangen, um ihn in seinem Heim aufzusuchen. Da lernt man die Leute am besten kennen und am sichersten beurteilen. Leider aber konnte ich nicht gehen. Und hinreiten und mich zu ihm in das Haus tragen lassen, das wäre ebenso unbequem wie lächerlich gewesen.

»In welchen Verhältnissen befindet sich der Mann?« erkundigte ich mich.

»In sehr guten. Er war früher arm; aber der Handel scheint viel Geld einzubringen, denn Tschurak gehört jetzt zu den reichsten Leuten der Umgegend.«

»So genießt er jetzt einen recht guten Ruf?«

»O freilich! Er ist ein sehr braver Mann, fromm, wohltätig und sehr angesehen. Wenn du ein Geschäft mit ihm zu machen hast, so wirst du ihn als ehrlichen Mann kennen lernen.«

»Das freut mich sehr, denn ich habe allerdings so eine Art von Geschäft mit ihm abzuschließen.«

»Ist es bedeutend?«

»Ja.«

»So bist du wohl nur einstweilen bei mir abgestiegen und wirst bei ihm wohnen?«

»Nein, ich bleibe bei dir. Ich habe mich auf Sbiganzy gefreut, denn die Gegend ist mir als eine sehr schöne geschildert worden – –«

»Das ist sie auch, ja, das ist sie, Herr. Die Lage zwischen zwei Flüssen, schon das ist ein Vorteil. Dann kommen die prachtvollen Berge, die sich hinauf nach Sletowo und noch weiter ziehen. Das ist überall so einladend zum Spazierengehen.«

»Das sagte man mir. Besonders romantisch soll der Weg nach der Derekulibe sein.«

Ich hatte mit Absicht das Gespräch auf die Schluchthütte gelenkt. Ich wollte aus dem Munde dieses unbeteiligten Mannes erfahren, was für ein Ort sie sei.

»Nach der Derekulibe?« fragte er. »Die kenne ich noch gar nicht.«

»So ist sie kein allgemein bekannter Ort?«

»Ich habe noch nie von ihr gehört.«

»Aber es muß doch unbedingt in dieser Gegend ein Bauwerk geben, welches diesen Namen trägt.«

»Wohl schwerlich. Ich bin hier geboren und habe stets in Sbiganzy gelebt. Ich müßte doch die Hütte kennen.«

»Hm! So hat ihr jedenfalls nur derjenige, welcher mit mir von ihr sprach, diesen Namen gegeben.«

»Das ist wahrscheinlich.«

»Aber selbst in diesem Fall muß sie vorhanden sein. Dem Namen nach ist es eine Hütte, welche in einer Schlucht liegt. Ist dir vielleicht so etwas bekannt?«

»Soll sie bewohnt sein?«

»Das weiß ich nicht.«

»Wenn sie keinen Bewohner hat, so kenne ich sie. Es gibt allerdings draußen im Wald eine Hütte, die ganz im finstersten Winkel der Schlucht liegt. Mein Vater hat sie aus Holz gebaut, denn das Gehölz gehörte ihm. Vor ungefähr acht Jahren aber hat es mir der Fleischer abgekauft.«

Diese Tatsache diente mir als Beweis, daß diese Hütte gemeint sei. Darum fragte ich weiter:

»Wozu hat sie dein Vater gebaut?«

»Um die Werkzeuge darin aufzubewahren: Hacken, Schaufeln, Spaten und anderes.«

»Und wozu braucht sie der Fleischer?«

»Das weiß ich nicht. Ich glaube gar nicht, daß er sie benutzt, obgleich er Sitze hineingebaut hat, welche früher nicht darin waren.«

»Ist sie verschlossen?«

»Ja. Sie besteht aus zwei Abteilungen. Ganz hinten in der Schlucht läuft eine schmale Rinne im Felsen herab; an diese Rinne ist die Hütte angebaut. Warum fragst du so angelegentlich danach?«

»Weil man sie mir genannt und dabei gesagt hat, daß der Weg dorthin ein sehr romantischer sei.«

»Da hat man dich getäuscht. Du kommst erst durch offene Felder und dann in den dunklen Wald, wo du gar keine Aussicht hast. Die Wände des Tales rücken immer näher zusammen, und wo sie sich vereinigen, da ist der Wald am wildesten, und dort steht die Hütte neben einer Quelle, welche aus dem Gestein entspringt. Eine schöne Gegend ist dort nicht.«

Da meinte Halef:

»Sihdi, wir suchen einen Ort, den wir nicht finden können, und heute morgen hast du einen ähnlich lautenden Namen genannt. Sprachst du nicht von einem Ort, der ebenso heißt, wie derjenige, welcher auf dem Zettel Hamd el Amasats steht? Du sagtest, unser heutiger Weg könnte durch denselben führen.«

»Meinst du Karaorman?«

»Ja, so lautete es.«

»Da fehlt ein Buchstabe. Wir suchen Karanorman.«

»Vielleicht ist das nur ein Schreibfehler.«

»Dies ist möglich. Bist du in Karanorman bekannt?« fragte ich nun den Wirt.

»Ja,« antwortete er. »Ich bin oft in dem Dorf gewesen, denn unser Weg nach Istib führt hindurch.«

»Gibt es dort vielleicht einen großen Khan?«

»Nein, der Ort hat gar keinen Gasthof. Er liegt so nahe an Istib, daß die Leute lieber in der Stadt einkehren als in dem Dorf.«

»Es handelt sich nämlich um einen Ort oder um ein Gebäude Namens Karanorman-Khan.«

»Ist mir völlig unbekannt. Hier in der Umgegend kann es nicht sein.«

»Das habe ich mir auch gedacht.«

»Wer ist aber dann der Vorsteher des Dorfes von Sbiganzy?«

»Der bin ich. Schon mein Vater war es.«

»So hast du die Ausübung der Gerichtsbarkeit?«

»Ja, Effendi. Ich werde jedoch in dieser Beziehung nur sehr wenig belästigt. Es wohnen lauter gute Leute hier. Fällt einmal etwas vor, so sind es stets Fremde, die uns zu schaffen machen. Leider ist die Macht eines Kiaja nicht bedeutend. Es kommt vor, daß man von Halunken geradezu ausgelacht wird, weil sie wissen, daß sie eher unterstützt werden als ich selbst.«

»Das ist schlimm. In solchen Fällen mußt du streng sein, um dein Ansehen zu wahren.«

»Das tue ich auch, doch verlasse ich mich dabei weniger auf meine Vorgesetzten als vielmehr auf mich selbst. Diese Strolche, die sonst gar nichts respektieren, haben doch eine gewisse Achtung vor einem Paar kräftiger Fäuste, und diese besitze ich. Ich verfahre da summarisch. Es geschieht zuweilen, daß ich beide Parteien durchprügele; aber das ist nicht immer ungefährlich. Vor einigen Wochen hätte es mir das Leben kosten können.«

»Wie so?«

»Hast du vielleicht schon einmal von den beiden Aladschy gehört?«

»Allerdings.«

»Das sind die frechsten und gefährlichsten Strolche, welche es nur geben kann, echte Skipetaren, kühn bis zur Verwegenheit, schlau wie eine Wildkatze, grausam und brutal. Denke dir, der eine, welcher Bybar heißt, während sein Bruder sich Sandar nennt, kommt eines Abends auf meinen Hof geritten, steigt ab, spaziert in der Stube herum, trotz der anwesenden Leute, und verlangt Blei und Pulver von mir.«

»Vom Kiaja? Das ist stark!«

»Allerdings. Hätte ich ihm den Schießbedarf gegeben, so wäre es mit meiner Reputation vorbei gewesen. Ich schlug ihm also sein Verlangen ab. Da fiel er über mich her, und es kam zu einem bösen Kampf.«

»Natürlich bliebst du Sieger, denn es waren ja Leute da, welche dir beistehen mußten.«

»O, da rührte kein einziger auch nur einen Finger, denn sie fürchteten die Rache des Aladschy. Ich bin zwar auch kein Schwächling, aber dem baumstarken Kerl war ich nicht gewachsen. Er überwältigte mich und schlug so auf mich ein, daß er mich wohl übel zugerichtet hätte, wenn mir nicht zwei meiner Knechte beigesprungen wären. Wir packten ihn nun gemeinschaftlich beim Kragen und warfen ihn hinaus.«

»Nicht übel! Der Polizeiverwalter eines Ortes wirft den Räuber, den er festnehmen sollte, gemütlich zur Türe hinaus!«

»Lache nur! Ich war froh, daß ich ihn los wurde. Was sollte ich mit ihm machen?«

»Ihn einsperren und dann nach Uskub schaffen, welches ja die Hauptstadt deines Vilajets ist.«

»Ja, das wäre meine Pflicht gewesen; aber wie das anfangen? Wohin sollte ich ihn sperren?«

»In das Ortsgefängnis.«

»Es ist keines da.«

»So hast du doch wohl hier in deinem Hause einen festen Ort.«

»Den habe ich auch, und es haben schon verschiedene Leute darin gesteckt. Aber bei dem Aladschy war es doch etwas anderes. Um ihn in den Keller hinab zu bringen, dazu hätten mehr als zehn Mann gehört. Er hätte sich ganz gewiß seiner Waffen bedient, um sich zu wehren, und sicher hätte es einigen von uns das Leben gekostet. Und selbst wenn es mir gelungen wäre, ihn zu entwaffnen und einzusperren, wie ihn dann nach Uskub bringen?«

»Ihn binden und auf einen Wagen laden.«

»Und mich unterwegs von seinen Kameraden überfallen und ermorden lassen!«

»So hätte ich an deiner Stelle nach Uskub geschickt und Militär kommen lassen.«

»Das wäre gegangen, ja; aber heute lebte ich nicht mehr. Als er fortritt, stieß er die schrecklichsten Drohungen aus. Am andern Tag ging ich auf das Feld. Da fiel aus einem Gebüsch, an welchem ich vorüber kam, ein Schuß. Er war nicht genau gezielt, denn die Kugel ging mir zwischen Leib und Arm hindurch. Zwei Zoll weiter nach rechts, so hätte sie mir im Herzen gesessen.«

»Was tatest du dann?«

»Ich sprang schnell hinter einen dicken Baum und zog die Pistole. Da kam dieser Bybar aus dem Busch heraus. Er saß auf seinem Schecken, lachte mir höhnisch zu und rief, daß er mir heute nur gezeigt habe, was mich erwarte; später werde er besser treffen. Dann ritt er davon.«

»Bist du ihm wieder begegnet?«

»Nein. Aber ich gehe nun nicht mehr ohne meine Flinte aus dem Hause, denn wenn wir uns das nächste Mal sehen, so stirbt einer von uns: er oder ich.«

»So halte dich bereit! Diese Begegnung kann vielleicht noch heute stattfinden.«

»Wie? Noch heute?«

»Ich weiß, daß beide Aladschy heute oder spätestens morgen nach Sbiganzy kommen werden.«

»Heilige Mutter Gottes! Da kann ich mich gefaßt machen! Woher weißt du es?«

Ich erzählte ihm mein Zusammentreffen und meinen Kampf.

»Und du lebst noch!« rief er, fast starr vor Staunen. »Das ist ein Wunder, ein großes Wunder!«

»Nun, ich bin freilich nicht so billig davongekommen wie du. Ich habe während des Kampfes den Fuß verrenkt; darum siehst du mich in diesen Stiefeln vor dir sitzen.«

»Den Fuß hast du dir verrenkt! Und bist ihnen dennoch entkommen?«

»In der Tat. Sie haben dann erfahren, daß ich nach Sbiganzy reiten will, und nun sind sie unterwegs, um sich zu rächen.«

»O wehe! Da bringst du uns also diese Räuber auf den Hals!«

»Willst du mich darüber zur Rede stellen?«

»O nein! Ich muß dich vielmehr beschützen. Aber wie soll ich dies anfangen? Es kann mir vielleicht selbst mein Leben kosten.«

»Ich bedarf deines Schutzes nicht; aber unbequem werde ich dir dennoch sein, denn du mußt einen hiesigen Einwohner verhaften.«

»Wer könnte das sein?«

»Der Fleischer Tschurak.«

»Herr, das ist nicht möglich!«

»Vielleicht doch. Zunächst schaue dir einmal diese Pässe an. Du wirst aus ihnen ersehen, daß ich deine Hilfe wohl begehren darf, wenn sie mir notwendig zu sein scheint.«

Als er die Legitimationen durchgesehen hatte, gab er sie mir unter einer tiefen Verneigung zurück und sagte:

»Effendim, ich habe recht vermutet: du mußt ein vornehmer Mann sein, denn du stehst unter dem Schutz des Großherrn. Das aber ist schlimm für mich, weil ich dir in allem zu Willen sein muß und doch von oben herab keine Unterstützung erwarten darf. Versage ich dir meinen Beistand, so beklagst du dich über mich, und es wird mir schlecht ergehen. Versage ich ihn dir aber nicht und es werden meinen Vorgesetzten dadurch Unbequemlichkeiten verursacht, so geht es mir ebenso schlimm. Also ich kann tun oder lassen, was ich will, so habe ich den Schaden.«

»Sei unbesorgt. Ich werde so zu handeln suchen, daß dir kein Schaden erwächst. Hast du von dem Schut gehört?«

»Gewiß. Er ist der Anführer einer über diese ganze Gegend verbreiteten Verbindung von Verbrechern. Man kennt ihn nicht; man weiß nicht, wer er ist und wo er wohnt; aber er und seine Leute sind überall.«

»Ich suche ihn.«

»Du? Ah, so bist du wohl ein oberer Herr der Polizei und reisest als Geheimpolizist in dieser Gegend?«

»Nein, ich bin kein Beamter. Ich habe in eigner Angelegenheit einige Worte mit dem Schut zu sprechen.«

»Du wirst ihn niemals finden.«

»Ich bin ihm bereits auf der Spur. Es lebt hier bei euch in Sbiganzy ein Vertrauter von ihm.«

»Das ist unmöglich, Herr!«

»Es ist gewiß!«

»Wir haben lauter ehrliche Leute hier.«

»Wahrscheinlich irrst du dich.«

»Wen meinst du?«

»Wieder diesen Tschurak.«

»Herr, ich will dir alles glauben, nur das nicht!«

»So scheint also der Fleischer ein gewandter Heuchler zu sein.«

»Nein, er ist ein braver Mann, er ist sogar mein Freund.«

»Dann bist du in der Wahl deiner Freunde nicht sehr vorsichtig gewesen.«

»Bringe Beweise, Effendi!«

»Das werde ich tun. Vorher aber muß ich von dir strengste Verschwiegenheit fordern. Tschurak darf nicht ahnen, daß ich mit dir über ihn gesprochen habe.«

»Ich werde schweigen.«

»So will ich dir einstweilen einiges sagen. Hast du vielleicht einmal von dem alten Mübarek in Ostromdscha gehört?«

»Ja. Er gilt für einen großen Heiligen und soll sogar Wunder verrichten können.«

»Glaubst du das?«

»Nein, denn ich bin kein Moslem.«

»Dieser Mensch ist ein höchst gefährlicher Bösewicht. Er scheint ein Unteranführer des Schut zu sein.«

»Herr, du sagst mir lauter Dinge, die mich in Erstaunen versetzen.«

»O, ich habe diesen Mübarek überführt, und die Kasa in Ostromdscha hat auf Grund meiner Beweise ihn gefangen genommen. Er aber entfloh und ist nun mit drei anderen Verbrechern und den beiden Aladschy, welche seine Verbündeten sind, unterwegs hierher.«

»So schütze uns Gott!«

»Sie wollen den Fleischer Tschurak aufsuchen.«

»Also bleibst du dabei, daß derselbe ein Verbrecher ist?«

»Ja. Ich verlange aber jetzt gar nichts von dir und erwarte nur, daß du mir kein Hindernis in den Weg legest.«

»Das fällt mir nicht ein. Gebiete über mich.«

»Es ist unmöglich, daß die genannten Personen bereits hier angekommen sind. Ich möchte das bestimmt wissen.«

»Sie sind noch nicht da. Wären sie gekommen, so hätte ich sie sehen müssen. Der Fleischer wohnt mir gegenüber, da drüben in dem Hause, welches du durch den Laden siehst. Er war auch gar nicht daheim, sondern er ist erst vor kaum einer Stunde nach Hause gekommen.«

»Willst du ihm nicht sagen lassen, er möge sich zu mir bemühen, denn ich hätte mit ihm zu reden?«

»Wie du befiehlst. Soll ich bei eurem Gespräch zugegen sein?«

»Nein. Ich verlange nur, daß du nicht das Geringste gegen ihn merken lässest; sei so freundlich mit ihm wie immer.«

Er ging hinaus, um den Boten zu schicken, den ich dann im Hause des Fleischers verschwinden sah. Auf das Erscheinen desselben war ich ungemein neugierig. Ich bereitete mich vor, einen kriechenden, höflichen, von Schmeicheleien überfließenden Menschen zu sehen. Ich war der Ansicht, daß er Hehler und nicht ein tätiges Mitglied der Bande sei.

Ich nahm die Koptscha heraus, welche ich dem Ismilaner Wirt Deselim abgenommen hatte, und steckte sie vorn an meinen Fez. Halef tat mit der seinigen dasselbe. Zu bemerken ist, daß ich das grüne Turbantuch nicht mehr trug.

Diese Koptscha als das Zeichen der Mitgliedschaft der Bande mußte uns vor dem Fleischer legitimieren. War der Mübarek mit seinen Begleitern nicht angekommen, so durfte ich hoffen, heute hinter das so lange vergeblich gesuchte Geheimnis zu kommen. Natürlich schärfte ich meinen Gefährten streng ein, freundlich mit dem Mann zu sein und ja alles zu unterlassen, was sein Mißtrauen erwecken könnte.

Dann sah ich ihn mit dem Boten drüben aus dem Hause kommen. Ich hatte mich geirrt. Er war ein ganz Anderer, als ich ihn mir vorgestellt hatte.

Seine Gestalt war hoch und kräftig, schlank und sehnig, wie diejenige eines echten Bergbewohners. Er trug einen Fez, rote Pumphosen, eine blaue Weste, mit Silberschnüren verziert, und eine rote, goldgestickte, weitärmelige kurze Jacke. Ein gelbseidener Schal, welcher um seine Hüften geschlungen war, enthielt den Handschar und zwei Pistolen. An den Füßen trug er glänzende Stiefel, welche bis zum Knie reichten, wo die Hose sich in ihnen verlief.

Draußen im Hof wechselte er einige kurze Worte mit dem Wirt; dann kam er herein. Seine dunklen Augen überflogen uns mit einem scharfen Blick, welcher eine längere Weile auf mir haften blieb. Diese Augen machten einen eigenartigen Eindruck auf mich. Sie waren kalt, herzlos, grausam. Es schien, als ob sie niemals mild blicken könnten. Einen Moment lang zogen sie sich zusammen, so daß zu beiden Seiten an den Winkeln kleine Fältchen entstanden. Dann sahen sie gleichgültig unter den Lidern hervor.

Er grüßte und verbeugte sich wie ein Mann, welcher höflich sein will, ohne seiner Selbstachtung etwas zu vergeben, und fragte:

»Bist du der Effendi, welcher mit mir sprechen will?«

»Ja. Verzeihe, daß ich dich störe, und setze dich.«

»Gestatte, daß ich stehen bleibe. Meine Zeit ist kurz.«

»Vielleicht werde ich dich länger in Anspruch nehmen, als du meinst. Oder ist deine Zeit vielleicht deshalb so kurz bemessen, weil du Gäste hast?«

»Ich habe keine Gäste.«

»Und erwartest du auch keine?«

»Nein,« erwiderte er kurz.

»So bitte ich dich, Platz zu nehmen. Ich habe einen kranken Fuß – ich kann nicht stehen, und es würde mich beschämen, sitzen zu müssen, während du höflich bist.«

Jetzt ließ er sich nieder. So scharf ich ihn betrachtete, ich konnte doch nichts entdecken, was geeignet gewesen wäre, Argwohn zu erregen. Er war ganz der selbstbewußte Skipetar, welcher zu einem Fremden geladen ist und nun erwartet, den Grund davon zu hören. Den Eindruck eines Heuchlers, eines hinterlistigen Menschen, eines versteckten Hehlers machte er gar nicht.

»Kennst du das?« fragte ich, auf die Koptscha deutend.

»Nein,« antwortete er.

Das hatte ich erwartet. Er konnte sich mir, dem ihm ganz Fremden, doch nicht gleich auf die erste Frage preisgeben.

»Siehe dir diesen Knopf genau an!«

Er betrachtete ihn mit einem gleichgültigen Blick und sagte dann:

»Pah, ein Knopf! Hast du mich seinetwegen holen lassen?«

»Ja,« erwiderte ich ohne Umschweife.

»Ich handle mit Pferden und Rindern, nicht aber mit Knöpfen,« lautete seine Antwort.

»Das weiß ich wohl. Mit dieser Art von Knöpfen wird überhaupt kein Handel getrieben. Ich bin gekommen, um dir einen Gruß zu bringen.«

»Von wem?« fragte er kühl.

»Von Deselim, dem Wirt in Ismilan, und von seinem Bruder.«

Da nahmen seine Augen einen freundlicheren Blick an, und sein Gesicht wurde weniger ernst.

»Kennst du die Beiden?« fragte er nun.

»Sehr gut. Natürlich muß ich sie kennen.«

»Natürlich? Wie so?«

»Weil wir Brüder sind.«

»Woher kommst du?«

»Aus Stambul. Ich bin ein Abgesandter des Usta, von welchem du gehört haben wirst.«

»Ich weiß. An wen hat er dich gesandt?«

»An den Schut.«

»Wirst du diesen finden?«

»Ich denke es.«

»Hm! Das ist schwer.«

»Mir aber wird es leicht sein, denn du wirst mir Auskunft erteilen.«

»Ich? Was weiß ich von dem Schut! Hältst du mich für einen Räuber?«

»Nein, sondern für einen tapferen Skipetaren, welcher die Bedeutung dieser Koptscha kennt und und danach handeln wird.«

»Herr, ich weiß genau, was ich zu tun habe. Die Koptscha, welche du trägst, ist diejenige eines Anführers; aber wir haben dieses Zeichen abgeschafft. Es gilt nichts mehr, denn es ist zu viel Mißbrauch mit demselben getrieben worden. Es gibt jetzt ganz andere Zeichen.«

»Welche?« fragte ich gelassen.

»Du siehst ein, daß ich sie dir nicht sagen kann, denn du selbst sollst dich ja durch dieselben legitimieren.«

»Es sind Worte?«

»Ja. Das erste Wort bedeutet einen Ort. Wo suchst du den Schut?«

»In der Derekulibe.«

»Herr, das stimmt. Ich höre, daß du wirklich zu uns gehörst. Aber das Erkennungszeichen? Kennst du es?«

Leider hatte ich keine Ahnung, welches Wort es sein sollte. Da dachte ich an den Fährmann von Ostromdscha und an die Art und Weise, wie er sich bei dem alten Mübarek legitimieren mußte. »Bir Syrdasch – ein Vertrauter,« hatte er vor der Türe rufen müssen. Sollte dies auch hier das Zeichen sein? Ich wagte es, mich desselben zu bedienen, und antwortete:

»Natürlich muß ich es kennen, denn ich bin ja bir Syrdasch – ein Vertrauter.«

Jetzt nickte er zufrieden, reichte mir die Hand und sagte in fast herzlichem Ton:

»Auch das stimmt. Du bist einer der Unsrigen. Ich darf Vertrauen zu dir haben und heiße dich willkommen. Willst du nicht dieses Haus verlassen und lieber mein Gast sein?«

»Ich danke dir. Du siehst ein, daß es besser ist, wenn ich hier bleibe.«

»Du bist ein kluger und vorsichtiger Mann; das freut mich und erhöht mein Vertrauen. Welche Botschaft hast du uns zu bringen?«

»Das darf ich nur dem Schut sagen.«

»Also auch zu schweigen weißt du. Hm! Was werde ich tun?«

Er stand auf und schritt nachdenklich in der Stube auf und ab. Dann fragte er:

»Ist es etwas Persönliches oder Geschäftliches?«

»Es handelt sich um ein Geschäft, welches gar sehr viel einbringen kann.«

Seine Augen funkelten gierig.

»Und was erwartest du von mir?«

»Daß du mich zur Derekulibe führst.«

»Denkst du, den Schut dort zu finden?«

»Hoffentlich.«

»Nun, ich kann dir im Vertrauen sagen, daß er dich dort erwarten wird, wenn ich ihn benachrichtige. Das wird nur ein kleines Stündchen in Anspruch nehmen. Hast du so lange Geduld?«

»Wenn es sein muß, werde ich warten, obgleich ich Eile habe.«

Es lag mir natürlich daran, dem Mübarek zuvorzukommen. Traf dieser unterdessen ein, so war es um mich geschehen.

»Ich werde mich beeilen,« versicherte er. Und nun einen forschenden Blick auf meine Begleiter werfend, fuhr er fort:

»Wer sind diese Männer?«

»Meine Freunde und Begleiter.«

»Kommen sie in derselben Angelegenheit?«

Ich bejahte, und er fragte weiter:

»Und auch sie wollen den Schut sehen?«

»Das ist nicht unbedingt notwendig. Es genügt wohl auch, wenn ich allein mit ihm spreche.«

Es glitt ein leises undefinierbares Lächeln über sein Gesicht. Er drehte die Spitzen seines langen Schnurrbartes aus, überflog die Drei nochmals mit prüfendem Blick und antwortete:

»Sie müssen auch mitkommen. Der Schut wird sie gewiß ebenfalls sehen wollen, da sie mit dir gekommen sind.«

»Auch das ist mir recht.«

»Aber, Herr, ich sehe, daß du die Stiefel eines Kranken trägst. Was hast du an deinen Beinen?«

»Während des Rittes ist mir ein Fuß verletzt worden; ich kann also nicht gehen.«

»Wie willst du mir denn nach der Derekulibe folgen?«

»Zu Pferd.«

»O, man hört, daß du den Weg nicht kennst. Zu Roß könntest du gar nicht durch das Dickicht kommen.«

»Ist es nicht möglich, daß der Schut sich zu mir bemühe?«

»Was denkst du! Er würde es nicht tun, selbst wenn der Padischah ihn darum ersuchte.«

»Das glaube ich gern!«

»Uebrigens läßt er sein Gesicht nie sehen. Er schwärzt es stets. Könnte er aber mit einem solchen Antlitz hierher kommen?«

»Nein; das sehe ich gar wohl ein. Wie aber soll ich denn in die Hütte kommen?«

»Es gibt nur ein Mittel: Du mußt dich tragen lassen.«

»Das ist zu unbequem. Die Träger würden ermüden.«

»O nein. Sie sollen dich doch nicht auf den Armen tragen; man nimmt einfach eine Sänfte dazu. Du wirst sie von mir bekommen. Meine Mutter ist so alt und schwach, daß sie nicht gehen kann. Ich habe ihr daher eine Sänfte anfertigen lassen, damit sie ihre Besuche machen kann, ohne ihre Füße anzustrengen.«

»Ich werde dir Dank wissen. Wirst du auch die Träger bestellen?«

»Wo denkst du hin? Träger! Können wir fremde Leute bei uns brauchen? Es wäre ja sofort um unser Geheimnis geschehen. Du wirst dich von deinen Leuten tragen lassen müssen.«

»Gut; so mögen sie die Sänfte holen.«

»Aber nicht sogleich. Ich muß erst den Schut benachrichtigen. Und sodann mußt du dem Wirt sagen, daß du mein Freund bist, und daß er alles zu tun hat, was ich ihm sage.«

»Warum?«

»Weil ich nicht weiß, was du dem Schut zu melden hast und was das Ergebnis eurer Unterredung sein wird. Es ist ja möglich, daß ich als Bote zurück in das Dorf gehen muß. Vielleicht ladet der Schut dich ein, sein Gast zu sein, oder wer weiß, was sonst beschlossen wird. Da muß ich mich doch vor dem Wirt als deinen Beauftragten ausweisen können.«

»Auch dazu bin ich bereit,« erklärte ich.

»Wohlan denn: von jetzt an in einer Stunde holt ihr die Sänfte und kommt vor das Dorf hinaus, da rechts von dem Tor aus. Ich warte draußen, denn man soll uns hier nicht beisammen sehen.«

Er trat an den in den Hof führenden Laden und rief den Wirt herein, zu dem er sagte:

»Ich habe mit diesem Effendi ein Geschäft. Er wird sich in einer Stunde entfernen und dir vielleicht später durch mich eine Botschaft senden. Darum läßt er dir jetzt sagen, daß du alles tun sollst, was ich dir in seinem Auftrage mitteile. Frage ihn selbst.«

Der Wirt sah mich fragend an, und ich bestätigte es. Dann entfernte sich der Fleischer. Ich sah ihn in sein Haus treten, das er bald darauf wieder verließ.

»Herr, ich begreife dich nicht,« begann nun der Wirt, welcher stehen geblieben war. »Ich denke, du hältst den Fleischer für einen Verbrecher, und doch gibst du ihm eine solche Vollmacht. Wenn er kommt, muß ich nun gehorchen.«

»Durchaus nicht. Ich tat es nur zum Schein und nehme jetzt diese Vollmacht wieder zurück. Es ist möglich, daß ich ihn sende, aber dann werde ich ihm hier aus meinem Notizbuch ein Blatt mitgeben, auf welches ich nur das eine Wort ›Allah‹ schreibe. Zeigt er es dir vor, so tust du, was er will; hat er aber kein solches Blatt mit dem Wort, so weigerst du dich.«

»Er wird mir zürnen.«

»Das ist für dich nicht so schlimm, als wenn ich dir zürne. Er könnte es vielleicht auf unsere Waffen und auf mein Pferd abgesehen haben. Hast du einen verschließbaren Stall?«

»Ja, Herr.«

»So laß unsere Pferde in denselben bringen, und zwei Knechte sollen dabei wachen; ich bezahle sie. Du wirst die Pferde nur uns selbst übergeben. Verstanden?«

»Sehr wohl. Du bringst mich aber in eine Lage, welche nicht sehr angenehm ist.«

»Ich finde gar nichts Unangenehmes dabei. Du hast uns die Tiere aufzubewahren und dafür zu sorgen, daß sie nicht gestohlen werden. Das ist alles. Du würdest uns freilich für den Schaden haften müssen.«

»Um des Himmels willen! Wenn ich dir den Rappen ersetzen müßte, könnte ich nur gleich mein Haus verkaufen! Ich werde selbst auch Wache halten.«

»Tue das, und bringe uns nun ein Essen.«

Wir aßen, und nach einer Stunde holten Okso und Omar aus dem Hause des Fleischers die Sänfte. Ich stieg ein, schärfte dem Wirt noch einmal ein, wie er sich zu verhalten habe, und dann brachen wir auf.

Die beiden Genannten trugen die Sänfte. Ihre Flinten hatten sie über den Achseln hangen. Halef schritt voran und trug drei Gewehre: das seinige und meine beiden, für welche es in der Sänfte keinen Raum gab. Als wir das Dorf hinter uns hatten, bemerkten wir den Fleischer. Er sah uns kommen und schritt uns nun ein großes Stück voraus. Erst als der Wald begann, wo man nicht von weitem beobachtet werden konnte, blieb er stehen und erwartete uns.

Mit verwundertem, beinahe zornigem Blick betrachtete er uns und sagte:

»Ihr seid ja bewaffnet, als ob wir in die Schlacht ziehen wollten!«

»Die Waffe ist das Zeichen des freien Mannes,« antwortete ich.

»Aber hier habt ihr sie nicht nötig!«

»Wir sind gewöhnt, uns niemals von ihnen zu trennen.«

»Jetzt müßt ihr es aber doch tun, sonst könnt ihr nicht mit dem Schut sprechen. Er duldet nicht, daß man sich ihm bewaffnet naht. Wenn ihr eure Waffen vor der Hütte ablegt, so sind sie ja gut aufgehoben, denn ich werde bei ihnen bleiben.«

»Ich gebe meine Waffen nicht ab,« erwiderte ich, »und wenn der Schut nicht mit uns sprechen will, so werde ich dich gar nicht weiter belästigen.«

Sogleich gab ich den Befehl zum Umkehren. Der Zug wandte sich dem Dorfe wieder zu. Der Fleischer aber stieß einen nicht ganz unterdrückten Fluch aus und sagte:

»Halt! Das geht doch nicht! Ich habe den Schut bestellt, und es würde mir sehr übel bekommen, wenn ich euch nicht zu ihm brächte.«

»So sorge dafür, daß er kein so unsinniges Verlangen an uns stellt!«

»Etwas Unsinniges tut der Schut niemals. Ich will aber versuchen, ob ich euch die Erlaubnis erwirken kann, die Waffen zu behalten. Es sollte mich wundern, wenn er eine Ausnahme machen würde.«

Er schritt zornig weiter, und wir folgten ihm wieder.

Es wollte mir gar nicht gefallen, daß er so darauf versessen war, uns waffenlos zu machen. Sollte der Mübarek doch bereits angekommen sein? Wurden wir jetzt in eine Falle geführt, aus welcher es kein Entrinnen gab? Nun, so lange wir bewaffnet waren, brauchten wir uns nicht zu fürchten. Aber wenn wir jetzt unterwegs überfallen wurden! Ich war wehrlos. Die Sänfte bestand aus einer Tragbahre mit einem Häuschen aus hölzernem Gitterwerk. Ich mußte mit untergeschlagenen Beinen sitzen, was mich wegen meines kranken Fußes sehr belästigte, und konnte mich fast gar nicht bewegen. Ehe ich die Türe aufstieß und hinaussprang, hatte ich im Falle eines Angriffes die Kugel im Leib. Und hinausspringen konnte ich überhaupt wegen des Fußes nicht. Ein Schuß hinter einem Busch hervor mußte Halef trotz der drei Gewehre hilflos machen. Osko und Omar trugen die Sänfte; es war ihnen deshalb eine augenblickliche Gegenwehr gar nicht möglich. Wir befanden uns also in einer ziemlich fatalen Lage.

Der Wald war gar nicht so dicht, wie der Fleischer ihn beschrieben hatte. Wir hätten recht gut zwischen und unter den Bäumen hin reiten können. Auch diese Unwahrheit wirkte keineswegs mildernd auf mein Mißtrauen. Ich schob die Türe des Häuschens ein wenig auf und hielt den Revoler bereit.

Wir befanden uns in einem Tal, dessen Wände, wie ich bemerkte, sich einander mehr und mehr näherten. Da, wo sie zusammentrafen, wurde Halt gemacht. Wir hatten ungefähr eine halbe Stunde gebraucht, dieses Ziel zu erreichen.

»Da ist die Hütte,« sagte der Fleischer, als die beiden Träger die Sänfte niedersetzten. »Steige aus, Herr!«

Ich schob die Tür vollends auf und blickte hinaus. Die Felswände stiegen ganz lotrecht empor und hatten da, wo sie sich trafen, einen nicht sehr tiefen Einschnitt, eine Spalte, welche vollständig kahl war; denn es gab keinen Vorsprung und keine Ritze in dem Syenit, wo eine Pflanze hätte Wurzeln zu fassen vermocht.

Hart an diese Spalte stieß die aus Holzknüppeln errichtete Hütte. Das Dach bestand aus demselben Material und war mit Baumrinden gedeckt. Die Türe schien nur anzulehnen.

»Melde mich an, bevor ich aussteige,« antwortete ich.

Er trat in die Hütte und ließ die Türe offen. Ich sah, daß an den Wänden Bänke urwüchsigster Art angebracht waren.

Dem Eingang gegenüber befand sich eine zweite Türe, welche offen stand. Sie war sehr schmal und niedrig, ging nach innen und war mit einer eisernen Krampe versehen, durch welche ein langer Riegel geschoben werden konnte, der jetzt in der Hütte lag.

Das war jedenfalls die hintere, dunkle Abteilung, von welcher der Wirt gesprochen hatte. Jetzt aber deuchte es mir, als ob ein Licht darin brenne.

Auffällig war es mir, daß von dem Dach der Hütte eine zaunartige Knüppelreihe den untern Teil der Spalte fast unsichtbar machte. Man konnte nicht hindurchsehen. Dort oben konnten leicht mehrere Personen versteckt sein.

Jetzt kam der Fleischer wieder zurück.

»Herr,« sagte er, »der Schut verlangt, daß ihr die Waffen ablegt.«

»Das tun wir nicht.«

»Aber warum denn nicht? Der Schut ist ja allein!«

»Wir fürchten uns auch gar nicht; wir behalten unsere Waffen nur aus Gewohnheit.«

»Der Schut duldet es aber nicht, daß ein Mensch mit Waffen vor ihm stehe.«

»Ah! Wirklich nicht?«

»Nein, niemals!«

»Und dennoch bist du soeben bei ihm gewesen, obgleich du ein Messer und zwei Pistolen bei dir trägst!«

Er wurde verlegen, antwortete aber:

»Bei mir ist es etwas ganz anderes. Ich bin sein innigster Vertrauter.«

»Dann sind wir fertig,« erwiderte ich entschlossen. »Halef, wir kehren zurück.«

Schon griffen Osko und Omar wieder zu, da sagte der Fleischer:

»Herr, du hast einen harten Schädel! Ich will noch einmal fragen.«

Er trat abermals ein und kehrte mit der Meldung zurück, daß wir kommen dürften. Ich stieg nicht aus, sondern ließ mich in die Hütte tragen. Halef mußte durch die zweite Tür blicken und meldete mir leise:

»Es ist nur ein einziger, unbewaffneter Mann drin, ganz schwarz im Gesicht.«

»Gibt es Türen drinnen?«

»Keine einzige.«

So eng und niedrig diese zweite Türöffnung war, die beiden Träger brachten die Sänfte noch hindurch. Beim Schein einer Laterne sah ich, daß dieser höhlenartige Raum dreieckig war. Die Grundlinie dieses spitzwinkeligen Dreieckes wurde durch die Vorderseite mit der Türe gebildet. Länger waren die beiden Seiten, welche aus dem glatten Felsen bestanden. Ganz hinten im Winkel stand die Blendlaterne, neben welcher der Schut saß. Er trug ein schwarzes, talarähnliches Gewand und hatte sich das Gesicht mit Ruß geschwärzt. Deshalb und wegen des spärlichen Lichtes waren seine Gesichtszüge nicht zu erkennen. Auch konnte ich nicht recht sehen, woraus die Decke dieses Felsenraumes bestand. Wir befanden uns in dem Spalt. Eine Decke gab es über uns, das war gewiß; denn sonst wäre das Tageslicht von oben hereingefallen.

Osko und Omar hatten die Sänfte so gesetzt, daß die Türe

derselben nach dem Schut gerichtet war. Dieser gab der Laterne eine solche Stellung, daß das Licht derselben grad auf mich fiel. Am Eingang stand der Fleischer. Das alles hatte einen abenteuerlichen, aber keinen gefährlichen Anstrich.

Da begann der Schut:

»Du hast mich rufen lassen. Was willst du von mir?«

Seine Stimme klang dumpf und hohl, gar nicht natürlich. War das eine Folge der schlechten Akustik des Raumes, oder verstellte er die Stimme, um später an derselben nicht wieder erkannt zu werden? –

Er hatte nur diese wenigen Worte gesprochen, und doch war es mir, als ob ich diese Stimme schon einmal gehört hätte. Es war nicht der Ton, die Klangfarbe derselben, sondern es war die Aussprache der einzelnen Wörter, welche mich auf diesen Gedanken brachte.

»Bist du der Schut?« fragte ich.

»Ja,« antwortete er langsam.

»So habe ich dich zu grüßen.«

»Von wem?«

»Zunächst vom Usta in Stambul.«

»Der lebt ja nicht mehr!«

»Was sagst du?«

»Er ist tot. Er ist von der Galerie des Turmes von Galata gestürzt worden.«

»Scheïtan!« entfuhr es Omar, welcher ihn ja herabgestürzt hatte.

Wie konnte der Schut das wissen? Kein Bote hätte so schnell kommen können, wie wir.

»Weißt du das noch nicht?« fragte er.

»Ich weiß es,« erwiderte ich.

»Und doch bringst du mir seinen Gruß, den Gruß eines Toten?«

»Meinst du nicht, daß er mir denselben vor seinem Tod aufgetragen haben kann?«

»Das ist möglich. Aber die Strafe wird seinen Mörder treffen, denn dieser wird langsam und elendiglich verhungern und verschmachten. Hast du auch noch andere Grüße?«

»Ja, von Deselim aus Ismilan.«

»Auch dieser ist tot. Er hat das Genick gebrochen und ist seiner Koptscha beraubt worden. Auch seinem Mörder wird es ergehen, wie jenem des Usta. Weiter!«

»Ferner bringe ich Grüße von dem alten Mübarek und von den beiden Aladschy.«

»Diese drei haben mich bereits selbst begrüßt. Dein Gruß ist also unnötig.«

»Ah! Sie sind da?«

»Ja, sie sind da. Und weißt du, wer ich bin?«

»Der Schut?«

»Nein, der Schut bin ich nicht; den wirst du niemals zu sehen bekommen. Du wirst überhaupt niemals wieder etwas sehen. Ich bin – –«

Es tat hinter uns einen gewaltigen Schlag. Der Fleischer war verschwunden – er hatte die Türe hinter sich zugezogen. Wir hörten, daß er draußen den starken Riegel vorschob.

Die Laterne war verlöscht.

»Ich bin – – der alte Mübarek selbst,« ertönte es über uns. »Ihr bleibt hier, um zu verschmachten und euch selbst bei lebendigem Leib aufzufressen!«

Ein höhnisches Gelächter begleitete diese Worte; dann wurde über uns eine helle Oeffnung sichtbar. Wir sahen einen doppelten Strick, an welchem die Gestalt des Schwarzen hing und durch die Oeffnung hinausgezogen wurde. Dann fiel oben die Klappe zu, welche die Oeffnung verdeckte, und wir befanden uns in undurchdringlicher Finsternis.

Das alles war so schnell geschehen, daß es unmöglich verhindert werden konnte. Hätte ich nicht in der Sänfte gesessen und hätte ich nicht einen kranken Fuß gehabt, so wäre es diesen Halunken vielleicht nicht so leicht geworden, uns in dieser Falle einzusperren.

»Allah!« rief Halef. »Da ist der Schwarze durch das Loch hinauf gefahren, und wir haben es ruhig geschehen lassen, ohne ihm eine Kugel mitzugeben. Es war doch Zeit genug dazu.«

»Das ist wahr. Herr, wir sind dumm gewesen!« meinte Osko.

»Ja,« lachte Halef. »Bisher waren wir stets nur einzeln dumm, jetzt aber waren wir es gemeinschaftlich, der Sihdi auch mit uns.«

»Freilich, Halef, hast du recht,« bestätigte ich. »Doch horch!«

Draußen vor der Türe erhob sich ein wüstes Geheul. Man donnerte mit Fäusten gegen dieselbe, und dann nannte jeder einzelne seinen Namen und knüpfte daran die schaurigsten Verwünschungen. Man malte uns unser Schicksal in allen Farben aus. Es war kein Zweifel, daß wir hier eingesperrt bleiben sollten, um zu verschmachten.

»Sihdi, es fehlt keiner; sie sind alle da,« sagte Halef. »Allah! Wenn ich hinaus könnte, wie wollte ich ihnen meine Peitsche zeigen!«

»Sprich nicht von ihr! Sie kann uns nicht retten.«

»Also verhungern sollen wir? Meinst du, daß wir das tun werden?«

»Hoffentlich nicht. Wir wollen zunächst diesen Raum untersuchen. An den beiden Seiten gibt es keinen Ausweg, sondern nur vorn durch die Türe oder nach oben.«

»Herr, hast du nicht dein Laternchen bei dir, das kleine Fläschchen, in welchem Oel und Phosphor ist?« fragte mich Halef.

»Ja, das habe ich stets bei mir. Da, nimm es!«

Wenn man ein Stück Phosphor in ein kleines Fläschchen mit Oel tut, so leuchtet der Phosphor, sobald man den Stöpsel öffnet, weil dadurch Sauerstoff hinzutreten kann. Das gibt je nach der Größe des Fläschchens und nach der Reinheit des Glases einen mehr oder weniger hellen Glanz.

Ich trage stets ein solches Fläschlein bei mir, auch wenn ich nicht auf Reisen bin. Es leistet beim Steigen fremder Treppen und beim Passieren dunkler, unbekannter Orte ganz vortreffliche Dienste. Geschliffenes Glas ist natürlich am geeignetsten dazu.

Halef nahm dieses winzige Laternchen, ließ Luft zu dem

Oel und konnte nun die Tür hinreichend beleuchten. Dieselbe war innen mit starkem Eisenblech beschlagen, an eisernen Angeln befestigt, und die Haken derselben steckten im Gestein, mit Blei eingegossen. Vielleicht konnten wir die Angelhaken locker machen und dann die Türe hinausschieben. Aber vorher mußten wir sehen, ob es nicht etwas Anderes gab.

Nun durchsuchten wir genau den Raum. Der Boden bestand aus hartem Fels, wie die beiden Winkelwände. Die Mauer war aus spröden Syenitsteinen errichtet und so gut vermörtelt, daß es unmöglich war, ein Loch zu machen. Das starke Eisenblech der Türe war überdies mit dickknöpfigen Nägeln versehen; da war mit den Messern nichts auszurichten. Und oben durch die Decke? Omar stieg auf Oskos Schultern und konnte sie doch nicht mit der ausgestreckten Hand erreichen. Wir mußten einstweilen auch auf diesen Ausweg verzichten.

Das Nächste blieb also, die Angelhaken zu entfernen, und meine drei Gefährten machten sich rüstig an die Arbeit. Die Messer kreischten und knirschten im Gestein; draußen aber erhob sich darob ein schallendes Gelächter.

Freilich war der Rettungsgedanke nicht gar zu verlockend. Selbst wenn es uns gelang, die Türe zu öffnen, mußten wir von Schüssen empfangen werden, noch ehe wir einen einzigen abfeuern konnten.

So vergingen fast mehrere Stunden. Die Arbeit machte keine Fortschritte. Oskos Messer zerbrach, und ich gab ihm mein gutes amerikanisches Bowiemesser.

Ich sollte nicht mitarbeiten. Die Zeit wurde mir lang, und ich kroch auf den Knien nach der Türe und untersuchte, wie tief man gebohrt hatte. Leider keinen halben Zoll! Ich ergriff nun selbst das Messer und begann zu bohren, aber mit solchem Mißerfolg, daß ich schon nach einer Viertelstunde wieder aufhörte. Es war schade um die Kräfte, welche so erfolglos verschwendet wurden, und nun zerbrach auch noch Omars Messer.

»Lassen wir das,« sagte ich. »Wir wollen unsere Kräfte

schonen, denn wir werden sie wohl noch brauchen. Vielleicht kommt auch der Wirt, wenn wir nicht zurückkehren. Ich habe ihm gesagt, daß der Fleischer ein Mitglied der Bande ist. Wenn wir nicht zurückkehren, muß er besorgt um uns werden und nach uns suchen. Er weiß, daß wir mit dem Fleischer fort sind.«

»Aber nicht, wohin!« warf Halef ein.

»Ich habe freilich leider vergessen, es ihm genau zu sagen; aber wir haben von dieser Hütte gesprochen, und er wird gewiß hier suchen.«

»Das glaube ich nicht, denn er fürchtet die Aladschy zu sehr. Wenn er diese hier sieht, reißt er aus.«

»Es fragt sich, ob sie hier sind.«

»Jedenfalls, denn man wird die Hütte nicht ohne Bewachung lassen.«

»Jetzt ruhen wir aus und warten. Wächter sind allerdings draußen; das versteht sich ganz von selbst. Wenn wir eine Zeitlang nicht arbeiten, so hören sie nichts und meinen, wir hätten uns in unser Schicksal ergeben. Da wird ihre Wachsamkeit einschlafen.«

So blieben wir denn ruhig und waren getrosten Mutes. Aber das Warten wurde den braven Gefährten doch sehr schwer, und endlich konnte ich ihrem Drängen nicht länger widerstehen.

»Wir wollen die Decke untersuchen,« sagte ich. »Es ist eine Klappe da, und es fragt sich nur, wie sie zu öffnen ist.«

»Omar hat sie vorhin nicht erreichen können, als er auf meinen Schultern stand,« meinte Osko.

»So machen wir die Pyramide noch höher. Halef mag sich auf Omars Achseln setzten. Vielleicht reicht das aus. Du bist stark genug, alle beide zu tragen.«

Halef nahm das Laternchen in die Tasche und stieg auf Omars Schultern, auf welche er sich setzte. Omar aber stieg auf den Rücken Oskos, welcher wie ein vierbeiniges Tier mit Füßen und Händen auf dem Boden stand. Osko erhob sich langsam, und Omar trat ihm auf die Achseln. Dabei hielten sich die drei, um nicht zu fallen, so fest als möglich an dem

Gestein der engen Felsenritze an. Jetzt streckte Halef die Arme empor und meldete mir: »Sihdi, ich fühle die Decke!«

»Sprich leiser! Es könnte jemand draußen sein. Nun nimm die Laterne.«

Ich sah oben in der Ecke, wo wir die Oeffnung bemerkt hatten, das Lichtchen schimmern. Halef hielt es mit der Linken, während er mit der Rechten die Decke betastete.

»Sie besteht aus starken Stämmen,« flüsterte er. »Die kleine Falltüre aber ist aus Brettern gemacht.«

»Das ist gut, denn da ist sie dünn. Klopfe doch einmal an, um aus dem Klang zu schließen, wie stark sie ist.«

»Da hört man mich aber!«

»Besser wäre es freilich, man merkte gar nichts; aber es ist auch für uns gut, zu wissen, ob sich Wächter über uns befinden.«

Er klopfte und gleich darauf hörten wir ein lautes Gelächter und den Ruf:

»Hört, sie sind hier unter uns an der Falltüre!«

Draußen vor der Hütte ertönte die Frage:

»Steckt der Riegel?«

»Natürlich!«

»So kommen sie nicht durch. Es wird Einer auf den Andern gestiegen sein.«

»Ja, sie machen Kunststücke. Nun, wenn erst der Hunger kommt, so werden sie noch ganz anders turnen. Ich möchte lieber die Türe aufmachen.«

»Auf keinen Fall!«

»Dann könnte ich ihnen aber eins mit dem Kolben auf den Kopf geben!«

»Dazu ist es immer noch Zeit. Mögen sie klopfen.«

»Hast du es gehört, Effendi?« fragte Halef. »Sollen wir uns mit den Kolben erschlagen lassen?«

»Nein. Wir werden diese Herren bitten, dort oben von der Klappe wegzugehen.«

»Sie werden sich hüten, es zu tun.«

»Meine Bitte wird eine unwiderstehliche sein. Komm herab, Halef! Ich werde deinen Platz einnehmen.«

Osko bückte sich wieder langsam nieder. Omar stieg ihm vom Rücken, und dann sprang Halef von Omars Schultern herab.

»Nun ruht euch erst ein wenig aus,« sagte ich, »denn eine Anstrengung ist doch immerhin gewesen. Ich bin schwerer als Halef und werde länger oben bleiben müssen als er.«

Wir warteten einige Minuten; dann nahm Omar mich auf seine Achseln.

»Aber nehmt euch jetzt doppelt in acht, daß wir nicht stürzen,« mahnte ich. »Mit meinem kranken Fuße könnte mir der Fall doppelt gefährlich werden.«

»Keine Angst, Herr!« antwortete Osko. »Ich werde stehen wie ein Baum. Die Felsenrinne ist ja auch so eng, daß man sich mit den Ellbogen zu beiden Seiten anstemmen kann. Das gibt sicheren Halt.«

Nun stieg Omar in der bereits erwähnten Weise auf die Schultern Oskos. Ich war länger als der kleine Hadschi und brauchte die Arme gar nicht sehr auszustrecken, um die Klappe zu erreichen. Ich stieß fast mit dem Kopf an. Das Fläschchen hatte ich bei mir, und ich beleuchtete die Bretter. An der einen Kante der Klappe war ein eiserner Haspen eingeschlagen, durch welchen jedenfalls der Riegel gesteckt worden war. Die beiden Spitzen dieses Haspens waren durch das Holz gedrungen und dann umgeschlagen worden, so daß sie in das Holz zurückgriffen.

Ich klopfte mit dem Knöchel des Zeigefingers an. Dem Klang nach konnten die Bretter nicht über anderthalb Zoll dick sein. Dem Klopfen folgte auch jetzt eine Antwort:

»Hörst du es? Sie sind wieder da. Na, sie müßten mich mit emporheben, wenn sie auch die Klappe aufbrächten.«

Da ich mich dem Sprechenden jetzt näher befand, so erkannte ich deutlich die Stimme des Fleischers. Aus seinen Worten und aus dem Schall war zu schließen, daß er auf der Klappe saß. Das war eine Unvorsichtigkeit, die man einem Räuber nicht hätte zutrauen sollen.

Er lachte höhnisch. Ein zweites Lachen antwortete, und dann vernahm ich die Worte:

»Diesen Mäusen soll es nicht so wohl werden, zu entwischen, denn die Katzen sitzen vor dem Loch.«

Diese Stimme erkannte ich nicht; ich hörte aber, daß der Mann neben der Klappe saß, ungefähr da, wo ich unter ihm den Kopf hatte.

»Hörst du es?« fragte Halef. »Sie sind noch da; nun kannst du sie bitten, fortzugehen. Ich möchte wissen, wie du das anfangen willst.«

»Du sollst es gleich hören. Gib mir einmal mein Gewehr herauf; die Beiden mögen es mir reichen.«

»Ah, jetzt verstehe ich. Welches denn?«

»Den Bärentöter.«

Ich hatte das selbstverständlich nur leise gesagt, damit es von den Wächtern über mir nicht gehört werden konnte. Halef gab das Gewehr an Osko, welcher es Omar reichte.

»Nun passe auf, Omar!« flüsterte ich. »Ich habe hier oben unter der Decke keinen Raum, die Büchse anzulegen; ich kann nur die Läufe halten, und zwar dahin, wohin die Kugeln treffen sollen. Ich sage ›eins‹ und ›zwei‹. Du nimmst den Kolben in beide Hände. Bei ›eins‹ feuerst du den rechten und sodann, wenn ich wieder gezielt habe, also bei ›zwei‹, den linken Lauf ab. Verstanden?«

»Ja, Herr!«

Ich hatte den Doppellauf in der Hand und richtete ihn auf die Mitte der Klappe, da, wo der Fleischer saß.

»Jetzt! – Eins!«

Der Schuß krachte. Ueber uns erscholl ein Schreckens- und ein Wehruf.

»Allah! Sie schießen!«

Das war nicht die Stimme des Fleischers, sondern diejenige des Andern. Dieser saß auf jenem Teil der Decke, welcher aus runden Stammhölzern bestand. Ich richtete den linken Lauf auf eine Stelle, wo zwei dieser Hölzer zusammenstießen und die Kugel also nicht durch das starke Holz, sondern durch die aneinander liegenden Ränder zu dringen hatte.

»Zwei!«

Der zweite Schuß des Bärentöters dröhnte – in dem engen Raum fast wie ein Kanonenschlag.

»O Allah, Allah!« schrie der Getroffene. »Ich bin verwundet! Ich bin tot!«

Der Fleischer hatte gar nichts gesagt. Ich hatte seinen Weheschrei gehört, aber sonst kein Wort. Wimmern erscholl.

»Osko, wird es dir zu schwer?« fragte ich.

»Mit der Zeit, ja.«

»So wollen wir ausruhen; wir haben Zeit.«

Als ich wieder unten auf dem Boden saß und die Andern bei mir standen, meinte Halef:

»Ja, Sihdi, das ist freilich eine Bitte, welcher man nicht zu widerstehen vermag. Hast du getroffen?«

»Zweimal. Der Fleischer scheint tot zu sein. Die Kugel ist ihm wahrscheinlich durch die Muskeln des ›ruhmwürdigen Sitzens‹ in den Leib gedrungen. Der Andere ist nur verwundet.«

»Wer kann es sein?«

»Wahrscheinlich der Gefängniswärter. Wäre es ein Anderer, so hätte ich ihn an der Stimme erkannt. Dieser aber hat überhaupt so wenig gesprochen, daß ich mich an seine Stimme nicht erinnern kann.«

»Du meinst also, daß sich kein Anderer wieder hinaufstellt?«

»Diese Dummheit wird ein Dritter nicht begehen, denn sie könnte ihm das Leben kosten.«

»Wie aber bringen wir die Klappe auf? Das ist die Hauptsache.«

»Ich werde die eiserne Krampe aus dem Deckel schießen. Einige gute Schüsse auf jeder, ihrer Spitzen, mit denen sie im Holz steckt, werden genügen. Ich lade zwei Kugeln, da kann sie nicht widerstehen.«

»Ah, wenn es gelänge!«

»Es gelingt gewiß.«

»Dann schnell hinaus und hinab!« meinte Halef.

»Oho! Das geht nicht so schnell. Wie willst du hinauf?« fragte ich.

»Von Omars Schultern, und du auch.«

»Und wie kommen Omar und Osko hinauf?«

»Hm! Wir ziehen sie hinauf?«

»Den Einen vielleicht, Omar. Aber zu Osko können wir nicht herablangen.«

»Schadet nichts; wir steigen ja draußen hinab und öffnen ihm die Türe.«

»Wenn man uns so gemütlich hinabklettern läßt, was ich bezweifle und was auch meinerseits wegen des Fußes seine Schwierigkeiten hat.«

»Nun, auf irgend eine Weise muß es doch möglich zu machen sein.«

»Versteht sich! Hoffentlich liegt der Strick noch oben, mit welchem sie den Mübarek emporgezogen haben. Dann könnten wir uns draußen an demselben hinablassen; aber es gibt noch vieles zu bedenken. Wir werden natürlich, sobald wir aus der Luke steigen, mit Kugeln empfangen werden.«

»Ich denke, es wird niemand oben sein,« bemerkte Halef.

»Unmittelbar über uns wohl nicht, aber auf dem Hüttendache werden wohl Etliche stehen. Diese können durch die Zwischenräume des Zaunes auf uns schießen.«

»O wehe! So können wir also doch nicht hinaus?«

»Werden es dennoch versuchen. Ich steige voran.«

»Nein, Sihdi, sondern ich! Sollst du uns erschossen werden?«

»Oder du uns?«

»Was liegt an mir!« erwiderte der Hadschi treuherzig.

»Sehr viel! Denke an deine Hanneh, die Lieblichste der Frauen und Mädchen! Ich aber habe keine Hanneh, die auf mich wartet.«

»Aber du bist ohne Hanneh mehr wert als ich mit zehn Blumen der Töchter der Schönheit.«

»Streiten wir uns nicht! Die Hauptsache ist, wie ich dir aufrichtig sagen will, die, daß ich mir mehr zutraue, als dir. Ich bin der Erste, und du magst der Zweite sein. Aber du darfst nicht eher kommen, als ich es dir erlaube.«

Ich zog mein grünseidenes Turbantuch aus der Tasche und

wand es mir um den Fez. Halef sah das beim Scheine des Fläschchens und fragte:

»Warum tust du das? Willst du dich zum Tod schmücken?«

»Nein, ich werde diesen Turban auf den Lauf der Flinte stecken und durch die Luke emporhalten. Sie werden vermutlich denken, es komme Einer gestiegen, und nach dem Turban schießen. Dann haben sie keine Kugeln mehr in den Läufen, denn sie besitzen keine Doppelflinten, und ich komme mit dem Henrystutzen über sie.«

»Recht so, recht so! Ziele nur gut, und laß Keinen entkommen!«

»Hat sich ein sicheres Zielen, wenn es dunkel ist!«

»Dunkel?«

»Jawohl! Bedenke, wie lange wir uns bereits hier befinden. Es ist Nacht geworden draußen. Doch nun habt ihr euch ausgeruht – wir wollen beginnen. Merkt es euch: wenn ich hinausgestiegen bin, so kommt Halef bis zur Luke empor; aber er darf erst dann hinausklettern, wenn ich es ihm sage.«

Ich hing den Stutzen um die Schulter und nahm die Büchse deren Läufe mit je zwei Kugeln geladen waren, in die Hand. Dann nahm Omar mich wieder auf die Achseln und stieg auf diejenigen Oskos. Ich mußte mich sputen, um die beiden Genannten nicht zu ermüden.

»Wir schießen wieder so, wie vorhin, Omar,« flüsterte ich diesem zu. »Zuerst feuerst du den rechten, dann den linken Lauf ab. Ich ziele auf die Krampenspitzen. Also – eins! – – zwei!«

Die Schüsse krachten, und die Kugeln waren hindurchgedrungen, denn ich konnte durch beide Löcher blicken. Es mußte draußen hell erleuchtet sein.

»Sie haben ein Feuer vor der Hütte,« meldete ich. »Das ist gut und doch auch wieder unvorteilhaft für uns. Denn wie wir sie sehen können, so werden sie auch uns bemerken.«

»Wie steht es mit den Krampen?« fragte Halef.

»Will's versuchen.«

Ich stieß an die Klappe, und sie gab nach. Der schwere Bärentöter hatte seine Schuldigkeit getan.

»Gib nun die Büchse hinab, Omar,« befahl ich. »Die Klappe geht auf. – Jetzt steht fest auf den Füßen! Ich muß auf Omars Achseln knieen.«

Ich nahm mit einiger Mühe diese Stellung ein, mußte mich aber dabei bücken, denn ich stieß mit dem Kopfe an. Nun warf ich die Klappe empor – sie überschlug sich draußen. Mit dem Stutzen in den Händen, schußbereit, wartete ich einige Augenblicke. Es war nichts zu hören. Aber hell war es draußen, und die Schatten des flackernden Feuers huschten am Felsen auf und nieder.

Nun steckte ich den Turban auf den Lauf und schob ihn langsam empor, indem ich ein Aechzen ausstieß, als ob jemand sich mühsam hinausarbeiten wollte. Die List hatte Erfolg: zwei Schüsse fielen. Eine Kugel hatte den Lauf gestreift, so daß mir der Stutzen beinahe aus der Hand gerissen ward.

Im Nu war ich mit dem Oberleib aus der Oeffnung. Ich sah das Feuer. Draußen auf der Decke der Höhle lag ein Mensch – die Leiche des Fleischers, wie ich auf den ersten Blick bemerkte. Auf dem Dach der Hütte standen zwei Männer, die nach dem Turban geschossen hatten. Sie waren von mir und der Plattform, welche die Decke bildete, durch das bereits erwähnte Zaunwerk getrennt, durch dessen Lücken sie gezielt hatten.

Diese unvorsichtigen Leute hatten die Hauptsache vergessen, nämlich, daß ich sie gegen die Flamme viel besser bemerken konnte, als sie mich. Der Eine war im Wiederladen begriffen, und der Andere hob sein Gewehr auf, um es auf mich zu richten.

Rasch legte ich auf ihn an. Ich wollte ihn nicht töten und zielte auf seinen linken Ellbogen, den er mir sehr zielgerecht in die Höhe hielt. Ich drückte ab. Er ließ sein Gewehr fallen, schrie laut auf und stürzte von der Hütte hinab. Der Andere wandte sich schleunigst um, sprang gleichfalls hinunter und rannte nach dem Feuer hin. Es war Bybar, der Skipetar. Am Feuer saßen sein Bruder, Manach el Barscha und Barud el Amasat.

»Sie kommen, sie kommen! Geht vom Feuer weg!« brüllte er. »Sie sehen euch und können auf euch zielen.«

Die Drei sprangen auf und alle Vier rannten in den Wald hinein. Derjenige, auf welchen ich zuletzt geschossen hatte, war also wahrscheinlich der alte Mübarek. Und nun erinnerte ich mich, daß sein Arm ungewöhnlich dick gewesen war. Er hatte ihn unter dem Aermel verbunden, infolge des Schusses, der ihn bei der Ruine von Ostromdscha getroffen hatte.

Ich kroch vor bis zum Rand der Plattform. Richtig! Da unten auf der Erde, sechs Ellen oder etwas tiefer unter mir, lag die lange, hagere Gestalt regungslos. Oben hatte ich die Beiden nicht erkannt, da zwischen dem Zaun hindurch nur ihre Umrisse zu erkennen gewesen waren.

Hierher, an die Seite der Hütte, wo ich hinabblickte, konnte der Schein des Feuers nicht dringen. Es war leidlich dunkel da. War es mir möglich, an dieser Stelle hinabzukommen, so konnte ich von den hinter den Bäumen Versteckten nicht gesehen werden.

Da hörte ich hinter mir:

»Sihdi, ich bin da. Darf ich heraus?«

»Ja, Halef; doch stelle dich nicht aufrecht, sonst sehen sie dich und schießen auf dich.«

»O, wir sind ja kugelfest!«

»Scherze nicht. Komm!«

Er kroch heraus.

»Ah, wer liegt hier?«

»Der Fleischer. Die Kugel hat ihn getötet, wie ich es dachte.«

»So hat ihn die Strafe sehr schnell ereilt. Allah sei ihm gnädig!«

Als ich mich genauer umschaute, sah ich einen eisernen Ring, welcher an dem Felsen befestigt war. Von diesem Ring hing der Doppelstrick, welchen wir schon gesehen hatten, als der Mübarek emporgezogen wurde, über die Plattform nach außen hinab.

»Daran hat der Gefängniswärter sich hinabgelassen,« meinte Halef.

»Wahrscheinlich. Diese Vorrichtung ist mit Berechnung hier angebracht. Sollte das heutige Spiel bereits schon mit Anderen vorgenommen worden sein?«

»Ah, Effendi, vielleicht sind schon Menschen da unten verhungert und verschmachtet!«

»Diesen Schurken ist so etwas schon zuzutrauen; wenigstens mit uns hatten sie es ernstlich vor. Lassen wir dieses Seil nach innen hinab, so können Osko und Omar emporkommen.«

Dies geschah. Bald kauerten die Beiden neben uns. Wir strengten unsere Augen an, versuchten aber vergeblich, einen der in den Wald Geflohenen zu entdecken.

Ich zog das Seil wieder herauf und machte die Klappe zu.

»Meinst du, daß wir nun das Seil da außen hinunterlassen und an demselben unbemerkt hinabklettern können?« fragte Halef.

»Ja,« erwiderte ich, »denn es ist dunkel hier. Uebrigens wollen wir die Probe machen. Lassen wir erst die Leiche hinab. Auf diese mögen sie feuern. Ich halte den Stutzen bereit. Wenn ihre Schüsse aufblitzen, habe ich ein Ziel.«

Man zog der Leiche den Strick unter den Armen hindurch und ließ sie hinab, recht langsam, um die Gegner zum Schießen zu verführen; aber es regte sich nichts.

»So will ich nun zuerst hinab,« sagte ich. »Ich krieche sofort in das Gebüsch und von da aus weiter in den Wald hinein. Da muß ich sie sehen, wenn sie noch hier sind. Es ist ein Quell da; folglich kann es Unken und Frösche hier geben. Ein solcher Ruf fällt also nicht auf. Ihr bleibt so lange hier oben, bis ihr mein Zeichen hört. Vernehmt ihr den Ruf einer Unke, so bleibt ihr, bis das Feuer dort erloschen ist. Quakt aber ein Frosch, nur einmal und recht tief, so steigt ihr herab. Dann bleibt ihr unten stehen, bis ich komme.«

»Das ist gefährlich für dich, Sihdi!«

»Pah! Wenn nur dieser alte Mübarek, welcher da unten liegt, nicht etwa Schlimmes im Schild führt und sich nur verstellt. Auch der Gefängniswärter muß irgendwo stecken. Nehmt euch immerhin in acht. Ich gehe.«

Die Büchse lag unten in der Hütte. Den Stutzen hing ich über, ergriff das Seil und ließ mich schnell hinab. Da lag die Leiche und neben ihr der Mübarek, bewegungslos, wie tot.

Der Strick war lang genug. Ich schnitt ein tüchtiges Ende ab und fesselte den alten Schurken. Er blutete am Arm, und ich fand, daß ihm der Ellbogen zerschmettert war. Vielleicht war er auf den Kopf gestürzt und ohnmächtig geworden.

Nun kroch ich weiter, immer am Felsen hin, durch Farn- und andere Gestrüppflanzen gut verdeckt. Dabei hatte ich natürlich den Blick immer nach der Gegend gerichtet, in welcher das Feuer brannte. Also mußte ich alles bemerken, was sich zwischen demselben und mir befand.

Ich fühlte mich ganz sicher. Was wußten diese Leute von dem indianerhaften Beschleichen eines Feindes! Sie vermuteten uns noch auf dem Dach der Höhle und hielten, wenn sie noch da waren, ihre Blicke jedenfalls dorthin und nicht hinter sich gerichtet. Selbst wenn sie mich bemerkt hätten, brauchte ich mich nicht zu fürchten. Mit meinem vielschüssigen Stutzen war ich ihnen überlegen. Ich konnte gemächlich auf der Erde sitzen bleiben und sie niederschießen.

So war ich wohl an die fünfzig Schritte weit fortgekommen, da roch ich Pferde. Ich schlüpfte weiter und hörte Stimmen. Bald sah ich Tiere und Menschen. Die ersteren waren an Bäume gebunden und die letzteren standen beieinander, halblaut sprechend.

Die Pferde standen nicht unbeweglich. Sie hatten sich nächtlicher Insekten zu erwehren, stampften mit den Hufen und schlugen mit den Schweifen um sich. Das gab ein solches Geräusch, daß selbst der Ungeübteste heimlich an sie gelangen konnte.

Endlich hatte ich sie erreicht. Ich kroch zwischen zwei Pferde und lag da im tiefen, schilfigen Gras. Die Männer standen nicht weiter als etwa drei Schritte von mir.

»Der Mübarek ist ausgeblasen,« sagte soeben Manach el Barscha. »Der Alte war ein Esel, sich dort hinauf zu stellen.«

»So war auch ich einer?« fragte der Aladschy.

»Du warst vorsichtiger und hast dich nicht treffen lassen.«

»Er hätte auch mich erschossen, wenn ich nicht fortge-
rannt wäre.«

»Welcher war es denn?«

»Welcher? Das fragst du auch noch! Natürlich derjenige,
den sie Effendi heißen.«

»Der mit seinem kranken Fuß soll emporgestiegen sein?«

»Gewiß. Hätte er doch den Hals gebrochen, anstatt des
Fußes! Ich wollte Allah dafür danken. Aber man sieht doch
wenigstens, daß er auch verwundbar ist.«

»Pah! Daran, daß er kugelfest wäre, habe ich nicht geglaubt. Das ist Schwindel.«

»Schwindel? Höre, ich glaube es jetzt mehr als vordem.
Der Mübarek hat ihn aufs Korn genommen und ich auch, als
er mit dem Kopf aus der Luke kam. Ich schwöre tausend
schwere Eide, daß ich ihn getroffen habe. Die Mündung meiner Flinte, welche ich durch den Zaun gesteckt hatte, war
nicht zwei Armslängen von dem Kopf entfernt, den wir ganz
deutlich sahen. Wir trafen beide. Ich sah, daß der Kopf zu-
rückwankte, denn so eine Kugel hat eine fürchterliche Kraft,
wenn sie anprallt; aber in demselben Augenblick hörte ich die
Kugeln an die Felsen schlagen: sie sind von dem Kopf abge-
sprungen und würden uns sicher getroffen haben, wenn nicht
der Zaun uns beschützt hätte. Und gleich im nächsten Augenblick lag der Kerl im Anschlag und erschoß den Mübarek.
Er muß ihn durch den Kopf getroffen haben, denn der Alte
stieß seinen letzten Schrei aus und stürzte tot hinab. Mir wäre
es ebenso ergangen, wenn ich nicht schleunigst die Flucht ergriffen hätte.«

»Wunderbar, höchst wunderbar!«

»Ja. Ihr wißt, daß ich mich selbst vor dem Scheïtan nicht
fürchte; aber vor diesem Kerl habe ich Angst. Ihm ist nur mit
dem Messer oder mit dem Heiduckenbeile beizukommen,
und das soll er heute erhalten.«

»Und du weißt genau, daß du geladen hattest?« fragte Manach el Barscha.

»Ganz genau. Ich hatte die Kugel doppelt gepflastert.
Denkt euch, vier Fuß vom Kopf entfernt drückte ich ab!«

»Hm! Wenn ich ihm nur einmal einen Schuß geben könnte! Ich möchte gern eine Probe machen.«

»Wage es nicht! Du bist verloren, denn die Kugel prallt auf dich zurück. Hättet ihr doch meinen Rat befolgt und die Halunken überfallen, als sie ihn nach der Hütte trugen! Da waren sie uns sicher.«

»Der Mübarek verbot es uns.«

»Das war eine Dummheit von ihm!«

»Ja, wer konnte ahnen, daß es so kommen würde! Es war ja ein prachtvoller Gedanke, die Hunde da drinnen vor Hunger heulen zu lassen. Aber der Teufel hat sie unter seinen ganz besonderen Schutz genommen. Hoffentlich wird er sie uns nun überlassen.«

»Es ist zu toll, den Fleischer durch die Decke hindurch zu erschießen und dem Andern das Bein zu zerschmettern! Der arme Bursche hat einen elenden Tod gehabt.«

»Es ist nicht schade um ihn,« meinte Barud el Amasat. »Er war mir schon längst im Wege, und verursachte uns nur Störung. Man konnte kein vertrauliches Wort sprechen. Darum habe ich ihm, als ihr ihn in die Hütte brachtet, gleich noch einen guten Kolbenhieb gegeben.«

Schrecklich! Der Gefangenenwärter war von demjenigen, den er befreit hatte, ermordet worden! So rächte sich seine Tat von selbst. Die vier Schurken waren doch wahre Hölleninsassen.

»Also entschließen wir uns, ehe die Zeit vergeht!« sagte Sandar. »Greifen wir sie bei der Hütte an?«

»Nein,« antwortete Manach el Barscha. »Da ist es zu hell. Sie sehen uns, und dann sind wir verloren, weil sie schießen können, während unsere Kugeln ihnen nichts schaden. Wir müssen im Dunkel über sie herfallen, ohne daß sie es ahnen. Vier Hiebe oder Stiche, und sie sind abgetan.«

»Ich stimme bei; aber wo soll es geschehen?«

»Natürlich im Wald.«

»Nein, das gibt einen unsicheren Angriff. Lieber am Ende des Waldes, zwischen den Büschen. Wenn es auch nicht hell ist, so geben die Sterne doch so viel Licht, daß wir sehen können, wohin wir schlagen. Sie werden denselben Weg gehen, auf welchem sie gekommen sind, denn einen andern kennen sie nicht. Wir können sie also gar nicht verfehlen. Am besten ist es, wenn wir sie am Ende des Gebüsches erwarten, wo das freie Feld beginnt.«

»Gut so!« stimmte Bybar bei, dessen Stimme man anhörte, daß ihm der Mund und die Nase verwundet waren. »Wir sind vier, und sie sind vier. Jeder nimmt also einen. Nehmt ihr die Träger und den Kleinen; mir aber gebührt der Effendi. Er hat mir das Gesicht zerschlagen, und so muß ich ihn haben.«

»Er wird in der Sänfte sitzen, denn er kann nicht gehen. Wie kommst du also an ihn? Bevor du die Türe öffnest, hast du die Kugel seiner Pistole schon im Leibe.«

»Meinst du, daß ich mich so lange bei der Sänfte aufhalte? Das Häuschen besteht aus lauter dünnen Holzstäben. Ich mache rasche Arbeit, schlage mit meinem Czakan gleich die Sänfte in Trümmer, und dieser Hieb trifft den Kerl sicherlich so, daß er keines zweiten bedarf.«

»Und wenn es nicht gelingt?«

»Es muß gelingen, es muß!«

»Denke an das Geschehene! Ueberall und jedesmal haben wir gedacht, daß es gelingen muß, und doch sind diese Schützlinge des Scheïtan stets glücklich davongekommen. Man muß stets an alles denken. Wir können gestört werden; was dann?«

»Hm! Wenn man wüßte, wann sie von Sbiganzy aufbrechen!«

»Jedenfalls morgen. Sie werden meinen, daß wir Eile haben, und uns folgen.«

»Nun, dann führen wir den Plan aus, von welchem ich schon am Nachmittag sprach: wir schicken ihnen unsern Suef auf den Hals, der sie uns an das Messer liefert. Er ist der schlaueste Bursche, den ich kenne, und kennt die Gegend zwischen hier und Prisrendi so genau, wie ich meine Tasche. Ihm können wir die Sache überlassen.«

»So schlage ich vor, jetzt aufzubrechen. Wir wissen nicht, wann die Kerle die Hütte verlassen. Es wäre verdrießlich, wenn sie eher fortgingen, als wir.«

Länger konnte ich nicht warten und kroch rückwärts bis an den Felsen zurück, von wo ich weiter nach der Hütte hin schlich. Doch blieb ich in angemessener Entfernung versteckt, um mich genau zu überzeugen, daß sie auch wirklich aufbrachen.

Nur wenige Schritte kroch ich noch, dann aber erhob ich mich und ging, mich mit der Hand am Felsen haltend, humpelnd weiter. Das Zusammenbiegen des linken Beines war doch zu anstrengend gewesen. So aber konnte ich mit dem rechten Fuß allein weiter kommen. Ich verzichtete darauf, die Stimme des Frosches nachzuahmen, denn bald befand ich mich wieder in dem Schein des Feuers, und da ich aufrecht stand, sahen mich die Gefährten.

»Kommt herab!« sagte ich.

Sie ließen sich nieder, und nun war ich so ermüdet, daß ich mich setzen mußte.

»Wir wollen die beiden Burschen untersuchen,« meinte der Hadschi. »Vielleicht haben sie etwas Nützliches in den Taschen.«

»Dem Fleischer laßt ihr alles,« gebot ich. »Er gehört uns nicht. Mit ihm mag der Kiaja tun, was ihm beliebt. Aber was der Mübarek bei sich trägt, das nehmen wir.«

Er hatte ein Messer und ein Paar alte Pistolen bei sich. Sein Gewehr lag auf dem Hüttendach; wir brauchten es nicht. Aber zwei Beutel – zwei große, volle Beutel – zog ihm der Kleine aus den Taschen.

»Hamdulillah!« rief er aus. »Hier stecken die Kalifen und Gelehrten des Kuran! Sihdi, da ist auch Gold, Gold, Gold!«

»Ja, wer dem Kodscha Bascha eine solche Summe für die Freilassung geben kann, der muß Gold haben. Wir können es ihm nehmen, ohne befürchten zu müssen, ein Unrecht zu begehen.«

»Natürlich nehmen wir es!«

»Aber für wen? Teilen wir, Halef?«

»Effendi, willst du mir eine Schande antun? Hältst du deinen Halef für einen Dieb? Ich nehme es ihm für die Armen ab. Denke, wie glücklich die Nebatja gewesen ist und wie froh der Wirt des Weilers und der Korbflechter waren! Mit diesem Gold können wir viele Sorgen lindern und uns den Himmel Allahs öffnen.«

»Das hatte ich von dir erwartet!«

»So stecke das Gold ein!«

»Nein, behalte du es. Du sollst unser Schatzmeister der Almosen sein, lieber Halef.«

»So danke ich dir! Ich werde meines Amtes treu und ehrlich walten. Wir wollen zählen.«

»Zum Zählen gibt es jetzt keine Zeit; wir müssen fort. Jetzt schafft diese beiden Menschen in die Hütte. Der tote Gefängniswärter liegt auch bereits darin.«

»So hast du auch ihn erschossen?«

»Nein, nur verwundet, und Barud el Amasat hat ihn dann mit dem Kolben erschlagen, weil er ihm unbequem geworden ist.«

»Ein solcher Schurke! Ah, wenn ich ihn unter die Hände bekomme! – Faßt an, ihr beiden! Erst tragen wir den Effendi hinein.«

Als sie mich in der Hütte niedergesetzt hatten und sich entfernten, um die Leiche des Fleischers und den Mübarek zu holen, hörte ich ein gräßliches Stöhnen. Der Wärter war also noch nicht tot. Halef mußte, als er zurückkehrte, einen Feuerbrand holen, bei dessen Schein wir die Laterne des Alten sahen, welche auf der Bank stand und angezündet ward.

Nun konnten wir den Stöhnenden genau betrachten. Er sah schrecklich aus. Meine Kugel hatte ihm den Oberschenkel zerschmettert, und infolge des Kolbenschlages klaffte die Hirnschale. Er war rettungslos verloren und blickte uns mit stieren Augen an.

»Hier hast du meinen Fez, Halef; hole Wasser herbei!«

Diese Kopfbedeckungen sind so dicht gearbeitet, daß sie das Wasser halten. Wir gaben dem Sterbenden etwas Wasser in den Mund und gossen ihm solches wiederholt auf den Kopf. Dies schien ihm wohlzutun. Seine Augen wurden klarer. Er betrachtete uns mit Blicken, denen man es ansah, daß er zu denken begann.

»Kennst du uns?« fragte ich.

Er nickte.

»Du wirst in wenigen Minuten vor dem ewigen Richter stehen. Weißt du, wer dir den Schädel zertrümmert hat?«

»Barud el Amasat,« flüsterte er.

»Dem du Wohltat zu erweisen glaubtest. Du bist ein Verführter, und Allah wird dir verzeihen, wenn du mit reuiger Seele aus dem Leben scheidest. Sage mir: ist der alte Mübarek der Schut?«

»Nein.«

»Wer ist denn der Schut?«

»Ich weiß es nicht.«

»Weißt du auch nicht, wo er ist?«

»Sie wollen ihn in Karanorman-Khan treffen.«

»Und wo liegt dieser Ort?«

»Im Schar Dagh, nicht weit von einem Dorf, welches Weicza heißt.«

»Hinter Kakandelen?«

Er nickte wieder, denn er konnte nicht mehr sprechen. Seine Antworten hatte er nur abgebrochen und so leise gegeben, daß ich mein Ohr seinem Munde nähern mußte, um ihn zu verstehen.

»Sihdi, er stirbt!« sagte Halef mitleidig.

»Hole Wasser!«

Er ging; aber seine Hilfeleistung war nicht mehr nötig. Der Mann starb uns unter den Händen, ohne noch ein Wort zu sagen.

»Wir schaffen die Leichen und auch den Mübarek in die Höhle hinein,« sagte ich. »Der Kiaja mag sie holen.«

»Herr, der Alte hat die Augen auf. Er ist wieder bei sich,« erklärte Osko, indem er dem Mübarek mit der Laterne in das Gesicht leuchtete.

Sofort bückte sich Halef, um sich zu überzeugen, ob es wahr sei. Der alte Sünder hatte wirklich die Besinnung wieder erlangt. Er hütete sich zwar, zu sprechen, aber seine Blicke bewiesen sein Bewußtsein. Es blitzte eine Wut aus ihnen, wie ich sie noch niemals in irgend einem Auge gesehen hatte.

»Lebst du noch, altes Skelett?« fragte ihn Halef. »Es wäre auch jammerschade, wenn die Kugel dich zu Tod getroffen hätte; denn so ein Ende hast du nicht verdient. Du sollst qualvoll sterben, damit du einen Vorgeschmack der Freuden bekommst, welche dich in der Hölle erwarten.«

»Hund!« zischte der alte Bösewicht.

»Scheusal! Verhungern sollten wir und verschmachten? Meinst denn du, Dummkopf, daß du solche berühmte und glorreiche Helden festhalten könntest? Wir dringen durch Stein und springen durch Eisen und Erz. Du aber sollst in deiner eigenen Falle vergebens nach Hilfe und Labsal schreien.«

Selbstverständlich war dies nur eine Drohung. Er wurde in die Höhle geschafft und zwischen die Leichen gelegt. Ein wenig Todesangst konnte dem Unhold gar nicht schaden.

Als ich nun die Sänfte genauer betrachtete, ergab es sich, daß das Häuschen abgenommen werden konnte. Ich ließ es entfernen, denn dadurch bekam ich unterwegs freie Bewegung der Arme. Jetzt nahm ich die Büchse und den Stutzen auf, und wir traten, indem ich getragen wurde, den Rückweg an, nachdem wir das Feuer ausgelöscht hatten.

Dem Mübarek hatten wir vorher den Strick gelöst. Er konnte also aufstehen und auf und ab gehen. Die eisenbeschlagene Türe aber war mit dem großen Riegel versperrt worden. Wir ließen ihn bei der Furcht, daß er hier stecken bleiben müsse, ohne Hilfe zu finden.

Des Nachts ist im Wald, wenn es keine gebahnten Wege gibt, nicht gut wandern, zumal mit einer Sänfte. Dennoch blieben wir in der ordentlichen Richtung. Die Gefährten traten so leise wie möglich auf. Halef hielt seine Pistolen und ich die Revolver schußbereit – für alle Fälle.

Als der Wald hinter uns lag, bogen wir rechts ab, nach den Wiesen der Sletowska zu, wo es freies Terrain gab. Es war dies ein Umweg, auf welchem wir dem Kampf entgingen, der uns, wenn auch nicht den Tod, doch Wunden bringen konnte.

Wir langten glücklich in unserm Gasthof an, wo ich durch die vordere Stube, in welcher mehrere Gäste saßen, nach dem ›guten Zimmer‹ getragen wurde.

Da saß der Wirt. Als er uns erblickte, sprang er von seinem Sitz auf.

»Du, Herr?« rief er aus. »Du bist ja fort!«

»Wohin denn?«

»Nach Karatowa.«

»Wer sagte das?«

»Der Fleischer.«

»So ist er also dagewesen?«

»Ja, und er verlangte deine Pferde und war sehr ergrimmt, als ich ihm erklärte, daß ich sie ihm nicht geben könne, weil du die Vollmacht wieder zurückgezogen hättest. Er aber drohte mir mit deinem Zorn. Du müßtest nach Karatowa getragen werden und bei deiner Ankunft die Pferde dort finden.«

»Hatte ich es doch geahnt! Er wollte mich um meinen Rappen betrügen, und nicht nur um das Pferd, sondern auch um das Leben.«

»Um das Leben, sagst du?«

»Ja, wir haben dir viel zu erzählen. Der Fleischer ist tot.«

»Ist ihm ein Unglück passiert?«

»Ja, wenn du es nämlich ein Unglück nennst, daß ich ihn erschossen habe.«

»Erschossen!« rief er erschrocken. »Du? Freilich ist das ein Unglück, und zwar für ihn, für seine Familie und auch für dich.«

»Inwiefern für mich?«

»Hast du es mit Absicht getan?«

»Nun, erschießen wollte ich ihn nicht, aber treffen sollte ihn meine Kugel.«

»So hast du also mit Vorbedacht geschossen, und ich muß dich als Mörder festnehmen.«

»Dagegen protestiere ich ernstlich.«

»Das wird dir nicht viel helfen!«

»O doch, denn ich muß dir dabei erzählen, wie es gekommen ist. Und selbst, wenn ich ihn aus freier Hand und ohne zwingenden Grund getötet hätte, so würde ich mich nicht so ohne weiteres festnehmen lassen. Hast du nicht am Nachmittag zugestanden, daß die Aladschy allbekannte Räuber und Mörder sind?«

»Ja, denn das weiß doch jedermann.«

»Und dennoch hast du Bybar nicht festgehalten, als er sich in deinen Händen befand! Mich aber, einen Mann, von dessen Vergangenheit du nicht das mindest Ungesetzliche kennst, willst du ergreifen lassen? Wie stimmt das zusammen?«

»Herr, es ist meine Pflicht,« antwortete er verlegen.

»Ja, ich weiß wohl. Den Aladschy ließest du laufen, weil du die Rache seines Bruders und seiner Sippe und auch seine eigene Gewalttätigkeit zu fürchten hattest. Von mir aber denkst du, daß ich mich ohne Widerstand füge und auch als Fremder niemand habe, der dich mit dem Gewehr darüber zur Rede stellt.«

»Oho!« rief Halef. »Wer meinen Effendi anrührt, dem jage ich sofort eine Kugel durch den Kopf! Ich bin Hadschi Halef Omar Ben Hadschi Abul Abbas Ibn Hadschi Dawud al Gossarah und pflege stets mein Wort zu halten. Nun versuche es einmal, deine Hand an ihn zu legen!«

So klein er war, seine Haltung war eine überaus energische und bedrohliche. Man sah es ihm an, daß er bereit war, sein Wort zur Wahrheit zu machen. Der Wirt und Kiaja des Dorfes bekam sichtlich Respekt vor ihm.

»Ich danke dir, Halef,« sagte ich. »Hoffentlich bedarf es deines Einschreitens gar nicht. Dieser gute Kiaja wird einsehen, daß ich zur Tötung des Fleischers gezwungen wurde.«

Und zu dem Wirt gewendet, fuhr ich fort:

»Hast du mir nicht gesagt, daß der Fleischer ein Skipetar sei?«

»Ja. Er ist sogar ein Miridit.«

»So stammt er gar nicht von hier?«

»Nein. Sein Vater kam, als er nach Sbiganzy zog, aus Oroschi, dem Hauptort der Miriditen.«

»Nun, was geht dich dann sein Tod an? Stehen die Miriditen unter den Gesetzen des Padischah?«

»Nein, sie sind freie Arnauten.«

»Weißt du auch, daß sie nur unter sich richten, und zwar nach den alten Gesetzen Lek Dukadschinits?«

»Das weiß ich freilich.«

»So hast du dich um den Tod des Fleischers gar nicht zu bekümmern. Ich habe ihn getötet ob mit Recht oder Unrecht, das ist bei diesen Leuten freilich sehr gleichgültig; ich bin dem Gesetz der Blutrache verfallen, und die Verwandten des Toten müssen dieselbe an mir ausüben. Du aber hast mit der Sache gar nichts zu tun.«

»Ah!« holte er tief Atem. »Das ist mir außerordentlich lieb!«

»So sind wir also einig. Aber es gibt noch einen andern Toten.«

»Wer ist das?«

»Ein Gefängniswärter aus Edreneh, welcher einen Gefangenen befreit hat und mit ihm geflohen ist. Dieser hat ihn erschlagen. Bei diesen beiden Toten wirst du auch den alten Mübarek finden, dem ich mit einer Kugel den Ellbogen zerschmettert habe.«

»Auch ihn? Herr, du bist doch ein ganz entsetzlicher Mensch!«

»Ich bin im Gegenteil ein sehr guter Mensch; aber wie hier die Sache liegt, konnte ich gar nicht anders handeln.«

»Wie ist es denn gekommen?«

»Setze dich zu uns; ich muß es dir erzählen.«

Er nahm Platz, und ich begann meinen Bericht. Wir hatten Zeit. Darum war ich so ausführlich wie möglich. Ich erzählte ihm auch, warum wir Barud el Amasat verfolgten. Er gewann also einen klaren Einblick in unsere Absichten, und das erleichterte ihm die Erkenntnis, mit welchen Schurken wir es zu tun hatten. Als ich endlich schwieg, saß er ganz bestürzt da.

»Sollte man so etwas für möglich halten!« sagte er. »Ihr seid ja Leute wie die Gepanzerten des Kalifen Harun als Raschid, die im ganzen Reich umherritten, um die Bösen zu bestrafen und die Guten zu belohnen.«

»Oh, wir sind keineswegs so hohe und herrliche Leute. Diejenigen, von denen ich dir erzählte, haben unseren Freunden oder auch uns selbst Uebles zugefügt; sie haben jetzt noch gewisse Verbrechen vor, und wir folgen ihnen, um dieselben zu verhindern. Was wirst du nun tun?«

Er kratzte sich mit beiden Händen am Kopf und antwortete endlich:

»Gib mir einen guten Rat.«

»Du bist Beamter und mußt ganz genau wissen, was deine Pflicht dir vorschreibt. Meines Rates bedarfst du nicht.«

»Ich wüßte, was ich tun würde, wenn du nicht eine große Dummheit begangen hättest. Warum hast du den alten Mübarek nur in den Ellbogen geschossen? Konntest du denn nicht nach seinem Kopfe oder seiner Brust zielen? Da wäre er aus der Welt gewesen.«

»Das sagst du, du als Kiaja!«

»Nein, der Kiaja spricht jetzt nicht zu dir. Wäre der Alte auch tot, so ließe ich die Drei begraben, und es würde kein Wort weiter gesprochen. Nun aber muß ich mich des Alten bemächtigen und ihn dem Gericht überliefern. Das ist ein böser Fall.«

»Ich sehe gar nichts Böses dabei. Du wirst dich sogar verdienstlich machen. Er ist aus dem Gefängnis zu Ostromdscha entsprungen. Du ergreifst ihn und schickst ihn nach Uskub, dann bist du fertig.«

»Ich muß aber auch dahin kommen, um Bericht zu erstatten. Und ihr müßt auch mit – als Zeugen oder Ankläger.«

»Das tun wir gern.«

»Ja, ihr verlaßt dann diese Gegend; mich aber werden die Freunde des Alten kalt machen.«

»So wird es dir vielleicht warm dabei, und das ist auch nicht übel.«

»Spotte nur! Du weißt nicht, wie schlimm es mir ergehen kann. Wie gesagt, hättest du den Halunken erschossen, so wäre ich all der Plage und Verantwortung los. Denn wenn du als Zeuge in Uskub verweilen mußt, so wirst du diesen Ort wohl gar nicht lebendig verlassen, sondern der Blutrache verfallen.«

»Hat der Fleischer mannbare Verwandte hier?«

»Ja, einen Bruder.«

»Weißt du nicht, ob er heute daheim ist?«

»Er ist da, denn mein Knecht hat meine Botschaft an ihn und nicht an Tschurak selbst ausgerichtet.«

»Hm! Das ist freilich bedenklich. Wenn er wie sein Bruder ist, so habe ich mich vor ihm zu hüten.«

»Er ist zum mindesten so. Ich habe ihn nicht für so brav wie Tschurak selbst gehalten. Da nun derselbe dennoch ein Schurke war, so wird sein Bruder wohl ein noch größerer sein. Du bist deines Lebens nicht sicher, so lange du dich hier befindest. Darum will ich dir einen sehr guten Rat erteilen: steigt ohne Verzug in den Sattel und reitet nach Karatowa. Ich gebe euch einen guten Führer mit.«

»Dorthin wollen wir gar nicht.«

»Der Fleischer sagte es doch!«

»Das war eine Lüge. Wir wollen von hier nach Uskub, und das paßt also sehr gut, denn wir werden deine wehrhafte Bedeckung bilden, wenn du den alten Mübarek dorthin transportierst.«

»Gott behüte mich! Man wird uns unterwegs totschießen!«

»Da müßten wir die Sache sehr dumm anfangen.«

»Ich höre, daß du keinen Begriff von den hiesigen Verhältnissen hast. Du schwebst mit deinen Freunden hier fortwährend in Lebensgefahr, und kein Haar eures Hauptes ist mehr sicher. Reitet lieber fort! Das ist wirklich das allerbeste für euch.«

»Und auch das allerbeste für dich! Nicht wahr?«

Diese Frage machte ihn äußerst verlegen. Er hatte so dringlich zu mir geredet, wie nur die Sorge um sich selbst sprechen konnte. Der Mann war ganz brav; aber als Sohn seines Landes hatte er allerdings mit der Unsicherheit der dortigen Rechtsverhältnisse zu rechnen.

»Inwiefern für mich?« fragte er.

»Du würdest, wenn wir fort wären, den alten Mübarek einfach laufen lassen; dann hättest du keine Rache zu fürchten, sondern seinen Dank zu erwarten.«

Er errötete: ich hatte das Richtige getroffen. Dennoch sagte er:

»Denke das ja nicht von mir! Ich werde sehr streng nach meiner Pflicht verfahren; aber es liegt mir daran, euch in Sicherheit zu wissen.«

»Um diese brauchst du dich nicht zu sorgen. Wir haben dir bereits bewiesen, daß wir keiner fremden Hilfe bedürfen. Eigentlich hätte ich mich heute an dich um Schutz gegen unsere Feinde wenden sollen; ich habe es nicht getan, um dich nicht zu belästigen, und weil ich wußte, daß wir uns selbst genügen. So werden wir auch fernerhin weder eines Rates noch einer Unterstützung bedürfen. Bist doch du es eigentlich, dem wir es zu verdanken haben, daß wir in eine solche Gefahr kamen.«

»Wieso denn?« fragte er.

»Weil du uns versichert hast, daß kein Fremder bei dem Fleischer angekommen sein könne, und doch sind sie bereits vor uns hier gewesen.«

»Das wußte ich nicht, denn in das Dorf sind sie nicht gekommen. Tschurak wird sie draußen getroffen haben. Ich sagte dir doch, daß er zu Pferd nach Hause gekommen sei. Jedenfalls ist er ihnen da begegnet und hat sich mit ihnen verabredet.«

»Das ist wahrscheinlich. Also, ich verlasse Sbiganzy heute nicht und werde bei dir schlafen. Was gedenkst du nun mit den Dreien zu tun, welche wir in der Hütte eingeschlossen haben?«

Wieder kratzte er sich hinter den Ohren.

»Herr, laß mich mit dieser Geschichte in Ruhe!«

»Leider kann ich es nicht. Sie dürfen doch nicht draußen stecken bleiben. Ich verlange, daß du dich noch am Abend des alten Mübarek bemächtigest. Die beiden Leichen mögen meinetwegen liegen bleiben.«

»Aber was soll ich mit ihm anfangen?«

»Ihn hier einsperren, bis wir ihn morgen nach Uskub transportieren.«

»Alle guten Geister! Die Aladschy stürmen mir das Haus!«

»Wir helfen dir, es zu verteidigen.«

»Später trifft mich ihre Rache!«

»Welch eine Feigheit!«

»Ja, ihr braucht euch freilich nicht zu sorgen. Ihr reitet fort und kommt nie wieder. Ueber mich aber bricht dann das Gewitter herein.«

»Die Aladschy können dir nichts zu leid tun, denn wir liefern sie morgen gleichfalls nach Uskub ab, und Manach el Barscha und Hamd el Amasat dazu.«

»Hast du sie denn?«

»Nein, aber wir holen sie uns jetzt gleich.«

»Und wie?«

»Mit den Bewohnern von Sbiganzy, welche wir jetzt aufbieten, um gegen sie auszuziehen.«

»Die werden sich bedanken!«

»Sie müssen! Hast du nicht gelesen, daß ich ein Schützling des Großherrn bin?«

»Ja, leider bist du es.«

»So hast du meiner Forderung zu gehorchen. Weigerst du dich dessen, so werde ich in Uskub Beschwerde gegen dich erheben.«

»Herr, willst du mich unglücklich machen?«

»Nein, ich will dich nur veranlassen, deine Pflicht zu erfüllen. Diese vier Räuber stehen draußen am Rande des Gebüsches. Nichts ist leichter, als sie einzuschließen und gefangen zu nehmen.«

»O, da irrst du dich. Sie werden sich sehr dagegen wehren.«

»Was schadet das?«

Er machte so große, starre Augen, daß Halef laut auflachte.

»Was das schade, fragst du? Etwa nichts?« rief der Kiaja. »Wenn sie uns totschießen, das soll nichts schaden? Ich bin im Gegenteil der Ansicht, da es gar keinen größeren Schaden geben kann, als das Leben zu verlieren.«

»Das denke ich so ziemlich auch. Aber ihr müßt es eben so anfangen, daß sie gar nicht dazu kommen, sich zu verteidigen.«

»Wie sollen wir das anfangen?«

»Das werde ich den Leuten sagen, wenn sie hier versammelt sind.«

»O, keiner wird kommen, wenn ich sagen lasse, um was es sich handelt.«

»Das darfst du eben nicht. Du gibst doch zu, daß du nach dem Gesetz das Recht und auch die Pflicht hast, in einem solchen Fall die Hilfe der ganzen streitbaren Einwohnerschaft anzurufen?«

»Ja, das Recht habe ich.«

»Und sie müssen dir gehorchen?«

»Unbedingt.«

»Nun, so rufst du sie jetzt auf mit dem Befehl, sie sollen sich schleunigst hier in deiner vorderen Stube mit ihren Waffen einfinden. Wen sie alle versammelt sind, werde ich ihnen selbst sagen, was wir von ihnen verlangen. Ich werde so zu ihnen reden, daß sie stolz darauf sein werden, gegen diese Missetäter auszuziehen.«

»Das glaube ich nicht.«

»Gewiß.«

Er äußerte noch eine Menge Bedenken, aber ich blieb bei meinem Verlangen, so daß er endlich sagte:

»Nun, da du so streng befiehlst, werde ich meinen Polizeiwächter holen und in deiner Gegenwart instruieren.«

Als er sich entfernt hatte, sagte Halef:

»Ich begreife dich nicht, Sihdi. Denkst du denn wirklich, daß diese lieben Untertanen des Sultans nur eine Fliege fangen werden?«

»Nein; ich will uns nur einen Spaß machen. Ich reise doch, um Länder und Völker kennen zu lernen. Ich möchte einmal die Bewohner eines hiesigen Ortes beisammen sehen, um zu beobachten, wie sei sich unterhalten und belustigen. Wir haben uns heute in Gefahr befunden und dürfen uns nun eine frohe Stunde gewähren.«

Die Gefährten stimmten bei: sie waren neugierig auf den bewaffneten Landsturm, welcher sich einfinden sollte.

Nach einiger Zeit kam der Wirt zurück und brachte den Polizeiwächter mit. Dieser machte einen nicht sehr imponierenden Eindruck. Zwar war sein Gesicht ungeheuer bärtig, aber das übrige harmonierte nicht damit. Er sah recht hungerleidend aus, und sein Anzug bestand nur aus einer bis zum Knie reichenden Hose und einer alten, zerrissenen, vorn zugehefteten Jacke. Seine Unterschenkel waren unbekleidet. Um den Kopf hatte er ein Baumwollentuch gewickelt von der Sorte, wie sie bei uns auf Jahrmärkten um zwei Mark das Dutzend verschleudert werden. In der Hand aber hielt er einen Olivenstock von der Dicke eines Kinderbeines. Anstatt des Griffes war derselbe mit einer Sichel versehen – wozu? Als Waffe? Dann war sie freilich ein höchst gefährliches Ding.

»Herr, hier ist mein Polizeiwächter,« sagte der Kiaja. »Willst du ihn selbst instruieren?«

»Nein, tue du es! Du bist der Vorgesetzte und hast diese Befehle zu erteilen.«

Er gab dem Diener den Auftrag so, wie es in meiner Meinung lag. Dann fragte ich nach seinem Biervorrat.

»Ich habe erst gestern einen neuen Vorrat gekocht,« antwortete er. »Du könntest mit deinen Gefährten eine ganze Woche davon trinken.«

»Verkaufst du es mir?«

»Ja. Aber wozu könntest du so viel brauchen?«

»Dein Polizeiwächter mag den Männern sagen, daß sie alles vorhandene Arpa suju und auch noch Raki erhalten, wenn sie das richtig tun, was von ihnen verlangt wird.«

Da erhob der Polizeiwächter seinen Stock wie zum Schwur empor und sagte:

»Effendi, deine Güte ist groß; aber bei Allah und dem Propheten, wir werden fechten und streiten, als ob wir gegen die Ungläubigen zu Felde zögen!«

»So weißt du, um was es sich handelt?«

»Ja, der Kiaja, mein Herr und Gebieter, hat mich des Vertrauens gewürdigt, es mir zu sagen.«

»Aber du wirst nicht davon sprechen?«

»Kein Wort! Mein Mund wird sein ein Buch mit sieben Siegeln, in welchem nicht geblättert werden kann, und wie eine eiserne Truhe, zu welcher der Schlüssel abhanden gekommen ist.«

»Das rate ich dir auch an. Und nun beeile dich!«

»Ich werde fliegen, wie der Gedanke des Gehirns, welcher in einer Sekunde um die Erde läuft!«

Er wendete sich um und schritt würdevoll und gemessenen Schrittes zur Türe hinaus.

»Das ist noch niemals dagewesen,« sagte der Wirt. »Kein Mensch wird allen Männern des Dorfes zu trinken geben, ein Fremder aber gar nicht. Herr, man wird euch rühmen lange Jahre hindurch und eurer Namen gedenken lebenslang!«

»Wie viel wird das Bier kosten?«

»Fünfzig Piaster.«

Das waren zehn Mark.

»Und wie viele Männer werden kommen?«

»Vielleicht gegen zwanzig.«

»Und was kostet hier ein fetter Hammel?«

»O, der ist hier weit billiger als in Stambul oder Edreneh, woher du kommst. Du hast nur fünfzehn Piaster zu zahlen.«

»So kannst du den Leuten sagen, daß sie sich, wenn sie tapfer sind, zwei Hämmel draußen in deinem Hof am Spieße braten dürfen.«

»Herr, du rufest den Segen des Dorfes auf dein Haupt herab! Die Leute werden – –«

»Schon gut!« unterbrach ich ihn. »Du selbst hast fette Hämmel; so suche zwei aus, und sorge dafür, daß auch wir eine tüchtige Abendmahlzeit erhalten.«

»Du sollst mit mir zufrieden sein. Ich werde für euch sorgen, als ob der Kalif selbst bei mir zu Gast sei!«

Er eilte hinaus.

»Jetzt hat er gute Laune!« lachte Osko.

»Ja, aber dieser Frohsinn gefällt mir nicht. Er scheint nicht im mindesten mehr um das Leben und um das Wohl seiner streitbaren Männer besorgt zu sein. Das kommt mir verdächtig vor. Er wird irgend eine Vorkehrung getroffen haben, welche ihm Sicherheit gewährt, daß ihnen nichts geschehen kann.«

»Er wird uns doch keinen Schaden machen!«

»Das ist unmöglich. Er vertreibt unsere Feinde. Das ist das Einzige, was er fertig bringen wird.«

Es dauerte lange, sehr lange, bis der erste der streitbaren Helden anlangte. Als dieser endlich ankam, machte der Wirt die Türe zu der Vorderstube auf und meldete:

»Effendi, sie beginnen bereits zu kommen. Soll ich schon Arpa suju geben?«

»Nein. Erst mögen sie zeigen, daß sie tapfer sind.«

Nach und nach kamen noch Andere. Jeder trat an die Verbindungstüre, welche offen war, machte uns eine Verneigung und betrachtete uns mit neugierigem Blick.

Aber in diesen Blicken spiegelte sich noch etwas Anderes als bloße Neugierde oder die Freude über den Schmaus, der ihrer wartete. Es waren so pfiffige Augen! Diese Leute hatten irgend ein Geheimnis, welches ihnen Vergnügen machte. Bewaffnet waren sie alle; mit Flinten, Pistolen, Säbeln, Beilen, Messern, Sicheln und sonstigen Werkzeugen.

Später hörten wir ein lautes Hallo dieser Kriegerschar. Wir sahen den Polizeiwächter eintreten und hinter ihm mehrere Männer. Auch sie waren bewaffnet, doch trug jeder außerdem noch ein musikalisches Instrument bei sich.

Er kam stramm und in würdevoller Haltung zu uns hereingeschritten; die Anderen folgten ihm.

»Herr,« meldete er, »die Krieger sind versammelt und harren eurer Befehle.«

»Gut! Was bringst du denn da für Leute?«

»Das sind die Tschalgydschylar[1] welche erst die Tschenk makami[2] und dann die Makam er raks en nagmeh[3] machen werden. Dadurch werden die Truppen zur höchsten Tapferkeit begeistert werden.«

»Ah, ihr wollt mit Musik gegen die Feinde ziehen?«

»Natürlich! Es ist das so Gebrauch in jedem Heer. Beim Sturm wird trompetet.«

---

1 Musikanten.
2 Kriegsmusik.
3 Musik des Tanzes und des Gesanges.

Das war wunderbar lustig. Die vier Räuber sollten still um-
zingelt und gefangen werden, und dieser Wächter der Polizei
wollte mit Musik gegen sie ziehen. Da er aber vom Sturm, von
Kriegsmusik sprach, mußte er den Kriegern bereits gesagt haben, um was es sich handle. Er hatte also mein Gebot übertre-
ten, doch sagte ich jetzt nichts dazu. Er ließ mich auch gar
nicht zu Wort kommen, denn er faßte den einen, der ein trom-
melähnliches Ding vorgeschnallt und zwei Stöcke in den Händen hatte, bei der Brust, schwenkte ihn vor mich hin und er-
kärte:

»Dieser schlägt die Dawul[1]. Er ist Meister dieses Instru-
mentes.«

Ihn fortschiebend, zog er einen zweiten herbei, welcher
einen Reifen trug, über welchen ein Fell gespannt war.

»Dieser klappert den Dawuldschuk[2], und dieser bläst die
Düdük[3].«

Bei diesen Worten stieß er einen, der eine lange Holzpfeife
hatte, an die Stelle des Vorigen, schleuderte aber auch diesen
wieder zur Seite und raffte zwei Andere herbei, welche sich mit
Saiteninstrumenten zu befassen schienen.

»Dieser pimpelt die Kytara[4], und dieser sägt die Keman[5],«
erläuterte er uns. »Aber nun kommt die Hauptsache, Effendi.
Hier der Letzte hat das eigentliche Instrument des Krieges. Er
ist der Held der Töne, denn er macht den Takt und bläst die
Feinde um, wenn er will. Er pfeift die Zurna[6], der niemand widerstehen kann. Du wirst mit unserer Musik außerordentlich
zufrieden sein.«

Ich zweifelte sehr daran. Die sogenannte Gitarre, welcher
sich der eine befleißigte, bestand aus einem Brettstück, an welches ein Hals geleimt war. Zwei Saiten hätten sich im Abend-
wind geschwungen, wenn er hier in der Stube geweht hätte.

Die Violine bestand aus einem Hals, an welchem eine

1 Trommel.
2 Tamburin.
3 Flöte.
4 Gitarre.
5 Geige.
6 Posaune.

kropfähnliche Anschwellung befestigt war. Ueber den Steg derselben liefen drei Saiten, so dick, daß sie ein Violonbassist hätte benutzen können. Der Bogen bestand aus einer krummen Rute, an welche eine starke Schnur gespannt war. Ein großes Stück Pech, welches der Mann in der Hand hielt, war wohl anstatt des Kolophoniums bestimmt, dieser Schnur die nötige Rauheit zu geben.

Und nun erst die Posaune! Ja, es war eine wirkliche, leibhaftige Zugposaune. Woher der Mann sie nur haben mochte? Aber wie sah sie aus! Sie war so voller Schrullen, Drücke und Kniffe, als ob Simson sie benutzt hätte, die etlichen hundert Philister zu erschlagen. Ihre ursprüngliche Gestalt hatte sich im Laufe der Zeit verändert. Sie schien es für geboten gehalten zu haben, sich mehr und mehr einer sehr unregelmäßigen Spirallinie zu nähern, und als ich daher dem Posaunisten das kapriziöse Ding aus der Hand nahm, um zu versuchen, ob es ausgezogen werden könne, fand ich, daß ihre jetzige Gestalt sich dagegen sträubte und daß sie außerdem vollständig eingerostet war.

Ihr glücklicher Besitzer schien dem Ausdruck meines Gesichtes zu entnehmen, daß die Posaune nicht mein völliges Vertrauen besitze, denn er beeilte sich, mir zu versichern:

»Herr, habe keine Sorge! Diese Posaune tut ihre Schuldigkeit.«

»Ich will es hoffen.«

»Da du zu dem Arpa suju noch einen Raki gibst, so schlage ich mit dieser meiner Posaune alle beiden Aladschy tot!«

»Esel!« raunte ihm der Polizeiwächter zu. »Ihr dürft das noch gar nicht wissen!«

»Ah so!« meinte der Heldenposaunist. »Da nehme ich meine Worte zurück!«

»Sie sind nun heraus,« lachte ich. »Also ihr wißt es bereits, um was es sich handelt?«

»Herr, sie ließen mir nicht Ruhe, bis ich es ihnen sagte,« entschuldigte sich der Wächter. »Ihre Tapferkeit entbrannte so schnell, daß es mein Leben gefährdet hätte, wenn ich schweigsam gewesen wäre.«

»Es ist recht, daß du dein Leben geschont hast. Nun brauche ich diesen wackeren Leuten gar nicht erst zu erkären, was von ihnen verlangt wird.«

»O, eine kleine Rede möchtest du doch tun, um sie noch mehr anzufeuern, denn dann werden sie unüberwindlich sein!«

»Die Rede werde ich halten. Nicht, Sihdi?« meinte Halef.

Da ich seine Rednergabe kannte, nickte ich ihm Gewährung zu und fragte dann:

»Wer wird die Krieger anführen?«

Der Polizist antwortete:

»Natürlich bin ich als Polizeiwächter der Muschir[1] dieser Heeresmacht. Ich werde sehr strategisch verfahren. Ich teile das Heer in zwei Hälften, welche vom Divisionsgeneral befehligt werden. Mit ihnen werden wir den Feind heimlich umzingeln und gefangen nehmen. Er kann gar nicht entwischen, da wir von zwei Seiten kommen.«

»Sehr gut! Und dazu macht ihr Musik?«

»Ja, denn damit jagen wir dem Feind bereits beim Nahen Schrecken ein. Wir legen dir die Missetäter gebunden vor die Füße. Aber da du nun einsehen mußt, wie tapfer und verwegen wir sein werden, so brauchst du mit den beiden Hämmeln nicht zu warten, bis wir uns siegreich nahen. Du kannst sie schon jetzt braten lassen. Ich habe einige Frauen mitgebracht, welche dies Geschäft sehr gut verstehen; sie befinden sich bereits draußen im Hof und treffen ihre Vorbereitungen. Die Stücke oberhalb des Schwanzes, welche die besten und zartesten sind, werdet ihr erhalten, denn wir wissen sehr genau, was die Höflichkeit erfordert.«

»Also auch Frauen werden da sein?«

»O, noch Andere! Schau hinaus in den Hof, so wirst du auch die Söhne und Töchter der Frauen sehen.«

»Nu, so mag der Kiaja seinem Knecht befehlen, nicht zwei, sondern vier Hämmel zu schlachten und sie den Frauen zu übergeben.«

1 Feldmarschall.

»Herr, du fließest über vom Wohltun! Aber daß wir die Hauptsache nicht vergessen: wer bekommt die vier Felle?«

»Sie sollen unter die vier Tapfersten verteilt werden.«

»Da bin ich sicher, wenigstens eins zu erhalten. Nun aber möchte dein Gefährte seine Rede beginnen, denn der Eifer meines Kriegsvolkes wird kaum länger zu zügeln sein.«

Er zog sich mit seinen Musikanten in die vordere Stube zurück. Halef stellte sich unter die Verbindungstüre und hielt seine Rede. Diese war ein kleines rhetorisches Meisterstück. Er war überaus freigebig mit der Bezeichnung der Zuhörer als Helden, Unüberwindliche, Vortreffliche, und warf dazwischen eine Fülle von sarkastischen Brocken, welche nur wir verstanden.

Als er geendet hatte, erklang ein Ton, über den ich so erschrak, daß ich von meinem Stuhl auffuhr. Das war, als ob ein halbes Dutzend amerikanische Büffel lebendig am Spieß steckten, um gebraten zu werden und dabei ihr Schmerzgebrüll ausstießen. Auf meine Erkundigung antwortete der Wirt:

»Das war die Posaune. Sie blies zum Aufbruch.«

Die Stube leerte sich nun. Draußen vor dem Tor erklang die Stimme des Marschalls. Er teilte sein Heer in zwei Scharen, und dann setzten sich die Helden alle in Bewegung.

Einige kräftige Donnerstöße der Posaune leiteten den Sturmmarsch ein. Die Flöte tat, als ob sie einen Triller hervorbringen wollte, blieb aber stecken und verlief in ein wütendes Pfeifen. Die Trommel begann zu quirlen, dann fiel das Tamburin ein, von Geige und Gitarre aber war nichts zu hören. Ihre sanften, zarten Töne erstarben unter der Tonmacht der anderen kriegsgewohnteren Instrumente.

Nach und nach wurden die Harmonien schwächer, je weiter das Heer sich entfernte. Es klang nur noch so, wie wenn der Sturm um eine Ecke heult, und dann verging es in einem hinsterbenden Piepen, wie wenn einem Leierkasten die Luft ausgeht.

Wir überließen die Tapfern ihrem Heldentum und zogen unsere Dschibuks hervor. Draußen im Hof loderten einige

Feuer, an denen die Hämmel gebraten werden sollten. Nicht ganz einen Taler das Stück. Eine solche Freigebigkeit konnte man schon einmal wagen.

Der Wirt hatte nichts zutun. Er setzte sich zu uns, zündete sich auch eine Pfeife an und verlor sich in Vermutungen, ob einer der Vier, auf die wir es abgesehen hatten, gefangen genommen würde – oder alle Vier – oder gar Keiner.

Es lag dabei ein Zug in seinem Gesicht, der mich auf eine kleine Verstecktheit schließen ließ. Er war ein ehrlicher Mann, das glaubte ich gern; jetzt aber verbarg er uns irgend etwas, was zu dem im schönsten Gang befindlichen Feldzug in Beziehung stand.

»Aber wenn sie nun Unglück haben,« sagte er, »was dann?«

»So bekommen wir die Halunken nicht.«

»Ich meine in betreff des Bieres.«

»Das wird doch getrunken.«

»Und die Hämmel?«

»Werden doch gespeist.«

»Du sprichst wie ein Weiser, Herr, denn wenn die Aladschy fort sind, hilft auch die größte Kühnheit nichts.«

»Der Marschall wird schon dafür sorgen, daß sie fortgehen. Seine Musik fordert sie dazu auf. Oder sollte er sie schon vorher gewarnt haben?«

»Gewarnt? Wie meinst du das?«

»Nun, er kann ja zu ihnen hinausgelaufen sein, um ihnen in aller Gemütlichkeit mitzuteilen, daß sie uns vergeblich auflauern, weil wir uns bereits bei dir befinden.«

Er sah mich forschend an, ob ich das wohl im Ernst meine.

»Effendi, was denkst du nur!«

»Etwas, was sehr leicht möglich, ja sogar sehr wahrscheinlich ist. Und bei dieser Gelegenheit hat er ihnen auch gesagt, daß sie ein wenig beiseite gehen sollen, weil er jetzt die Tapferen zu einem Angriff gegen sie zusammenrufen müsse.«

»Das wird er doch nicht getan haben. Das wäre ganz gegen seine Pflicht.«

»Wenn es ihm aber von dir befohlen worden wäre?«

Er errötete, blickte zur Seite und antwortete in unsicherem Ton:

»So etwas traust du mir zu!«

»Du siehst mir so ungemein pfiffig aus. Die große Sorge um deine Helden ist ganz und gar verschwunden, und der erste dieser Helden kam so spät, daß ich wirklich glaube, dein Zaptie hat einen kleinen Spaziergang hinaus nach den Büschen gemacht. Aber ich will dir deine Sorge für die Bewohner dieses Ortes nicht zum Vorwurf machen. Hoffentlich werden ihrer nur wenige getötet werden.«

Ich sagte das in scherzhaftem Ton. Er antwortete, halb auf denselben eingehend:

»Sie werden kämpfen, wie die Löwen. Solche Waffen wie ihr haben sie freilich nicht, aber sie wissen die ihrigen zu gebrauchen. Mit einer hiesigen Flinte könnte man nicht eine eiserne Krampe aus dem Holz schießen. Ich habe noch niemals ein solch schweres Gewehr gesehen.«

Er nahm meine Büchse von der Wand, an welcher sie lehnte, und wog sie mit den Händen.

»Wirst du nicht müde, sie zu tragen?«

»Nein, ich bin es gewöhnt.«

»Warum aber fertigt man bei euch gar so schwere Gewehre? Der Arm schmerzt ja beim Zielen.«

»Man fertigt jetzt keine solche Büchse mehr. Dieses Gewehr ist sehr alt. Es gehört zu einer Gattung, welche man Bärentöter nannte, weil man sich ihrer bei der Bärenjagd bediente. Es gibt drüben in Amerika eine Bärenart, welche ein graues Fell hat. Dieser graue Bär ist so stark, daß er einen Ochsen fortschleppt. Keine der früheren Kugeln tötete ihn sicher, und nur aus schweren Gewehren, wie dieses hier ist, konnte man einen sicheren Schuß abgeben.«

»Hast du auch solche Bären getötet?«

»Ja. Wozu hätte ich sonst die Büchse?«

»Aber warum schleppst du sie mit dir hier herum, wo es keine Bären gibt?«

»Weil ich während meiner Reise in Gegenden kam, wo es zwar keine Bären, aber anderes starkes Wild gab. Ich habe mit ihr den Löwen und den schwarzen Panther geschossen. Uebrigens gewährt sie wegen ihrer Schwere ein sicheres Ziel aus freier Hand. Und daß sie auch sonst mir gute Dienste leistet, das hast du heute erfahren.«

»Ist die geladen?«

»Ja. Sobald ich einen Schuß abgegeben habe, lade ich sofort wieder. Das ist so Jägerart.«

»Dann will ich sie lieber aus der Hand tun. Und welch sonderbare Waffe ist das andere Gewehr?«

Ich muß bemerken, daß wir an einem Tische saßen, welcher an dem offenen Fensterladen stand. Ich saß mit dem Gesicht und Halef mit dem Rücken gegen die Fensteröffnung. Rechts von mir saß der Wirt, links Omar, und hinter mir stand Osko, welcher sich soeben seine Pfeife gestopft hatte und von seinem Platze aufgestanden war, um sie sich an der Lampe anzuzünden. Er war hinter mir stehen geblieben, um dem Wirt zuzuschauen, welcher den Bärentöter so auf den Tisch gelegt hatte, daß er mir zufälliger- und auch glücklicherweise ganz handgerecht lag, und nun nach dem Henrystutzen griff.

Der Wirt fragte mich nach der Konstruktion desselben, und ich erklärte ihm, daß ich fünfundzwanzig Schüsse abfeuern könne, ohne zu laden. In dieser Erklärung wurde ich durch eine Ruf Oskos aufgeschreckt.

»Effendi! Um Allahs willen! Hilfe!« schrie er laut.

Ich sah mich nach ihm um. Er deutete auf das Fenster. Seine Augen waren weit geöffnet, und auf seinem Gesicht lag die Blässe des Todes. Er war ein Bild starren Schreckens.

Als ich der Richtung seines Armes folgte, sah ich mich der Mündung eines Gewehrs gegenüber. Der Lauf desselben war auf die untere Fensterkante gelegt. Der Schütze stand draußen auf der Straße und hatte das Gewehr hier aufgelegt, um ein ganz sicheres Ziel auf mich zu haben. Daß es auf mich abgesehen sei, erkannte ich sofort.

Es gibt Situationen, in denen der Geist in einem halben Augenblick Gedanken und Folgerungen bildet, zu denen er sonst Minuten braucht. Das Handeln scheint dann nur ein instinktives zu sein; aber in Wahrheit hat der Geist wirklich seine ordentlichen Schlüsse gebildet, nur da die Assoziation der Ideen eine blitzartige gewesen ist.

Das Gewehr war so grad auf meine Stirn gerichtet, daß ich nicht den Lauf, sondern nur die Mündung wie einen Ring sehen konnte. Ein Moment des Schreckens hätte mich unbedingt dem Tode überliefert. Es mußte eben gedankenschnell gehandelt werden. Aber wie? Bog ich den Kopf rasch zur Seite und der Schuß ging los, so wurde zwar nicht ich, sondern der hinter mir stehende Osko getroffen. Um diesen zu retten, durfte ich dem Mörder sein Ziel, nämlich meinen Kopf, nicht entziehen; aber ich bewegte ihn so rasch hin und her, daß das Ziel ein ganz unsicheres wurde, und ergriff den Bärentöter.

Natürlich kann das unmöglich so schnell erzählt oder gelesen werden, wie es geschah. Der im Anschlag liegende Mörder konnte nicht sehen, daß ich das Gewehr vom Tisch aufriß. Ohne es anzulegen – denn das hätte er bemerkt –, streckte ich es aus, hielt die beiden Mündungen desselben an die mich bedrohende Mündung und drückte ab, beide Schüsse hintereinander, fast zugleich.

Von Oskos Schrei bis zu diesen beiden Schüssen war eine so kurze Zeit vergangen, daß sie sich gar nicht messen läßt. Kaum war der Schrei erklungen, so krachten auch schon die zwei – oder vielmehr die drei Schüsse, denn derjenige, welcher draußen stand, hatte auch losgedrückt, glücklicherweise nicht eher, sondern vielleicht den zehnten Teil einer Sekunde später als ich.

Auf den Krach der Schüsse folgte draußen ein schriller Schrei.

Halef hatte Oskos Warnungsruf gehört und sich nach dem Fenster umgedreht, aber meine Büchse war ebenso rasch wie sein Blick gewesen. Er hatte den fremden Gewehrlauf gar nicht gesehen. Darum fuhr er jetzt vom Stuhl auf und rief:

»Was gibt es, Sihdi? Du schießest!«

»Ein Mörder, ein Mörder!« antwortete Osko, noch immer starr und mit ausgestrecktem Arm dastehend, während ich aufgesprungen war, den Bärentöter auf den Tisch warf und den Stutzen aus den Händen des Wirtes riß.

Ich konnte nicht sehen, wer draußen stand; befand sich der Schurke noch da, so war er verloren, denn nun, seitwärts vom Fenster stehend, wo ich kein grades Ziel mehr bot, feuerte ich sechs bis acht Schüsse so schnell hintereinander hinaus, daß es nur ein einziger Schuß zu sein schien.

Halef hatte sofort begriffen, um was es sich handelte.

»Schieß nicht weiter!« rief er mir zu.

Im nächsten Augenblick war er in der Fensteröffnung und wollte hinaus.

»Halef, bist du toll!« rief ich, ihn bei den Beinen fassend, um ihn zurückzuziehen.

»Ich muß hinaus!« schrie er, riß sich los und sprang auf die Straße hinab.

Ich hatte mit dem gesunden Fuße einen raschen, weiten Schritt gemacht, der mich an das Fenster brachte. Die Wand war nicht stark. Schnell schob ich erst den Stutzen und dann den Kopf mit dem linken Arm durch das Fenster. Mehr brachte ich von meinem Körper nicht hinaus. Das Fenster war zu schmal für mich. Ich sah Halef laufen, nach rechts hin, wo das breite Hoftor offen stand und der Schein der lodernden Feuer hell auf die Straße fiel.

Zu gleicher Zeit aber löste sich von der dunklen Türe des gegenüberliegenden Hauses des Fleischers eine Gestalt ab und rannte hinter Halef her.

War das ein Feind? Ich legte den Stutzen an. Da sah ich einen Menschen am Tor vorübereilen. Er war beim Flammenscheine deutlich zu erkennen.

»Manach el Barscha!« brüllte Halef hinter ihm her. Auch ich hatte ihn erkannt und sah nun Halef an dem Tore vorbeirasen. Ich zielte auf die schmale Stelle, welche erleuchtet war und an welcher nun der dritte vorüber mußte, welcher dem kleinen Hadschi folgte.

Jetzt erschien die Gestalt desselben im Licht. Er war genau so gekleidet, wie der Fleischer es gewesen war. Jetzt kam er mir vor das Visier, und ich schoß. Aber ich sah, daß ich ihn fehlte. Da ich nur den linken Arm draußen hatte, mußte ich links zielen und schießen. Nun soll mir einer des Nachts, dazu in so unbequemer, eingeengter Haltung und vom Flackern der Feuer beirrt, das Gewehr an die linke Backe legen, das rechte Auge schließen und dann einen sicheren Schuß abgeben! Es war fast unmöglich.

Natürlich zog ich mich sofort wieder in die Stube herein und befahl Osko und Omar:

»Schnell nach! Durch die Stube und den Hof, rechts die Straße hinauf! Halef befindet sich zwischen zwei Gegnern.«

In diesem Augenblick fielen mehrere Schüsse. Es waren Pistolenschüsse. Die beiden griffen nach ihren Flinten.

»Nicht die Gewehre! Da ist nur mit Messern und Pistolen zu tun. Fort, fort, schnell!«

Darauf rannten sie zur Türe hinaus. Ich konnte ihnen leider nicht folgen. In meinem hilflosen Zustand war ich zum Bleiben genötigt.

Der Wirt saß noch immer gleichsam erstarrt auf seinem Stuhl. Wie ich ihm den Stutzen aus den Händen gerissen hatte, so hielt er sie noch. Er hatte seit dem Warnungsruf Oskos noch keine Bewegung gemacht und noch kein Wort gesprochen.

»Ef-ef-effen-fendi!« stammelte er jetzt. »Was war es denn?«

»Das hast du doch gesehen und gehört!«

»Man hat ge-ge-geschossen!«

Ich faßte ihn bei der Schulter und schüttelte ihn.

»Mann, komm doch zu dir! Du bist ja ganz steif vor Angst!«

»Galt es mir?«

»Nein, mir.«

»Ich dachte, weil – weil ich euch geholfen habe, wollten sie mich erschießen.«

»Nein, dein teures Leben war nicht bedroht, sondern das meinige. Aber mache den Laden zu; wir wollen niemand Gelegenheit geben, abermals auf uns zu zielen.«

Er wankte, als er dieser Weisung folgte. Ganz gewiß war er kein Feigling; aber die Schnelligkeit, mit welcher das alles aufeinander gefolgt war, hatte ihn ganz wirr gemacht. Nachdem er den Laden geschlossen hatte, sank er wieder auf den Stuhl, und ich zündete mir die Pfeife neuerdings an.

»Du rauchst, Effendi?« fragte er erstaunt. »Und die draußen kämpfen!«

»Kann ich ihnen helfen? Wärst du ein tüchtiger Kerl, so eiltest du ihnen nach!«

»Danke! Mich geht das nichts an.«

»So rauche auch!«

»Mir zittern noch alle Glieder. Deine alte Büchse knallte doch wie eine Kanone.«

»Ja, sie hat einen etwas kräftigen Baß, die gute Matrone. Wollen gleich wieder laden. Du hast gesehen, wie gut das ist. Wäre sie ungeladen gewesen, so stand es nicht sehr einladend um mich.«

»Du hättest ja diesen Stutzen gehabt!«

»Den hattest du in der Hand, während die Büchse mir griffgerecht lag. Uebrigens weiß ich nicht, ob eine Stutzenkugel dieselbe kräftige Wirkung gehabt hätte.«

»Du hast doch auf den Mörder geschossen!«

»Nein. Ich konnte nicht das geringste von ihm sehen. Ich sah nur die Mündung seines Gewehres. Er zielte grad nach meiner Stirn. Ich konnte nichts weiter tun, als schießen, um mit meiner Kugel den auf mich gerichteten Lauf empor zu schleudern, und das ist mir gelungen.«

Draußen unter den Frauen und Kindern im Hof war eine große Unruhe ausgebrochen. Sie hatten natürlich die Schüsse auch gehört und dann die Männer laufen sehen. Alle wußten, daß die Aladschy in der Nähe waren, und befanden sich darum in höchster Aufregung.

Jetzt trat aber eine Stille ein, und nun wurde die Türe zur vorderen Stube geöffnet. Osko, Omar und Halef kamen zurück. Der Letztere sah übel aus. Seine Kleider waren beschmutzt und teilweise zerrissen, und von der Stirn lief ihm das Blut über das Gesicht.

»Du bist verwundet?« fragte ich erschrocken. »Ist's gefährlich?«

»Ich weiß es nicht. Untersuche es, Sihdi!«

»Wasser her!«

Da nicht gleich Wasser zur Hand war, tauchte ich mein Taschentuch in den Bierkrug und wischte dem wackeren Kleinen das Gesicht ab.

»Gott sei Dank! Ein ganz leichter Streifschuß,« tröstete ich. »In zwei Wochen ist die Schramme heil.«

»Das läßt sich hören!« lachte Halef. »Aber es war nicht so gemeint; es sollte mir ans Leben gehen.«

»Wer schoß nach dir? Manach el Barscha?«

»Nein, der andere.«

»Kanntest du ihn?«

»Nein. Es war so dunkel, daß ich sein Gesicht nicht erkennen konnte, obgleich unsere Bärte einander so nahe waren, daß wir uns hätten küssen können.«

»Ich vermute, daß es der Bruder des Fleischers war.«

»Sehr möglich, denn grad wie ein Fleischer griff er zu.«

»Erzähle doch! Omar mag inzwischen das Verbandszeug aus meiner Satteltasche holen.«

»Nun, die Sache ging sehr schnell vor sich. Als ich den Kopf durch das Fenster steckte, sah ich einen Mann unter demselben liegen. Ich wollte auf ihn springen, da aber nahmst du mich von hinten fest. Ich zappelte mich los; aber als ich die Beine herausbrachte, sprang er auf und lief davon.«

»Manach el Barscha war es. Er sagte heute zu den drei andern, als ich sie belauschte, daß er gern einmal nach mir schießen möchte. Das hat er getan. Es ist also sehr gefährlich, sich für kugelfest auszugeben.«

»O, es war im Ernst auf uns abgesehen. Du saßest so schußgerecht. Die Schurken sahen es und beschlossen, dich wegzublasen. Da nun Manach gern sehen wollte, ob dein Kopf wirklich härter sei als sein Geschoß, so erhielt er den Auftrag, dich zu erschießen. Der Mordversuch wäre auf alle Fälle unternommen worden; darauf kannst du dich verlassen.«

»Wahrscheinlich ist es allerdings.«

»Also weiter! Ich sprang rasch hinab und kam auf ein langes, schmales Ding, so daß ich niederstürzte. Es muß eine Flinte sein, die noch draußen liegt.«

»Sie wird ihm durch meinen Schuß aus der Hand geprellt worden sein. Er hat einen Stoß oder Schlag erhalten, der ihn niederwarf.«

»Jedenfalls sind ihm die Sinne für kurze Zeit vergangen, sonst wäre er nicht liegen geblieben, bis ich kam. Ich raffte mich augenblicklich auf und sprang ihm nach. Als er an dem Tor vorüberlief, erkannte ich ihn und rief es euch zu.«

»Auch ich habe ihn erkannt.«

»Er lief wie Feuer; ich aber blieb ihm auf den Fersen. Da stolperte er und stürzte. Ich war ihm so nahe, daß ich nicht schnell genug anhalten konnte, und stürzte über ihn hinweg. Das benutzte er, aufzuspringen und weiter zu rennen.«

»Das war dumm. Er hätte sich auf dich werfen können.«

»Freilich. Die Schurken haben kein Geschick.«

»Wer schoß denn?«

»Ich. Noch im Wiederaufstehen zog ich die Pistolen aus dem Gürtel und feuerte auf ihn. Aber auch ich war dumm und schoß im Laufen. Wäre ich stehen geblieben, um ruhig zu zielen, so hätte ich ihn sicher getroffen, denn meine Pistolen tragen weit. Es soll mir auch nicht wieder passieren.«

Jetzt kam Omar mit dem Verbandszeug.

»Draußen vor dem Fenster liegt Manachs Gewehr,« sagte ihm Halef; »hole es herein.«

»Ich will aber deine Erzählung auch hören.«

»Ich warte.«

Als Omar die Flinte brachte, zeigte es sich, daß Manach eine gewaltige Ohrfeige erhalten haben müsse, denn der Kolben hatte einen Sprung. Man sah an der Mündung ganz deutlich, wo meine Kugeln aufgetroffen waren.

»Aber sie ist doch nicht geladen,« meinte Halef, der sich fleißig das Blut aus dem Gesicht wischte. »Also muß er doch geschossen haben.«

»Natürlich! Fast zugleich mit mir.«

»So haben deine Kugeln seinen Flintenlauf nach oben geschlagen und seine Kugel muß da drüben in der Wand, oben in der Nähe der Decke sitzen.«

Osko nahm die Lampe und fand sehr bald das Loch, in welchem die Kugel steckte.

»Da ist sie,« sagte er. »Die säße dir jetzt im Kopf, Sihdi, wenn ich das auf dich gerichtete Gewehr nicht noch rechtzeitig bemerkt hätte.«

»Ja, dir verdanke ich mein Leben.«

»Darauf bin ich stolz. Wir verdanken dir so viel, besonders ich, denn du hast meine Tochter aus der Hand dieses Abrahim Mamur befreit. Nun habe ich dir doch auch einmal einen kleinen Dienst zu erweisen vermocht.«

»Klein kann ich diesen Dienst nicht nennen. Hab' herzlichen Dank dafür!«

»Du brauchst mir keinen Dank zu sagen. Ein Anderer wäre trotz meiner Warnung erschossen worden. Wie kamst du nur auf den Gedanken, ihm den Lauf wegzuschießen? Du durftest dich ja nur bücken.«

»Er hätte doch abgedrückt und dann dich getroffen. Er war im Anschlag.«

»Also um auch mich zu retten?«

»So dachte ich. Und da wir seine Kugel gefunden haben, können wir auch nach den meinigen suchen. Sie sind durch seinen Lauf ab- und nach oben und zur Seite gelenkt worden. Seht euch einmal den Rand des Fensters an.«

Richtig, sie steckten in dem weichen Luftziegel, ganz nahe nebeneinander. Osko grub sie heraus.

»Und die da oben hole ich mir auch,« sagte er. »Ich muß mir die drei Kugeln aufheben zum Andenken an diese Stunde. Nun aber weiter, Halef!«

Dieser erzählte:

»Das Uebrige weißt du fast ebenso genau wie ich. Ich ereilte Manach und faßte ihn von hinten. Er tat einen gewaltigen Sprung zur Seite, riß sich darauf wieder los – ich stürzte. Diesmal war er klüger als vorher. Er warf sich auf mich nieder und packte mich bei der Gurgel. Ebenzog ich das Messer, um es ihm von unten zwischen die Rippen zu stoßen, da griff noch ein anderer zu. Wer er war, weiß ich nicht; aber morgen würde ich ihn kennen, denn ich zog ihm das Messer so über das Gesicht herüber, daß er die Hand von mir lassen mußte. Dafür aber hielt er mir den Lauf der Pistole vor den Kopf. Das Blut mochte ihn blenden, denn er sagte: ›Halte ihn fest, Manach.‹ Und dieser tat es redlich. Ich lag mit dem Gesicht zur Seite. Die Mündung der Waffe stieß mir an die Schläfe. Ich warf den Kopf zurück, und er drückte los. Es war mir, als hätte jemand mit einem glühenden Draht über meine Stirn gestreift; dann aber nahm ich alle Kräfte zusammen, um mich loszumachen. Das Messer war mir entfallen. Die beiden aber hielten fest, beim Hals und bei den Armen. Da bekam ich plötzlich Luft. Der eine stieß einen Fluch aus, denn er war von hinten gepackt worden.«

»Von mir,« sagte Osko. »Ich nahm ihn bei der Gurgel, doch ich war zu eilig gewesen – es war nicht der richtige Griff. Er riß sich los und entfloh.«

»Ja, und indessen war Manach auch entwischt,« setzte Halef hinzu. »Der Atem war mir fast ausgegangen, und bis ich Luft bekam, hatte sich Manach ohne Abschied empfohlen.«

Es ist ein eigentümliches und ganz unbeschreibliches Gefühl, sich so plötzlich im Angesicht des Todes zu befinden und sich ebenso schnell gerettet zu sehen. Millionen haben glücklicherweise keine Ahnung von diesem Gefühl.

Die Wunde Halefs war sehr leicht zu verbinden und konnte nur eine kleine Schmare hinterlassen.

»Wieder ein Zeichen der Tapferkeit, mein guter Bursche!« sagte ich zu ihm. »Was wird Hanneh, die Perle ihres Geschlechtes, sagen, wenn sie diese Denkmäler deiner Kühnheit bemerkt?«

»Sie wird denken, daß ich es für meinen Sihdi getan habe, den sie auch lieb hat. O, was werde ich von uns erzählen können! Es wird wenige unter den Beni Arab geben, welche solche Reisen gemacht haben wie wir! Und dann, wenn ich – – horch!«

Wir hörten einen fernen Ton, ein Klingen, wie das Singen einer Mücke. Es wurde immer stärker, und bald erkannten wir den Schlachtmarsch des streitbaren Heeres, welches jetzt zurückkehrte.

»Sie kommen!« sagte der Wirt, indem er erst jetzt von seinem Stuhle aufstand. »Sie werden die Gefangenen bringen.«

»Die indessen im Dorf gewesen sind, um auf mich zu schießen, während die tapferen Bewohner spazieren gingen,« erwiderte ich.

»Herr, es war doch nur einer da! Die anderen drei sind sicher ergriffen worden.«

»So zahle ich tausend Piaster für jeden!«

»Noch wissen wir nicht, ob sie keinen Erfolg gehabt haben. Ich als der Oberste der Polizei muß sie empfangen.«

Er ging, jedenfalls um den Polizisten zu warnen, mir ein Geständnis zu machen. Er ließ die Türen offen, so daß wir den Einzug des siegreichen Heeres sehen konnten.

Zuerst erschien der Muschir, seinen Sichelknütel schwingend wie ein Tambourmajor seinen Stock. Ihm folgte die Musikbande, aus Leibeskräften musizierend, aber nicht nach Noten und nicht in Harmonie und Taktgleichheit, sondern ein jeder ganz nach seinem Geschmack.

Hinter diesen kamen die Helden geschritten, jeder einzelne in einer Haltung, als ob er die Taten eines Roland oder Bayard auf dem Gewissen habe. Vier von ihnen trugen Bahren, aus jungen Stämmen und Laubholz gefertigt, auf denen die beiden Toten lagen – der Fleischer und der einstige Gefängnisschließer.

In der vorderen Stube wurde angehalten. Die Musik machte einen Tusch, dann trat tiefe Stille ein.

Der Duft der bratenden Hämmel drang von draußen herein. Der Feldmarschall öffnete seine Nüstern weit, sog den Wohlgeruch behaglich ein und kam dann würdevoll zu uns.

»Effendi,« sagte er, »der Feldzug ist beendet. Die beiden Aladschy habe ich allein erlegt. Mir gebühren also zwei Hammelfelle.«

»Wo hast du ihre Leichen?«

»In den Fluß geworfen.«

»Und wo sind die beiden anderen Missetäter?«

»Auch in der Sletowska. Wir haben sie elend ersäuft.«

»Und wer hat sie erlegt?«

»Das weiß man nicht genau. Wir werden losen müssen, wer die beiden andern Felle bekommt.«

»Sonderbar, daß ihr sie ersäuft habt, so daß man nicht an ihren Leichen zu kommen vermag.«

»Es ist das kürzeste Verfahren bei solchen Burschen.«

»Ja, und man kann nicht gut nachweisen, daß der Feldmarschall Lügen macht.«

»Herr, beleidige mich nicht!«

»Seit wann kommen denn die Toten herein in das Dorf, um hier durch das Fenster auf meinen Kopf zu schießen?«

Er erschrak.

»Herr, was willst du sagen?«

»Daß diese vier Männer, gegen die ihr ausgezogen seid, unterdessen hier hereingeschossen haben.«

»So waren es ihre Geister!«

»Du selbst bist ein Gespenst. Glaubst du denn an Gespenster?«

»Jawohl, es gibt Gespenster.«

»So empfehle ich dir, mit deinem tapfern Heer die Geister der vier Hämmel zu verspeisen, denn die Leiber derselben werdet ihr nicht bekommen.«

»Effendi, du hast sie uns versprochen! Wir halten dich beim Wort!«

»Ich versprach sie euch unter Bedingungen, die ihr nicht erfüllt habt. Wenn du mich für einen Mann hältst, den man so anlügen darf, wie du es tust, so lasse ich dir die Peitsche geben. Ich habe die Macht dazu; frage den Kiaja; er wird es bestätigen.«

Ich hatte in erhobenem Ton gesprochen, so daß alle, auch die draußen Stehenden, es hörten. Sie wurden sehr ernst und steckten besorgt die Köpfe zusammen. Der Polizist stand da wie ein armer Sünder. Der Kiaja welcher sich in meiner unmittelbaren Nähe befand, glaubte, sich seines Untergebenen annehmen zu müssen, aber ohne mir ein Zugeständnis zu machen. Er sagte also:

»Effendi, du denkst grundfalsch. Es ist dir keine Unwahrheit gesagt worden. Wie könnten wir so etwas wagen!«

»Ja, wie könnt ihr es wagen, mich zu belügen, zu täuschen und für einen Narren zu halten! Du weißt daß ich mich des Schutzes des Großherrn und der Empfehlungen seiner obersten Behörden erfreue. Was ist ein Kiaja, was ist ein Polizeiwächter gegen mich! Und ich bin aus einem Lande, in welchem ein Knabe klüger und unterrichteter ist als hier bei euch ein Mann, den ihr für klug und weise haltet. Dennoch habt ihr geglaubt, mich täuschen zu können. Nur aus Dummheit konntet ihr diesen Gedanken hegen. Sogar die Kinder draußen im Hof wissen es, daß ich getäuscht worden bin, und wir, die wir Lichter der Wissenschaft sind, sollen nicht klüger sein als sie? Das kann und darf ich nicht dulden. Ich will den Leuten Arpa suju, Raki und vier gebratene Hämmel geben, und zum Danke dafür werft ihr mir solche Lügen an den Hals! Da behalte dein Getränk! Die Hämmel aber werde ich morgen mitnehmen, um sie an würdigere Leute zu verschenken.«

Hatte keins meiner Worte den gewünschten Eindruck gemacht, diese letztere Drohung erzielte die beabsichtigte Wirkung. Der Wirt trat verlegen zurück. Der ›Feldherr‹ sog den hereinströmenden Bratenduft ein, kniff die Lippen zusammen und rieb sich verlegen die Hose am Bein. Der Posaunenvirtuos aber war der Mann der Situation. Er kam mit langen Schritten auf uns zu pflanzte sich vor mir auf und sagte:

»Effendi, die Hämmel wollen wir ja nicht einbüßen. Es würde dein Gewissen schwer belasten, sie uns entzogen zu haben. Darum will ich dich von stillen Selbstvorwürfen befreien, indem ich dir die Wahrheit sage.«

»Ich sehe, daß es wenigstens diesen einen ehrlichen Mann hier gibt,« erwiderte ich.

»O, wir sind alle ehrlich; aber es kann doch nur einer sprechen. Ich blase den Takt und habe den stärksten Ton in meiner Zurna, darum will ich auch hier das Wort ergreifen. Wir haben nicht gekämpft, sondern sind nach der Hütte gezogen, um die Toten zu holen. Das Wasser der Sletowska hat keine Leiche gesehen. Wenn du befiehlst, werde ich dir offen sagen, wie das gekommen ist.«

»So sprich!«

»Ich saß daheim und kniff grad eine tiefe Schrulle aus, welche meine Zurna erhalten hatte, als ich gestern einen Beleidiger mit ihr zu Boden schlug; da kam dieser Wächter der Polizei zu mir, der mein Schwager ist, weil er die Schwester meines Weibes geheiratet hat. Er erzählte mir von dir, von den Aladschy und was du von dem Kiaja verlangt habest. Dieser letztere aber hatte ihm den heimlichen Auftrag erteilt, hinaus an die Büsche zu gehen und den Aladschy zu sagen, daß ihr ihnen entgangen seid und daß sie sich aus dem Staube machen sollten, weil in kurzer Zeit das Heer unserer Streiter gegen sie anrücken werde, um sie zu fangen.«

»Ich dachte es mir!«

»Der Wächter des öffentlichen Wohlbefindens wollte aus Freundschaft und Schwagerschaft mich teilnehmen lassen an dem Ruhm, mit den Aladschy gesprochen zu haben; darum forderte er mich auf, ihn zu begleiten.«

»Oder vielmehr, er fürchtete sich, allein zu gehen; deshalb nahm er dich mit.«

»Da irrst du dich. In seinem wie auch in meinem Herzen wohnt keine Furcht. Ich scheue auch den stärksten Feind nicht, den ich besitze in meiner Zurna hier eine gewaltige Waffe, mit welcher ich schon manchen Kopf mit Beulen bedeckt habe. Also wir brachen auf und gingen.«

»Aber sehr langsam?«

»Ja, denn wir hatten uns zu beraten, wie wir uns unsers heiklen Auftrages am besten entledigen könnten. Darum gingen wir langsam unsers Wegs und riefen den Aladschy von Zeit zu Zeit zu, daß wir nicht gekommen seien, sie zu töten.«

»Das war freilich eine sehr weise Vorsicht von euch, denn sonst hätten sie über euch herfallen können.«

»O nein! Wir taten es, um sie nicht allzusehr zu erschrecken; aber sie vergalten unser Zartgefühl mit Undank.«

»Das heißt,« schaltete ich ein, »sie lachten euch weidlich aus!«

»O nein. Das taten sie nicht; aber daß sie sich so undankbar zeigten, ist auch ein Grund, dir die Wahrheit zu berichten.«

»Worin bestand denn ihre Undankbarkeit?«

»In Peitschenhieben, welche sie meinem lieben Schwager reichlich versetzten, während sie dies natürlich bei mir nicht wagten.«

»Oho!« fiel ihm der Polizist ins Wort. »Hat dir der eine Aladschy nicht eine Ohrfeige gegeben, da du dich auf den Boden setztest?«

»Du hast dich getäuscht, denn es war dunkel, und die Hiebe fielen so hageldick auf dich, daß du überhaupt gar nicht um dich schauen und auf mich achthaben konntest. Deine Worte haben also nicht die Kraft eines Zeugnisses von Gewichtigkeit.«

»Streitet euch nicht!« befahl ich. »Was taten dann die Aladschy?«

»Sie fragten, welche Aufgabe unsere Schar zu lösen habe, und wir erklärten ihnen, daß wir zunächst sie fangen und dann den alten Mübarek und die Leichen aus der Hütte holen sollten. Sie hatten den Mübarek für tot gehalten. Als sie erfuhren, daß er lebe, waren sie froh und beschlossen, sich schnell zu ihm zu begeben, um ihn nicht in deine Hände fallen zu lassen. Mein Schwager erhielt noch einen Fußtritt von –«

»Nein, du hast ihn erhalten!« rief der Wächter.

»Schweige! Ob du ihn erhieltest oder ich, das ist gleichgültig, denn wir sind ja ganz nahe Verwandte. Also sie gaben einem von uns noch einige Fußtritte und retirierten dann ängstlich in die Falten des nächtlichen Gewandes der Erde.«

»Dann seid ihr zurückgekehrt, um die Helden zusammenzurufen?«

»Ja. Wir hatten längere Zeit gebraucht, und damit du nicht Verdacht schöpfen solltest, mußten wir uns beeilen!«

»Ihr sagtet dabei einem jeden, daß er nichts zu befürchten habe, weil die Feinde stolz entwichen seien?«

»Ja, Herr.«

»Daß die einzige Gefahr, welche ihrer wartete, nur darin bestehe, Arpa suju zu trinken und Hammelbraten zu essen?«

»Das haben wir ihnen natürlich zum Ruhm deiner Güte anvertraut.«

»Habt ihr dann auf eurem Kriegszug eine Spur der Aladschy gefunden?«

»Nicht eine Spur von ihnen, sondern sie selbst.«

»Ah! Wo denn?«

»Am Ende des Dorfes. Dort hielten sie zu Pferd – zwei links und zwei rechts von dem Wege – und der Mübarek stand bei ihnen. Wir zogen mit Janitscharenmusik zwischen ihnen hindurch. Es ist kein Spaß, zwei Leichname aus einem nächtlich dunklen Walde zu holen; sie liegen nun im vorderen Zimmer.«

Er deutete mit einer Handbewegung durch die Türe. Ich antwortete:

»Alles, was du mir jetzt erzählt hast, habe ich vorher gewußt. Aber weil du mir endlich die Wahrheit eingestanden hast, will ich euch den Schmaus nicht entziehen.«

»Und wer erhält die Felle?«

»Wer ist der ärmste Mann im Dorf?«

»Chasna, der Holzhacker, welcher dahinten mit seiner Axt steht.«

»Soll er sie haben. Schafft nun die Toten fort, und laßt das Arpa suju bringen!«

Dieser Befehl ward mit Jubel beantwortet. Große, dickbauchige Krüge wurden gebracht, welche mit Bier gefüllt waren. Da der Türke früher das Bier nicht kannte, so hat er kein eigenes Wort dafür. Er bedient sich entweder des tschechischen Ausdruckes Piwa oder der schon öfter erwähnten Umschreibung. *Arpa* heißt Gerste, *su* ist Wasser, und *ju* bedeutet den Genitiv des Wortes *Su. Arpa suju* heißt also wörtlich Gerstenwasser, eine Bezeichnung, welche keineswegs empfehlend klingt.

Während sich nun jeder ein kleines Gefäß zum Trinken zu verschaffen suchte, nahm ich den Wächter der Polizei zur Seite und fragte:

»Wohin werdet ihr den Leichnam des Fleischers schaffen?«

»Hinüber nach seiner Wohnung.«

»Du wirst natürlich den Transport begleiten?«

»Nicht nur begleiten, sondern sogar anführen, denn ich bin die rechte Hand des Gesetzes.«

»So will ich dir einen Auftrag geben. Ich habe mich überzeugt, daß du ein kluger und gewissenhafter Diplomat bist und jede Sache beim richtigen Ende anzufassen weißt. Also höre! Ich möchte gern haben, daß du den Bruder des Fleischers zu Gesicht bekommst.«

»Das ist doch sehr leicht.«

»Vielleicht nicht. Er kann Veranlassung haben, sich nicht sehen zu lassen.«

»O, ich bin die Polizei! Mir muß er kommen.«

»So nicht! Ich wünsche, daß du nicht barsch auftrittst, sondern klug und listig handelst.«

»Dazu bin ich der richtige Mann.«

»So suche also, ihn zu Gesicht zu bekommen. Ich gebe dir fünf Piaster, wenn es dir gelingt.«

»Das gelingt mir so gewiß, daß ich dich bitte, sie mir lieber sofort zu geben.«

»Nein, mein Lieber. Du hast mich so sehr belogen, daß ich fortan vorsichtig sein muß. Glaube also nicht, daß du etwa zu mir sagen könntest, du habest ihn gesehen, ohne daß dies wahr ist. Ich werde ganz genau wissen, ob du mich täuschest.«

»Herr, es wird kein unlauteres Wort über meine Lippen kommen. Was willst du denn eigentlich wissen?«

»Davon später! Du sollst ihn dir ansehen; wenn du das getan hast, so ist's genug.«

»Aber bedenke, daß du ein großes Opfer von mir forderst. Während ich mich entferne, trinken mir die Andern das kostbare Arpa suju weg.«

»Du wirst deinen Anteil erhalten.«

Er ging. Ich sah, daß er zwei Männer beauftragte, die Leiche des Fleischers zu tragen. Diejenige des Schließers wurde einstweilen in einen verborgenen Winkel geschafft.

Jetzt war alles in Ordnung. Teils mit untergeschlagenen Beinen am Boden und teils nach unserer Art an den Tischen sitzend, hielten die Helden alle möglichen und unmöglichen Gefäße in den Händen, um sich derselben zum Trinken zu bedienen. Draußen im Hofe lungerten die Frauen und Kinder um die Feuer. Auch ihnen waren einige Krüge mit Bier zugestellt worden. Die Knaben und Mädchen waren besonders emsig bemüht, das Fett aufzufangen, welches von den über dem Feuer bratenden Hämmeln tropfte. Der eine hatte zu diesem Zweck einen Stein, der andere ein Stück Holz, auf welches er den Tropfen fallen ließ, um ihn dann schnell aufzulecken.

Ein kleiner, vielleicht achtjähriger Bube fing es ganz allerliebst an, sich diesen heißersehnten Genuß zu verschaffen. Er hielt nämlich seinen winzigen Fez unter, bis er einige Tropfen aufgefangen hatte, stülpte ihn dann um, so daß die innere Seite nach außen kam, und wischte nun die betreffende Stelle so lange über die Zunge, bis er glaubte, den gewünschten Genuß gehabt zu haben. War das Fett zu tief in das Zeug gedrungen oder klebte es zu fest daran, so bediente er sich wacker seiner Zähne. Ich ließ ihn mir später vorführen und untersuchte den Fez. Der Kleine hatte verschiedene Löcher hinein->gefressen< und freute sich königlich, als ich ihn mit einem Piaster für diesen ausdauernden Fleiß belohnte.

Eines der Feuer wurde von einer kleinen, verschworenen Schar förmlich belagert. Zwei Weiber saßen an demselben, abwechselnd den Bratspieß zu drehen. So oft nun eine es einen Augenblick an Aufmerksamkeit fehlen ließ, sprang ein Mitglied der verwegenen Bande herbei, um irgend eine appetitliche Stelle des Hammels zu belecken und dann schleunigst davonzulaufen.

Das war kein leichtes Unternehmen, da das Feuer die Kleidung ergreifen konnte. Glücklicherweise erfreuten sich die meisten keines Ueberflusses an seidenen Falbeln und Brüsseler Spitzen. War einem das Wagnis gelungen, so wurde er von seinen Mitverschworenen mit einem Ehrengeheul ausgezeichnet. Erhielt er aber von einer der Frauen einen nachdrücklichen Klapps oder gar eine gewichtigere Ohrfeige, was unter zehn Angriffen auf den Braten neunmal der Fall war, so wurde er gewaltig ausgelacht. Jedesmal aber, ob die Tat gelungen war oder nicht, folgte ihr ein höchst energisches Mienenspiel, entweder wegen der Ohrfeige oder weil der glückliche Hammellecker sich die Zunge verbrannt hatte.

Es gab eine Menge von Genrebildchen, die sich zu einem interessanten Ganzen vereinigten. Die Leute – jung sowohl wie alt – taten sich keinen Zwang mehr an; die äußere zeremonielle Hülle, in welcher der Orientale sich Fremden gegenüber stets zeigt, wurde von dem Arpa suju hinweggespült. Nach und nach getraute man sich an uns, und endlich waren wir stets von einem Kreis lebhafter Gesellen umringt, an denen ich die köstlichsten Studien machen konnte.

Als der Polizeiwächter von seinem Gang zurückkehrte, meldete er mir:

»Herr, es ist gelungen! Ich habe ihn gesehen; aber es hat Mühe gekostet. Du wirst wohl zehn Piaster geben müssen, anstatt nur fünf.«

»Warum?«

»Weil eine zehnfache Anstrengung meines Scharfsinnes erforderlich war. Als ich nach ihm fragte, erhielt ich die Antwort, daß er abwesend sei. Ich aber war klug und sagte, ich müßte mit ihm sprechen, da ich ihm eine wichtige Mitteilung über die letzten Augenblicke des Toten zu machen habe. Da ließ er mich kommen, denn er saß in einem Gemach allein. Als ich ihn sah, mußte ich erschrecken, denn er hatte eine lange, tiefe Wunde von der Stirne aus über die Nasenwurzel und über die Wangen herab. Neben ihm stand ein Wassergefäß, um die Wunde zu kühlen.«

»Fragtest du ihn, wie er zu ihr gekommen sei?«

»Freilich. Das Beil sei von dem Nagel an der Wand herunter und ihm in das Gesicht gefallen,« sagte er.

»Nun, wollte er deine wichtige Mitteilung hören?«

»Ich sagte ihm, daß sein Bruder noch nicht ganz tot gewesen sei, sondern als ich ihn aufhob, noch einmal geseufzt habe.«

»Das war alles?«

»War es nicht genug? Sollte ich mein zartes Gewissen mit einer noch größeren Lüge beschweren? Einen kleinen Seufzer werde ich vor dem Engel der Entscheidung verantworten können. Hätte ich aber gesagt, der Tote habe noch eine lange Rede gehalten, so wäre dadurch meine Seele auf das schwerste belastet worden.«

»Nun, was das betrifft, so habe ich dir nicht befohlen, eine Unwahrheit zu sagen. Und zehn Piaster sind mir für einen Seufzer zu viel.«

»Dir? Einem Manne von so glänzendem Einfluß und natürlichen Begabungen? Wenn ich die Vorzüge deines Charakters, die Innigkeit deiner Gefühle, den Reichtum deines Herzens und die Zierlichkeit deiner Denkungsart besäße, würde ich mir fünfzig Piaster weihen!«

»Die weihe ich mir auch.«

»Ich meine mich und nicht dich, zumal die Sache nicht so ruhig abgelaufen ist, wie ich es wünschte.«

»Wie denn?«

»Er wurde zornig, sprang auf und stieß einen greulichen Fluch aus. Er sagte, er wolle dafür sorgen, daß auch ich jetzt einmal seufze, und zwar ordentlich. Das Übrige kannst du dir denken.«

»Nein. So deutlich, wie du meinst, vermag ich mir die Situation nicht auszumalen.«

»Nun, ich nahm das in Empfang, was man gewöhnlich Prügel zu nennen pflegt, was ich aber als die Folgen meiner innigen Ergebenheit für dich bezeichne.«

»Waren die Hiebe kräftig?«

»Ungemein.«

»Das ist mir lieb!«

»Mir nicht, denn ich werde reichlich Medizin gebrauchen, um mich zu heilen, äußerlich eine Einreibung mit Raki, innerlich aber Arpa suju zur Kühlung und Hammelbraten zur Kräftigung der angegriffenen körperlichen Behendigkeit.«

»Ich denke mir, du wirst auch den Raki innerlich gebrauchen. Und was die Behendigkeit betrifft, so beweise sie jetzt, indem du dich schleunigst von dannen machst. Hier hast du zehn Piaster!«

»Herr, deine Worte sind Beleidigungen, aber deine Taten lindern dieselben. Du hast meine ganze Seele und mein Herz gewonnen, und meine Nieren atmen nur die Wonne der Zuneigung und Hingebung für dein teures, beispielloses Wesen.«

»Hebe dich hinweg, Polizeiwächter, sonst lehre ich dich springen!«

Ich langte nach dem Griff meiner Peitsche, und sofort machte er sich unsichtbar.

Bald ergab die fleißig wiederholte Untersuchung der Hämmel, daß der Braten fertig sei, und die Verteilung begann. Damit kein Streit entstehen könne, übernahm Halef das Tranchieren, was er ausgezeichnet verstand. Die einzelnen Stücke wurden verlost. Wir erhielten die Schwanzstücke; ich aber verzichtete auf den Genuß dieses Leckerbissens, weil grad diese Stellen infolge ihrer Lage am Spieß am öftesten mit den Zungen der kleinen Feinschmecker in Berührung gekommen waren.

Uebrigens war der Wirt sehr besorgt gewesen, uns extra ein reichliches und nach den hiesigen Verhältnissen auch gutes Abendessen vorzusetzen. Wir konnten in dieser Beziehung zufrieden mit ihm sein.

Nach fast spurloser Vertilgung der vier fetten Hämmel stellte sich die Kriegskapelle in einer Ecke des Hofes auf. Sie verwandelte sich jetzt in ein ›Orchester des Tanzes und Gesanges‹.

Was wir nun zu hören bekamen, spottet jeder Beschreibung. Es sei nur gesagt, daß getanzt wurde, zunächst nur von Männern; später ließen sich auch einige Frauen sehen. Der Tanz bestand entweder in wilden, regellosen Sprüngen oder in mehr oder weniger unschönen Verrenkungen der Glieder. Ein einziges Paar, Mann und Weib, produzierte ein leidliches pantomimisches Spiel, welches auch nur von der Gitarre und Geige begleitet ward.

Zwischen den einzelnen Tänzen ließen sich Sänger hören,

teils einzeln, teils im Chor. Die Sololieder hatten wehmütiges Gepräge, und es gab da wenigstens Melodie und auch eine Spur von Harmonie der Begleitung. Die Chorgesänge aber, fast ausnahmslos Kriegslieder, wurden einstimmig gesungen oder vielmehr gebrüllt und von Schreien unterbrochen, welche das Trommelfell zu zerreißen drohten. Die Begleitung war eine angemessene. Posaune, Trommel und Pfeife spielten die Hauptrolle.

Spät – es war wohl kurz vor Mitternacht – sah ich einen Reiter ankommen, welcher hier herbergen wollte. Er war ein kleiner Mann und stieg von einem alten knochigen Klepper, der sehr abgetrieben und schlecht gepflegt zu sein schien.

Er sprach einige Worte mit dem Wirt, und dieser teilte mir mit, daß ich vielleicht für morgen einen sehr brauchbaren Reisebegleiter erhalten könne.

Ich dachte sofort an jenen Menschen, von welchem die zwei Aladschy gesprochen hatten, denen er mich in die Hände liefern sollte. Suef hatten sie ihn genannt, ein echt arabischer Name.

Er sollte im Falle des Mißlingens des heutigen Ueberfalles seine Tätigkeit beginnen. Nun, zu dem beabsichtigen Ueberfalle war es gar nicht gekommen; also stand fast mit Gewißheit zu erwarten, daß er seine Aufgabe beginnen würde.

Es war möglich, daß er schon an diesem Abend versuchte, sich uns zu nähern, und in diesem Fall konnte es der eben jetzt Angekommene sein. Ich mußte vorsichtig verfahren und mich genau erkundigen.

»Wie kommst du dazu, von einem Begleiter zu sprechen?« fragte ich den Wirt. »Wir brauchen niemand.«

»Vielleicht doch! Kennt ihr die Wege?«

»Wir haben niemals einen Weg, den wir in diesem Lande betraten, vorher gekannt und sind dennoch stets zurecht gekommen.«

»So wünschest du keinen Wegweiser?«

»Nein.«

»Ganz wie du willst. Ich glaubte, dir einen Gefallen zu erweisen.«

Er wollte sich abwenden; das sah nicht so aus, als ob der Fremde ihm einen dringenden Auftrag erteilt habe; darum forschte ich:

»Wer ist denn derjenige, von dem du sprichst?«

»Nun, er ist freilich kein passender Gesellschafter für euch. Er ist ein armer Schneider, der nicht einmal einen festen Wohnsitz hat.«

»Wie heißt er?«

»Afrit ist sein Name.«

»Der paßt freilich nicht zu seiner Gestalt. Er heißt also ›Riese‹ und ist doch fast ein Zwerg zu nennen.«

»Für seinen Namen kann er nicht; den hat er seinem Vater zu verdanken. Vielleicht war dieser auch so ein kleiner Kerl und hat gewünscht, daß sein Sohn größer werde.«

»Stammt er von hier?«

»Wo er geboren wurde, das weiß niemand. Er ist überall nur als der reisende Schneider bekannt. Wo er Arbeit findet, da kehrt er ein und bleibt so lange, bis er fertig ist. Mit der Kost und mit einer kleinen Bezahlung ist er zufrieden.«

»Ist er ehrlich?«

»In hohem Grad. Er ist sogar wegen seiner Uneigennützigkeit zum Sprichwort geworden. Ehrlich wie der reisende Schneider, pflegt man zu sagen.«

»Woher kommt er heute?«

»Aus Sletowo, welches im Norden von uns liegt.«

»Und wohin will er?«

»Nach Uskub und noch weiter. Da du auch dorthin willst, glaubte ich, ihn dir empfehlen zu müssen. Auf der Straße reitest du um, und der direkte Weg ist nur sehr schwer zu finden.«

»Hast du mit ihm schon von uns gesprochen?«

»Nein, Herr. Er weiß gar nicht, daß Fremde hier sind. Er fragte nur, ob er hier bleiben könne bis morgen früh. Ich wollte ihm Arbeit geben, aber er konnte sie nicht annehmen, denn er wird wegen eines Krankheitsfalles erwartet.«

»Wo ist er jetzt?«

»Hinter dem Hause, wo er sein Pferd zur Weide tut. Diesem Tier kannst du ansehen, wie arm er selbst ist.«

»So erlaube ihm nachher, zu uns herein zu kommen. Er mag unser Gast sein.«

Bald kam denn auch der Mann. Er war sehr klein und schwach gebaut und auch gar ärmlich gekleidet. Sein Wesen schien sehr gedrückt zusein, und er nahm bescheiden in der Ecke Platz. Waffen trug er außer einem Messer gar nicht bei sich, und bald zog er ein Stück harten Maiskuchen aus der Tasche, um ihn zu verzehren. Dieser Arme war sicher kein Verbündeter von Räubern. Ich lud ihn ein, bei uns Platz zu nehmen und von den Resten unseres Mahles zu essen, welche noch auf dem Tische standen.

»Herr, du bist freundlich,« sagte er höflich, »und ich habe wirklich Hunger und Durst. Aber ich bin ein armer Schneider und darf mich nicht zu solchen Herren setzen. Wenn du mir etwas geben willst, so nehme ich es dankbar an, aber ich bitte dich um die Erlaubnis, es hier verzehren zu können.«

»Wie du willst. Halef, setze ihm vor!«

Der Hadschi legte ihm so viel vor, daß mehrere Personen hätten satt werden können, und stellte ihm auch Bier und Raki hin.

Als der Mann sich gelabt hatte, kam er herbei, reichte mir die Hand und bedankte sich in ehrerbietigen Ausdrücken. Er hatte ein so verkümmertes, ehrliches Gesicht, und sein Blick war so aufrichtig, daß ich mich sehr für ihn eingenommen fühlte.

»Hast du Verwandte?« fragte ich ihn.

»Keinen Menschen. Weib und Kinder sind mir vor zwei Jahren an den Pocken gestorben. Nun bin ich allein.«

»Wie heißest du?«

»Man nennt mich allgemein den reisenden Schneider, aber mein Name ist Afrit.«

»Kannst du mir sagen, wo deine Heimat ist?«

»Warum nicht? Ich muß doch wissen, wo ich geboren bin! Ich stamme aus einem kleinen Gebirgsdorf im Schar Dagh; Weicza heißt es.«

Ah, das war ja der Ort, von welchem mir der sterbende Gefängnisschließer gesagt hatte, daß dort das gesuchte Karanorman-Khan sei. Das Zusammentreffen mit diesem armen Mann konnte von großem Vorteil für mich sein.

»Bist du dort bekannt?« fragte ich.

»Sehr gut; ich bin ja oft dort.«

»Wann wirst du wieder hinkommen?«

»Eben jetzt. Ich will über Uskub und Kakandelen heimreiten.«

»Um einen Besuch zu machen?«

»Nein. Es wohnt ein Wundermann dort, dessen Hilfe ich brauche, denn ich bin krank.«

»Willst du nicht lieber einen richtigen Arzt fragen?«

»Das habe ich getan, aber vergeblich. Der Wundermann hat mir schon große Linderung verschafft.«

»Woran leidest du?«

»Ich soll Steine in der Leber haben.«

Er sah ganz so aus, als ob er innerliche Schmerzen zu ertragen habe. Er dauerte mich wirklich sehr.

»Wann brichst du von hier auf?«

»Morgen früh.«

»Nach Uskub?«

»Nicht ganz. Es ist zu weit, um in einem Tag dorthin zu gelangen.«

»Gibt es unterwegs eine gute Herberge?«

»O, mehrere.«

»Willst du uns mitnehmen?«

»Wie könnte ich mit euch reiten! Ich verstehe es gar nicht, mit solchen Herren zu sprechen.«

»Nun, du sprichst aber jetzt so mit mir, daß du mir sehr gefällst. Wenn es dir also recht ist, so reiten wir zusammen, und ich werde dich für deine Führerdienste belohnen.«

»Sprich nicht so! Es ist eine Ehre für mich, bei euch sein zu dürfen, und zu mehreren reitet es sich besser, als allein. Wenn du es also befiehlst, so werde ich mich euch anschließen.«

Damit war die Sache abgemacht, und er setzte sich wieder an seinen Platz. Später wünschte er gute Ruhe und entfernte sich, um sich niederzulegen. Die Gefährten sprachen sich auch alle dahin aus, daß der Mann ehrlich sei, und der Wirt bestätigte es nochmals.

Nach und nach leerte sich der Hof und die vordere Stube, und es wurde auch für uns Zeit, zu schlafen. Der Wirt machte mir ein weiches Lager auf dem ›Sofa‹ zurecht, die Andern aber mußten bei den Pferden schlafen, die ich am allerwenigsten hier ohne Aufsicht lassen wollte.

Als ich mich allein befand, verschloß ich die Türe von innen. Die Läden waren auch fest zu, und da ich mich auf mein gutes Gehör verlassen konnte, so schlief ich ohne Sorgen ein.

5. Kapitel

DER MIRIDIT

Am Morgen erwachte ich erst, als Halef an die Türe klopfte. Ich tastete mich längs der Wand hin, um sie zu öffnen. Das helle Tageslicht fiel herein. Ich hatte mich verschlafen; im Hause aber war jedes Geräusch vermieden worden, um mich ja nicht zu stören.

Der Schneider mußte mit uns frühstücken; dann bezahlte ich die Zeche, und wir rüsteten uns zum Aufbruch.

Der Wirt war eine kleine Weile fort gewesen und hielt mir nun eine begeisterte Abschiedsrede. An diese schloß er die Bemerkung: »Herr, wir scheiden in Freundschaft voneinander, obgleich du mir große Sorgen zugedacht hattest. Es ist alles gut verlaufen, und so will ich dir noch eine Warnung mitgeben. Ich war soeben drüben bei dem Fleischer, weil ich als Nachbar mein Beileid sagen mußte. Der Bruder des Toten war nicht zu sehen. Es hieß, er sei fortgeritten. Aber im Hof sah ich das beste Pferd des Fleischers stehen, gesattelt und gezäumt. Das gilt dir.«

»Vielleicht hat er ein Geschäft.«

»Glaube nur das nicht. Wenn er so verwundet ist, wie mein Wächter mir sagte, so kann ihn nur die Blutrache aus dem Hause treiben. Sei also auf deiner Hut!«

»Was für ein Pferd ist es?«

»Ein Brauner mit langer, breiter Blässe. Es ist das beste Pferd der ganzen Umgegend. Wenn der Mann beabsichtigt, dir zufolgen, so wird er nicht eher wieder umkehren, als bis du tot bist; denn nach den Gesetzen der Blutrache ist er ehrlos, wenn er dich entkommen läßt.«

»Nun denn, ich sage dir Dank für deine Warnung. Lebe wohl!«

»Lebe wohl! Und erschrick nicht, wenn du zum Tore hinauskommst!«

»Was sollte mich erschrecken?«

»Du wirst es sehen und auch hören.«

Nun brachen wir auf. Das Tor wurde erst jetzt geöffnet. Ich ritt voran. Als ich mich unter dem Torbogen befand und der Kopf meines Hengstes draußen sichtbar wurde, tat es einen Knall, als ob der Blitz eingeschlagen habe, und ein entsetzliches Getöse folgte.

Mein Rappe bäumte und schlug mit allen Vieren um sich. Ich hatte Mühe, seine Hufe wieder zur Erde zu bringen.

Und was für ein Heidenlärm war das? Einen Tusch, einen schönen, ehrenden Tusch hatte man uns bringen wollen. Draußen stand die ganze gestrige Armeekapelle. Die Posaune hatte den erschütternden ersten Knall getan, und jetzt donnerte und rumorte sie in Begleitung der andern Instrumente weiter. Endlich gab der Posaunist mit einer energischen Schwenkung seiner Zurna ein Zeichen – es trat Stille ein.

»Effendi,« rief mich ihr Besitzer an. »Nachdem du uns gestern so hohe Ehren erwiesen hast, wollen wir heute Gleiches mit Gleichem vergelten und uns an die Spitze eures Zuges stellen, um euch bis vor den Ort hinaus das Geleite zu geben. Ich hoffe, daß du uns diese Bitte nicht abschlägst.«

Und ohne weiteres setzte sich der Zug unter musikalischem Lärm in Bewegung. Draußen vor dem Ort hielt Halef eine Ansprache des Dankes an die Herren, und dann kehrten sie in ihr Heim zurück. Wir aber wendeten uns nach Warzy zu, woher wir gestern gekommen waren. Dort wich unser heutiger Weg von dem gestrigen ab, da wir von da aus nach Jerßely reiten mußten.

Als ich jenseits der Brücke der Sletowska waren, sagte ich zu Halef:

»Reitet im Schritt weiter, ich habe etwas vergessen. Ich muß noch einmal zurück, aber ich komme bald nach.«

Sie ritten fort. Mir aber fiel es gar nicht ein, noch einmal in das Dorf zurückzureiten; ich hatte eine ganz andere Absicht, von welcher ich aber den Schneider nichts wissen lassen wollte. Er war mir noch zu fremd, als daß ich ihn hätte ins Vertrauen ziehen mögen.

Der Bruder des Fleischers sann auf Rache; das war gewiß. Er hatte sein Pferd bereitstehen, um uns zu folgen. Beabsichtigte er das wirklich, so brach er bald nach uns auf. Ich brauchte also nur kurze Zeit zu warten, um zu sehen, ob wir ihn zu fürchten hätten. Über diese Brücke mußte er jedenfalls kommen.

Ich trieb mein Pferd zwischen die Büsche, welche am Ufer standen und mich vollständig verdeckten, wenn ich mich ein wenig bückte. Da wartete ich.

Ich hate mich nicht verrechnet. Kaum fünf Minuten später kam er im Trab herbei und über die Brücke. Er ritt den Braunen mit der Blässe, hatte eine Flinte am Sattel hängen und einen Heiduckenczakan an der Seite. Sein Gesicht war durch ein Pflaster entstellt, welches unter dem Fez hervor über Stirn, Nase und Wange lief.

Er hielt nicht die Richtung nach Warzy ein, sondern folgte dem Fluß bis zu dessen Vereinigung mit der Bregalnitza, dann noch ein Stück weiter und nahm hierauf die Richtung nach den steilen Abhängen zu, welche das Plateau von Jerßely tragen.

Ich war ihm vorsichtig gefolgt, mit meinem guten Fernrohr in der Hand. Der Rappe trug mich so weich und eben fort, daß ich den kleinen Punkt, welchen der Reiter bildete, stets fest im Glase hatte.

Es ging über die Straße, welche von Karaorman nach Warzy führt, und dann folgte ich ihm über eine ebene Wiesenfläche, welche inselartig mit Büschen bestanden war.

Hier konnte ich ihn nicht im Auge behalten, da die Strauch-Eilande sich zwischen uns schoben. Ich mußte seiner Fährte folgen, und die war deutlich genug.

Linker Hand stiegen die Abhänge steil ab. Die Spur führte auf dieselben zu. Das Gras hörte auf, und es kam ein klarer Geröllboden zutage. Buschwerk aber gab es immerfort. Hier war die Fährte schwer zu erkennen, dennoch verlor ich sie nicht. Ich befand mich hart an dem steinigen Abhang, längs welchem er hingeritten war.

Da – ich riß den Rappen schnell zurück – hörte ich kurz und grad vor mir das Schnauben eines Pferdes. Eben hatte ich um einen Busch biegen wollen. Ich lugte vorsichtig um den Rand desselben und gewahrte den Braunen, der an den nächsten Strauch gebunden war. Der Sattel war leer.

Als ich mein Pferd einen Schritt weiter treten ließ, sah ich den Miriditen, welcher suchend und den Boden genau betrachtend langsam weiter ging und dann hinter dem ersten Strauchwerk verschwand.

Wen oder was suchte er? Das hätte ich so gern gewußt; aber ich konnte ihn nicht belauschen, denn ich durfte ihm nicht zu Pferd folgen, weil er mich unbedingt bemerkt hätte, und zu Fuß ging es ja auch nicht, da ich nicht laufen konnte.

Aber eines war mir möglich, wenn mir die Zeit dazu blieb: – sein Gewehr für mich schadlos zu machen. Es hing am Sattelknopf. Zwar hatte ich keine Zeit, die Kugel heraus zu ziehen; aber es gab eine andere Art und Weise, es zum Versagen zu bringen. Und überraschte er mich ja dabei, nun, so war ich ihm mehr als gewachsen, falls er nicht etwa hier Gefährten hatte, die er treffen wollte.

Ich schwang mich also aus dem Sattel und nahm den Stutzen in die Hand, teils um ihn als Stütze beim Gehen zu benutzen teils auch um an ihm eine zuverlässige Waffe zu haben. Die wenigen Schritte zum Braunen hin konnte ich wagen. Als ich bei ihm stand, nahm ich die Flinte vom Sattel, schnappte den Hahn auf und nahm das Zündhütchen ab. Nun zog ich aus der Jacke eine Stecknadel – ich hatte stets einige darin stecken – und stieß sie möglichst tief und fest in das Zündloch. Indem ich sie nach links und rechts bog, brach ich sie ab. Das Löchelchen war vollständig verstopft und die Flinte nun so unbrauchbar, wie eine vernagelte Kanone. Jetzt setzte ich das Zündhütchen wieder auf und ließ den Hahn herab. Nachdem ich die Flinte wieder so an den Sattel gehängt hatte, wie sie vorher hing, hinkte ich zu meinem Rappen zurück und stieg wieder auf.

Jetzt war ich ihm doch zu nahe. Ich kehrte um einen Busch weiter zurück und blieb hinter demselben halten. Nach einiger Zeit vernahm ich Hufschlag und menschliche Stimmen, die sich näherten.

»Die Zeit ist uns lange genug geworden,« hörte ich sagen, und wenn ich mich nicht täuschte, so war es Barud el Amasat. »Wir wollen nicht noch einen ganzen Tag lang vergebens hinter ihnen herschleichen, sondern wir reiten voraus und erwarten sie. Inzwischen können wir ausruhen, bis sie kommen.«

»Die Hunde brachen zu spät auf,« antwortete ein anderer, dessen Stimme ich nicht kannte und der also sehr wahrscheinlich der Miridit war. »Auch mir ist die Zeit sehr lang geworden. Nun aber werde ich eilen.«

»So sieh dich vor, daß es nicht abermals mißlingt, wie gestern abend.«

»Das war etwas ganz anderes; heute entgeht er mir nicht. Ich habe den Lauf sogar mit gehacktem Blei geladen.«

»Nimm dich in acht! Er ist kugelfest!«

»Gehacktes lei ist ja keine Kugel!«

»Wahrlich, da kannst du recht haben. Auf diesen Gedanken hätten wir längst kommen sollen!«

»Uebrigens glaube ich nicht an dieses Märchen.«

»Oho!« hörte ich Manach el Barscha antworten. »Ich habe gestern abend sorgfältig geladen, mich an den Laden geschlichen und sogar mein Gewehr auf dem Fensterbrett aufgelegt. Dann zielte ich genau nach seinem Kopf, und als ich losdrückte, gab es einen furchtbaren Knall, und mein Gewehr riß mich über den Haufen. Daß ich ihn nicht getroffen habe, hast du ja selbst gesehen.«

»Ja, ich stand unter der Haustüre. Es ist freilich wunderbar. Ich konnte dich gegen die Lampe sehen, welche in der Stube brannte. Ich konnte auch diesen Verdammten der Hölle sehen, nämlich seinen halben Kopf. Ich sah dich auflegen und zielen, den Lauf ganz genau auf seinen Kopf gerichtet. Dein Schuß krachte und blitzte auf, als ob du ein ganzes Pfund Pulver geladen hättest. Du stürztest zur Erde, dieser Mensch aber stand drüben – aufrecht und unversehrt – ich kann es heute noch nicht begreifen.«

»Er ist eben kugelfest!«

»Nun, so will ich es einmal mit gehacktem Blei versuchen, und tut auch das ihm nichts, so greife ich zu meinem Heidukkenbeil. In der Führung desselben bin ich Meister, dieser Franke aber wird noch niemals eine solche Waffe in der Hand gehabt haben. Ich werde ihn nicht etwa von hinten töten, sondern ihn offen und frei überfallen.«

»Wage nicht zu viel!«

»Pah! Ehe er Zeit hat, sich zu wehren, ist er tot!«

»Aber seine Leute!«

»Die fürchte ich nicht.«

»Sie werden sich sofort auf dich werfen.«

»Dazu finden sie gar keine Zeit. Bedenkt, daß ich hier den Braunen reite! Uebrigens werde ich einen mit Büschen besetzten Platz wählen, wo ich ihnen hinter den Sträuchern rasch aus den Augen bin.«

»Vergissest du, daß sein Rappe deinem Braunen jedenfalls unendlich überlegen ist?«

»Was kann mir der Rappe schaden, wenn ich den Reiter getötet habe?«

»Ein Anderer wird ihn besteigen und dich einholen, vielleicht der kleine Satan, der gewandt und flink wie ein Affe ist.«

»Das wäre mir nur lieb. Dann könnte ich ihm eins für gestern geben.«

»Nun, wir wünschen dir Glück! Du hast deinen Bruder zu rächen und also eine gerechte Sache, welcher Allah wohl Sieg verleihen wird. Gelingt es dir dennoch nicht, nun, so kommst du uns nach. Du weißt, wo wir zu finden sind, und heute abend wird es beschlossen, wie wir diesen Burschen zu Leibe gehen. Jetzt scheiden wir, da wir nun wissen, daß sie aufgebrochen sind und nach Uskub reiten wollen.«

»Ihr schlagt also wirklich nicht denselben Weg ein wie sie?«

»Nein, denn wir reiten über Engely, während sie über Jerßely gehen. Wir kommen eher an als sie.«

»Nun, so kann ich doch noch eine Weile bei euch bleiben.

Wenn ich also heute nicht komme, so ist's geglückt, und ihr bekommt auch diesen Effendi nie wieder zu sehen, denn er liegt irgendwo verscharrt. Vorwärts!«

Wieder hörte ich Pferdegetrappel, aber es entfernte sich.

Jetzt ließ ich auch meinen Rappen vorsichtig nach vorn. Ich erblickte die beiden Aladschy auf ihren Schecken, den Miriditen auf seinem Braunen, Manach el Barscha, Barud el Amasat und den Alten, den Mübarek, welcher in sehr hinfälliger Haltung im Sattel saß und den Arm in der Schlinge trug.

Hätten sie gewußt, daß ich mich höchstens zehn Ellen weit hinter ihnen befand! Welch eine Szene hätte das gegeben! Mein Pferd brauchte nur einmal zu schnauben, so war ich verraten. Aber das kluge Tier wußte, was es zu bedeuten hatte, wenn ich ihm die Hand für einen Augenblick auf die Nüstern legte. Dann gab es gewiß keinen Laut von sich.

Jetzt konnte ich wieder zu meinen Gefährten stoßen, welche Warzy nun längst hinter sich hatten. Ich lenkte nach rechts hinüber, so daß ich diesen Ort gar nicht berührte.

Ich kannte die Gegend ganz und gar nicht, und es gab auch von Warzy nach Jerßely keinen gut betretenen Weg; das hatte ich von dem Schneider erfahren. Aber ich fand doch die Fährte der Meinigen, ungefähr drei Kilometer westlich von dem ersteren Dorf entfernt, und folgte ihr. Sie führte mich durch ein wildes, mit Steintrümmern besätes, schluchtenähnliches Tal empor zum Wald, in dessen weichem Boden sie sehr deutlich wurde so daß ich mein Auge nicht mehr anzustrengen brauchte und schneller reiten konnte. Bald hatte ich die Gefährten eingeholt.

»Sihdi, eben wollte ich begehren, daß man auf dich warte,« sagte Halef. »Was hattest du vergessen?«

Bevor ich antwortete, warf ich einen forschenden Bick auf den kleinen Schneider. Er schien nicht im mindesten neugierig auf meine Antwort zu sein.

»Ich wollte nach dem Miriditen, dem Bruder des Fleischers sehen,« sagte ich. »Du hast doch von dem Wirt gehört, daß diese Brüder Miriditen sind.«

»Was geht uns dieser Miridit an?«

»Sehr viel. Er will mich unterwegs mit gehacktem Blei erschießen oder mit dem Heiduckenczakan töten.«

»Das weißt du?«

»Er selbst hat es gesagt – zu unseren guten Freunden, welche uns verschmachten lassen wollten.«

Ich erzählte nun den Vorfall, sagte aber nichts, daß ich das Gewehr des Miriditen vernagelt hatte. Dabei hielt ich den Blick fest auf den Schneider gerichtet. Er machte ein ehrlich erstauntes Gesicht und sagte schließlich:

»Effendi, was sind das für Menschen? Kann es denn wirklich solche gottlose Leute geben?«

»Wie du hörst.«

»O Allah! Davon habe ich keine Ahnung gehabt. Was habt ihr ihnen denn getan?«

»Das wirst du gelegentlich erfahren, wenn du länger mit uns reitest, denn wir bleiben nicht in Uskub. Wir reiten nur durch die Stadt und dann schnell weiter nach Kakandelen und Prisrendi.«

»Also nach meiner Heimat? Das freut mich sehr. Was euch gestern passiert ist, das habe ich heute früh von den Knechten erfahren. Nun seid ihr auch heute wieder mit dem Tod bedroht. Da möchte einem ja angst und bange werden!«

»Du kannst dich ja von uns trennen!«

»Das fällt mir gar nicht ein. Vielleicht liegt es nur an mir, daß ihr glücklich entkommt. Ich werde euch so führen, daß euch dieser Miridit gewiß nicht findet. Ich führe euch über Gebirgswiesen und offene Strecken. Später kommen wir dann hinab in die berühmte, fruchtbare Ebene Mustafa, welche sich von Uskub nach Südost bis über Köprili hinaus erstreckt und in welcher die neue Eisenbahn gebaut wird. Da haben wir ganz offenes Land. Und wenn es euch recht ist, bleibe ich auch hinter Uskub noch euer Führer.«

»Das ist uns ungemein lieb. Wie es scheint, bist du sehr weit herumgekommen?«

»Nur in dieser Gegend, welche ich aber auch ganz genau kenne.«

»Wir sind fremd und haben zuweilen von einem Mann

sprechen hören, welcher der Schut genannt wird. Wer ist denn das?« fragte ich leichthin.

Der Zwerg zog die Brauen hoch empor und antwortete:

»Das ist ein berüchtigter Räuber.« Er blickte sich scheu um und fügte hinzu: »Es ist nicht gut von ihm zu sprechen. Er hat überall seine Leute. Hinter dem nächsten Baum kann einer stehen.«

»Hat er denn eine so zahlreiche Bande?«

»Der hat seine Verbindungen überall, in jedem Dorf, in jeder Stadt. Der höchste Richter und der frömmste Imam kann ein Mitglied dieser Bande sein.«

»Ist ihm denn nicht beizukommen?«

»Nein. Das Gesetz vermag hier nichts. Ich bin kein Kundiger des Kuran, der Sunna und ihrer Auslegungen, aber ich habe einmal gehört, unsere Gesetzte seien so dunkel und vieldeutig, daß sie selbst da, wo ihnen Nachdruck gegeben werden kann, mehr Schaden als Nutzen bringen. Der Richter kann ein solches Gesetz der verschiedenartigsten Deutung unterwerfen.«

»Leider ist das nur allzu wahr.«

»Wie soll es nun erst da sein, wo ihm kein Nachdruck gegeben werden kann, wo niemand sich um das Gesetz zu kümmern braucht, wie hier bei uns? Nimm einmal die Albanesen an, die Arnauti, Skipetaren, Miriditen und all die Völkerschaften und einzelnen Stämme, von denen jede dieser Sippen ihre eigenen Gesetze, Gebräuche und Rechte hat. Das ist das richtige Feld für einen Mann, wie der Schut. Er lacht des Großherrn und seiner Beamten. Er verhöhnt die Richter, die Behörden, die Polizei und die Soldaten. Keiner von ihnen allen kann ihm das Geringste anhaben. Hier lebt jedes Dorf in Gegnerschaft mit dem Nachbardorf. Jeder Ort hat mit dem andern irgend einen Diebstahl, Raub oder gar eine Blutrache auszugleichen. Das ist ein ewiger Krieg, und da behält natürlich der gewalttätigste und größte Uebeltäter die Oberhand. Aber Effendi, ich habe nichts, gar nichts gesagt. Ich bin ein armer Mann und will nicht noch ungücklicher werden, als ich schon bin.«

»Meinst du, daß ich deine Worte verrate?«

»Nein, dazu bist du zu edel. Aber die Bäume haben Ohren, und die Luft hört alles.«

»Anderswo könnte so etwas freilich gar nicht vorkommen.«

»Gibt es an andern Orten, in andern Ländern nicht auch Räuber?«

»Ja, zuweilen, aber nur für kurze Zeit, fast nur für Tage, denn das Gesetz hat dort die nötige Macht, um sie schnell unschädlich zu machen.«

»O, List geht oft noch über die Macht!«

»So wird die List mit List bekämpft. Bei uns ist kein Verbrecher so schlau, daß nicht irgend ein Polizist noch viel schlauer wäre. Käme ein solcher hierher, so würde er sehr bald den Schut aufgestöbert haben.«

»Pah! Der Schut würde den Mann wohl noch eher kennen, als dieser ihn. Wie dann?«

Es war, als ob der Schneider in seinen Ton eine gewisse Beziehung legen wolle. Es klang fast wie Hohn, oder hatte ich mich geirrt?

»Nun, dann würde der Geheimpolizist vielleicht verloren sein,« erwiderte ich; »aber andere träten an seine Stelle.«

»Sie würden ebenso verschwinden wie er. Wie die Dinge hier liegen, ist dem Schut gar nicht beizukommen. Es ist am besten, man spricht gar nicht von ihm, und auch wir wollen dies Gespräch fallen lassen. So arm ich bin, muß ich doch Angst haben, wenn ich an ihn denke. Ich verdiene mir mein Geld nur paraweise und bringe nicht viel zusammen. Aber ich habe mir doch einige wenige Piaster sparen müssen für den Wundermann, der mich heilen soll. Wenn mich diese Räuber überfielen und mir die Frucht meiner Arbeit abnähmen, so könnte ich nicht einmal Medizin erhalten, um gesund zu werden.«

»Ist dieser Wundermann berühmt?«

»Weit und breit.«

»So ist auch wohl dein Dörfchen weithin bekannt?«

»Gewiß; frage nur einmal danach.«

»Nun, ich habe allerdings bereits von Weicza sprechen hören. Es wurde dabei auch der Name eines berühmten Khan genannt, der sich dort in der Nähe befinden soll.«

»Wie heißt er?«

»Ich kann mich nicht genau besinnen. Ich glaube, es war das Wörtchen Kara dabei.«

Er sah mich scharf an. Es zuckte aus seinen Augen ein rascher, unbewachter Blick, ein versengender Blitz. Doch sofort nahm sein Blick die frühere Sanftmut an, und der Schneider meinte:

»Kara, kara, hm! Ich kann mich nicht besinnen. Wenn du das ganze Wort wüßtest, so käme ich vielleicht darauf.«

»Vielleicht fällt es mir noch ein. Kara – kara – – Halef, du hast den Namen auch gehört; fällt er dir nicht ein?«

»Karanorman?« antwortete der Hadschi, der mich gar wohl verstand.

»Ja, ja, so war es. Karanorman-Khan! Kennst du ihn, Afrit?«

Es scheint, als ob er sich besinnen müsse, bevor er antwortete:

»Ja, jetzt weiß ich, was du meinst. Es ist aber nicht etwa ein großer Khan, sondern nur eine Art Ruine. Es wohnt da kein Mensch. Erst war es ein großes Karawanserai, vor Jahrhunderten. Dann wurde ein Karaul daraus, ein Wachtturm für die Grenzsoldaten, und nun liegt es in Trümmern. Was hat man denn von dem Ort gesagt?«

»Daß der Schut dortselbst sein Wesen treiben soll.«

Über sein sanftes Gesicht ging ein Zucken, als ob er eine plötzliche, gewaltige Bewegung niederkämpfen müsse. Dann sah er mir ebenso ruhig und mild wie vorher in das Gesicht und erwiderte:

»Ich glaube, daß man dir da etwas weisgemacht hat.«

»Meinst du?«

»Ja; denn ich kenne den Ort sehr genau. Ich bin zu jeder Stunde des Tages und auch der Nacht dort gewesen und habe nie etwas gesehen, was darauf schließen ließe, daß diese Sage auf Wahrheit beruhe. Auch in der ganzen Gegend weiß man nichts. Ich behaupte sogar, daß der Schut grad dort viel weniger erwähnt wird, als anderswo.«

»Er wird sich wohl hüten, grad da, wo er wohnt, die Bevölkerung gegen sich aufzubringen.«

»Das könnte sein. Ich sehe, Herr, du bist ein schlauer Kopf und gehst der Sache leicht auf den Grund. Das aber kann dein Verderben sein. Weißt du, daß ich dich nun in Verdacht habe, daß du den Schut suchst?«

»Ah! Wie kommst du auf diesen Gedanken?«

»Deine ganze Art und Weise führt darauf.«

»Höre, ich beginne zu bemerken, daß dein Scharfsinn auch nicht ungeübt ist. Das kann ebenso leicht dein Verderben sein.«

»Du scherzest. Ich bin ein armer Schneider; du aber hast, wie ich höre, schon seit Tagen die Anhänger des Schut verfolgt und verfolgst sie auch weiter. Ich muß dich für einen Polizisten halten, für einen von der listigen Art, von welcher du vorhin sprachst.«

»Das bin ich nicht!«

»Es scheint aber so. Vielleicht suchst du den Schut in Karanorman-Khan. Du wirst aber nicht dahin kommen.«

»Warum nicht?«

»Weil du vorher ermordet wirst. Der Schut weiß bereits ganz gewiß, was du vorhast. Du bist dem Tod verfallen.«

»Wollen sehen!«

»Wenn du es siehst, ist Rettung unmöglich.«

»Nun, ich wiederhole, daß ich kein Beamter und kein Polizist bin. Der Schut und seine Leute mögen mich in Ruhe lassen.«

»Du sie also auch!«

Diese vier Worte wurden in einem befehlenden Tone gesprochen. Seine Stimme bebte und klang wie heiser. Er war innerlich erregt. Dieser Zwerg, der sich Afrit, Riese, nannte, war nicht das, wofür er sich ausgab; jetzt wollte ich darauf schwören. Aber er besaß eine ungeheure Verstellungsgabe. Dieser kleine Sperber verstand es, das Gefieder einer Turteltaube anzulegen. Er war doch vielleicht jener Suef, welcher mich ›liefern‹ sollte.

Aber das war mir wieder deshalb unwahrscheinlich, weil

der Kiaja ihn gekannt hatte und auch seinen Namen dazu. Oder sollte er nur von den Mitgliedern der Verbrüderung ›Suef‹ genannt werden? Reiste er als armer, ehrlicher Schneider herum, um für die Räuber Gelegenheiten auszuspähen? Ich mußte mich vor ihm außerordentlich in acht nehmen. Jetzt antwortete ich:

»Ich lasse sie in Ruhe. Ich habe mich nicht eher um die Aladschy und die andern bekümmert, als bis sie mir Veranlassung dazu gaben.«

»So tue, als hättest du keine Veranlassung erhalten!«

»Nein, mein Lieber, das tue ich nicht. Wer sich mir in den Weg stellt, den reite ich nieder, und wäre es der Schut selbst. Will er sich an mich wagen, so mag er es versuchen. Es wird sich zeigen, wer den kürzeren zieht.«

Er reckte den Kopf in die Höhe und streckte den Hals aus, als ob er ein Gelächter anschlagen wollte. Ein höhnisches, ein sehr höhnisches sollte es werden, das sah ich seiner Miene an. Aber er beherrschte sich und sagte in warnendem Ton:

»Keine Behörde des Großsultans vermag etwas gegen ihn; selbst das Militär ist zu schwach. Und du, ein Einzelner und Fremder, willst ihm drohen?«

»Er ist ebenso ein Einzelner wie ich; er ist mir ebenso fremd wie ich ihm. Wenn ich mit ihm einmal zusammentreffe, so wird zwischen uns nur unsere persönliche Kraft, Gewandtheit und List entscheiden.«

»Ich sehe, daß du wirklich beabsichtigst, den Schut aufzusuchen.«

»Nun, ich bin zu stolz, es zu leugnen.«

»Ah! Und willst wohl gar mit ihm kämpfen?«

»Je nach den Umständen. Ich bin fremd; ich habe kein Interesse an den hiesigen Personen und Verhältnissen; ob ein Schut hier erxistiert oder nicht, ob es einen Räuber mehr oder weniger gibt, das ist mir ganz gleichgültig. Aber ich habe ein persönliches Verlangen an ihn zu stellen. Gehorcht er meinem Gebot, so – –«

»Gewährt er deine Bitte, willst du wohl sagen, Herr?«

»Nein. Der Ehrliche steht über dem Spitzbuben und hat

ihm zu befehlen. Also, gehorcht er meinem Gebot, so scheide ich von ihm, ohne ihm ein Haar zu krümmen. Tut er es aber nicht, so hat es einen Schut gegeben!«

Ich sah, daß seine kleine, schmale Brust schwer Atem holte. Der Mann war leichenblaß geworden. Er befand sich in einer sehr großen Aufregung, aber er beherrschte auch diese und sagte ruhig:

»Effendi, du tust, als ob du unverletzlich seiest und tausend Schuts nicht zu fürchten hättest.«

»Das ist auch der Fall,« antwortete ich, indem ich mit der Hand auf das Knie schlug, daß es klatschte. »Wir sind nur vier Männer. Wir haben eine Abrechnung mit dem Schut zuhalten. Er und seine Verbündeten müssen uns fürchten, nicht aber wir sie. Ich blase alle diese Kerle mit einem Hauch von meiner Hand herunter in den Staub!«

Dabei blies ich über meine emporgehobene flache Hand. Es fiel mir gar nicht ein, zu bramarbasieren oder den Maulhelden zu spielen. Indem ich mich so ungeheuer in Kraft warf, verfolgte ich eine bestimmte psychologische Absicht. Ich wollte den Kleinen in Wut bringen, damit er seine Selbstbeherrschung verlöre und sich durchschauen ließe. Aber das Bürschlein zeigte sich mir überlegen. Er blinzelte mich lustig an und meinte:

»So blase immer zu, bis zu selbst fortgeblasen bist. Ich bin dein Freund. Du hast den armen Schneider freundlich aufgenommen und bewirtet. Dafür bin ich dir dankbar und möchte dich vor Ueblem bewahren; daher warnte ich dich. Du aber hörst nicht auf mich und bist also nicht zu retten. Du bist hier fremd; ich aber kenne das Land ganz anders als du. Ich habe versprochen, dich nach Kakandelen zu bringen; aber ich bin nun überzeugt, daß du diese Stadt nie in deinem Leben sehen wirst, denn dein Leben ist viel zu kurz zu dieser Reise.«

»In zwei oder höchstens drei Tagen bin ich dort.«

»Nein, sondern du bist in der Stadt der Toten.«

»Das weißt du so bestimmt? Fast klingt es, als ob du mit dem Schut ganz außerordentlich vertraut seiest!«

»Das ist nicht dein Ernst. Ich sage nur so, weil ich aus ähnlichen Beispielen ersehen habe, daß der Schut nicht mit sich scherzen läßt.«

»O, ich werde mit dem Schwager Deselims keinen Spaß machen!«

»Herr, wer hat dir das verraten?« rief er hastig.

Jetzt hatte ich ihn gefaßt – trotz seiner ungemeinen Schlauheit und großen Verstellungskunst. Er kannte Deselim und wußte, daß dieser der Schwager des Schut war; er hatte sich verraten. Aber ich ließ mir nichts merken, denn sobald er wußte, daß ich ihn durchschaute, konnte ich keinen Nutzen mehr aus ihm ziehen.

»Er selbst hat es mir gesagt,« antwortete ich.

Es traf mich ein funkelnder Blick, der aber gedankenschnell an mir vorüberglitt. Das war ein Blick des Hasses gewesen. Er wußte, daß Deselim durch mich den Hals gebrochen hatte. Das hatte ich diesem Blick angemerkt. Dieser kleine, höfliche, untertänige Mensch war mein Todfeind.

»So war das sehr unvorsichtig von ihm,« bemerkte er freundlich. »Aber weiß denn Deselim, was sein Schwager treibt – und daß derselbe der Schut ist?«

Ah, er hatte seinen Fehler erkannt und versuchte nun, denselben gut zu machen, indem er eine kindliche Unbefangenheit heuchelte.

»Natürilch weiß er es, sonst hätte er es mir nicht gesagt,« erwiderte ich.

»Wie hast du es ihm denn entlockt?«

»Durch List.«

»Bei Allah, du bist ein höchst gefährlicher Mensch! Wäre ich der Schut, so müßtest du augenblicklich sterben; da ich aber nur ein armer Schneider und ein ehrlicher Mensch bin, so freue ich mich daß es auch kluge Leute gibt, welche imstande sind, die Bösen zu überlisten. Aber wenn du das weißt, so ist es ein höchst gefährliches Geheimnis für dich. Der Schut muß dich ja töten lassen, um dasselbe für sich zu retten.«

»Pah! Ich habe schon öfters getötet werden sollen in der letzten Woche. Erst gestern wieder zweimal, vorgestern auch und ehegestern ebenso. Heute will mich der Miridit mit gehacktem Blei erschießen oder mit dem Beil erschlagen!«

»Wie konntest du nur wagen, ihm nachzureiten?«

»Ich bin noch ganz andern Burschen nachgeritten!«

»Wenn er sich umdrehte, warst du verloren!«

»Nein, er!«

»Denke das nicht! Er ist ein Miridit, ein Tapferer!«

»Und was ich bin, wirst du heute sehen. Als ich ihm folgte, hatte ich ihn stets vor mir. Konnte ich ihm da nicht in jedem mir beliebigen Augenblick eine Kugel geben? War er in meiner Gewalt oder ich in der seinigen?«

»Du hattest ihn diesmal in der Hand, wenn du nämlich ein guter Schütze bist; aber wenn ihr euch heute wiederseht, so bist du in seiner Gewalt.«

»Das glaube ich nicht.«

»O gewiß! Er lauert dir auf und wird auf dich schießen, wann und wo und wie es ihm beliebt, ohne daß du es ahnst. Du wirst ihn gar nicht sehen und eine Leiche sein.«

»Und ich sage dir: wenn er es wagt, sein Gewehr gegen mich zu erheben, so ist er verloren!«

»Her, Allah ist mein Zeuge, daß dies doch vermesen ist!« rief er zornig.

»Es ist nicht Vermessenheit. Ich weiß, was ich sage!«

»Und ich sage dir: selbst wenn seine Kugel dich aus irgend einem Grunde fehlen sollte, so bist du doch seinem Czakan verfallen. Er ist Meister im Werfen desselben. Du aber, hast du einmal ein Heiduckenbeil geworfen?«

»Nein.«

»So bist du verloren. Und wenn du ihm auch entgingest, so sind doch die Andern da, denen du gestern entkommen bist. Sie können hier hinter jedem Busch stecken, um dich zu überfallen.«

»Das ist unmöglich!«

»Warum?«

»Weil sie nach Engely geritten sind. Und wären sie hier, so gäbe es Spuren von ihnen; mein Pferd würde sie durch Schnauben verraten, und ich würde sie bereits von weitem erkennen, denn meine Augen sind seit langen Jahren den Wald gewohnt.«

Er war jedenfalls höchst überzeugt, daß ich in einer Stunde nicht mehr leben würde; darum ärgerte es ihn, daß ich mich so geringschätzig über meine Feinde äußerte.

»Ich wiederhole es,« sagte er, »dir ist nicht zu helfen. Du glaubst ja selbst der Wahrheit nicht, daß sie wahr ist!«

»Wenn sie erst verlangt, da ich ihr glauben soll, so ist sie eben nicht wahr! Wollen abbrechen. Du wirst uns noch beser kennen lernen als bisher. Wenn ich es will, so geht das Gewehr des Miriditen gar nicht los, er mag sich noch so große Mühe geben.«

»So könntest du wirklich zaubern?«

»Pah! Ich kann auch nicht mehr als andere Menschen; aber ich habe noch anderen Männern gegenüber gestanden, als dieser Bruder des Fleischers ist, und ich weiß, wie ich mich gegen ihn zu wehren habe. Halef, wenn er mich anfällt, so überlaßt ihr ihn mir allein. Ihr sollt dabei gar nichts zu tun haben.«

»Wie du willst, Sihdi,« antwortete der Kleine sehr gleichmütig.

Die Steilungen, welche zu dem Plateau von Jerßely führen, sind mit Wald bestanden; das Plateau selbst aber trägt prächtige Weiden und Ackerfelder. Wir hatten den Baumgürtel hinter uns und ritten nun über einen weiten, ebenen Plan, welcher mit kurzem, dünnhalmigen Gras bestanden war. Zuweilen unterbrach ein Buschwerk die Fernsicht.

Da kamen wir auf eine Pferdespur, welche von links herüberführte und dann ganz genau in unsere Richtung einbog. Ich hielt an und betrachtete sie, indem ich mich vom Sattel niederbeugte.

»Was suchst du hier?« fragte der Schneider.

»Ich will sehen, wer hier geritten ist,« antwortete ich.

»Wie willst du das sehen?«

»Nach meiner Art und Weise, die du freilich nicht kennst. Ich sehe, daß der Miridit es war. Er ist vor ungefähr einer Viertelstunde hier vorübergekommen.«

»Das kannst du doch unmöglich behaupten!«

»O doch! Die niedergetretenen Gräser verraten mir ganz genau die Zeit. Reiten wir weiter!«

Jetzt hatte ich zweierlei zu beobachten, nämlich die Fährte und auch den Schneider. Ich bemerkte, daß sich eine gewisse Unruhe seiner bemächtigt hatte. Sein Blick wurde unstet und doch schärfer dabei. Er sah bald nach rechts und bald nach links, und es schien mir, als ob er ganz besonders nach den Büschen spähte, an denen wir vorüberkamen.

Hatte das einen bestimmten Grund? Jedenfalls! Darum beobachtete ich nun selbst auch die Sträucher schärfer und da bemerkte ich bald, daß der Miridit unserm Führer geheime Weisung erteilte.

Bald links und bald rechts war ein Zweig geknickt und nach der Richtung gelegt, welche wir einhalten sollten.

Sie hatten sich natürlich darüber verabredet und ganz gewiß geglaubt, einen ungeheuer klugen Gedanken gefaßt zu haben. Ich hätte nun meine Beobachtung mir zu Nutzen machen können, ohne ein Wort darüber zu sprechen; aber dieser Schneider sollte nicht innerlich über uns lachen. Wie er selbst den Ueberfall voraussah, so wollte auch ich denselben voraussagen.

Darum hielt ich, als wir wieder an eines dieser Zeichen gelangten, an und sagte zu Halef:

»Hadschi, siehst du diesen umgebrochenen Zweig?«

»Ja, Herr.«

»Wer mag ihn umgebrochen haben?«

»Irgend ein Wild.«

»Das könnte nur ein Hochwild gewesen sein, und dann müßten wir die Fährte desselben sehen.«

»Das Gras hat sich wohl wieder aufgerichtet, so daß sie nicht mehr zu sehen ist.«

»In diesem Falle wären viele Stunden vergangen, seit der Zweig umgebrochen wurde, und dann müßte die Bruchfläche verdorrt sein. Sie ist aber noch so frisch und feucht, daß höchstens eine Viertelstunde vergangen sein kann, seit sie entstanden ist.«

»Wer soll es denn getan haben, und was geht es uns an? Warum interessierst du dich so sehr für diesen Zweig?«

»Weil er mir eine ganze Geschichte erzählt.«

»Eine Geschichte? Sihdi, ich weiß, daß du die Fährten und Spuren zu lesen verstehst wie sonst keiner. Nun, diejenige des Miriditen haben wir deutlich vor uns. Was aber haben wir mit diesem Zweig zu tun?«

Der Schneider hielt abseits und blickte mich mit einem ruhig sein sollenden Ausdruck an. Aber einer seiner Mundwinkel war leise geöffnet und ein wenig seitwärts gezogen, was dem Gesicht den allerdings nur schwer bemerkbaren Ausdruck heimlichen Hohnes gab.

»Wenn du es nicht weißt, was dieser Zweig mir erzählt, so wird vielleicht unser Führer Afrit scharfsinniger sein als du,« sagte ich.

Der Schneider machte sogleich ein sehr erstauntes Gesicht und antwortete:

»Herr, ich weiß nichts und ahne nichts, und auch du wirst nichts wissen. Was soll ein solcher Zweig erzählen?«

»Sehr viel.«

»Ja, er predigt die Vergänglichkeit alles Irdischen. Noch gestern grünte er und jetzt muß er welken und verdorren.«

»Ja, und dabei soll er mir sagen, da auch in dem Tod geweiht bin.«

»Wieso? Ich verstehe dich nicht.«

»Nun, ich bin überzeugt, daß der Miridit ihn umgebrochen hat.«

»Weshalb?«

»In einer ganz besonderen Absicht. Hast du nicht schon auch andere Zweige bemerkt, die umgebrochen waren?«

»Nein, Herr.«

»Dieser hier wird der elfte sein, den ich bemerke.«

»Das ist ein Zufall.«

»Man kann im Gehen oder Reiten einmal ein Aestchen in Gedanken, im Spiel der Finger knicken, aber elf Zweige knicken, und zwar bald rechts und bald links, das kann nur in einer bestimmten Absicht geschehen.«

»So möchte ich diese Absicht wissen.«

»Du brauchst nur aufzupassen. Wir werden wahrscheinlich noch mehrere dieser Zeichen bemerken, und da wirst du sehen, daß sie alle nach einer Richtung geknickt sind.«

»Natürlich, weil das betreffende Wild nach einer Richtung gelaufen ist.«

»Von einem Wild ist gar keine Rede. Die Knickungen der Zweige befinden sich nämlich genau so hoch, wie die ausgestreckte Hand eines Reiters. So hoch kommt kein Reh und auch nicht das Geweih eines Hirsches. Und überdies führt die Fährte des Miriditen stets genau nach rechts oder links zu dem Busch, wo das Zeichen angebracht worden ist.«

»Aber, Herr, da du so scharfsinnig bist, so sage uns doch, was er damit beabsichtigt haben soll!«

»Kennst du vielleicht einen Mann, welcher Suef heißt?«

Dieser kleine Kerl, welcher sich so hartnäckig ein armes Schneiderlein nannte, mußte doch eine ungeheure Selbstbeherrschung besitzen, denn er zuckte mit keiner Miene. Wäre es nicht wie ein Schatten über das Licht der Augen mit denen er mich anblickte, gegangen, so hätte ich leicht glauben können, daß ich mich irrte.

»Suef?« antwortete er. »Den Namen habe ich gehört, aber ich kenne keinen, der so heißt.«

»Ich dachte, da du in dieser Gegend so bekannt wärest, würdest du den Mann kennen, den ich meine.«

»Ich kenne ihn nicht. Was soll er sein?«

»Ein Anhänger des Schut. Er soll uns heute dem Miriditen vor das Gewehr führen.«

»Herr, was denkst du?«

Jetzt verriet sein Gesicht wenn nicht Schreck, doch eine deutliche Besorgnis; aber er konnte dieselbe ja ebensogut um meinet- wie um seinetwillen hegen.

»Ich weiß es,« fuhr ich fort. »Es wurde gestern ausgemacht, daß dieser Suef versuchen solle, sich unser Vertrauen zu erwerben und uns dann in die Falle zu führen.«

»Herr, du scheinst allwissend zu sein!«

»Nur aufmerksam bin ich, weiter nichts.«

»Woher weißt du das?«

»Darüber will ich nicht sprechen. Ich bin gewohnt, alles zu beobachten und meine Schlüsse daraus zu ziehen. Das wirst du auch jetzt an diesen Zweigen erfahren.«

»Ist denn dieser Suef wirklich gekommen?«

»Nein. Er sollte sich uns natürlich als Führer anbieten. Glücklicherweise aber haben wir dich vorher getroffen, und dieser Suef hat also eingesehen, daß er nun nicht bei uns anzukommen vermag.«

»Wie aber hängt das mit diesen Zweigen zusammen?«

»Der Miridit will Suef andeuten, wie er zu reiten habe.«

»So würde also der Miridit noch nicht wissen, daß dieser Suef nicht bei uns ist.«

»Freilich nicht. Der Spion und Verräter hat sich jedenfalls erst unterwegs an uns machen wollen. Da hat er aus seinem Versteck dich gesehen und nun erkannt daß wir keinen Früher brauchen. Jedenfalls schleicht er nun hinter uns her.«

Das Gesicht des Schneiders erhellte sich. Er war wirklich besorgt, durchschaut worden zu sein. Nun aber war er beruhigt, denn ich glaubte ja, diesen Suef hinter mir zu haben. Er ahnte nicht, daß ich ihn kannte, und dabei mußte ich ihn lassen.

»Aber ich denke doch, daß du dich irrst,« begann er wieder. »Dein Verdacht ist falsch.«

»Wieso?«

»Wozu brauchte der Miridit die Zweige zu knicken? Der Verräter, dieser Suef, würde doch diese seine Spur erkennen. Wenn eine Fährte so deutlich ist, bedarf es doch nicht noch gewisser besonderer Zeichen!«

»O doch! Man kennt ja die Gegend noch nicht genau, durch welche man kommt. Der Boden kann hart sein, so daß er keine Spuren aufnimmt; da muß man also andere Zeichen haben.«

»Aber hier ist er weich. Wenn das Umknicken wirklich den Zweck haben soll, wie du meinst, so hätte es hier unterlassen werden können.«

»Auch nicht; denn die Fährte konnte durch irgend einen

Umstand verwischt werden. Andere konnten noch vor uns hierher kommen. Dann war die Spur des Miriditen nicht zu unterscheiden. Also hat er diese Zeichen für unbedingt notwendig gehalten. Aber das ist für mich noch immer nicht die Hauptsache.«

»Noch mehr denkst du?«

»Ja, und du hast mich falsch verstanden. Er will mit diesen Zeichen nicht sagen, wie er geritten ist, sondern wie Suef uns führen soll.«

»Ist das nicht einerlei?«

»Durchaus nicht. Ich bin vollständig überzeugt, daß es nicht lange dauert, so wird die Richtung dieser Zeichen von seiner Fährte abweichen.«

»Allah! Was hast du für einen Kopf!« rief er aus.

Das war ein ungeheucheltes Erstaunen. Ich hatte also das Richtige getroffen und antwortete:

»Mein Kopf ist nicht besser als der deinige. Ich überlege mir die Sache genau. Ich sehe im Geist den Miriditen hier warten, und ich sehe auch uns kommen, geführt von dem Verräter Suef. Wenn der erstere mich töten will so muß er mir doch auflauern. Er wird also zur Seite hinter den Büschen stecken. Folglich muß er vorher von unserer Richtung abgewichen sein. Siehst du das nicht ein?«

»O ja!«

»Also muß er vorher ein Zeichen geben, daß Suef von dem betreffenden Punkt aus ihm nicht mehr folgen soll. Und dieses Zeichen werden wir bald finden. Reiten wir jetzt weiter!«

Indem wir unsere Pferde wieder in Bewegung setzten, sagte der Schneider:

»Ich bin ganz begierig darauf, zu erfahren, ob du recht vermutest.«

»Und ich bin überzeugt davon, daß ich mich nicht irre. Ich weiß ganz genau, daß ich jetzt noch nichts zu fürchten brauche. Erst wenn sich die Richtungen getrennt haben, wird der Ueberfall erfolgen. Und so wie ich dir hier bewiesen habe, daß ich sämtliche Gedanken und Absichten des Miriditen und dieses Suef mir von den Zweigen habe erzählen lassen, so weiß ich auch noch mehr vorher, als du ahnst und denken kannst. Der Schut ist mir ein sehr ungefährlicher Bursche.«

Wir kamen noch an mehreren umgebrochenen Zweigen vorüber. Ich machte den Schneider auf dieselben aufmerksam und bewies ihm, daß das Pferd des Miriditen stets ganz nahe an dem betreffenden Busch vorübergekommen war.

Dann gelangten wir an diejenige Stelle, welche ich ihm vorhergesagt hatte. Die Pferdespur führte links ab, während geradeaus an zwei einander gegenüberliegenden Büschen die umgebrochenen Zweige nach vorwärts deuteten.

»Siehe, da hast du den Punkt, welchen ich meine,« sagte ich; »der Miridit ist nach links geritten, um den Hinterhalt zu gewinnen; Suef soll uns aber gradaus führen, zwischen diesen Büschen hindurch. Bist du nicht auch dieser Ansicht?«

»Herr, ich kann dir nicht antworten. Deine Gedanken sind mir zu hoch.«

»Ich habe dir ja alles deutlich erklärt.«

»Ja, aber dennoch kann ich deinen Schlüssen nicht folgen. Ich denke, du wirst dich wohl irren.«

»Ich irre mich nicht.«

»Was wirst du tun?«

»Zunächst würde ich diesen Suef, wenn er bei mir wäre, hier an dieser Stelle so peitschen lassen, daß er nicht wieder aufstehen könnte.«

»Ihm würde sein Recht werden! Leider aber ist er nicht da.«

»Jedenfalls ist er hinter uns. Ich hätte große Lust, auf ihn zu warten.«

»Er wird sich hüten, sich sehen zu lassen.«

»Ganz richtig. Aber ich bekomme ihn doch in meine Hand; dann soll er seinen Lohn erhalten.«

»Recht so, Herr!«

»Denkst du, daß hundert Hiebe genug sein werden?«

»Nein. Wenn du ihn in deine Hände bekommst, so mußt du ihn totpeitschen lassen, denn der Verräter ist schlimmer als der Täter.«

»Ganz richtig; aber es genügen fünfzig.«

»Das wäre eine außerordentliche Milde und Gnade, Herr.«

»Merke dir diese deine Worte und bitte dann nicht etwa um Gnade für ihn; aber das wird ja später sein. Jetzt haben wir es mit der Gegenwart zu tun.«

»Ja, Sihdi, wir können doch nicht hier halten bleiben!« mahnte Halef. »Vielleicht steckt der Miridit gar nicht weit von hier.«

»Das befürchte ich nicht. Wir reiten weiter, aber nicht genau in der Richtung, welche die Zweige uns andeuten, sondern ein wenig weiter nach rechts. Auf diese Weise bringen wir mehr Raum zwischen ihn und uns. Ich bleibe für einige Augenblicke hier zurück, werde aber schnell wieder bei euch sein. Und noch eins, Halef! Nimm dein Gewehr zur Hand. Man weiß nicht, was geschehen kann. Den Miriditen nehme ich ganz allein auf mich. Solltest du aber auf irgend eine Weise diesen Suef bemerken, so jagst du ihm sofort eine Kugel durch den Kopf.«

»Einverstanden!« nickte Halef.

»Und da unser guter Afrit nicht bewaffnet ist, so müssen wir ihn beschützen. Osko und Omar mögen ihn in ihre Mitte nehmen und du reitest ganz nahe hinterher und bist sogleich bei der Hand, wenn etwas Verdächtiges geschieht.«

»Keine Sorge, Effendi! Ich werde augenblicklich hinter diesem Suef sein!«

Der Hadschi verstand mich vollständig. Ich war überzeugt, daß er den Schneider sofort erschießen würde, wenn es diesem einfallen sollte, die Flucht zu ergreifen. Dieser selbst aber sah mich mit einem besorgt forschenden Blick an und sagte:

»Effendi, macht euch doch um meinetwillen keine Sorge!«

»Das ist unsere Pflicht. Du befindest dich bei uns und bist also der Feind unserer Feinde. Als solcher wirst du von ihnen behandelt. Wir müssen dich darum in unsern Schutz nehmen. Entferne dich aber ja nicht von meinen drei Gefährten, denn dann könnte dir etwas geschehen, wofür wir dir nicht verantwortlich sind. Du bist nur bei ihnen sicher.«

»Und du reitest nicht mit uns?«

»Ich bleibe für einen Augenblick zurück.«

»Warum?«

»Aus Feigheit. Der Miridit mag erst euch erschießen, bevor er mich trifft. Vorwärts!«

Halef lachte über meine Antwort und winkte mit dem Auge nach der Fährte des Miriditen. Er erriet, daß ich derselben folgen wollte.

Ich wartete, bis sie zwischen den beiden Büschen hindurch waren, und ritt dann langsam nach links auf der Fährte weiter.

Natürlich galt es nun, die Augen überall zu haben. Ich konnte von dem Miriditen viel eher bemerkt werden, als ich selbst ihn erblickte. Darum wich ich lieber von der Fährte ab, eine Strecke weiter nach links mit derselben parallel reitend.

Die Büsche standen in ziemlich regelmäßigen Entfernungen auseinander, immer zwischen fünfzehn und zwanzig Ellen ungefähr. So oft ich einen Strauch erreichte, hielt ich an, um erst vorsichtig hinter demselben hervorzuspähen.

Da hörte ich einen schrillen Pfiff. Er kam von da her, wo meine Gefährten jetzt sein mußten. Wer hatte ihn ausgestoßen? Halef etwa, um mich zu warnen oder mir ein Zeichen zu geben? Nein, sein Zeichen wäre anders gewesen. Oder der Schneider? Hatte er mit dem Miriditen verabredet, unser Nahen durch einen solchen Pfiff kundzugeben? Dann war es höchst verwegen von ihm, unter den jetzigen Umständen, wo er wußte, daß der ganze Plan mir verraten sei, dieses Signal dennoch hören zu lassen.

Kaum war der Pfiff verhallt, so hörte ich vor mir, hinter dem Gesträuch, einen Ton, als ob jemand halblaut das Wort »el hassil – endlich!« ausrufe. Ich vernahm das Stampfen von Hufen, nicht hell, sondern dumpf, wegen des weichen Bodens, und richtete mich hoch im Sattel auf, um über den Busch, hinter welchem ich angehalten hatte, hinwegzusehen.

Ja, richtig, ich erblickte den Miriditen, welcher neben seinem Pferd im Gras gesessen hatte und sich nun in den Sattel schwang. Auch er stand hoch in den Bügeln und schaute nach uns aus.

Ich muß gestehen, daß er den Platz sehr gut gewählt hatte, denn derselbe paßte ausgezeichnet zu dem beabsichtigten Unternehmen. Der Miridit konnte zwischen den Büschen hervor gedankenschnell über uns kommen und ebenso rasch wieder hinter ihnen verschwinden. Sein plötzliches, unerwartetes Erscheinen mußte uns verblüffen. Ehe wir uns gefaßt hatten, war ich von ihm erschossen oder erschlagen, und er befand sich bereits in Sicherheit, bevor meine erschrockenen Gefährten an eine Verfolgung des Mörders denken konnten.

Das war freilich alles ganz hübsch ausgedacht, aber die Rechnung hatte nicht meine Genehmigung, und um einen Strich durch dieselbe zu machen, hatte ich bereits während der letzten zwei Minuten meinen Lasso aufgerollt.

Diese Waffe, welche in der Hand eines Geübten dem Gegner so furchtbar werden kann, ist nicht, wie viele meinen, ausschließlich eine amerikanische. Alle Nomadenvölker, welche Herdenbesitzer sind, bedienen sich derselben in verschiedenartgig abgeänderter Gestalt und in der ihnen eigenen Art und Weise. Der ungarische Czikos bedient sich der Leine oder des Fangriemens ebenso wie der russische Tabuntschik. Die Turkmenen haben ihren langen, geschmeidigen Kaji ebenso, wie die Mongolen, Ostjaken, Tungusen und Kirgisen sich mit der Wurfschlinge die einzelnen Tiere aus den Herden holen.

Darum war es gar nicht etwa ein lächerlicher Gedanke von mir gewesen, den Lasso mit auf die Reise zu nehmen. Ich war ja vorzugsweise mit Nomaden in Berührung gekommen, und mein geflochtener, dreißig Fuß langer Riemen hatte mir mehrere Male ganz vortreffliche Dienste geleistet. Man weiß freilich, daß derselbe vor kurzem von mir zerschnitten und verbraucht worden war, und ich muß daher erwähnen, daß ich mir dann aus Riemen einen neuen, freilich weniger guten, zusammengeflochten hatte.

Ich befestigte jetzt das obere Ende desselben an dem Ring der vorderen Sattellehne. Ich wollte den Miriditen fangen. Er hatte wohl noch nie einen Lasso gesehen und besaß sicherlich keine Ahnung, auf welche Weise man sich desselben erwehren kann. Um ihn nicht vorzeitig auf meine Absicht aufmerksam zu machen, legte ich die Schlingen nicht in den Arm, sondern hing sie über den Sattelknopf. Dagegen aber nahm ich den Bärentöter zur Hand. Er war die einzige Waffe, mit welcher ich das Beil parieren konnte, übrigens ein Kunststück, welches nur derjenige versuchen darf, welcher sich wohlgeübt hat, einen auf ihn geschleuderten Tomahawk mit dem Lauf des Gewehres von sich abzuhalten, so daß das Beil zur Seite fliegt, ohne eine jener starken und gefährlichen Verletzungen hervorzubringen, welche stets die Folge eines unsicheren Parierens sind. Es gilt nicht nur, dem Beil während des Fluges anzusehen, auf welche Stelle es treffen will, sondern man muß auch trotz der großen Schnelligkeit der in kreisförmigem Wirbel heransausenden Waffe genau zwischen Stiel und Helm unterscheiden, sonst schlägt das Beil um den Gewehrlauf herum und trifft doch das Ziel. Vor allen Dingen muß man das parierende Gewehr mit beiden Händen halten, weil der Anprall ein ganz gewaltiger ist, sonst bekommt man Beil und Gewehr ins Gesicht, und sodann muß das letztere eine schiefe Richtung haben, damit das Beil in einem spitzen Winkel aufschlägt und im stumpfen Winkel auswärts abgleitet. Körperkraft, Übung und ein sehr scharfes Auge, das ist's, was dazu gehört.

Die Situation war jetzt folgende: Ich hielt so auf dem Pferd, daß ich die Richtung, in welcher ich die Gefährten wußte, grad vor mir hatte. Links von mir befand sich der Miridit. Ich hielt den Blick nach ihm gerichtet und erkannte, daß er sich anstrengte, die Reiter zu sehen.

Eine hastige, unwillige Bewegung von ihm verriet mir seinen Aerger darüber, daß Suef nicht die ihm durch die Zweige angewiesene Richtung eingeschlagen hatte. Hätte ich Halef nicht weiter nach rechts gewiesen, so wären sie viel näher an dem Miriditen vorübergekommen. So aber bewegten sie sich am Rand der freien Ebene dahin, was dem Auflauernden ganz besonders unlieb sein mußte.

Jetzt sah ich sie kommen. Auch er mußte sie erblicken. Die hier und dort stehenden Büsche machten es ihm aber unmöglich, die einzelnen Reiter zu unterscheiden. Er konnte sich also nicht überzeugen, ob ich auch wirklich bei ihnen sei. Da er dies aber mit voller Sicherheit erwarten mußte, so setzte er sich jetzt in Bewegung, erst langsam und dann schneller, bis sein Pferd in raschen Trab überging.

Ich folgte ihm, die Büchse in der Rechten, und sorgte dafür, daß sich stets ein Strauchwerk zwischen ihm und mir befand. Das war wohl überflüssig, denn seine Aufmerksamkeit war so ausschließich nach vorn gerichtet, daß es ihm gar nicht einfiel, hinter sich zu blicken.

Der weiche Boden dämpfte den Hufschlag meines Rappen, und überdies mußte das Geräusch, welches sein eigenes Pferd verursachte, es ihm unmöglich machen, mich hinter sich zu hören.

Die Entscheidung mußte in wenigen Sekunden erfolgen. Ich hatte nicht die mindeste Angst, höchstens hätte mich seine Axt besorgt machen können.

Jetzt hatte er noch zwei Büsche zu passieren; jetzt jagte er an dem letzten vorüber und hinaus auf die Ebene, indem er einen schrillen Ruf ausstieß, um uns zu erschrecken. Sein Pferd parierend, erhob er das Gewehr zum Schuß, aber er schoß nicht; er zielte nicht einmal, sondern stieß einen zweiten Ruf aus, einen Ruf der Ueberraschung, der Aergers – er sah, daß ich nicht dabei war.

Auch die Gefährten hielten. Halef stieß ein lautes Gelächter aus.

»Was willst du von uns, Mann?« fragte er. »Warum schneidest du ein Gesicht, als ob du deinen eigenen Kopf samt dem Backenpflaster verschluckt hättest?«

»Ihr Hunde!« knirschte der Mann.

»Du ärgerst dich? Wohl weil du den Gesuchten nicht siehst. Schau dich doch um!«

Der Miridit wandte sich im Sattel um und erblickte mich. Ich hielt etwa fünfzehn Schritte hinter ihm.

»Suchst du mich?« fragte ich.

Da riß er sein Pferd gegen mich herum, nahm das Gewehr wieder auf und antwortete:

»Ja, dich will ich haben, du Scheïtan! Bin ich dir bekannt?«

Ich machte keine Bewegung und bejahte nur.

»Du hast meinen Bruder ermordet! Du bist der Blutrache verfallen. Ich will dich nicht tückisch von hinten niederschießen, sondern wie ein Mann von vorn!«

»Schieß nicht, denn wir alle sind kugelfest!«

»Das will ich sehen! Fahre in die Dschehenna!«

Er drückte ab. Das Zündhütchen knallte, aber der Schuß ging nicht los.

»Siehst du?« lachte ich. »Ich habe dich gewarnt. Nun aber bist du mein!«

Ich erhob den Bärentöter, wie um zu schießen. Da aber riß er den Heiduckenczakan aus dem Gurt und schrie wütend:

»Noch nicht! Trifft dich die Flinte nicht, so trifft dich das Beil!«

Er wirbelte die Axt um den Kopf und schleuderte sie dann nach meinen Kopfe. Aus so geringer Entfernung mußte sie mir den Schädel spalten, wenn ich nur um ein Haar breit falsch parierte.

Einen Augenblick lang, nur einen kleinen, halben Augenblick lang hörte ich ihr Sausen. Es war wie ein dumpfer und doch schriller Pfiff. Mit weitem Auge hatte ich die Armbewegung des Miriditen erfaßt. Ich blieb starr im Sattel halten, das Gewehr in beiden Händen. Dann ein blitzschneller Ruck empor mit dem Gewehr – die Axt traf den Lauf und flog davon. Sie hätte mich genau in die Stirn getroffen.

Der Miridit ließ den Zügel aus der Linken sinken, so betroffen war er. Er hatte nun keine andere Wahl als die Pistolen, und diese brauchte ich nicht zu fürchten.

»Siehst du, daß ich auch dein Beil verachte!« rief ich ihm zu. »Nun aber bist du meiner Rache verfallen. Paß auf!«

Ich legte das Gewehr auf ihn an. Das gab ihm die Bewegung wieder. Er ergriff den Zügel, riß sein Pferd empor und nach hinten und schoß davon, in die Ebene hinein, just so, wie ich es erwartet hatte.

Ich ritt zu Halef hin und gab ihm die Büchse, denn sie war mir nun hinderlich. Er nahm sie, rief aber dringend:

»Schnell, schnell! Er entkommt sonst!«

»Nur Geduld! Wir haben Zeit. Dieser gute, arme Schneider Afrit soll einmal einen Reiter sehen, mit welchem es der Schut sicherlich nicht aufnehmen kann. Kommt mir im Galopp nach!«

Ein kurzer Pfiff, und mein Rih schoß davon.

Ich legte ihm die Zügel auf den Hals und stellte mich in den Bügeln auf, obgleich der kranke Fuß mir daran ziemlich hinderlich war.

Im Reiten legte ich den Lasso in Schlingen um den linken Ellbogen, schlang die äußere Schleife weit und nahm dann die Schlingen vom Ellbogen herab auf den linken Unterarm, so daß sie regelrecht ablaufen konnten. Die Schleife aber hielt ich in der Rechten.

Den Rappen lenkte ich weder mit dem Zügel, noch durch Schenkeldruck. Das Tier wußte, um was es sich handelte.

Der Miridit war erst in schnurgerader Richtung geflohen, eine Dummheit von ihm, denn da mußte ihn ja meine Kugel leicht treffen, da mir auf diese Weise das Zielen sehr erleichtert wurde, wenn ich überhaupt ihn hätte erschießen wollen.

Da aber in dieser Richtung die offene Ebene am breitesten war, so lenkte er jetzt nach links, wo es wieder Büsche gab, die ihm Schutz und wohl auch Rettung gewähren mußten.

Rih schoß ganz ohne mein Zutun wie ein guter Jagdhund sofort auch nach links, um dem Braunen den Weg abzuschneiden. Dennoch erkannte ich, daß ich wohl zu lange bei Halef gezögert hatte. Der Braune war ein vortrefflicher Renner, wenn auch für fünfzig solcher Blessen mir mein Schwarzer nicht feil gewesen wäre. Gleichwohl war mir der Miridit gewiß, selbst wenn er die Büsche vor mir erreichte. Aber das brauchte ich ihm gar nicht zu erlauben. Es stand mir ja frei, das Geheinis meines Rappen in Anwendung zu bringen.

Er tat bereits schon das Seinige. Er nahm mit drei eleganten Sprüngen so viel Raum hinter sich, wie der Braune mit vier angestrengten Sätzen. Aber der Vorsprung des letzteren war zu groß gewesen; ich konnte ihn nur mit Hilfe des Geheimnisses wieder einholen.

Wer noch nicht weiß welche Bewandtnis es mit diesem Geheimnis hat, der darf erfahren, daß ein jeder Araber, welcher sich im Besitz eines echten Vollblutes befindet, diesem ein gewisses Zeichen anlehrt, welches der Reiter nur dann in Anwendung bringt, wenn das Pferd seine alleräußersten Kräfte anstrengen soll.

Der echte arabische Renner spielt selbst in schnellster Karriere nur mit seinen Kräften. Er vermag sich selbst zu übertreffen, wenn dieses Zeichen angewendet wird. Dies geschieht freilich nur ganz ausnahmsweise, in größter Gefahr, wenn nur allein die Schnelligkeit zu retten vermag.

Das sind dann wahre Todesritte. Das Pferd läuft nicht, sondern es fliegt. Man kann kaum die Beine sehen, so groß ist die Schnelligkeit. Jetzt, in diesem Augenblick, wendet der Reiter sein Geheimnis an, und wenige Sekunden später sind Roß und Mann als kleiner Punkt dem Auge des Zuschauers in weiter Ferne entschwunden.

Diese Zeichen wird Geheimnis genannt, weil der Besitzer es nie verrät. Selbst seinem Weib, seinem Sohn und einzigen Erben, seinem besten Freund verrät er es nicht. Nur dem Käufer des Rosses teilt er es mit, und auf seinem Sterbebett sagt er es demjenigen, in dessen Besitz das Pferd übergehen wird. Sonst aber kann ihm keine Qual und auch nicht der Tod das Geheimnis entreißen. Es stirbt mit ihm.

Als ich Rih geschenkt bekam wurde mir natürlich auch das heimliche Zeichen desselben mitgeteilt. Es bestand darin, ihm die Hand zwischen die Ohren zu legen und dabei seinen Namen ›Rih‹ auszurufen. Ich war einige Male gezwungen gewesen, das Geheimnis in Anwendung zu bringen, und zwar mit fast unglaublichem Erfolg.

Jetzt befand ich mich nicht in einer so großen Gefahr, daß es gerechtfertigt gewesen wäre, das Geheimnis zu Hilfe zu nehmen; aber Halef sollte den Rappen als Geschenk bekommen. Derselbe gehörte mir also nur noch wenige Tage, und da war es verzeihlich, wenn ich wünschte, noch ein letztes Mal mit ihm ›fliegen‹ zu können.

So legte ich ihm denn die Hand zwischen die kleinen Ohren – ›Rih!‹

Er stutzte mitten im Sprung; dann ließ er einen Laut hören, wie ein kurzes, tiefes Husten, und nun ging es vorwärts – – was helfen Worte! Es kann eben nicht geschildert werden. Ich saß auf keinem Pferd, sondern es war, als ob ich auf einem Pfeil durch die Luft schnellte. Ich erreichte den Punkt an den Gebüschen, auf welchen der Miridit zusprengte, viel, viel eher als er. Es lagen wohl an die vierzig Pferdelängen zwischen mir und ihm. Er riß also sein Pferd herum und jagte wieder in die Ebene hinein.

Ich folgte ihm, aber nicht mehr mit dieser Überanstrengung meines Pferdes. Ich gab demselben durch ein beruhigendes, zärtliches Streicheln des glänzenden Halses zu verstehen, daß ich mit ihm zufrieden sei, und daß es nun von dieser höchsten Eile ablassen könne. Es ließ auch nach, aber nur Sekunden dauerte es, so befand ich mich nur um zwei Längen hinter dem Miriditen.

»Halte an! Ich befehle es!« rief ich.

Er drehte sich nach mir um. Er hatte schon seine Pistolen bereit und schoß nach mir. Ich sah am Zielen, daß er mich nicht treffen würde, und schwang die Schleife des Lasso um den Kopf.

Der Miridit hatte vorher schon sein Pferd mit der Peitsche bearbeitet, um es übermäßig anzutreiben. Jetzt warf er fluchend die Pistolen weg, zog sein Messer und stach es dem Pferd in das Fleisch. Es stöhnte laut und machte einen Versuch, schneller zu laufen; aber vergebens.

Da warf ich die Schlinge. In dem Augenblick, in welchem sie wie ein weiter Ring über dem Kopf des Reiters schwebte, hielt ich mein Pferd an und riß es zurück. Ein Ruck, ein Schrei – Rih stand, der Braune rannte weiter, und der Miridit lag am Boden, mit straff zugezogener Schinge um die Arme und um den Leib. Er war aus dem Sattel gerissen und in weitem Bogen zur Erde geschleudert worden.

Ich sah, daß er sich nicht rührte, und beeilte mich keineswegs, abzusteigen. Er konnte ja gar nicht fort.

Als ich nun die wenigen Schritte zu ihm hin ritt, sah ich, daß er die Augen geschlossen hatte. Er war ohnmächtig. Ich blieb aber im Sattel und liebkoste mein Pferd zum Dank für seine Anstrengung. Der Rappe war für solche Zärtlichkeiten sehr empfänglich. Er bog den Hals zurück und leckte mit der Zunge nach mir, ohne mich jedoch zu erreichen. Als das nicht ging, versuchte er, mich wenigstens mit dem Schwanze treffen zu können. Um ihm diese Freude zu machen, bog ich mich nach hinten und streckte die Hand aus, in welche er mir den prächtigen Schweif wohl zehnmal warf und dabei vor Vergnügen laut aufwieherte.

Nach einiger Zeit kamen auch die Gefährten herbei. Dabei wunderte ich mich, mit welcher Leichtigkeit der alte, dürre Klepper des Schneiders galoppierte. Es schien, als ob es der alten Mähre nur Vergnügen mache, sich einmal tüchtig auszulaufen.

Und der kleine, hagere Kerl saß im Sattel wie nur einer! Ich glaube, der Klepper war ein ebenso großer Heuchler, wie sein Herr.

»Ist er tot?« fragte Halef, als sie herangekommen waren.

»Weiß nicht. Sieh einmal nach!«

Er sprang ab und untersuchte den Gefangenen.

»Herr, der Bursche schläft nur ein wenig. Hier hast du seinen Czakan.«

Halef reichte mir die herrliche Waffe, die er vorher aufgehoben hatte. Der gwundene Stiel war mit geperlter Fischhaut überzogen; das Beil selbst war von feiner, alter und herrlich ziselierter Arbeit. Auf der einen Seite stand in arabischer Schrift: ›Li ma' ak kelimet – ich habe ein Wort mit dir zu sprechen‹, und auf der andern: ›Awafi, chatrak – wohl bekomm's, lebe wohl!‹ Der Künstler, von welchem diese Arbeit stammte, hatte einen etwas stacheligen Charakter gehabt.

»Nun, Halef,« fragte ich, »was sagst du zu unserem Rih?«

Der Hadschi holte tief Atem und antwortete mit glänzenden Augen und in begeistertem Ton:

»Was soll ich sagen, Sihdi! Du hast ihm das Geheimnis gesagt?«

»Ja.«

»Ich dachte es mir. Er flog erst wie ein Pfeil und dann wie

ein Gedanke. Er sah von weitem aus als ob er nur aus dem Leib bestehe, denn die Beine waren verschwunden. Noch bevor ich gedacht hatte: da ist er, war er vorn bei den Büschen. Und schau ihn an, wie er dasteht! Siehst du einen Tropfen Schweiß an seinem ganzen Körper?«

»Nein.«

»Oder einen Flocken Gischt vor seinem Maul?«

»Auch nicht.«

»Oder siehst du ihn heftig Atem holen? Siehst du seine Lungen gehen oder gar seine Flanken schlagen?«

»Keine Spur davon.«

»Ja, er steht so ruhig und vergnügt da, als ob er sich soeben erst vom Schlaf erhoben hätte. Es war ein herrlicher, ein prachtvoller Anblick! Selbst der Prophet hat kein solches Pferd gehabt. Schade, daß es ein Hengst und keine Stute ist! Das ist sein einziger, aber auch sein allereinziger Fehler. Ich werde ihm heute abend zur Belohnung einen großen Maiskuchen geben, mit Raki begossen, denn das ist sein Lieblingsessen; er ist ein Leckermaul.«

Sich an den Schneider wendend, fragte er: »Nun, Afrit, du Riesengeschöpf, hast du auch Respekt vor diesem Pferd?«

»Es ist unvergleichlich. Ich habe noch nie ein solches gesehen,« antwortete der Gefragte.

Er betrachtete den Hengst mit den Augen eines Kenners. Konnte ein armer Schneider solche Blicke, die Blicke eines Sachverständigen haben? Nein! Es lag eine nicht ganz zu verbergende Gier in diesen Blicken. Er trug Verlangen, den Hengst zu besitzen. Das sah man ihm an, so sehr er sich auch bestrebte, dies zu verheimlichen.

»Schön!« erwiderte Halef, von diesem Lob befriedigt. »Aber was sagst du zu seinem Herrn?«

»Er ist wert, ein solches Pferd zu besitzen. Er reitet gut.«

»Gut? Mensch, was fällt dir ein! Auch du reitest gut, aber du bist im Vergleich zu ihm ein Frosch, der auf dem Rücken eines Ochsen sitzt. Und wer hat dich gefragt, wie er reitet? Ich habe es ganz anders gemeint. Hat er nicht glänzend Wort gehalten?«

»Ja, das gebe ich freilich zu.«

»Freilich? Du mußt es zugeben, du bist gezwungen dazu. Hat er es nicht bewiesen, daß der Miridit ein Knabe gegen ihn ist, ein Junge, welcher sich noch nicht einmal die Jacke zuknöpfen kann? Wie herrlich hat er ihn überlistet! Hast du geahnt, daß er ihn abermals beschleichen würde?«

»Nein.«

»Ich habe es gleich gewußt. Dein Gehirn ist wie ein Kuchen, welchen die Hitze schwarz und trocken gebrannt hat, so daß er nun nicht zu genießen ist. Wie staunte der Miridit, als er ihn nicht bei uns sah, und wie erschrak er, als er ihn dann hinter sich erblickte! Wie sicher zielte er dann auf ihn! Und weißt du, warum sein Gewehr nicht losgegangen ist?«

»Weil es versagte.«

»Nein, sondern weil wir kugelfest sind. Verstanden, du Schneider aller armen Schneider! Und dann der Wurf des Czakan! Hättest du es vermocht, das Beil zu parieren?«

»Bei meiner armen Seele, nein!«

»Bei deiner armen Seele wirst du überhaupt niemals etwas vermögen, denn deine Seele ist doch nur ein langes, unbehilfliches Ding wie ein Regenwurm, welches sich vergeblich in dir windet, um einen klugen Gedanken zu fassen. Und nachher die Jagd! Hast du schon einmal gesehen, wie man mit einem Riemen einen Reiter von dem Pferd reißt?«

»Niemals.«

»Das glaube ich. Du hast überhaupt noch gar vieles, noch tausenderlei nicht gesehen, was wir verstehen und können. Was kann dein Schut gegen unsern Effendi ausrichten? Unsere List und Tapferkeit wird sein wie eine Schraube, die sich in seinen Leib hineinfrißt!«

»Meinen Schut! Sage das doch nicht!«

»Du verteidigst ihn ja!«

»Das ist mir nicht eingefallen!«

»Hast du nicht gesagt, daß er uns überlegen sei, daß er uns verderben werde?«

»Ich sagte das, um euch liebreich zu warnen.«

»So sage ich dir ebenso liebreich, daß du in Zukunft das

Maul zu halten hast. Wir bedürfen keiner Warnung. Wir wissen selbst, was wir zu tun und zu lassen haben, denn wir kennen uns und auch unsere Feinde. Sie sind gegen uns wie dürre Grashalme gegen die Palmen, welche ihre Häupter in den Wolken baden. Dieser Schut wird uns zu Füßen liegen wie der Miridit, der hier am Boden liegt. Und alle, die ihm dienen, werden wir verzehren, wie man Tabak aus der Dose in die Nase steckt.«

»Hadschi, was habe ich denn getan, daß du so streng und zornig zu mir redest?«

»Den Schut hast du über uns gesetzt! Ist das nicht genug? Du hast noch keinen berühmten Helden gesehen. Hier aber erblickst du Männer und Helden, welche den Schut wie eine Fliege achten. Man fängt und zerdrückt sie mit der Hand!«

Um den kleinen Hadschi, der nun im Zuge war, nicht noch größer werden zu lassen, unterbrach ich ihn:

»Ich hörte, als ich hinter dem Miriditen hielt, einen Pfiff. Wer hat ihn ausgestoßen?«

»Hier der Schneider.«

»Warum?«

»Er sagte, es sei ein Hund durch die Büsche gelaufen.«

»Ja, Herr, ich sah ihn deutlich,« erklärte der Verräter.

»Was ging dich das Tier an?«

»Es hatte sich doch wohl verlaufen, und wir konnten es bis nach dem nächsten Dorf mitnehmen, wohin es wahrscheinlich gehört.«

»So! Der Miridit schien diesen Pfiff zu kennen.«

»Gewiß nicht.«

»Er sprang sofort vom Boden auf und stieg zu Pferd.«

»Das war Zufall!«

»Natürlich! Aber es scheint, da er mit dem ›Suef‹ verabredet hatte, daß derselbe seine Annäherung durch einen Pfiff verkünden sollte. Das ist eine große Albernheit von den Beiden, denn dadurch würden sie ja verraten haben, daß sie im Einverständnisse handeln. Hoffentlich kommt mir der Bursche in die Hände, und da werde ich ihn auf diese Dummheit aufmerksam machen.«

»Willst du nicht einmal nach dem Miriditen sehen? Er bewegt sich.«

Der Genannte hatte, um in eine andere Lage zu kommen, eine Bewegung mit den Beinen gemacht. Ich sah, daß er die Augen geöffnet hatte und mich grimmig anstarrte.

»Nun,« fragte ich ihn, »wie gefällt dir der Ausgang deines Abenteuers?«

»Sei verflucht!« antwortete er.

»Dein Mund trieft nicht von Segensworten, und doch habe ich es gut mit dir gemeint.«

»Wie gut du es meinst, das weiß ich!«

»Was weißt du denn?«

»Daß du mich töten wirst.«

»Du irrst. Hätte ich dich töten wollen, so wäre es mir heute schon öfter sehr leicht gewesen, es zu tun.«

»So hast du noch Schlimmeres mit mir vor.«

»Was denkst du da?«

»O, es gibt verschiedene Arten, einen Blutfeind unschädlich zu machen, ohne ihn gleich zu töten!«

»Man läßt ihn z. B. verschmachten, wie ihr es mit uns im Sinne hattet.«

»Der Scheïtan hat euch heraus geholfen!«

»Nein, wenn dieser uns hätte unterstützen wollen, so wären wir lieber in der Höhle geblieben.«

»Doch ihr habt den Teufel, denn ihr seid alle kugelfest!«

»Meinst du, da man dazu der Hilfe des Scheïtan bedarf? Das kann man selbst tun ohne jede fremde Hilfe. Man muß nur klug genug sein und etwas gelernt haben. Wir fürchten allerdings deine Kugeln und auch dein gehacktes Blei nicht, welches du heute so sorgfältig in den Lauf geladen hattest!«

»Ah, du hast meine Flinte?«

»Nein; sie hing am Sattel, und dein Pferd ist mit ihr fort.«

»Wie kannst du denn wissen, daß ich gehacktes Blei geladen habe?«

»Ich weiß stets alles, was ich wissen muß. Nun kannst du nicht heimreiten nach Sbiganzy, sondern du mußt zu deinen Verbündeten gehen, wie du es mit ihnen ausgemacht hast.«

»Ich? – Wohin?«

»Das weißt du genau. Sind sie nicht über Engely dir voran?«

»Herr, wer hat dir das gesagt?«

»Mein Traum. Ich sah sie im Traum auf der Höhe jenseits
Warzy deiner warten. Du kamst, stiegst vom Pferd und such-
test sie auf, um ihnen zu sagen, daß wir nun endlich so spät
aufgebrochen seien. Dann seid ihr zusammen fortgeritten.
Du aber hast dich sehr bald von ihnen getrennt, um hierher zu
reiten, wohin Suef uns dir in die Hände liefern sollte.«

»Suef!« rief er erschrocken aus.

Sein Blick suchte den Schneider und fand ihn. Ich tat, also
ob ich den warnenden Wink nicht sähe, den ihm der Kleine
gab. Dieser Wink schien den Miriditen zu beruhigen, denn er
fragte:

»Wer ist Suef?«

»Dein Freund.«

»Ich kenne keinen Suef.«

»Nun, vielleicht erkennst du ihn, wenn ich ihn wie ich
hoffe, vor deinen Augen auspeitschen lasse. Du hast mit deinen Gefährten verabredet, daß ich tot wäre, wenn du nicht
kämest; daß du aber heute abend zu ihnen stoßen würdest,
wenn dein Überfall mißglücken sollte. Er ist mißglückt.
Willst du fort?«

Er wußte nicht, was er von mir zu halten habe; doch sagte
er in düsterem Ton:

»Woher du das alles weißt, das ahne ich nicht; aber ich
brauche es auch nicht zu wissen. Mache es kurz, **und** töte
mich!«

»Warum sollte ich dich töten?«

»Weil ich dir nach dem Leben trachtete.«

»Das ist für mich kein Grund, denn ich bin ein Christ und
vergelte nichts Böses mit Bösem.«

»So kennst du das Gesetz der Blutrache nicht?«

»Ich kenne es.«

»So weißt du, daß ich Zeit meines Lebens trachten muß,
dich zu töten?«

»Ich weiß es.«

»Und dennoch mordest du mich jetzt nicht?«

»Nein. Ich habe mich gegen dich gewehrt, und du hast gar nichts tun können. Das ist genug. Wir Christen kennen die Blutrache nicht; darum ist bei uns der Mord ein todeswürdiges Verbrechen. Dich aber zwingt das Gesetz der Blutrache zum Mord; darum kann ich dir nicht zürnen, daß du dem Gesetz gehorchen willst.«

Er blickte mich an wie im Traum. Er konnte meine Worte nicht begreifen.

»Aber,« fuhr ich fort, »überlege dir, ob ich die Blutrache verdient habe. Ich war eingeschlossen – ich mußte mich befreien. Ich mußte schießen und wußte nicht, daß dein Bruder es war, der oben saß. Er selbst trug die Schuld, daß meine Kugel ihn traf. Er wußte, daß wir unsere Waffen bei uns hatten. Es war eine große Torheit von ihm, sich dort hinauf zu setzen.«

»Herr, deine Worte enthalten viele Tropfen der Wahrheit!«

»Und warum wollte er mich bis zum Vermachten einsperren? Was hatte ich getan? Hatte ich ihn beleidigt, gekränkt, bestohlen oder beraubt? Fein! Ich kam, um mich nach dem Schut zu erkundigen. Es stand ihm frei, mir Auskunft zu geben oder nicht, und dann wäre ich in Frieden weitergezogen. Warum wurde er mein Feind?«

»Weil seine Freunde deine Feinde sind, und weil du den Schut verderben willst.«

»Auch das will ich nicht.«

»Du suchst ihn und hast seinen Schwager Deselim getötet. Du bist der Blutrache verfallen und wirst ihr erliegen.«

»Ich habe Deselim nicht getötet. Er stahl mir mein Pferd, stürzte von demselben und brach sich den Hals. Bin ich der Mörder?«

»Hättest du ihn fliehen lassen! Du aber hast ihn gejagt und verfolgt.«

»Ah, so verfalle ich also der Blutrache, weil ich mir mein Pferd nicht stehlen lassen wollte? Höre, ich habe Achtung für euch empfunden, denn ich glaubte, ihr wäret tapfere, offenherzige Männer. Nun aber sehe ich, daß ihr feige, hinterlistige Schufte seid. Ihr seid Diebe, elende Diebe, und wenn man euch dann euern Raub abjagt, so sagt ihr, wir seien der Blutrache verfallen. Das ist, um euch anzuspucken. Pfui Scheïtanim! Jetzt ist mir euer Schut nur ein elender Bube, und alle, die ihm dienen, sind jämmerliche Halunken, auf die ich gar nicht achten werde. Da, mach' dich auf und lauf' davon! Ich fürchte dich nicht. Schieße nach mir, so oft du willst. Halef, löse ihm den Lasso von seinem Leib!«

»Sihdi!« rief der Kleine erschrocken. »Bist du toll?«

»Nein. Mache ihn los!«

»Das tue ich nicht!«

»Soll ich es etwa selbst tun? Er hat nicht hinterrücks nach mir geschossen, sondern er hat sich mir offen gegenübergestellt. Er hat mir auch, bevor er schoß, eine schöne Rede gehalten, während welcher ich ihn töten konte, wenn es mir beliebt hätte. Ein Meuchelmörder ist er nicht, und so will ich ihn auch nicht als solchen behandeln. Mach' den Lasso auf!«

Jetzt gehorchte Halef und band den Miriditen los. Dieser stand vom Boden auf. Wen wir erwartet hatten, daß er nun schleunigst davoneilen würde, so waren wir im Irrtum gewesen. Er streckte und reckte seine dicht an den Leib gezogen gewesenen Arme und trat dann vor mich hin.

»Effendi,« sagte er, »ich weiß nicht, was dein Verhalten bedeuten soll.«

»Ich habe es ja gesagt!«

»Ich bin frei?«

»Und kannst gehen, wohin du willst.«

»So verlangst du nichts, gar nichts von mir?«

»Nein.«

»Auch kein Versprechen, dich zu schonen?«

»Fällt mir gar nicht ein!«

»Aber ich muß dich ja töten!«

»Versuche es immerhin!«

»Du selbst weißt ja, daß ich heute abend meinen Gefährten folgen soll.«

»Ich weiß es und habe gar nichts dagegen, daß du es tust.«

»Weißt du auch, wo sie auf mich warten?«

In seinem Gesicht machten sich die Zeichen eines inneren Kampfes bemerklich. Stolz und Milde, Haß und Rührung stritten miteinander. Dann sagte er:

»Wirst du mich für einen Feigling halten, wenn ich die Freiheit von dir annehme?«

»Nein. Ich würde es auch tun und halte mich doch für einen mutigen Mann.«

»Gut, so will ich mein Leben von dir annehmen. Es würde mich kein Mensch mehr anrühren, wenn ich es mir von dem Mörder meines Bruders schenken ließe, um auf meine Rache zu verzichten. Es bleibt die Blutrache zwischen uns, aber sie mag einstweilen schweigen. Ich sehe meinen Czakan hier liegen. Ich hebe ihn auf und gebe ihn dir obgleich er eigentlich deine rechtmäßige Beute ist. Weißt du, was dies bedeutet?«

»Nein.«

»Das ist das Zeichen, daß die Blutrache einstweilen schweigen soll. Sobald du mir die Axt zurückgibst, beginnt sie von neuem.«

»Also solange ich sie behalte, schweigt der Kampf zwischen uns?«

»Ja. Willst du sie nehmen?«

»Ich nehme sie.«

»Wohin ist mein Pferd gelaufen?«

»Da drüben an den Büschen weidet es.«

»So gehe ich. Effendi, ich würde dir gerne meine Hand zum Abschied reichen, aber an der deinigen klebt das Blut meines Bruders. Ich darf dich nur anrühren, um dich zu töten. Lebe wohl!«

»Lebe wohl!«

Er schritt von dannen. Aus der Ferne wandte er sich noch einmal um und winkte uns zu, dann ging er zu seinem Pferd und ritt davon.

Den Czakan habe ich heute noch. Die Rache des Blutes schläft noch immer und wird wohl auch niemals aufwachen.

Der kleine Schneider hatte mit gespanntester Aufmerksamkeit diesem Vorgang zugeschaut. Es war ihm anzusehen, daß er trotz meiner früheren Worte mit größter Bestimmtheit geglaubt hatte, ich würde den Miriditen töten lassen. Ob er aber mit dem Ausgang der Sache zufrieden oder unzufrieden sei, das ließ seine Miene nicht erkennen. Dieselbe drückte jetzt nichts als das größte Erstaunen aus.

Halef war sichtlich unzufrieden. Es wäre ihm ein großes Vergnügen gewesen, wenn ich ihm den Auftrag gegeben hätte, dem Mann fünfzig aufzuzählen und ihn dann laufen zu lassen. Aber abgesehen von der Gemeinheit eines solchen Verfahrens, hätte ich mir durch dasselbe einen doppelt ergrimmten Todfeind erworben, während ich von demselben nun gar nichts mehr zu fürchten hatte.

Da der Hadschi nicht wagte, mir Vorwürfe zu machen, ließ er seinen Unmut an dem Schneider aus.

»Nun, du Mann der Nadel und des Zwirns, was stehst du da und guckst die Luft an, als ob es Kamele regnete? Worüber wunderst du dich so sehr?«

»Über den Effendi.«

»Ich auch.«

»Er konnte ihn töten lassen.«

»Und dich dazu!«

»Mich! Warum?«

»Das werde ich dir seiner Zeit sagen, wen ich es dir zugleich auch schriftlich geben kann.«

»Dann hättet ihr euern Führer verloren.«

»Das wäre freilich schade!«

»Und wer weiß, was euch dann noch unterwegs passieren würde!«

»Nun, auch nichts Schlimmeres, als wenn du dabei bist. Kennst du die Gesetze der Blutrache, wie sie hierzulande geübt werden?«

»Ich kenne sie.«

»Ist es auch wirklich wahr, daß nun dieser Streit beigelegt ist?«

»Das ist gewiß wahr, bis nämlich der Czakan zurückgegeben wird. Dies gilt aber nur von der Blutrache, sonst nicht.«

»Wie meinst du das?«

»Er kann euch zum Beispiel überfallen, um euch auszurauben und dabei töten. So hat er euch nicht wegen der Blutrache, sondern wegen des Raubes getötet.«

»Allah ist groß, aber eure Ehrlichkeit hier ist klein,« entgegnete Halef. »Was hilft es meinem Nachbar, wenn ich ihm verspreche, ihm nicht seine Kürbisse zu stehlen, und in der nächsten Nacht nehme ich ihm seine Melonen? Ihr seid doch alle miteinander Schurken!«

Ich unterbrach das Gespräch mit der Frage:

»Wie weit haben wir noch bis Jerßely?«

»Eine kleine Stunde.«

»So können wir dort halten, um uns zu erfrischen. Ist ein Khan dort?«

»Ja, ich kenne den Wirt.«

»Und wo schlägst du vor, da wir die Nacht zubringen sollen?«

»In Kilissely; ich kenne dort den Wirt.«

»Wie lange ist bis dorthin zu reiten?«

»Vor Jerßely vier starke Stunden.«

»Warum wählst du grad dieses Dorf?«

»Es ist ein sehr schöner Ort und liegt in der Ebene Mustafa, wo alles, was das Herz begehrt, sehr billig und reichlich zu haben ist.«

»Wie weit ist es von dort bis Uskub?«

»Acht Stunden.«

»Gut, so bleiben wir in Kilissely.«

Der Schneider ritt als Führer voran und schien sich nicht um uns zu bekümmern. Da Osko und Omar sich hinter ihm befanden, so konnte ich mit Halef von ihm reden, ohne von ihm gehört zu werden.

»Sihdi,« fragte der Hadschi neugierig, »du denkst doch auch, daß er jener Suef ist?«

Ich nickte nur, und er fragte weiter, indem er mich von der Seite anblinzelte:

»Du hältst doch Wort wegen der fünfzig?«

»Er soll sie erhalten, aber nicht jetzt.«

»Und verdient hat er sie auch reichlich. Ich habe mich sehr gewundert, daß du ihm so vieles mitgeteilt hast, obgleich du weißt, daß er zu unseren Gegnern hält.«

»Mit Absicht.«

»Ja, du hast immer deine heimlichen Absichten. Du schaust weiter hinaus als wir, und darum, tust du auch, als ob du dem Schneider dein Vertrauen schenktest. Ich aber würde ihn durchpeitschen und dann liegen lassen.«

»Und schlimme Früchte davon ernten. So lange er bei uns ist, werden wir von allem unterrichtet sein, was seine Verbündeten gegen uns vornehmen wollen. Heute abend machen sie einen Angriff, den sie für den letzten, weil erfolgreichen, halten. Heute abend sollen wir alle ermordet werden. Wie das geschehen soll, weiß ich noch nicht.«

»Wir werden es aber doch erfahren.«

»Natürlich! Und zwar durch den Schneider. Wir müssen ihn heimlich beobachten, ohne daß er es bemerkt, denn sonst würde er sich sehr in acht nehmen. Aus dem, was er tut, werden wir dann wohl sicher auf das schließen können, was geschehen soll.«

»So werde ich ein sehr offenes Auge haben.«

»Ich muß dich allerdings darum ersuchen, da ich mich nicht selbst um alles bekümmern kann. Ich werde wegen meines Fußes wohl wieder das Zimmer hüten müssen. Was draußen vorgeht, müßt ihr drei Andern beobachten. Wir müssen vor allen Dingen erfahren, wo die Aladschy, Barud und die Andern sind, wann und wo sie mit dem Schneider reden wollen, und wann, wo und wie wir ermordet werden sollen.«

»Sihdi, da ist sehr viel zu ergattern! Werden denn die Aladschy auch dort sein? Sie sind ja über Engely geritten!«

»Von Engely bis Kilissely können sie die Istib-Uskuber-Straße benutzen. Sie werden eher dort sein, als wir. Es kommt nun ganz darauf an, ihren Versteck zu erfahren. Allerdings können wir jetzt noch keinen bestimmten Plan entwerfen und müssen zunächst sehen, welche Örtlichkeiten und Verhältnisse wir dort vorfinden. Vor allen Dingen gilt es, den Schneider keinen Augenblick aus dem Auge zu verlieren.«

»Diesen Heimtücker! Er schien eine so treue und ehrliche Haut zu sein! Aus welchem Grund mag er denn in diese Gegend gekommen sein, Sihdi?«

»Ich glaube, daß er ein bevorzugter Vertrauter des Schut ist und einen wichtigen Auftrag ausführen soll.«

»Nun, wir werden es ja erfahren, Sihdi. Für jetzt können wir uns freuen, einen der Feinde, und zwar den grimmigsten, los geworden zu sein.«

»Du meinst den Miriditen?«

»Ja. Der kommt nun jedenfalls heute abend nicht.«

»Und ich meine, daß er ganz gewiß kommen werde.«

»Um den Aladschy zu helfen?«

»Im Gegenteil, um uns gegen sie beizustehen.«

»Ah, das glaube ich nicht!«

»Ich glaube es. Er ist ein Miridit, und zwar ein braver. Er ist nur deshalb mein Feind, weil meine Kugel zufälligerweise seinen Bruder getroffen hat, nicht aber des Schut wegen. Ich meine, er achtet uns jetzt und verabscheut das hinterlistige, giftige Verhalten der Andern. Er weiß, daß ich ihm das Leben geschenkt habe. Welcher Mensch liebt sein Leben nicht! Darum fühlt er sich uns zu Dank verpflichtet.«

»Hast du die Andern nicht auch geschont? Haben sie es dir gedankt?«

»Nein, aber sie sind auch nur elende Schurken. Hätten sie seinen Charakter, seine Offenheit, so wären wir längst mit ihnen fertig. Ich bin fest überzeugt, daß er kommen wird, und vielleicht ist uns seine Anwesenheit von Nutzen.«

Wie der Schneider gesagt hatte, erreichten wir Jerßely in etwa einer Stunde. Es war ein Höhendorf, von dem nichts Besonderes zu sagen ist. Am Khan blieben wir halten und ließen uns einen Imbiß geben: saure Milch mit Maiskuchen. Die Pferde wurden getränkt.

Auffallen mußte es mir, daß der Schneider, als das Dorf in Sicht kam, uns vorauseilte, um für uns eine Erfrischung zu bestellen, wie er vorgab. Halef blickte mich an, zuckte die Achseln und fragte:

»Weißt du, warum?«

»Er wird dem Wirt sagen, daß dieser ihn nicht Suef sondern Afrit nennen soll.«

»Das denke ich mir auch. Aber da hätte er doch unsern Wirt in Sbiganzy auch vorher stimmen müssen!«

»Vielleicht ist er dort unter dem Namen Afrit bekannt.«

»Oder der Wirt ist dennoch nicht aufrichtig mit uns gewesen.«

»Auch möglich, doch glaube ich es nicht.«

Nach eingenommenem Imbiß ritten wir weiter und kamen bald von der westlichen Seite des Plateau herunter auf die bereits erwähnte Ebene von Mustafa, welche viele Stunden lang und breit ist. Durch fruchtbare Auen, wo die Ernte bereits eingeheimst war, ging es über die Straße, welche von Engely nach Komanova führt, und nach vier Stunden sahen wir Kilissely vor uns liegen.

Es war keine romantische, aber eine reizende Gegend. Berge fehlten; desto anmutiger aber fanden wir die an den Seiten des Weges liegenden Laubwälder, unter denen es immergrüne Hölzer gab. Wir kamen durch prächtige Obstpflanzungen, wo die Südfrüchte im Freien reiften. Reiche, jetzt abgeerntete Getreidefelder dehnten sich zur Rechten und Linken, und als wir nahe an das Dorf gelangten, sahen wir einen großen Fischteich, in dessen kristallhellem Wasser sich die Bäume eines großen Gartens spiegelten. Der Garten gehörte zu einem Gebäude, dessen schloßartiges Aussehen in diesem Lande der ärmlichen Bauwerke imponieren mußte.

»Was ist das für ein Gebäude?« fragte ich den Schneider.

»Es ist ein Schloß,« antwortete er.

»Wem gehört es?«

»Dem Gastwirt, bei welchem wir übernachten werden.«

»Aber dieses Schloß ist doch, wie mir dünkt, kein öffentliches Gasthaus?«

»O nein.«

»Du sprachst jedoch von einem Khan!«

»Ich dachte, es sei ganz gleich, ob ich Khan oder Konak sage. Ich kenne den Besitzer. Er sieht außerordentlich gern Gäste bei sich und wird euch sehr willkommen heißen.«

»Wer ist er denn?«

»Ein Türke aus Salonik, der sich hier von seinen Geschäften zur Ruhe gesetzt hat. Er heißt Murad Habulam.«

»Wie sieht er aus?«

»Er ist in den mittleren Jahren, lang und etwas hager von Gestalt und bartlos.«

Für einen langen, hageren, bartlosen Türken hatte ich nicht die mindeste Zuneigung. Ich kann mir einen braven, gradsinnigen, ehrlichen Türken nicht als halbes oder ganzes Skelett vorstellen und habe die Erfahrung gemacht, daß man sich im osmanischen Reich vor jedem, der über mittelmäßig lang und hager und überdies noch bartlos ist, in acht nehmen muß. Meine Miene mochte keine günstige sein, denn der Schneider fragte mich:

»Ist es dir nicht recht, daß ich euch zu ihm führe?«

»Nein; denn ich halte es für eine Unbescheidenheit, fünf Mann hoch sich bei einem völlig Unbekannten zu Gast zu bitten.«

»Aber nicht ihr bietet euch an, sondern er läßt euch bitten.«

»Das ist mir neu!«

»Ich will es dir dadurch erklären, da er sehr gern Gäste sieht. Ich komme oft zu ihm, und er hat mir ein für allemal den Befehl erteilt, Fremde mitzubringen, wenn er sich ihrer nicht zu schämen braucht. Er liebt die Fremden und ist ein sehr gelehrter und weit in der Welt herum gekommener Mann, wie du selbst. Ihr werdet großes Wohlgefallen aneinander finden. Außerdem ist er so reich, daß es ihn gar nicht anficht, zehn oder auch zwanzig Gäste zu beherbergen.«

Ein sehr gelehrter Mann und weltkundiger Mann! Das zog. Und um mich noch geneigter zu machen, fügte der Schneider hinzu:

»Du wirst eine prächtige Wohnung sehen mit Harem, Park und allem was ein reicher Mann nur haben kann.«

»Hat er auch Bücher?«

»Eine ganze, große Sammlung.«

Da war es nun freilich mit allen Bedenken aus, und ich sandte den Schneider voraus, um uns anzumelden.

Während ich mit Halef über den steinreichen und gelehrten Türken plauderte und meine Vermutung aussprach, daß wir bei demselben gar keiner Anmeldung bedurft hätten, weil er unsere Ankunft schon durch die Aladschy erfahren haben würde, scheute plötzlich des Hadschi Pferd.

Wir ritten nämlich hart am Rand des Teiches hin, über dessen Fläche ein Kahn grad auf uns zu gekommen war. Es saß ein junges Mädchen darin, welches das Fahrzeug mit kräftigen Armen ruderte.

Sie trug das Gewand unverheirateter Bulgarinnen. Unter dem roten Tuch, welches sie um den Kopf geschlungen hatte, hingen zwei lange, schwere Haarzöpfe hervor.

Sie mochte es sehr eilig haben, denn ohne den Kahn erst anzubinden, sprang sie heraus und wollte schnell an uns vorüber. Ihr rote Kleidung, ihre Hastigkeit oder sonst etwas erschreckte Halefs Pferd: es tat einen Satz nach vorn, streifte das Mädchen mit dem einen Huf und riß es nieder. Mein Rappe wurde auch ein wenig scheu und bäumte sich. Die Bulgarin wollte sich aufraffen, tat es aber nach der verkehrten Seite, kam so unter mein Pferd und schrie laut auf vor Angst.

»Still! Du machst nur die Pferde scheu!« rief ich ihr zu. »Bleib' ruhig liegen!«

Der Rappe tänzelte zwar noch ein wenig, trat sie dabei aber nicht, und so konnte sie sich erheben. Nun wollte sie davonlaufen, ich aber gebot ihr:

»Halt! Warte einen Augenblick! Wie heißt du?«

Sie blieb stehen und sah zu mir herauf. Es war ein echt bulgarisch jugendliches Gesicht, weich, rund und voll, mit kleiner Nase und sanften Augen. Der Kleidung nach war sie arm und ging barfuß. Halefs Pferd hatte wahrscheinlich ihr wehe getan, den sie zog den einen Fuß empor.

»Anka heiße ich,« antwortete sie.

»Hast du Eltern?«

»Ja.«

»Geschwister?«

»O, viele!«

»Und einen Schatz?«

Eine tiefe Röte überzog ihr frisches Antlitz, aber trotzdem antwortete sie schnell:

»Ja, einen prächtigen!«

»Wie heißt er denn?«

»Janik. Er ist Knecht.«

»So seid ihr beide wohl nicht reich?«

»Wenn wir Vermögen hätten, wäre ich schon längst seine Frau. Wir sparen aber.«

»Wieviel denn?«

»Ich tausend Piaster und er tausend.«

»Was wollt ihr dann anfangen?«

»Dann ziehen wir in die Nähe von Uskub, wo meine und seine Eltern wohnen, und pachten uns eine Gärtnerei. Sein Vater ist Gärtner und der meinige auch.«

»Nun, wie steht es denn mit dem Sparen? Wächst die Summe?«

»Nur sehr langsam, Herr. Mein Lohn ist so gering, und ich möchte doch auch dem Vater zuweilen etwas geben, der auch nur Pächter ist.«

Das freute mich. Die Bulgarin sah so treuherzig und brav aus. Sie gab ihrem armen Vater von ihrem Lohn, obgleich sie dadurch das ersehnte Glück noch länger verschob.

»Hast du dir wehe getan?« fragte ich.

»Das Pferd hat mich getroffen.«

Da war wohl nicht gar schlimm, denn sie stand jetzt gut aufrecht da; aber ich griff in die Tasche, zog eine Kleinigkeit, vielleicht fünfzig bis siebzig Piaster, hervor und hielt sie ihr hin.

»So mußt du zum Arzt und zum Apotheker gehen, Anka, damit die Verletzung wieder heil wird. Hier hast du etwas, um die Beiden zu bezahlen.«

Sie wollte schnell zugreifen, zog aber die Hand wieder zurück und meinte:

»Das darf ich doch nicht nehmen.«

»Warum nicht?«

»Ich brauche vielleicht gar nicht zum Arzt und zum Apotheker zu gehen; also darf ich auch kein Geld annehmen.«

»So nimm es als ein Geschenk von mir!«

Sie machte ein allerliebst betroffenes Gesicht und fragte verlegen:

»Wofür denn? Ich habe dir ja noch gar keinen Dienst zu erweisen vermocht.«

»Das hat man bei einem Geschenk auch gar nicht zu verlangen. Lege es zu deinem Spargeld – oder sende es deinem Vater, der es wohl brauchen kann.«

»Herr, das Wort, welches du da sagst, ist ein gutes. Ich werde das Geld meinem Vater schicken. Er wird für dich zur Mutter Gottes beten, obgleich du ein Moslem bist.«

»Ich bin kein Moslem, sondern ein Christ.«

»So freut es mich noch mehr. Ich bin eine Kyzyl elma katolika[1], und mein Bräutigam gehört demselben Glauben an.«

»Nun, ich war in Rom und habe den Baba mukkades[2] gesehen, umgeben von den hohen Kardnalalar[3].«

»Oh, wenn du das mir erzählen könntest!«

Dieser Wunsch war wohl auch ein wenig von der weiblichen Neugierde diktiert, kam aber aus einem guten Herzen. Das sah man ihren offenen, leuchtenden Augen an.

»Ich wollte es wohl gern tun, aber ich werde dich wahrscheinlich nicht wiedersehen.«

»Du bist hier fremd, wie ich sehe. Wo willst du bleiben?«

»Bei Murad Habulam.«

»Tanry walideji aziza – heilige Gottesmutter!« rief sie erschrocken aus.

Schnell trat sie näher, ergriff meinen Bügelriemen und fragte mit gedämpfter Stimme:

»Bist du etwa der Effendi, der mit drei Begleitern hier erwartet wird?«

»Ein Effendi bin ich, und drei Begleiter habe ich. Aber ob ich erwartet werde, das kann ich nicht wissen.«

»Kommst du heute von Sbiganzy?«

»Ja.«

»So bist du es.«

1 Römische Katholikin.
2 Heiliger Vater.
3 Kardinäle.

Und indem sie sich auf die Zehen erhob, raunte sie mir noch leiser als vorher zu:

»Nimm dich in acht!«

»Du darfst laut sprechen, Anka. Diese drei Männer dürfen alles hören; sie sind Freunde von mir. Vor wem soll ich mich hüten?«

»Vor Murad Habulam, meinem Herrn.«

»Ah, du dienst bei ihm?«

»Ja, und Janik auch.«

»Hast du einen Grund zu deiner Warnung?«

»Man trachtet euch nach dem Leben.«

»Das weiß ich bereits. Kannst du mir vielleicht sagen, in welcher Weise man das tut?«

»Noch nicht. Ich habe gelauscht und Janik auch. Wir haben einiges vernommen, aus dem wir ahnen können, daß etwas Schlimmes mit euch geschehen soll.«

»Willst du meine Beschützerin sein?«

»Gern, sehr gern, denn du bist meines Glaubens und hast den heiligen Vater gesehen. Ich werde dich beschützen, und sollte mein Herr uns fortjagen!«

»Wenn er das tut, so werde ich für euch sorgen.«

»Wirst du es wirklich tun, Effendi?«

»Ich gebe dir mein Wort.«

»So wirst du es auch halten, weil du ein Christ bist. Ich kann dir jetzt nichts mehr sagen, denn ich habe keine Zeit; ich muß in die Küche gehen, weil die Herrin nach Uskub auf Besuch gegangen ist. Sie hat sogleich fort gemußt, als die Kunde von eurer Ankunft kam. Hütet euch vor Humun, dem Diener, welcher der Vertraute des Herrn ist und mich haßt, weil Janik mir lieber ist als er. Ihr werdet im Kulle jaschly anaja[1] wohnen, und ich sorge dafür, daß ihr Nachrichten erhaltet. Wenn ich nicht selbst kommen kann, so werde ich Janik zu euch senden, dem ihr vertrauen könnt.«

Sie hatte das in fliegender Hast gesprochen und rannte dann davon.

1 Turm der alten Mutter.

»Herr, was haben wir da gehört!« sagte Osko. »Welch eine Gefahr bedroht uns da! Wollen wir nicht lieber in den Gasthof gehen?«

»Nein. Dort würden wir ebenso bedroht sein, ohne uns wehren zu können. Hier aber haben wir Helfer und Freunde, von denen wir erfahren werden, was wir zu tun haben.«

»Der Sihdi hat recht,« stimmte Halef mir bei. »Allah hat uns diese Freundin und ihren Bräutigam gesandt, um uns zu beschützen. Das Christentum muß doch gut sein, da es sofort die Herzen verbindet. Da ich ein Moslem bin, kann ich kein Christ sein; aber wenn ich kein Moslem wäre, so würde ich ein Anhänger von Isa ben Marryam[1] werden. Seht! Dort winkt der Schneider, der Verräter!«

Wir waren an die Mauerecke des Gartens gekommen und ritten nun längs der einen Seite hin. Dort stand ein Tor offen, und vor demselben hielt der Schneider, um uns zu erwarten.

»Kommt, kommt!« rief er uns entgegen. »Ihr seid hoch willkommen! Der Herr erwartet euch!«

»Kann er uns nicht selbst entgegenkommen?«

»Nein, denn er hat kranke Beine und kann nicht gehen.«

»So bereiten wir ihm Störung und Unbequemlichkeiten?«

»Gar nicht. Er freut sich, in seiner Einsamkeit Leute zu haben, mit denen er sich unterhalten kann, denn das Schlimmste bei seiner Krankheit ist die Langeweile.«

»Nun, da ist zu helfen. Wir werden ihm Kurzweile und Beschäftigung bringen.«

1 Jesus, Mariens Sohn.

6. Kapitel

Im Turme der alten Mutter

Wir ritten durch das Tor. Nach der Beschreibung, welche uns der Schneider gemacht hatte und nach dem Eindruck des Gebäudes von der Ferne aus hatte ich ein schloßähnliches Bauwerk erwartet. Aber wie sah es aus!

Es war allerdings lang und hoch, aber halb verfallen. Die Fensterlücken starrten uns leer entgegen. Das Dach war an vielen Stellen offen. Der Bewurf der Mauer war verschwunden, und längs der Fronte lag das Mehl der Ziegelsteine, welche unter dem Einfluß der Witterung sich auflösten.

Wir ritten bis vor das hohe, breite Tor, wo uns ein Kerl empfing, dessen langgezogenes Galgengesicht keineswegs vertrauenerweckend war.

»Das ist Humun, der Diener des Herrn,« erklärte der Schneider.

Ah, da hatten wir den Mann also ja gleich, vor welchem wir uns hüten sollten! Er machte mir eine tiefe, ehrerbietige Verneigung, deutete auf zwei kräftige Burschen, welche hinter ihm standen, und sagte: »Effendim, mein Herr hat mit Trauer vernommen, daß du nicht gehen kannst. Darum gab er den Befehl, daß diese Leute dich zu ihm tragen sollen. Sie sind so kräftig, daß du dich ihnen anvertrauen kannst.«

Ich stieg ab. Die beiden Bezeichneten schlangen je einen Arm ineinander und faßten sich dann mit den beiden andern Händen. Auf die Hände setzte und an die Arme lehnte ich mich, und so war eine Art Tragstuhl gebildet, mittels dessen ich in den Flur und durch zwei Stuben in das Empfangszimmer getragen wurde. Meine Gefährten folgten mir.

Dieses Zimmer war leidlich ausgestattet. Um die Wände liefen Diwans. Auf einer erhöhten Stelle, dem Eingang gegenüber, saß der Schloßherr. Neben sich hatte er eine ähnliche Erhöhung, welche wohl für mich bestimmt war, und vor seinem Platz lagen einige Polster für meine Gefährten.

Meine beiden Träger blieben mit mir unter der Türe stehen. Der Herr verbeugte sich, ohne sich zu erheben, und sagte:

»Sei mir willkommen, hoher Effendi. Allah segne deinen Eingang in mein Haus und gebe dir lange Tage bei mir! Verzeihe, daß ich mich nicht erhebe, denn die Nikris[1] plagt meine Beine, so daß ich sie nicht bewegen kann. Laß dich zu mir tragen, um neben mir zu meiner Rechten Platz zu nehmen. Deine Gefährten aber mögen hier vor uns Ruhe ihrer Glieder finden.«

Man setzte mich neben ihm nieder, während die Drei uns gegenüber Platz nahmen. Ich sagte natürlich einige höfliche Worte des Dankes und der Entschuldigung, welche er mir aber mit der Versicherung abschnitt, daß nicht ich, sondern er zu Dank verpflichtet sei.

Die Träger hatten sich entfernt, und der Diener brachte Pfeifen und Kaffee. Im Orient ist man gewöhnt, den Reichtum des Mannes nach der Beschaffenheit seiner Pfeifen zu taxieren. Mit diesem Maßstabe gemessen, war Murad Habulam ein sehr reicher Mann.

Seine Pfeife, und diejenige, welche ich bekam, hatten Rohre von echtem Rosenholz, welches mit Goldfäden umstrickt und mit Perlen und Edelsteinen verziert war. Die Spitzen waren Kabinettstücke. Der Bernstein war von jener halb durchsichtigen, rauchigen Art, welche im Orient weit höher geschätzt wird, als der durchsichtige. Die kleinen Fingans[2] standen in goldenen Schalen von köstlich durchbrochener Arbeit, und als ich kostete, mußte ich mir gestehen, daß ich nur in Kairo einmal einen besseren Kaffee getrunken hatte. Er wurde nämlich nach orientalischer Art samt dem feinge-

1 Podagra.
2 Tassen.

stoßenen Satz genossen. Ein Täßchen enthielt ungefähr den Inhalt von vier Fingerhüten.

Auch der Tabak war fein. Schade, daß die Pfeifenköpfe so klein waren! Wenn man ungefähr fünfzehn Züge getan hatte, mußten sie wieder gestopft werden, was Humun, der Liebling seines Herrn, besorgte.

Da es die gute Sitte erfordert, daß man den Gast nicht gleich nach seinen Verhältnissen fragt, so wurden nur allgemeine Redensarten gewechselt. Dann rückte mir der Herr etwas näher, indem er fragte:

»Hast du heute eine gute Reise gehabt, Effendim?«

»Allah hat mich gut geleitet,« antwortete ich.

»Afrit, der Schneider, sagte mir, du kämst von Sbiganzy?«

»Ich war seit gestern dort.«

»Und vorher?«

»In Radowitsch und Ostromdscha.«

»So bist du täglich unterwegs gewesen?«

»Ja, denn wir kommen von Edreneh und Stambul.«

»Von Stambul! Allah hat es sehr gut mit dir gemeint, daß er dich in der Stadt des Padischah hat geboren werden lassen!«

»Ich bin nicht dort geboren. Ich kam von Damask über Falesthin[1] dahin.«

»So bist du also gar ein Damaski?«

»Auch nicht. Ich bin ein Franke, ein Germani und reiste von meinem Vaterland aus nach der großen Sahar[2], um von da nach Gypt[3] und Belad el arab[4] zu gehen.«

»Allah ist groß! So weit hat deine Reise dich geführt? Hast du da gute Geschäfte gemacht?«

»Ich reise nicht, um Geschäfte zu machen. Ich will die Länder sehen, die Völker, welche dieselben bewohnen, ihre Sprachen und Sitten kennen lernen. Deshalb habe ich für eine so lange Zeit meine Heimat verlassen.«

Er sah mich mit ungläubigem Blick an.

1 Palästina.
2 Sahara.
3 Aegypten.
4 Arabien.

»Deshalb? Allah! Was bringt es dir für Nutzen, wenn du die Berge und die Täler anschaust, die Menschen und die Tiere, die Wüsten und die Wälder? Was hast du davon, wenn du siehst, wie man sich kleidet, und hörst, wie man spricht?«

Das war die alte Ansicht, welcher ich so oft begegnet war. Diese Leute können es durchaus nicht begreifen, daß man aus rein sachlichem Interesse fremde Völker und Länder besucht. Eine Geschäftsreise, eine Wallfahrt nach Mekka, weiter hinaus geht ihr Verständnis nicht.

»Liebst du die Dschografia[1]?« fragte ich ihn.

»Sicher. Ich lese gern solche Bücher.«

»Wer hat dieselben geschrieben?«

»Gelehrte Männer, welche in den betreffenden Ländern gewesen sind.«

»Und diesen Männern weißt du es wohl Dank, daß sie dich mit ihren Büchern unterhalten und unterrichten?«

»Natürlich!«

»Nun, auch in meiner Heimat gibt es Leute, welche solche Bücher wünschen. Viele, viele Tausende sind es, welche dieselben lesen. Es muß auch Männer geben, welche dieselben schreiben und also in entfernte Länder reisen, um dieselben kennen zu lernen. Zu diesen gehöre ich.«

»So bist du also ein Ehli Dschografia. Aber ich frage dich dennoch: was hast du davon? Du verlässest dein Haus und dein Harem; du gibst die Freuden des Daseins auf, um in der Ferne Unbequemlichkeiten, Hunger und Durst zu leiden und vielleicht gar mit Gefahren zu kämpfen.«

»Das ist freilich der Fall.«

»Dann setzest du dich hin und schreibst dir deine Augen krank, damit die Neugierigen erfahren sollen, was du gesehen hast. Was frommt das aber dir?«

»Ist das Reisen kein Genuß?«

»Nein, sondern es ist eine große Beschwerde.«

»So würdest du wohl zum Beispiel keinen hohen Berg mühsam besteigen, um die Sonne aufgehen zu sehen?«

[1] Geographie.

»Nein, denn mein Gehirn ist gesund. Was soll ich hier meinen bequemen Diwan verlassen, wo ich rauchen und Kaffee trinken kann? Wozu soll ich steigen und klettern, um nachher wieder herabzulaufen? Es ist doch unnütz. Die Sonne geht auf und geht unter, auch wenn ich nicht da oben auf dem Berg sitze. Allah hat alles weislich eingerichtet, und ich kann durch mein Klettern nicht das mindeste zu seinem Ratschluß beitragen.«

Ja, so sind die Ansichten dieser Leute! Allah il Allah, all-überall Allah! Das ist ihr Wahrspruch und die Entschuldigung ihres geistigen und körperlichen Phlegmas.

»So wirst du allerdings auch nicht die Beschwerden und Gefahren weiter Reisen auf dich nehmen, nur um die Fremde kennen zu lernen?« fragte ich.

»Nein, das werde ich nicht.«

»Aber einen Nutzen habe ich doch. Ich lebe davon.«

»Wieso? Kannst du die Berge verspeisen und dazu die Flüsse austrinken, welche du siehst?«

»Nein; aber wenn ich ein solches Buch geschrieben habe, so bekomme ich Geld dafür, und das ist mein Einkommen.«

Jetzt hatte ich endlich etwas vorgebracht, was nicht ganz verrückt war.

»Ah,« sagte er, »jetzt verstehe ich dich. Du bist kein Geograph, sondern ein Kitabdschi[1].«

»Nein, sondern der Kitabdschi bezahlt mich für das, was ich schreibe, druckt es dann zu einem Buch und verkauft es an die Leser. So machen wir beide ein Geschäft.«

Er legte den Finger an die Nase, sann eine Weile nach und sagte dann:

»Jetzt weiß ich es. Du bist es, der den Kaffee aus Arabien holt, und der Kitabdschi ist es, der ihn einzeln an die Leute verkauft?«

»Ja, ungefähr so ist es.«

»Schreibst du alles nieder, was du siehst?«

»Nicht alles, sondern nur, was interessant ist.«

1 Buchhändler.

»Was aber ist interessant?«

»Was mein Denken und meine Gefühle mehr als gewöhnlich beschäftigt.«

»Zum Beispiel, wenn du einen recht guten Menschen kennen lernst?«

»Ja, der kommt in mein Buch.«

»Oder einen recht bösen?«

»Auch über diesen schreibe ich, damit die Leser ihn kennen und verabscheuen lernen.«

Er schnitt ein ernstes Gesicht und fuhr sich mit der Pfeifenspitze unter den Turban. Die Sache gefiel ihm gar nicht; sie war ihm bedenklich.

»Hm!« brummte er. »So werden also beide, die Guten und die Bösen, durch dich in deinem Lande bekannt?«

»So ist es.«

»Schreibst du auch ihren Namen auf?«

»Gewiß.«

»Wer und was sie sind und den Ort und das Haus, in welchem sie wohnen?«

»Sehr genau sogar.«

»Was sie getan haben und was du mit ihnen gesprochen und über sie erfahren hast?«

»Alles das!«

»Allah, Allah! Du bist ein großer Verräter! Man muß dich ja fürchten!«

»Die Guten brauchen mich nicht zu fürchten, sondern man wird sie in allen Ländern rühmen, da diese Bücher auch in andere Sprachen übersetzt werden. Den Bösen aber geschieht ganz recht, wenn sie bekannt werden und Abscheu und Verachtung erregen.«

»Wirst du auch über Sbiganzy schreiben?«

»Sehr viel sogar, denn ich habe dort sehr viel erlebt.«

»Vielleicht auch dann über Kilissely?«

»Jedenfalls, denn Kilissely ist ein schöner Ort, den ich nicht übergehen darf.«

»Was wirst du über ihn schreiben?«

»Das weiß ich noch nicht. Ich muß erst warten, was ich hier

sehe, höre, erlebe und erfahre. Aber daß du prächtige Pfeifen und einen herrlichen Kaffee hast, das werde ich rühmend erwähnen.«

Er blickte still vor sich hin, und es verging eine Weile des Schweigens. Ich hatte ihn gleich von meinem Eintritt an scharf betrachtet. Er kam mir so bekannt vor. Wo hatte ich nur sein Gesicht gesehen!

Er machte keineswegs den Eindruck eines reichen Mannes. Sein Turbantuch war alt und schmutzig, und sein Kaftan gleichfalls. Von seinen Beinen sah ich nur, daß sie wegen des Podagra dick umwickelt waren. Trotzdem waren die Füße nackt und steckten nur in alten, dünnen, abgeschlurften Pantoffeln.

Er war allerdings sehr lang und sehr hager. Sein Gesicht lag in frühzeitigen Falten. Die scharfen Züge, die kleinen, stechenden, harten Augen, das stark entwickelte Kinn, der breite, an den Spitzen nach unten gezogene Mund ließen sein Gesicht nichts weniger als angenehm erscheinen. So, genau so war das Gesicht eines Geizhalses zu denken, der nur auf Erwerb sinnt, der nur zusammenscharrt, ohne zu fragen, auf welche Weise er zu Gewinn kommt.

»Ich hoffe,« sagte er endlich, »daß es dir bei mir gefallen wird, und daß du nur Gutes von mir schreibst.«

»Das bin ich überzeugt. Du hast mich so gastfreundlich aufgenommen, daß ich dir nur dankbar sein kann.«

»Ich hätte dich noch ganz anders aufgenommen und würde dich noch viel besser verpflegen, aber die Herrin meines Hauses ist verreist, und ich kann mich nicht bewegen. Die Nikris plagt mich an den Füßen. Ich habe sie mir im Krieg geholt.«

»So warst du Soldat? Wohl gar Offizier?«

»Ich war etwas noch weit Besseres und Höheres. Ich war Asker zachredschiji[1] und habe den Helden des Sultans Kleidung und Nahrung gegeben.«

Ah, ein Kriegslieferant! Ich dachte an die armen, halb nackten und ausgehungerten Soldaten und an die Geldsäcke, wel-

---

1 Armeelieferant.

che diese Herren Lieferanten sich während des Krieges gefüllt hatten.

»Da hast du allerdings ein hochwichtiges Amt verwaltet und das größte Vertrauen des Großherrn besessen,« erwiderte ich.

»Ja, so ist es,« sagte er stolz. »Der Lieferant gewinnt die Schlachten; der Lieferant führt die Krieger zum Sieg. Ohne ihn gibt es keinen Mut, keine Tapferkeit, sondern nur Hunger, Elend und Krankheit. Das Vaterland hat mir viel, sehr viel zu verdanken.«

»Soll ich das in meinem Buch erwähnen?«

»Ja, erwähne es; ich bitte dich darum. Hast du über das Reich und über die Untertanen des Padischah viel Gutes zu schreiben?«

»Sehr viel,« antwortete ich kurz, denn ich bemerkte, daß er jetzt auf das Thema übergehen wollte, welches für ihn das wichtigste war.

»Wohl auch manches Böse?«

»Auch das; es gibt ja überall gute und böse Menschen.«

»Hast du von den letzteren viele bei uns getroffen?«

»Besonders in der letzten Zeit, und zwar hier in dieser Gegend.«

Er rückte hin und her. Auf dieses Thema hatte er kommen wollen.

»Da werden die Leser des Buches ja alles erfahren. Wenn ich doch ein solches Buch haben könnte!«

»Du würdest es nicht lesen können, da es nicht in deiner Sprache gedruckt werden wird.«

»So könntest du mir wenigstens jetzt etwas von dem Inhalt erzählen.«

»Vielleicht später, wenn ich mich ausgeruht habe.«

»So werde ich dir deine Wohnung anweisen lassen. Vorher aber könntest du mir wenigstens einiges erzählen.«

»Ich bin wirklich sehr müde; aber damit du siehst, daß ich den Wunsch meines Gastfreundes achte, soll dir mein Gefährte Halef Omar eine kurze Übersicht dessen geben, was wir in der letzten Zeit erlebt haben.«

»So mag er beginnen; ich höre.«

Daß Halef erzählen sollte, war diesem sehr lieb. Aber daß der Mann ihn in so kurzer, halb befehlender Weise dazu mahnte, das ärgerte ihn. Ich wußte, was da gleich kommen würde.

»Erlaube mir zunächst,« begann er, »dir zu sagen, wer derjenige ist, welcher die Güte hat, dir seine Worte zu widmen. Ich bin Hadschi Halef Omar Ben Hadschi Abul Abbas Ibn Hadschi Dawuhd al Gossarah. Mein berühmter Stamm reitet die besten Hassi-Ferdschahnstuten der Wüste, und die Krieger meiner Ferkah töten den Löwen mit der Lanze. Der Urahne meines Urgroßvaters ritt mit dem Propheten in die Schlacht, und der Aberurahne dieses Helden hat mit Abram, dem Vater Isaaks, Wassermelonen verspeist. Ist die Reihe deiner Vorfahren auch eine so vollkommene?«

»Die Reihe meiner Ahnen reicht hoch hinauf,« antwortete Murad Habulam ein wenig verlegen.

»Das ist gut, denn man darf den Mann nicht nach seinen Pfeifen und Tassen, sondern nach der bekannten Zahl seiner Väter schätzen. Im Paradies harren Tausende meines Kommens, deren geliebter Nachkomme ich bin. Ich würdige nicht einen jeden meiner Rede, aber da mein Freund und Herr, der Hadschi Effendi Kara Ben Nemsi Emir es gewünscht hat, daß ich erzählen soll, so verlange ich, daß du mir deine Aufmerksamkeit widmest.«

Das kam alles so ruhig heraus, als sei er selbst dabei gewesen, als dieser Aberurgroßahne mit Abraham Wassermelonen aß! Er tat ganz so, als ob es eine Gnade für unsern Wirt sei, daß er ihn seiner Rede würdigte.

Nun lieferte er in wohlüberlegten Worten einen Umriß der letzten Ereignisse. Kein Jurist hätte es besser machen können, als der kleine Hadschi. Er sagte keine einzige Silbe, welche den früheren Lieferanten auf den Gedanken hätte bringen können, daß wir wußten, woran wir mit ihm waren.

Ich hatte meine stille Freude über ihn und nickte ihm anerkennend zu, als er geendet hatte und mir nun einen fragenden Blick zuwarf, wie er seine Sache gemacht habe.

Murad Habulam tat, als ob er ganz außer sich vor Erstaunen sei. Er legte seine Pfeife weg, was bei einem Muselmann sehr viel bedeutet, faltete die Hände und rief:

»O Allah, Allah, sende doch deine Boten der Rache herunter auf die Erde, daß sie mit Feuer verzehren die Missetäter, deren Verbrechen zum Himmel schreien! Soll ich glauben, was ich vernommen habe? Ich vermag es nicht, nein, ich vermag es nicht!«

Er fiel in Schweigen, nahm seinen Rosenkranz her und ließ die Perlen durch die hageren Finger gleiten, als ob er bete. Dann hob er plötzlich den Kopf empor, sah mich forschend an und fragte:

»Effendim, bestätigest du die Wahrheit der Worte dieses Hadschi?«

»Wort für Wort.«

»Man hat euch also fast an jedem der letzten Tage töten wollen?«

»Es ist so.«

»Und ihr seid den Mördern so glücklich entgangen? Ihr müßt große Lieblinge Allahs sein!«

»So wären also die Mörder, wenn ihnen ihre Absichten gelungen wären, Allahs Lieblinge?«

»Nein, aber euer Tod wäre im Buche des Lebens verzeichnet gewesen, und was da verzeichnet steht, kann selbst Allah nicht ändern. Es ist Kismet.«

»Nun, so will ich hoffen, es sei das Kismet dieser Halunken, daß sie schon hier auf Erden von ihrer Strafe ereilt werden.«

»Das hat an dir gelegen, denn du hast sie verschont.«

»Ich wollte nicht ihr Richter sein.«

»Erzählst du das alles in deinem Buch? Von dem Schut, von den Aladschy, von Manach el Barscha, Barud el Amasat und von dem alten Mübarek?«

»Alle erwähne ich.«

»Das ist eine entsetzliche Strafe für sie. Und glaubst du, daß du nochmals mit ihnen zusammentreffen wirst?«

»Ganz gewiß, denn sie verfolgen mich. Hier in deinem

Hause bin ich freilich sicher; das danke ich dir und dem guten Schneider Afrit. Aber morgen, wenn ich weiterreite, werden die Missetäter wieder über mir sein.«

»Du wirst meinem Hause nicht die Schande antun, daß du nur eine Nacht unter meinem Dach verweilst.«

»Ich werde es mir überlegen. Uebrigens ist es ja nach deiner eignen Ansicht bereits seit Ewigkeit im Buch des Lebens verzeichnet, wie lange ich bei dir bleibe. Keiner von uns beiden kann hieran etwas ändern. Ja, selbst Allah kann es nun nicht anders machen.«

»So ist es. Aber ich hoffe, daß ich noch lange das Licht deiner Augen über mir leuchten sehe. Ich wohne einsam in meinem Hause, und du wirst mir mein Dasein verschönern und die Leiden meiner Füße verkürzen, wenn du recht lange verweilst.«

»Auch mir wäre es lieb, wenn ich deine Gegenwart recht lange genießen könnte. Du sollst sehr große Reisen gemacht haben?«

»Wer sagte das?«

»Der Schneider.«

Ich sah es seinem Gesicht an, daß der Schneider die Unwahrheit gesagt hatte. Dennoch antwortete er:

»Ja, meine Füße haben, als sie noch gesund waren, die Städte und Dörfer vieler Länder betreten.«

»Und vorhin sagtest du, daß du nicht einmal einen Berg besteigen würdest, um den Aufgang der Sonne zu sehen!«

»Jetzt, da meine Füße krank sind,« verteidigte er sich.

»Warum umwickelst du die Beine und lässest dennoch die Füße entblößt?«

Ich sah ihn dabei scharf an. Er wurde verlegen. Sollte er aus irgend einem Grund das Podagra nur heucheln?

»Weil ich die Krankheit in den Schenkeln, nicht aber in den Füßen habe« antwortete er.

»So hast du also keinen Schmerz in der großen Zehe?«

»Nein.«

»Und sie ist auch nicht geschwollen?«

»Sie ist gesund.«

»Wie steht es abends mit dem Fieber?«

»Ich habe noch nie ein Fieber gehabt.«

Der Mann verriet sich, denn wenn dies alles nicht der Fall war, so hatte er auch das Podagra nicht. Er war ganz unwissend in Beziehung auf die Erscheinungen, von denen das Podagra begleitet ist. Ich wußte nun, woran ich war. Um auch noch seine angebliche Bibliothek zu erwähnen, sagte ich zu ihm:

»In deinen Leiden und in deiner Einsamkeit wirst du Linderung und Unterhaltung finden durch die vielen Bücher, welche sich in deinem Besitz befinden.«

»Bücher?« fragte er erstaunt.

»Ja, du bist ein hochgelehrter Mann und besitzest eine Menge von Schriften, um welche du zu beneiden bist.«

»Wer sagte das?«

»Auch der Schneider.«

Offenbar hatte der Zwerg diese Lüge ersonnen, um mich in die Falle zu locken. Habulam erkannte dies, darum sagte er:

»Herr, meine Bibliothek ist gar nicht so viel wert, wie du wohl denkst. Für mich reicht sie freilich aus, aber für einen solchen Mann, wie du bist, ist sie zu unbedeutend.«

»Dennoch hoffe ich, daß du mir einmal erlaubst, sie zu betrachten.«

»Ja, aber jetzt nicht. Du bist ermüdet, und ich werde euch in eure Wohnungen führen lassen.«

»Wo befinden sich dieselben?«

»Nicht hier im Hause, denn da würdet ihr zu sehr gestört sein. Ich habe deshalb für euch die Kulle jaschly Anaja in stand setzen lassen; da seid ihr unter euch.«

»Ganz, wie es dir beliebt. Warum aber heißt dieses Gebäude der Turm der alten Mutter?«

»Das weiß ich selbst nicht. Man sagt, eine alte Frau sei nach ihrem Tod oft wieder gekommen und habe des Abends im weißen Sterbegewand oben auf dem Söller des Turmes gestanden, um von da herab ihre Kinder zu segnen. Glaubst du an Gespenster?«

»Nein.«

»So wirst du dich wohl auch nicht vor der Alten fürchten?«

»Fällt mir nicht ein! Kommt sie auch jetzt noch zuweilen wieder?«

»Die Leute sagen es und gehen darum des Nachts nicht in den Turm.«

Warum sagte er mir das? Wenn es in dem Gebäude umging, so war dies doch wohl eher ein Grund für mich, das Uebernachten darin abzuweisen. Vielleicht sollte irgend jemand im Gewand jenes Gespenstes einen Streich gegen uns ausführen und dann die Verantwortung auf die alte Frau geschoben werden – ein sehr kindischer Gedanke, der nur dem Gehirn solcher Leute entspringen konnte.

»Wir würden uns freuen,« erwiderte ich, »einmal ein Gespenst zu sehen, um es zu fragen, wie es im Lande der Toten aussieht.«

»Hättest du den Mut dazu?«

»Sicher.«

»Aber es könnte dir schlimm ergehen. Man soll mit keinem Geist sprechen, weil dies das Leben kosten kann.«

»Das glaube ich nicht. Allah wird keinem Verdammten erlauben, die Qualen der Hölle zu verlassen, um auf Erden zu lustwandeln. Und gute Geister braucht man doch nicht zu fürchten; maskierten Gespenstern aber gehen wir ohne weiteres zu Leibe. Und nun bitte ich dich, uns nach dem Turm bringen zu lassen.«

»Ihr werdet durch einen Teil des Gartens gehen müssen, und ich denke, daß du dich über denselben freuen wirst. Er kostet mich viel Geld und ist so prächtig wie der Park der Glückseligen hinter dem Eingangstor des ersten Paradieses.«

»So tut es mir leid, daß ich ihn nicht genießen kann; denn es ist mir unmöglich, durch seine Gänge zu wandeln.«

»Wenn du willst, so kannst du ihn dennoch genießen. Du brauchst nicht zu gehen, sondern kannst fahren. Meine Frau kann auch nicht gut gehen. Darum habe ich ihr einen Räderstuhl machen lassen, auf welchem sie sich fahren läßt. Jetzt ist sie nicht daheim, und du kannst ihn also benutzen.«

»Das ist eine sehr große Wohltat für mich.«

»Ich werde den Stuhl gleich holen lassen. Humun wird dich fahren und euch überhaupt bedienen.«

Dieser Bursche sollte uns jedenfalls beobachten, so daß wir nichts unternehmen konnten, ohne daß er es bemerkte. Ich erwiderte also:

»Ich darf dich deines Leibdieners nicht berauben und bin gewöhnt, mich von meinen Gefährten unterstützen zu lassen.«

»Das kann ich nicht dulden,« entgegnete er. »Sie sind ebenso meine Gäste wie du, und es wäre eine Unhöflichkeit von mir, sie als untergeordnete Personen zu behandeln. Rede mir also nichts darein. Humun ist beauftragt, eure Befehle auszuführen und immer bei euch zu sein.«

Immer bei uns zu sein! Das heißt, wir waren unter seine Aufsicht gestellt. Wie konnte ich ihn nur los werden?

Er brachte den Stuhl, ich setzte mich hinein und verabschiedete mich von unserem Wirt. Der Diener schob mich hinaus, und die Andern folgten.

Wir kamen durch den weiten Flur des Hauptgebäudes zunächst in einen Hof, welcher als allgemeine Düngerstätte benutzt zu werden schien. An zwei Seiten standen niedrige, schuppenähnliche Gebäude, welche mit Stroh gefüllt waren. Die vierte Seite des Hofes enthielt Stallungen und hatte in der Mitte einen Durchgang, durch welchen wir in den Garten gelangten.

Dies war ein Rasenplatz, auf welchem zahlreiche Heuschober standen. Dann kamen wir an einige Beete mit Küchengewächsen, zwischen denen einige Blumen blühten. Sollte dies der berühmte ›Garten der Glückseligen‹ sein? Nun, in diesem Fall hatte der Prophet von dem Geschmack der Moslemin gar keine sonderliche Vorstellung gehabt.

Als wir an diesen Beeten vorüber waren, erreichten wir abermals einen Rasenplatz, welcher größer als der vorige war. Auch hier standen mehrere große Feime, aus Heu und verschiedenen Getreidearten errichtet. Und da ragte nun der ›Turm der alten Mutter‹ auf.

Es war ein rundes, sehr altes Bauwerk mit vier Fenstern

übereinander, also von ziemlicher Höhe. Fenster aus Glas aber waren, wie gewöhnlich, nicht da. Der Eingang stand offen.

Das Erdgeschoß bestand aus einem einzigen Raum, aus welchem eine ziemlich gebrechliche Treppe nach oben führte. Ich sah, daß Matten an der Wand hingelegt waren, auf denen einige Kissen lagen. In der Mitte des Raumes stand auf niedrigen Füßen ein viereckiges Brett, welches uns wahrscheinlich als Tisch dienen sollte. Weiter gab es nichts.

»Dies ist eure Wohnung, Herr,« erklärte Humun, nachdem er mich hineingeschoben hatte.

»Wohnen öfters Gäste hier?«

»Nein. Dieses Zimmer ist das beste, welches wir haben, und der Gebieter will dich dadurch auszeichnen, daß er es euch anweist.«

»Was für Räume sind über uns?«

»Noch zwei eben solche, wie dieser hier, und dann kommt das Gemach des schönen Blickes in die Ferne; aber sie sind nicht möbliert, weil niemals jemand darin wohnt.«

Die Wand, welche uns umgab, sah fast so aus, als ob hier öfters ein kleines Erdbeben die Mauersteine aus ihrer Fassung zu bringen pflegte. Einen Bewurf der Mauer, ein Kamin gab es nicht. Es war ein kahles Loch.

Uebrigens war mir unterwegs ein Gedanke gekommen, wie ich den Diener los werden könnte. Wir waren einem Arbeiter begegnet, welcher böse, triefende Augen hatte, und ich war dadurch unwillkürlich an den Umstand erinnert worden, daß die Orientalen alle den Aberglauben hegen, es gebe einen ›bösen Blick‹. Die Italiener nennen das bekanntlich Jettatura.

Sieht Einer, welcher mit dem bösen Blick behaftet ist, den Andern nur scharf an, so hat dieser alles mögliche Schlimme zu erwarten. Ein Mensch, welcher ganz zufälligerweise einen scharfen, stechenden Blick besitzt, kommt leicht in den Verdacht, ein Jettatore zu sein, und wird sodann von jedermann gemieden.

Um Kinder gegen den bösen Blick zu schützen, bindet

man ihnen rote Bänder um den Hals oder hängt ihnen ein Stückchen Koralle um denselben, welches die Form einer Hand besitzt.

Erwachsene kennen nur ein einziges Mittel, sich vor den Folgen des bösen Blickes zu schützen. Dasselbe besteht darin, daß man die ausgespreizten Finger der erhobenen Hand dem Betreffenden entgegen hält. Wer das tut und sich dann schnell entfernt, bleibt vor den schlimmen Folgen der Jettatura bewahrt.

»Ich bin sehr zufrieden mit dieser Wohnung,« sagte ich. »Hoffentlich wirst du uns für den Abend eine Lampe bringen?«

»Ich bringe sie dann mit, wenn ich euch die Mahlzeit vorsetze. Hast du sonst noch einen Wunsch, Herr?«

»Wasser, das ist alles, was wir für jetzt brauchen.«

»Ich eile, es zu holen, und hoffe, daß ihr mit meiner Aufmerksamkeit und Schnelligkeit zufrieden sein werdet. Solche Herren, wie ihr seid, muß man schleunigst bedienen. Ich habe gehört, was ihr dem Gebieter erzähltet. Ihr besitzet meine Achtung und Ergebenheit. Das Herz hat mir gebebt, als ich von den Gefahren vernahm, in welchen ihr euch befunden habt. Allah ist euer Schutz gewesen, sonst wäret ihr längst zugrunde gegangen.«

»Ja, Allah hat uns stets errettet. Er hat mir ein Geschenk verliehen, welches mich in jeder Gefahr beschützt, so daß kein Feind mir etwas anhaben kann.«

Seine Neugierde war sofort erregt.

»Was ist das, Herr?« fragte er lauernd.

»Mein Auge.«

»Dein Auge? – Wie so?«

»Sieh' mir einmal grad, offen und voll in die Augen!«

Er tat es.

»Nun, bemerkst du nichts?«

»Nein, Effendi.«

»Haben meine Augen nicht etwas, was dir auffällt?«

»Gar nichts.«

»Das ist eben das Gute für mich, daß man mir gar nichts

ansieht. Ich aber brauche meine Feinde nur anzublicken, so sind sie verloren.«

»Wie so denn, Herr?«

»Weil ihnen niemals wieder im Leben etwas gelingen wird. Wen ich anschaue, der wird von da an nur noch Unglück haben, nämlich wenn ich will. Der Blick meines Auges bleibt bei ihm immerdar. Seine Seele gehört mir hinfort an, und ich brauche nur an ihn zu denken und ihm etwas Böses zu wünschen, so widerfährt es ihm auch.«

»Herr, ist das wahr?« fragte er hastig und erschrocken. »Hast du etwa den Kem bakysch[1] in deinen Augen?«

»Ja, ich habe den bösen Blick, wende ihn aber nur gegen Uebelwollende an.«

»So beschütze mich Allah! Ich mag nichts mehr mit dir zu tun haben. Allah w' Allah!«

Er streckte mir alle zehn Finger entgegen, drehte sich dann um und rannte in höchster Eile fort. Meine Gefährten brachen in ein lautes Gelächter aus.

»Das hast du gut gemacht, Sihdi,« meinte Halef. »Der kommt nicht wieder, er hat ein böses Gewissen. Wir werden einen andern Diener bekommen.«

»Ja, und zwar wahrscheinlich denjenigen, welchen ich mir wünsche, nämlich Janik, den Bräutigam der jungen Christin.«

»Warum meinst du dies?«

»Weil Humun ihm feindlich gesinnt ist wegen Anka. Er wünscht ihm also Böses und wird es so einzurichten wissen, daß sein verhaßter Nebenbuhler von Habulam mit unserer Bedienung beauftragt wird. Jetzt aber helft mir auf das Polster, und dann geht ihr einmal rekognoszieren. Ich muß wissen, wie es in diesem Turm aussieht.«

Als ich meinen Sitz eingenommen hatte, stiegen die drei Anderen in den Turm hinauf, kehrten aber bald zurück. Halef meldete:

»Ich glaube nicht, daß hier irgend eine Gefahr auf uns lau-

1 Böser Blick.

ern kann. Die beiden Stuben des ersten und zweiten Stockes gleichen genau diesem Raum hier.«

»Sind Läden an den Fenstern, so wie hier?«

»Ja, und sie können durch starke hölzerne Riegel versperrt werden.«

»So können wir also dafür sorgen, daß des Nachts niemand einsteigen kann, ohne eine Geräusch zu machen. Und wie ist es ganz oben?«

»Es gibt da ein rundum offenes Gemach mit vier steinernen Säulen, welche das Dach tragen. Ringsum läuft eine steinerne Balustrade.«

»Die habe ich von außen gesehen. Jedenfalls ist da die ›alte Frau‹ hinausgetreten, um ihre Kinder zu segnen.«

»Jetzt aber könnte sie nicht mehr hinaus, weil die frühere Oeffnung zugemauert ist,« bemerkte Halef.

»Das muß irgend einen Grund haben. Wie aber gelangt man hinauf in dieses offene Gemach der schönen Aussicht? Da es offen ist, so kann es hineinregnen, und das Wasser würde über die Treppe herab in die niederen Räume laufen. Dem muß doch wohl vorgebeugt sein?«

»Ja, die Treppenöffnung ist mit einem Deckel verschlossen, den man abheben kann. Er ist am Rand, wie auch die Oeffnung mit Gomelastic[1] versehen, so daß er wasserdicht schließt. Der Boden senkt sich ein wenig von der Mitte aus, und in der Mauer ist ein kleines Loch, durch welches das Wasser ablaufen kann.«

»Hm! Dieses offene Gemach kann uns bedenklich werden. Man kann da einsteigen.«

»Dazu ist es zu hoch.«

»Doch nicht. Diese Stube ist nur so hoch, daß ich im Stehen mit dem Kopf fast die Decke berühre. Wenn die beiden über uns liegenden Gemächer dieselbe Höhe besitzen, so liegt der Fußboden des offenen Gemaches höchstens elf Ellen hoch. Rechne ich dazu zwei Ellen, welche die Mauer beträgt, die das Gemach da oben umschließt, so sind es etwa dreizehn Ellen.«

1 Gummi.

»Man müßte einen Merdiwan[1] von dieser Höhe haben, und sicher ist ein solcher vorhanden.«

»Das denke ich auch. Kann die Fußbodenklappe verschlossen werden?«

»Nein.«

»Da habt ihr es! Und die andern Fußböden haben wohl gar keine Klappe, um die Treppenöffnungen zu verschließen?«

»Nein.«

»So steht also unsern Feinden, welche jedenfalls eine Leiter besitzen, der Weg zu uns offen. Sie steigen hinauf und kommen dann von oben herabgeschlichen, von woher wir sie sicherlich nicht vermuten. Ich muß selbst einmal hinauf, um mir die Sache anzusehen. Osko, kannst du mich auf die Achseln nehmen?«

»Ja, Herr; steige auf!«

Ich setzte mich ihm reitend auf die Schultern, und er trug mich hinauf.

Jedes Stockwerk des Turmes bestand, wie das Erdgeschoß, nur aus einer Stube. Die Fußböden hatten Löcher, durch welche die Treppe führte. Diese Löcher waren offen, außer im obersten Stock, wo eine starke, schwere Klappe zum Verschluß vorhanden war. Gummiränder machten diese Klappe völlig wasserdicht schließen. Die Mauer, durch welche dieses obere Gemach gebildet wurde, war nur zwei Ellen hoch, so daß zwischen den Säulen, auf denen das Dach ruhte, sich offene Räume befanden. Diese gestatteten eine liebliche Fernsicht hinaus auf die Felder und Fruchthaine.

Da oben führte außen ein Balkon rund um den Turm. Die Steine waren gelockert und sogar an einigen Stellen hinabgestürzt. Man durfte es nicht wagen, sich hinauszustellen, und das war gewiß der Grund, weshalb man die Türöffnung, welche einst hinausführte, vermauert hatte.

Hier war, wie gesagt, die einzige für uns bedrohliche Stelle. Mit einer Leiter konnte man heraufsteigen und dann über die drei Treppen hinab zu uns gelangen. Wollten wir uns dage-

1 Leiter.

gen verwahren, so mußten wir die Klappe von innen so verrammeln, daß sie von außen nicht geöffnet werden konnte.

Die Fernsicht hatte sich übrigens etwas getrübt. Schon während der letzten Stunden unseres Rittes hatten wir Wolken bemerkt, welche jetzt den Horizont vollständig umsäumten und immer höher zogen.

Kaum waren wir wieder in unser Wohnzimmer hinabgestiegen, so kam ein junger, kräftiger Bursche, welcher zwei Gefäße mit Trink- und Waschwasser brachte. Er hatte ein offenes, kluges Gesicht und betrachtete uns mit freundlichen, forschenden Blicken.

»Sallam!« grüßte er. »Der Herr sendet mich, euch Wasser zu bringen, Effendi. Das Essen wird sehr bald fertig sein.«

»Warum kommt Humun nicht?«

»Der Herr bedarf seiner.«

»Er sagte uns doch das Gegenteil!«

»Seine Beine beginnen zu schmerzen; da muß er den Diener haben.«

»Also werden wir dich bekommen?«

»Ja, Herr, wenn du es nicht anders wünschest.«

»Du gefällst mir besser als Humun. Du bist wohl Janik, der Bräutigam Ankas?«

»Ja, Herr. Du hast sie reich beschenkt. Sie hat das Geld erst angesehen, als sie heimkam, und ich soll es dir nun wieder zurückgeben, weil du dich geirrt haben mußt. So viel hast du gewiß nicht geben wollen.«

Er hielt mir das Geld hin.

»Ich nehme es nicht wieder, denn ich habe gewußt, wie viel ich gab. Es gehört deiner Anka.«

»Das ist aber doch zu viel, Herr!«

»Nein. Vielleicht erhältst du auch ein solches Geschenk, wenn ich mit deiner Bedienung zufrieden bin.«

»Ich mag kein Bakschisch, Effendi. Ich bin arm, dich aber werde ich gern bedienen. Anka hat mir gesagt, daß du unsers Glaubens seiest und sogar in Rom den heiligen Vater gesehen habest. Da ist es mir eine Sache des Herzens, dir meine Ergebenheit zu bezeugen.«

»Ich sehe, daß du ein braver Bursche bist, und würde mich freuen, wenn ich dir irgendwie von Nutzen sein könnte. Hast du einen Wunsch?«

»Ich habe nur den einen Wunsch, Anka recht bald mein Weib nennen zu können.«

»So siehe zu, daß du die tausend Piaster recht bald beisammen hast!«

»Ah, Anka hat schon geplaudert! Uebrigens habe ich die Tausend fast beisammen. Anka ist aber mit den ihrigen noch nicht so weit.«

»Wie viel fehlt dir noch?«

»Zweihundert nur.«

»Wann wirst du sie verdient haben?«

»Nun, zwei Jahre wird es wohl noch währen. Doch ich muß Geduld haben. Stehlen kann ich mir das Geld ja nicht, und Habulam zahlt einen kargen Lohn.«

»Wie nun, wenn ich dir die zweihundert schenken würde?«

»Herr, du scherzest!«

»Mit einem so braven Burschen mag ich keinen Scherz treiben. Ich will dir das Geld geben, und dann kannst du deiner Anka sparen helfen. Komm her, und nimm!«

Das waren nicht ganz vierzig Mark. Ich gab sie ihm mit Vergnügen, denn er war es wert, und es ging nicht von dem Meinigen. Seine Freude war groß, und er konnte es gar nicht begreifen, daß ein Fremder ohne allen Grund ihm ein solch reiches Geschenk machte. Den eigentlichen Grund sagte ich ihm natürlich nicht. Meinen Zweck erreichte ich, denn ich war überzeugt, daß Janik sich nun mit aller Entschiedenheit auf unsere Seite stellen würde.

Er gab einem jeden von uns die Hand und versicherte, daß er alles tun würde, um unsere Zufriedenheit zu erwerben.

Nun begann ich, ihn vorsichtig über seinen Herrn auszuforschen, und das Hauptergebnis meiner vielen Fragen war folgendes:

Habulam war der Bruder von Manach el Barscha, des wegen Unterschlagung flüchtig gewordenen Steuereinnehmers von Uskub. Darum also war mir das Gesicht Habulams so bekannt vorgekommen, denn er sah seinem Bruder ähnlich. Manach kam öfter zu Habulam und hatte, da er sich als Flüchtling natürlich nicht sehen lassen durfte, wenigstens hier nicht, ein Versteck in jenem großen Getreideschober, welcher zunächst unserm Turm stand. Dieses Versteck sollte zwar ein Geheimnis vor den Dienstboten sein, aber diese hatten es längst entdeckt. Freilich schwiegen sie darüber. Auch hatte Janik den Auftrag, sich möglichst wenig von uns zu entfernen und seinem Herrn alles zu hinterbringen, was wir reden würden.

»So antworte ihm,« sagte ich nun, »daß du uns nicht verstehen könntest, weil wir in einer fremden Sprache reden, welche du nicht kennst.«

»Das wird das Allerbeste sein. Jetzt aber muß ich fort, denn das Essen wird fertig sein.«

Als Janik ging, mußte er die Türe offen lassen, damit ich mir die ominöse Getreidefeime betrachten konnte. Sie war von ziemlichem Umfang, und uns gegenüber bemerkte ich unten eine Stelle, welche von ihrer Umgebung abstach. Das war jedenfalls der Zugang. Aus der Spitze des trichterförmigen Daches ragte eine Stange hervor, an welcher sich ein Strohwisch befand. Vielleicht diente diese Vorrichtung dazu, um ein geheimes Zeichen zu geben.

Bald kehrte Janik zurück, mit einem großen Korbe in der Hand. Er legte den Inhalt desselben auf den Tisch. Das Essen bestand aus Maisbrot, kaltem Fleisch und einer warmen, appetitlich duftenden Eierspeise.

»Herr,« sagte er, »Anka flüsterte mir zu, euch vor dem Jumurta jemeki[1] sehr in acht zu nehmen.«

»Hat sie etwas Verdächtiges bemerkt?«

»Der Herr hat den Teig selbst gemacht und Anka hinausgeschickt. Sie lauschte aber und sah, daß er die Düte mit Sytschan zehiri[2] aus der Tasche nahm.«

»War er noch jetzt in der Küche?«

1 Eierkuchen.
2 Rattengift.

»Ja, er fragte mich, wovon ihr gesprochen hättet, und ich antwortete so, wie du mir gesagt hast. Da befahl er mir, recht freundlich mit euch zu tun und so oft wie möglich mit euch zu sprechen, damit ihr mir antworten müßtet und vielleicht Lust bekämt, ein Gespräch mit mir anzuknüpfen. Er hat mir ein Bakschisch von fünf Piastern versprochen, wenn ich meine Sache gut mache.«

»So siehe zu, ob du Lust hast, deine Seele für fünf Piaster der Hölle zu verschreiben.«

»Um Tausende nicht! Aber Anka läßt euch sagen, daß ihr Brot und Fleisch ohne Sorge essen könntet.«

»So wollen wir ihr folgen. Den Jumurta jemeki werde ich gleich einmal den Sperlingen zu kosten geben.«

Welche hochfein eingerichtete Wohnung wir hatten, war auch daraus zu sehen, daß unsere Stube einigen Sperlingsfamilien als Heimat und Unterstützungswohnsitz diente. Es waren einige Steine aus der Mauer gefallen, und in den dadurch entstandenen Löchern befanden sich die Nester dieser frechen Proletarier, welche nicht einmal so viel Sinn für Ordnung und Stil besitzen, ihren Brutstätten eine feste und gefällige Form zu geben.

Die Spatzen schienen sich gar nicht vor uns zu fürchten. Sie flogen ohne Zagen aus und ein und betrachteten uns von ihren Nestern aus mit jener schändlichen Vertraulichkeit, mit welcher Sperlinge eben auf Leute blicken, für welche sie nicht den geringsten Respekt besitzen.

Ich waf ihnen mehrere Brocken von dem Eierkuchen in die Ecke, und die Vögel flatterten herbei, sich um denselben zu zanken und zu beißen. Sie befanden sich überhaupt jetzt alle bei uns im Turm. Draußen war es düster geworden, und ein fernes Grollen verkündete uns das Nahen eines Gewitters.

»Hole uns eine Lampe,« sagte ich zu Janik, »und benutze diese Gelegenheit, deinem Herrn mitzuteilen, daß wir sämtliche Läden des Turmes verschließen und verriegeln werden.«

»Warum?«

»Er wird dich wohl danach fragen. Sage ihm, ich hätte ge-

meint, wir wollten den Geist der alten Mutter nicht herein-
lassen.«

Als er sich entfernt hatte, stiegen die Gefährten in die oberen Stockwerke empor, um die Läden auch wirklich fest zu
schließen. Dann kehrte Janik mit einer alten Tonlampe zurück, in welcher sich so wenig Oel befand, daß sie nach kaum
einer Stunde verlöschen mußte.

»Warum hast du so wenig Oel gebracht?« fragte ich ihn.

»Der Herr gab mir nicht mehr. Er sagte, ihr würdet euch
wohl bald schlafen legen. Anka aber ist ein kluges Mädchen
und hat mir heimlich das mitgegeben.«

Er zog ein Fläschchen, in welchem sich Oel befand, aus der
Tasche und gab es mir.

»Das ist jedenfalls nicht bloß Geiz,« sagte ich. »Er will haben, daß wir uns im Finstern befinden sollen; da ist man hilflos.«

Ein ängstliches Piepen und Zirpen ließ mich nach den
Sperlingen schauen. Sie saßen mit gesträubtem Gefieder in
ihren Nestern und benahmen sich ganz so, als ob sie Schmerzen hätten. Einer flatterte aus seinem Loch heraus und fiel auf
den Boden nieder, wo er noch einige Male mit den Flügeln
schlug und dann sich nicht mehr bewegte. Er war tot.

»So schnell!« meinte Halef. »Der Kerl muß eine tüchtige
Portion Gift in die Eierspeise getan haben!«

»Es gehört auch eine gehörige Menge dazu, vier kräftige
Männer zu töten. Bei uns wäre es freilich nicht so schnell gegangen, wie da bei dem Sperling. Dieser Mensch ist nicht nun
bodenlos schlecht, sondern auch im höchsten Grad dumm.
Er muß gedacht haben, daß wir so schnell stürzen würden,
wie die Sperlinge, und gar keine Zeit zur Rache hätten.«

Es lagen jetzt schon mehrere Vögel tot am Boden. Die armen Tierchen dauerten mich, aber ich hatte sie opfern müssen, um Gewißheit zu erlangen.

»Was wirst du denn nun mit dem Kuchen tun, Sihdi?«
fragte mich Halef. »Wollen wir zu Habulam gehen und ihn
mit der Peitsche zwingen, seine eigene Eierspeise zu verzehren?«

»Den ersten Teil deines Vorschlages wollen wir ausführen, den letzteren aber nicht. Wir suchen ihn augenblicklich auf und nehmen den Eierkuchen mit, welchen wir mit den toten Vögeln garnieren.«

»Herr, tu' das nicht,« bat Janik, »sonst ergeht es mir schlimm, weil er glauben wird, daß ich euch gewarnt habe.«

»Dem werden wir dadurch vorbeugen, daß wir tun, als ob wir dir ein Stück gegeben hätten, welches du gegessen habest; du mußt dann heftiges Leibschneiden simulieren. Wirst du dich so verstellen können?«

»Ich denke, ja.«

»Das Uebrige ist meine Sache. Kannst du uns sagen, wo wir Habulam finden werden?«

»In seiner Stube hinter dem Selamlück[1], in welchem ihr mit ihm gesessen habt. Ihr werdet die Türe gleich sehen. Ist er nicht dort, so trefft ihr ihn in der Küche, denn Anka sagte mir, daß er dabei sein will, wenn euch das Achscham taami[2] bereitet wird.«

»Und wo ist die Küche?«

»Links neben der Hoftüre. Du bist an ihr vorübergefahren worden. Seid aber klug und laßt euch nicht zu früh bemerken, sonst versteckt er sich.«

Er ging, und auch wir brachen auf, ich natürlich im Fahrstuhle. Halef ließ es sich nicht nehmen, den Eierkuchen zu tragen und hielt ihn mit dem Zipfel seines Kaftan zugedeckt. Aber wir nahmen nicht den Weg quer über den Hof, sondern wendeten uns, um nicht gleich gesehen zu werden, an dem Stall hin und dann am Hauptgebäude entlang.

Zunächst suchten wir den Hausherrn in seiner Stube. Da das Empfangszimmer mit Matten belegt war, verursachten wir kein Geräusch. Osko öffnete die von dort weiterführende Türe und blickte hinein.

»Was willst du?« hörte ich die erschrockene Stimme Habulams fragen.

In demselben Augenblick wurde ich von Omar auf dem

1 Empfangszimmer.
2 Abendessen.

Rollstuhl in die Stube geschoben. Als Habulam mich erblickte, spreizte er alle zehn Finger aus, hielt sie mir entgegen
und schrie im höchsten Schreck:

»Hasa, fi amahn Allah – Gott bewahre mich, Gott beschütze mich! Gehe hinaus, hinaus! Du hast den bösen
Blick!«

»Nur für meine Feinde, nicht aber für dich,« antwortete
ich.

»Nein, nein! Ich darf mich nicht von dir ansehen lassen!«

»Habe keine Sorge! So lange du mir freundlich gesinnt
bist, kann mein Auge dir keinen Schaden bringen.«

»Das glaube ich nicht! Hinaus!«

Er hatte sich angstvoll abgewendet, um mich nicht ansehen
zu müssen, und streckte beide Hände nach der Türe.

»Murad Habulam,« sagte ich in strengem Ton, »was fällt
dir ein? Behandelt man seinen Gast jemals in der Weise? Ich
sage dir, daß dir mein Blick nichts schaden wird, und werde
nicht eher gehen, als bis ich den Grund meines Kommens mit
dir besprochen habe. Wende dich also zu mir, und schaue mir
getrost in das Angesicht.«

»Kannst du mir bei Allah versichern, daß dein Blick, trotzdem er auf mich fällt, nichts Böses bringen wird?

»Ich gebe dir die Versicherung.«

»So will ich es wagen. Aber ich sage dir, daß mein schreck-
lichster Fluch dich treffen wird, wenn du mir Unheil
bringst.«

»Er wird mich nicht treffen, denn mein Auge wird nur mit
Freundlichkeit auf dir ruhen und dir also nichts schaden.«

Jetzt wendete er sich zu mir. Aber in seinem Gesicht spiegelte sich doch eine so große Bangigkeit, daß ich mich innerlich höchlichst belustigt fühlte.

»Was wünschest du von mir?« fragte er.

»Ich möchte dich um eine kleine Auskunft bitten und vorher ein freundliches Gesuch an dich richten. Es ist Sitte, daß
der Gastfreund das Brot mit seinen Gästen breche. Du hast
das nicht tun können, weil das Podagra dich verhindert, zu
mir zu – –«

Ich hielt inne und tat, als ob ich seine Beine erst jetzt genauer betrachtete. In Wahrheit aber hatte ich gleich bei meiner Ankunft bemerkt, daß die dicken Umhüllungen nicht mehr vorhanden waren.

Er stand ganz aufrecht vor mir. Die weiten Pluderhosen hingen ihm faltenreich um die Knie, und seine vom Schreck erzeugten Bewegungen waren vorhin so schnell und kräftig gewesen, daß von einer schmerzlichen Krankheit gar keine Rede sein konnte. Darum fuhr ich nach einer Pause des Erstaunens fort:

»Was sehe ich! Hat Allah ein Wunder getan? Die Krankheit ist ja von dir gewichen!«

Er befand sich in so großer Verlegenheit, daß er nur einige mir unverständliche Worte stammelte.

»Und da hast du Angst vor meinem Auge?« fuhr ich fort. »Mein Blick bringt denen, welche mir wohl gesinnet sind, nur Gutes. Ich bin also überzeugt, daß du meinem Auge und meiner wohlwollenden Freundschaft diese plötzliche Besserung zu verdanken hast. Wehe aber denen, welche Böses gegen mich sinnen! Mein Blick ist für sie eine Quelle größten Unheiles! Selbst wenn ich ihnen fern bin, genügt ein Gedanke von mir, ihnen alles Ueble anzutun, welches ich ihnen wünsche.«

Damit hatte ich ihm willkommenen Stoff zu einer Ausrede gegeben. Er benutzte denselben sofort, indem er sagte:

»Ja, Effendi, nur so kann es sein. Seit Jahren leide ich an dem Uebel. Kaum warest du von mir fort, so bemerkte ich ein unbeschreibliches Gefühl in meinen Beinen. Ich versuchte zu gehen, und siehe da, es gelang! Noch niemals in meinem Leben habe ich mich so wohl und kräftig gefühlt, wie jetzt. Das kann nur dein Bick getan haben.«

»So siehe zu, daß es so bleibe! Die Umwandlung deiner Gesinnungen würde auch eine Aenderung in deinem besseren Befinden hervorbringen. Du würdest kränker werden, als du vorher jemals gewesen bist.«

»Effendi, warum sollte ich anders gegen dich denken? Du hast mir ja nichts Böses getan, sondern du hast mir Heilung gebracht. Ich bin dein Freund, und du bist der meinige.«

»So ist es. Und just darum hat es mir so leid getan, daß ich unser Mahl nicht mit dir teilen konnte. Du sollst aber nicht von uns sagen, daß wir die Gesetze der Höflichkeit und Freundschaft nicht kennen. Darum kommen wir, um dir den leckersten Teil unseres Mahles zu bringen und dich zu bitten, ihn in unserer Gegenwart zu genießen. Wir werden dir zuschauen und uns herzlich freuen, wenn du die Gabe zu unserer Ehre verzehrst. Hadschi Halef Omar, gib sie heraus!«

Halef nahm den Kaftanzipfel von dem Eierkuchen, trat vor Habulam hin und überreichte ihm denselben mit den Worten:

»Herr, nimm diese Speise der Gastfreundschaft, und erweise uns die Liebe, zusehen zu dürfen, wie es dir schmeckt!«

Es lagen sechs tote Sperlinge darauf. Habulam blickte betroffen von Einem zum Andern und fragte:

»Was soll das? Warum befinden sich diese Sperlinge auf dem Jumurta jemeki?«

»Ich gab ihnen davon zu essen, und sie sind sogleich vor Wonne über den Wohlgeschmack der Speise gestorben. Nun sind sie Djur el djinne[1] geworden und schweben durch die Gärten des Paradieses, um mit Nachtigallentönen den Preis deiner Kochkunst zu singen.«

Er langte nicht nach dem Kuchen – er war blaß geworden und stotterte:

»Effendi, ich verstehe dich nicht. Wie können Sperlinge an einer Eierspeise sterben?«

»Das ist es ja, was ich dich fragen wollte; deswegen bin ich gekommen.«

»Wie soll ich darauf antworten können?«

»Du kannst es am besten wissen. Hast du ihn denn nicht bereitet?«

»Ich? Wie kommst du auf den Gedanken, daß ich selbst ihn gebacken habe?«

»Ich glaubte, die Freundschaft für uns hätte dich fortge-

---

1 Vögel des Paradieses.

rissen, mit eigenen Händen diese Speise für uns zu verfertigen.«

»Das kann mir nicht einfallen. Ich bin kein Aschdschy[1]; ich würde alles verderben.«

»So sage uns, wem wir diesen guten Kuchen zu verdanken haben.«

»Anka, die Dienerin, hat ihn gebacken.«

»So zeige ihn ihr, und sage ihr, daß sie selbst davon kosten möge. Das ist nicht eine Uemr taami[2] sondern eine Oelüm jemeki[3]. Wer sie genießt, über den senken sich die Schatten der Verwesung.«

»Herr, du erschreckst mich!«

»Du würdest noch viel mehr erschrecken, wenn ich den bösen Blick nicht hätte. Wir lägen jetzt als Leichen im Turm, und unsere Seelen würden des Nachts dort mit dem Geist der alten Frau erscheinen, um die Leichtsinnige anzuklagen, welche den Tod in diese Speise gebacken hat. Glücklicherweise aber ist mein Blick so scharf, daß er alles durchdringt. Es kann ihm nichts entgehen, weder Gutes noch Böses. Und wenn ich es auch nicht merken lasse, so sehe ich doch jedem Menschen in das Herz und weiß ganz genau, was darinnen wohnt. So habe ich auch sogleich das Gift der Ratten bemerkt und, um es dir zu beweisen, den Vögeln des Himmels davon gegeben, die schnell daran verendet sind.«

»Allah! Das soll ich glauben?«

»Ich sage es dir, und darum mußt du es glauben.«

»Wie aber sollte das zugegangen sein?«

»Ich denke, daß du das wissen wirst.«

»Kein Wort weiß ich davon. Die Sache ist mir ganz unbegreiflich. In meiner Küche gibt es doch kein Gift!«

»Aber Ratten hast du im Hause?«

»Sehr viele.«

»Und also auch Gift, sie zu töten?«

»Ja, ich habe es aus Uskub kommen lassen.«

1 Koch.
2 Speise des Lebens.
3 Speise des Todes.

»Und wo bewahrst du es auf?«

»Hier in meiner eigenen Stube. Es liegt dort auf dem Sims an der Wand. Nur ich selbst kann dazu gelangen.«

Ich blickte hin. Auf der schmalen Hervorragung der Mauer standen allerlei Kästchen und Büchsen. Eine Düte sah ich nicht. Vielleicht hatte er sie noch in seiner Tasche; darum sagte ich:

»Wenn du es dir nicht erklären kannst, so will ich mich meines Blickes bedienen, welcher alles Verborgene durchschaut. Ich sehe Anka, das Mädchen, in der Küche und dich dazu. Du sendest sie hinaus. Während sie sich draußen befindet, nimmst du die Düte mit Sytschan zehiri aus der Tasche und schüttest davon in den Teig.«

Er wich um einige Schritte zurück.

»Effendi!« rief er aus.

»Ist es nicht so?«

»Nein! Ich bin doch kein Giftmischer!«

»Habe ich das gesagt? Du hast dich wohl vergriffen und das Gift für Zucker gehalten.«

»Nein, nein! Dein Auge belügt dich. Ich bin gar nicht in der Küche gewesen!«

»Ich sehe dich aber doch mit meinem geistigen Blick drinnen!«

»Nein, tu täuschest dich. Es muß ein Anderer gewesen sein!«

»Ich täusche mich nie. Greife in deinen Kaftan. Das Gift befindet sich noch darin.«

Er fuhr unwillkürlich mit der rechten Hand in die Tasche, entfernte aber die Hand schnell wieder und rief:

»Ich weiß nicht, was du willst, Effendi! Warum sollte ich Gift in meiner Tasche herumtragen?«

»Um es gegen die Ratten anzuwenden.«

»Ich habe aber kein Gift!«

»Greife nur in die rechte Tasche; dort befindet sich die Düte – ich sehe sie.«

Er griff hinein, zog die Hand leer wieder heraus und versicherte:

»Es ist ja gar nichts darin.«

»Murad Habulam, wenn du bisher auch die Wahrheit gesagt hättest, jetzt aber belügst du mich. Die Düte ist darin.«

»Nein, Effendi!«

»Hadschi Halef, nimm sie ihm heraus!«

Halef trat zu ihm und streckte seine Hand aus. Habulam wich zurück und sagte zornig:

»Herr, was willst du? Meinst du, ich sei ein Lump, mit dem man machen kann, was man will? Es hat kein Mensch ein Recht, mich auszusuchen und mir in die Tasche zu greifen, noch dazu in meinem eigenen Hause!«

Da erhob Halef warnend den Finger.

»Du, Murad Habulam, weigere dich nicht! Wenn du meinen Effendi erzürnst, so wird er dich sofort mit dem bösen Blick anschauen, und dann gebe ich keinen halben Para für dein Leben. Bedenke das!«

Er griff, ohne jetzt daran gehindert zu werden, in die Tasche und brachte die Düte hervor.

»Nun, Habulam!« sagte ich. »Wer hat recht gehabt?«

»Du, Effendi,« stammelte er. »Aber ich weiß bei Allah nicht, wie diese Düte in meine Tasche gekommen ist. Es muß sie jemand hineingetan haben, um mich zu verderben.«

»Meinst du, daß ich das glauben soll?«

»Du mußt es glauben, denn ich schwöre es dir bei dem Barte des Propheten zu. Das kann kein Anderer als Janik getan haben, denn er ist in der Küche gewesen.«

»Dieser war es am allerwenigsten.«

»Du kennst ihn nicht. Er ist ein heimtückischer Mensch, der nur auf Böses sinnt. Warum hat er euch zu mir gesandt? Ist er nicht bei euch, um euch zu bedienen? Weiß er nicht, daß ich euch gar nicht erwartet habe? Warum hat er euch nicht gehindert, zu mir zu kommen?«

»Weil er nicht konnte. Um seine Einrede nicht hören zu müssen, sandte ich ihn nach dem Stall, und dann sind wir schnell und heimlich aufgebrochen.«

»Und dennoch ist nur er es gewesen!«

»Du verdächtigst ihn ohne seine Schuld. Er hat von der Eierspeise gegessen, denn wir boten ihm von derselben an. Würde er das getan haben, wenn er sie vergiftet hätte?«

»Wie? Er hat gegessen, er?«

»Frage ihn selbst. Siehst du nicht, daß ein ganzes Stück davon fehlt?«

Dieses Stück hatten wir abgeschnitten und versteckt.

»O Allah! Da muß er ja sterben!«

»Leider!«

»Und du trägst die Schuld, denn du hast ihm davon gegeben!«

»Nein, du bist der Schuldige! Warum hast du uns diesen Kuchen des Todes geschickt? Mich kannst du nicht täuschen. Ich will dich aber noch nicht strafen, sondern dir Zeit zur Reue geben. Hüte dich jedoch, noch weiter Böses gegen uns zu sinnen. Eigentlich sollte ich dein Haus sofort verlassen; da aber würde das Unglück bei dir zurückbleiben und dich verzehren. Darum will ich aus Barmherzigkeit noch bis morgen bleiben, damit du dich zu bessern vermagst. Jetzt lassen wir dich allein. Denke nach, wie unbesonnen du gehandelt hast und auch noch handeln willst!«

Er antwortete keine Silbe, und wir entfernten uns. Ich hatte mich gehütet, mich klar auszudrücken. Er durfte noch nicht wissen, was und wie wir über ihn dachten. Als wir in den Hof kamen, blitzte es auf, und ein Donnerschlag folgte. Das Gewitter brach los, und wir beeilten uns, den Turm zu erreichen, wo Janik auf uns wartete.

Infolge des Gewitters und auch der sehr vorgerückten Tageszeit war es ziemlich dunkel geworden. Halef wollte die Lampe anzünden, aber ich gab dies nicht zu. Die Türe wurde angelehnt, doch nicht ganz zugemacht, so daß ich von meinem Sitz aus durch die Spalte in den Garten hinaussehen und die Feime im Auge behalten konnte.

Obgleich es nicht wahrscheinlich war, daß ich etwas sehen würde, denn ich mußte annehmen, daß man mit großer Vorsicht verfahren werde, war der Zufall doch außerordentlich günstig. Ein blendender Blitz erleuchtete für einen Augenbick das Dunkel, aber dieser Moment hatte genügt, mir zu zeigen, daß es dort an dem Getreideschober Menschen gab. Zwei von ihnen waren in gebückter Stellung eben bemüht, den Eingang in das Innere dadurch zu öffnen, daß sie einige der Getreidebündel herauszogen.

Wer waren diese Leute? Jedenfalls die von uns Erwarteten, denen das Regenwetter, infolgedessen alle Bewohner des Hauses sich in die Stuben zurückgezogen, die gute Gelegenheit gegeben hatte, unbemerkt das Versteck zu erreichen. Ich beschloß, sie zu belauschen.

Zunächst hielt ich Janik an, sich an die Türspalte zu stellen, um zu sehen, wann der geeignete Augenblick gekommen sei. Die unaufhörlich zuckenden Blitze gaben ihm dazu die genügende Beleuchtung. Als er mir meldete, daß er niemanden mehr sehe und daß das Eingangsloch der Getreidefeime wieder verstopft sei, ließ ich mich durch ihn und Osko bis an die Feime tragen. Nachdem sie sich schleunigst zurückgezogen hatten, versuchte ich es, mich zwischen die wagerecht aufeinander liegenden Getreidebündel hineinzudrängen. Das hatte seine Schwierigkeit, weil dieselben durch ihr eigenes Gewicht fest zusammengedrückt wurden und ich jedes Geräusch ängstlich vermeiden mußte.

In letzterer Hinsicht war mir der laut prasselnde Regen, sowie das Heulen des Gewittersturmes und das fast ununterbrochene Rollen des Donners von großem Vorteil. Den Kopf natürlich voran, schob ich mich weiter und weiter zwischen die Bündel hinein. Die Halme des Roggens, aus welchem sie bestanden, hatten Manneslänge und waren nicht in wirre Bündel, sondern zu sogenannten ›Schütten‹ vereinigt, bei denen die Stengel ihre vollständige Länge behalten und das Gebund beträchtlich länger wird, als die Halme eigentlich sind. Daher kam es, daß die Dicke der Feimenwand mehr als meine Körperlänge betrug und ich ganz, auch mit den Füßen, in ihr verschwinden konnte, ohne daß man im Innern meinen Kopf zu bemerken vermochte.

Die Bündel lagen mit den vollen Aehren nach innen. Ich schob mich langsam und leise so weit vor, daß die Aehren mein Gesicht vollständig verschleierten, ich aber zwischen ihnen hindurch den hohlen Innenraum völlig überblicken konnte. Das Gewitter kam mir dabei sehr zu statten. Meine Bewegungen verursachten ein unvermeidliches Rascheln des Strohes und ein Ausfallen der Körner, welches mich in anderem Falle hätte unbedingt verraten müssen. Wie wäre es mir dann möglich gewesen, mich zu verteidigen, da ich mich nicht frei bewegen konnte! Jede auf mich gefeuerte Kugel mußte mich treffen, da es mir nicht gelingen konnte, ihr auszuweichen. Die einzige Art der Rettung bestand darin, daß ich dem Feind zuvorkam. Darum hatte ich meine beiden Revolver bereits draußen vor der Feime in die Hände genommen, weil ich sonst, zwischen den Bündeln eingepreßt, nicht in den Gürtel oder die Taschen zu greifen vermocht hätte. Alles andere, selbst das Messer und den ganzen Inhalt meiner Taschen hatte ich in dem Turm zurückgelassen, da etwas Verlorenes hier schwerlich wiederzufinden war.

Die kreisförmige Grundfläche des Schobers konnte einen Durchmesser von vierzehn Ellen haben. Die Wände waren ungefähr vier Ellen dick; also besaß der innere, leere Raum einen Durchmesser von wohl sechs Ellen, so daß ein Dutzend Personen in sitzender Stellung ganz gemächlich darin Platz finden konnten. Janik hatte weniger angegeben. In der Mitte war ein starker, hoher Pfahl in die Erde gerammt, welcher das dicke Strohdach trug. Rundum lagen Getreidebündel, um als Sitze zu dienen, und an dem Pfahl hing eine brennende Laterne, welche den sonst dunklen Raum erleuchtete. Der Eingang bestand aus einigen weniger starken Gebunden, welche sehr leicht weggezogen und wieder vorgeschoben werden konnten, was von außen gar nicht, von innen aber sehr deutlich zu bemerken war.

Wozu hatte Murad Habulam dieses Versteck erbaut? Etwa nur, um seinen Bruder Manach el Barscha darin zu verbergen? Dann hätte er den Innenraum bedeutend kleiner machen können. Und jedenfalls gab es in seinem Hause und Gehöft wohl noch einen andern und weit bequemeren Platz, welcher als Aufenthalt einer einzelnen Person geeignet war. Uebrigens kam der einstige Steuereinnehmer doch wohl nur zu Pferd, und es mußte also für das Tier noch ein besonderes Versteck vorhanden sein.

Nein, diese Feime war jedenfalls zur Aufnahme größerer Gesellschaften bestimmt; sie diente zu geheimen Zusammenkünften, und es war leicht zu vermuten, daß die hier verkehrenden Personen zu den Anhängern des Schut gehörten.

War das aber wirklich der Fall, so stand es fest, daß Murad Habulam ein hervorragendes Mitglied dieser Verbrecherbande sei. Er, welcher das Podagra simuliert hatte, war seiner Füße so gut mächtig, daß er trotz des Unwetters nach der Feime hatte gehen können. Er saß mir grad gegenüber. Zu seinen beiden Seiten befanden sich sein Bruder Manach el Barscha und Barud el Amasat. Neben dem letzteren saß der alte Mübarek, welcher den Arm in einer Binde trug. Am Eingang stand Humun, der Diener, und ihm gegenüber der Miridit, der Bruder des toten Fleischers zu Sbiganzy. Er war also doch gekommen, wie ich vermutet hatte.

Auf der Seite, wo ich versteckt war, befanden sich drei Personen, nämlich die beiden Aladschy und Suef, der Spion. Sehen konnte ich sie nicht, da sie niedriger saßen, als mein Kopf sich in dem Stroh befand, aber ich hörte sie reden.

Das waren also neun Personen, deren Feindschaft wir vier uns zu erwehren hatten. Ihre Kleider waren vom Regen durchnäßt, und nun hingen die Spelzen des Getreides so massenhaft an denselben, daß man die eigentliche Farbe gar nicht zu erkennen vermochte.

Der Erste, welchen ich reden hörte, war der Miridit. Er machte die mich weniger interessierende Bemerkung:

»Wir hätten unsere Pferde nicht in dem Gehölze unterbringen sollen; bei diesem Donnergetöse sind wir ihrer nicht sicher.«

»Du brauchst keine Sorge zu haben,« antwortete Habulam. »Meine Knechte werden gut aufpassen.«

Die Pferde standen also in irgend einem Gehölz, und zwar unter der Aufsicht einiger Knechte unseres Wirts. Dies gab mir die Gewißheit, daß derselbe noch mehrere vertraute Leute außer Humun besaß.

Der alte Mübarek hatte den Arm aus der Binde gezogen und ließ sich von Barud el Amasat den Verband öffnen. Habulam reichte ihm eine Büchse mit Salbe hin, welche jedenfalls zu diesem Zweck bei ihm vorher bestellt worden war. Am Boden stand ein Wasserkrug, mit dessen Inhalt die Wunden ausgewaschen wurden.

Ich sah, daß ihm mein vorgestriger Schuß durch die inneren Oberarmmuskeln gegangen war. Die gestrige Kugel hatte ihm das Ellenbogengelenk zerschmettert. Beide Verletzungen, besonders aber die letztere, mußten ihm großen Schmerz verursachen, zumal von einem kunstgerechten Verband keine Rede war. Im allergünstigsten Fall behielt er einen steifen Arm; wahrscheinlicher aber war, daß ihm wenigstens der Vorderarm amputiert werden müsse. Wenn der Verwundete nicht sehr bald in die richtige Pflege kam, so stand mit Sicherheit zu erwarten, daß der Brand eintreten würde.

Nachdem die verletzten Teile gewaschen worden waren, ließ er sie von einem mit der Salbe bestrichenen Leinwandlappen umwinden und sodann mit einem Tuch verbinden. Dabei verzog der Alte keine Miene. Er mußte sehr starke Nerven haben, sonst hätte er diesen Schmerz nicht zu ertragen vermocht.

»Allah, Allah, wie hat dich der Fremde zugerichtet!« sagte Habulam. »Dieser Arm wird niemals wieder werden, wie er gewesen ist.«

»Nein; ich bin ein Kötrüm[1] geworden, ein armseliger Kötrüm, der den Gebrauch seines Armes verloren hat,« knirschte der Alte. »Dafür aber soll er eines zehnfachen Todes sterben. Ist er denn so leicht in das Netz gegangen?«

»So leicht wie eine Krähe, der man im Winter eine Düte mit einem Stückchen Fleisch hinlegt. Dieser dumme Vogel steckt den Kopf hinein, um sich das Fleisch herauszuholen, und da die Düte mit Oksa[2] ausgestrichen ist, so bleibt sie ihm am Kopf stecken, und man kann ihn mit den Händen greifen, weil er nicht zu sehen vermag. Eine solche Düte haben wir

1 Krüppel.
2 Vogelleim.

diesem Fremden über den Kopf gesteckt. Mein Bruder hat ihn mir als sehr klug geschildert, aber er hat es nicht bewiesen, daß er es ist.«

»Nein, klug ist er gar nicht, sondern er hat den Scheïtan, welcher ihn beschützt.«

»Da irrst du dich, denn er hat nicht den Teufel, sondern den Kem bakysch.«

»Allah, w' Allah!« rief der Mübarek erschrocken. »Ist das wahr?«

»Er hat es hier meinem Diener Humun mitgeteilt und ihn gewarnt. Aber was das Allerschlimmste ist, er hat nicht nur den einfachen bösen Blick, welcher nur beim unmittelbaren Anschauen wirkt, sondern den Kem bakysch jyraka doghru[1]. Er braucht sich nur eine Person in Gedanken vorzustellen und mit seinem geistigen Auge zu betrachten, so sendet sein Blick dem Betreffenden alles Böse, was er demselben anwünscht.«

»Allah sei uns gnädig! Nicht der Teufel, sondern sein böses Auge macht ihn unüberwindlich. Wer mit ihm kämpft, muß ihn natürlich ansehen und ist dann verloren. Man darf also mit diesem Menschen nicht offen kämpfen, sondern man muß ihn hinterrücks töten und vor allen Dingen dafür sorgen, daß dabei sein Auge nicht auf uns fällt.«

»So wäre es also mit unserm schönen Plan nichts?« fragte Murad Habulam.

»Nein, außer es hat einer von euch den Mut, den Chajjal[2] zu machen. Ich aber mag keinem dazu raten, denn das Auge des Fremden würde auf ihm ruhen und ihm Verderben bringen. Wer war denn dazu bestimmt?«

»Humun.«

»Nein, nein!« rief der Diener ängstlich. »Erst war ich dazu entschlossen; nun aber fällt es mir gar nicht ein, den Geist der alten Mutter zu spielen. Mein Leben ist mir viel zu lieb dazu.«

»So wird sich vielleicht ein Anderer finden,« sagte Habulam. Da sie alle aber verneinten, fuhr er fort: »Also nicht?

1 Den in die Ferne wirkenden bösen Blick.
2 Gespenst.

Nun, so müssen wir etwas Anderes ersinnen. Wir sind ja hier beisammen, und können uns besprechen.«

»Es bedarf keiner großen und langen Beratung,« erklärte Barud el Amasat. »Was wir wünschen, das ist der Tod dieser Leute. Wir müssen sie töten, ohne daß der Deutsche uns dabei anblicken kann; dies kann nur geschehen, wenn wir ihn und seine Leute im Schlaf überfallen.«

»Ganz richtig!« stimmte Manach al Barscha bei. »Wir warten, bis sie schlafen, und fallen dann über sie her, vorausgesetzt, daß das Rattengift meines Bruders sie nicht bis dahin umgebracht hat.«

»Rattengift?« fragte der Mübarek. »Haben sie denn solches erhalten?«

»Ja. Ich besprach dies mit Habulam, als ich ihm eure Ankunft meldete. Er wollte es ihnen in einer Eierspeise geben, welche sie hoffentlich bereits verzehrt haben.«

»Nun, dann ist ja ihr Tod ganz gewiß, falls er nicht zu wenig genommen hat.«

»O, drei ganze Hände voll habe ich in die Eier getan,« sagte Habulam. »Das ist genug, um zehn Menschen umzubringen. Diesen Wichten aber hat es gar nichts geschadet.«

»Gar nichts? – Warum denn?«

»Weil sie den Eierkuchen nicht gegessen haben. Dieser Bursche mit dem bösen Blick hat der Speise sofort angesehen, daß sie vergiftet war.«

»Das ist doch unmöglich!«

»Unmöglich? Ich möchte wissen, was dem Giaur überhaupt unmöglich ist! Denkt euch, er kam mit seinen drei Begleitern zu mir, um mir den Eierkuchen zu bringen. In seiner freundlich höhnischen Art sagte er mir, daß der beste Teil des Mahles dem Wirt gehöre, und ich möge darum die Eierspeise essen.«

»O wehe!«

»Noch dazu verlangte er, daß ich sie vor seinen Augen verzehren sollte. Er hatte sie sogar mit toten Sperlingen belegt, an denen er das Gift vorher probiert hatte.«

»O Allah! So war die Sache verraten!«

»Natürlich. Zum Unglück hat auch Janik davon gegessen und wird wohl nun sterben müssen.«

»Um diesen Menschen ist es nicht schade!« fiel Humun hämisch ein.

»Weil er dein Feind ist? Du mußt bedenken, in welchen Verdacht ich dadurch komme! Ich kann infolgedessen der Giftmischerei angeklagt werden.«

Und nun erzählte er den erstaunten Zuhörern den ganzen Vorfall. Hierauf fuhr er fort:

»Die Eierspeise ist samt den Sperlingen vernichtet, und nun soll mir einmal jemand nachweisen, daß sie vergiftet gewesen ist!«

»Der Tod Janiks wird es beweisen.«

»O nein! Wer weiß, was er gegessen hat? Ich sage, daß ich selbst den Eierkuchen verzehrt habe. Mir hat er nicht das mindeste geschadet.«

»Werden die Fremden heute abend vielleicht noch einmal essen?«

»Ich denke es. Wenigstens muß ich ihnen ein Abendmahl anbieten, freilich ohne Gift; denn ich darf mich nicht wieder in die Gefahr begeben, abermals für einen Giftmischer angesehen und nun ganz gewiß überführt zu werden. Nein, heute abend sollen sie so gut und reichlich bewirtet werden, als ob sie mir die liebsten Gäste seien.«

»Nach meiner Ansicht tust du wohl daran. Diese Gastlichkeit wird sie irre machen und ihren Verdacht zerstreuen. Sie werden in Sicherheit gewiegt, und wir haben sodann leichteres Spiel. Also speise sie so splendid wie möglich. Du kannst es ja tun, denn was es dich kostet, das ist ja eine Kleinigkeit gegen den ungeheuren Nutzen, welchen du von unserer Verbrüderung gezogen hast und auch noch ziehen wirst.«

»Ungeheuer? Du sprichst ja, als ob ihr mir bereits Millionen eingebracht hättet. Die Vorteile aber, welche ihr mir bietet, sind gering gegen die Gefahr, welche ich laufe, indem ich mich zu eurem Agenten mache.«

»Oho!«

»Denke dir nur den jetzigen Fall! Wenn wir diese Fremden

töten und es wird offenbar, so ist es um mich geschehen. Mein ganzer Einfluß reicht nicht aus, mir das Leben zu retten. Ihr reitet fort und laßt euch nicht erwischen. Ihr habt keine Heimat und auch kein liegendes Eigentum. Wollte ich mich durch die Flucht retten, so müßte ich alles verlieren, was ich besitze.«

»So fange es nur klug an!« murmelte der alte Mübarek. »Es darf keine Spur von den Verhaßten übrig bleiben.«

»Natürlich! Sie müssen ganz klein zerhackt und dann in den großen Fischteich Habulams geworfen werden, den Hechten zum Fraß,« meinten die Andern.

»Und die Hechte verspeise dann ich?« fragte Habulam mit einer Gebärde des Abscheus. »Das fällt mir gar nicht ein!«

»Es ist auch nicht nötig. Die Fische verkaufst du. Nur müssen wir uns sputen, daß vor Anbruch des Tages alles ohne Lärm beendet ist; denn schießen dürfen wir nicht.«

Nun folgte eine lange Beratung darüber, wie sie uns am besten überfallen und erwürgen oder erschlagen könnten.

Endlich einigten sie sich dahin, mittels einer vorhandenen Leiter von außen den Turm zu ersteigen, den Deckel der Treppenöffnung aufzuheben und dann behutsam über die Treppe bis ins innerste Geschoß, wo wir fest im Schlaf liegen würden, hinabzugelangen.

»Die Burschen sind vielleicht wachsam,« warf jetzt Einer ein.

»Das glaube ich nicht,« erwiderte Habulam. »Wozu sollten sie wachen? Sie verriegeln die Türe und die Fenster, und da sie jedenfalls nicht vermuten, daß jemand von oben in den Turm steigt, so werden sie sich ganz sicher fühlen. Uebrigens steht es uns ja frei, uns vorher zu überzeugen, daß sie schlafen.«

»In welcher Weise?«

»Dadurch, daß wir an den Läden horchen. Ich bin fest überzeugt, daß sie schlafen werden; im Dunkeln bleibt man nicht leicht wach.«

»Du wirst ihnen doch eine Lampe gegeben haben?«

»Ja, aber mit nur so viel Oel, daß sie schon lange vor Mitternacht verlöschen muß.«

Der alte Halunke ahnte nicht, daß wir durch Janik mit Oel versehen worden waren.

»Knarren die Treppenstufen nicht?« erkundigte sich Barud el Amasat.

»Nein, denn sie sind von Stein; einige mögen wohl ein wenig locker sein, aber Geräusch verursachen sie sicher nicht.«

»Es wäre eine dumme Geschichte, wenn wir samt den Stufen unter lautem Gepolter die Treppe hinabstürzen würden.«

»Das haben wir nicht zu befürchten. Uebrigens nehmen wir uns eine Laterne mit, um die Stufen zu beleuchten, bevor wir sie betreten.«

»Daß uns die Kerle bemerken, nicht?«

»Nein. Es sind ja mehrere Stockwerke da, so daß der Lichtschein nicht aus dem einen in das andere fallen kann. Wenn wir das unterste Geschoß erreichen, lassen wir die Laterne stehen und holen sie erst dann herbei, wenn die Wichte tot sind.«

»So bin ich befriedigt. Aber dennoch ist die Sache nicht etwa leicht. Wir müssen unser Werk im Finstern tun und zwar völlig geräuschlos. Das ist schwer.«

»Nun, mir ist nicht sehr bange. Wir müssen uns nur genau verständigen und die Rollen verteilen, damit ein jeder weiß, was er zu tun hat. Dann wird alles schnell und in Ruhe und Ordnung geschehen.«

»Was meinst du mit den Rollen?«

»Ich meine, daß jeder von uns gesagt bekommt, wen er packen soll, damit wir uns nicht einander im Wege sind. Auf diesen deutschen Giaur müssen wir allerdings zwei Männer rechnen.«

»Das tun wir,« sagte einer der Aladschy. »Ich und mein Bruder nehmen ihn auf uns.«

»Gut. So suchen wir nun die Kräftigsten von uns aus. Wir brauchen für jeden eine Person. Nach den beiden Aladschy ist jedenfalls der Miridit am stärksten. Er mag also den auf sich nehmen, den sie Osko nennen.«

»Nein,« fiel Barud el Amasat ein. »Diesen Osko fordere ich für mich allein. Ich bin es, den er verfolgt; an mir will er sich rächen und dafür soll er unter meinen Fäusten ersticken.«

»An dir will er sich rächen? Warum?«

»Weil ich vor einiger Zeit seine Tochter entführt und als Sklavin verkauft habe. An wen, das geht euch nichts an.«

»Das ist freilich ein Spaß, den sich nicht jeder Vater gefallen läßt!«

»Er ist mir auch seit jener Zeit stets auf den Fersen gewesen.«

»Was ist er denn für ein Mensch? Er sieht aus wie ein Serbe.«

»Er ist ein Montenegriner. Früher waren wir sehr gute Freunde miteinander.«

»So hat er dich beleidigt, und du rächtest dich dadurch, daß du ihm seine Tochter stahlst?«

»Er hat mir nichts zuleide getan. Seine Tochter Senitza war eine große Schönheit. Ein Herr hatte sie gesehen und verlangte sie zum Weib; sie aber wies ihn ab. Da wendete er sich an mich und bot mir eine sehr hohe Summe. Nun, was hättet ihr an meiner Stelle getan?«

»Das Geld verdient,« lachte Murad Habulam.

»Ganz recht! Ich raubte sie, was mir sehr leicht wurde, weil sie mir als dem Freund ihres Vaters vertraute, und überlieferte sie dem Fremden. Dieser nahm sie mit sich nach Aegypten, wo sie ihm bald wieder entführt ward.«

»Von wem?«

»Das werdet ihr nicht erraten. Von demjenigen, welcher eben alles und wieder alles verschuldet hat, nämlich von dem Schurken, der sich Kara Ben Nemsi nennt.«

»Von diesem Deutschen?«

»Ja.«

»Allah verdamme ihn!«

»Hoffentlich wird dein Wunsch noch heute erfüllt. Diese Senitza liebte nämlich einen andern, den Sohn eines steinreichen Großhändlers in Stambul. Er heißt Isla und traf in

Aegypten mit dem Deutschen zusammen. Dieser hat Senitza entdeckt und entführt und sie dem Isla übergeben, welcher mit ihr nach Stambul reiste und sie zum Weib nahm. Ich möchte nur wissen, wie der Deutsche sie hat ausspüren können!«

»Eben infolge seines bösen Blickes,« meinte Habulam. »Er sieht und entdeckt alles. Hat sich denn derjenige, welchem du Senitza verkauftest und dem sie wieder entführt wurde, nicht gerächt?«

»Er wollte es, kam aber nicht dazu; denn der Teufel beschützt den Deutschen. Ja, diesem selbst oder einem seiner Begleiter gelang es sogar später, meinen Freund zu ermorden. Und nun sind sie mit Osko hinter mir her. Der alte Montenegriner hat natürlich keinen heißeren Wunsch, als sich an mir zu rächen.«

»Das soll ihm vergehen!«

»Das meine ich auch, und darum nehme ich den Alten auf mich. Der Miridit mag sich jenen heraussuchen, den sie Omar nennen.«

Der Miridit hatte bisher – die Arme über die Brust gekreuzt haltend – bewegungslos und wortlos an seinem Platz gestanden. Jetzt aber machte er zuerst eine abwehrende Handbewegung und sagte dann ruhig:

»Mich geht dieser Omar heute gar nichts an.«

»Nicht?« fragte Habulam erstaunt. »So hast du dir wohl einen Andern ausersehen? Vielleicht den, welchen sie Hadschi Halef nennen? Ich habe dich für mutiger gehalten, als du dich jetzt zeigst.«

Das Auge des Miriditen blitzte zornig, doch fragte er in ruhigem Ton:

»So meinst du also, daß es mir an Mut gebricht?«

»Ja. Du suchst dir den Kleinsten unter den Feinden aus!«

»Wer hat das gesagt? Etwa ich?«

»Nun, es ist doch sehr zu vermuten.«

»Du hast gar nichts zu vermuten. Vielleicht wirst du sagen, daß ich gar keinen Mut besitze, wenn ich euch jetzt erkläre, daß ich keinen einzigen von diesen Leuten auf mich nehmen werde.«

Diese Erklärung des Miriditen befremdete alle höchlichst.

»Willst du etwa sagen, daß du dich überhaupt nicht gegen unsere Feinde beteiligen willst?« fragte Habulam hastig.

»Ja, dies habe ich gemeint.«

»Das wäre eine Treulosigkeit gegen uns, und darum hoffe ich, daß du nur scherzest.«

»Ich habe vollständig im Ernst gesprochen.«

Es entstand eine Pause, während welcher aller Blicke forschend auf sein starres Angesicht gerichtet waren. Dann hob Barud el Amasat an:

»Wenn du das wirklich so meinst, so wäre es besser, wir hätten dich gar nicht kennen gelernt. Wer nicht mit uns ist, der ist wider uns. Wir müßten dich, wenn du bei deinem Vorhaben bliebest, als unsern Feind betrachten.«

Der Miridit antwortete, indem er mit dem Kopf schüttelte:

»Ich bin nicht euer Feind. Ich werde euch in eurem Vorhaben nicht stören, aber euch auch nicht beistehen.«

»Heute früh sprachst du anders.«

»Seit dieser Zeit hat sich meine Ansicht geändert.«

»So betrachtest du diese Leute nicht mehr als unsere gemeinsamen Feinde?«

»O ja; denn sie haben meinen Bruder getötet. Aber es ist zwischen ihnen und mir ein Mütareke[1] abgeschlossen worden.«

»Ein Mütareke! Bist du toll! Wie stimmt das mit den Worten zusammen, welche du uns vorhin bei deiner Ankunft sagtest?«

»Ich glaube nicht, daß ein Widerspruch vorhanden ist.«

»Ein sehr großer sogar. Du trenntest dich am Morgen in der festen Absicht von uns, die Fremden oder wenigstens diesen Kara Ben Nemsi zu töten. Wir waren daher enttäuscht, als du vorhin kamst, um uns zu melden, daß es dir nicht gelungen sei, deinen Plan auszuführen. Jetzt nun teilst du uns sogar mit, du habest mit ihnen einen Waffenstillstand abgeschlossen. Wir mußten glauben, daß sie dir entgangen seien; nach

1 Waffenstillstand.

deiner jetzigen Rede aber hast du sogar mit ihnen gesprochen!«

»Das tat ich allerdings.«

»Und hast wirklich einen Barysch scharti[1] abgeschlossen?«

»Nur einen einstweilen.«

Je ruhiger der Miridit antwortete, desto aufgeregter ward Barud el Amasat. Dieser erhob sich von seinem Sitz, trat auf jenen zu und sagte in strengem Ton:

»Das war dir nicht erlaubt!«

»Warum nicht? Wer sollte etwas dagegen haben können?«

»Wir, natürlich wir! Du bist unser Verbündeter und hast kein Recht und auch keine Erlaubnis, ohne unsere Zustimmung so etwas zu tun. Dein Vertrag ist null und nichtig, da er ohne und gegen uns abgeschlossen wurde. Das laß dir hiermit gesagt sein!«

Die Brauen des Miriditen zogen sich zusammen. Sein Blick funkelte, doch beherrschte er sich noch und antwortete so ruhig wie zuvor:

»So hältst du dich wohl für denjenigen, der mir etwas zu sagen hat?«

»Jawohl. Wir sind Verbündete, und keiner von uns darf etwas tun, was gegen den Willen der Andern ist. Darum muß ich dir sagen, daß du sehr unüberlegt und leichtsinnig gehandelt hast!«

»Bin scheïtanlar – tausend Teufel!« rief der Miridit jetzt zornig. »Das wagst du mir zu bieten, du, den ich gar nicht kenne, von dem ich nicht einmal weiß, wer er ist, woher er kommt und an welchem Ort er den Eingang zur Hölle finden wird? Sage mir noch eine einzige solche Beleidigung, so führt dich meine Kugel nach der Tiefe, in welcher der Baba bozulmanun[2] wohnt. Ich bin ein Miridit, ein Sohn des berühmtesten und tapfersten Stammes der Arnauten, und lasse mich nicht von dir beleidigen. Indem du mir mit solchen Worten gegenüber trittst, hast du dich an den Rand des Grabes gestellt. Ein kleiner Griff von mir, und du stürzest hinab!«

1 Friedensvertrag.
2 Vater des Verderbens = Teufel.

»Oho! Auch ich bin bewaffnet!« antwortete Barud el Amasat, indem er die Hand an den Griff seiner Pistole legte.

»Halt!« rief da der alte Mübarek. »Sollen Freunde sich in Uneinigkeit verzehren? Barud el Amasat, es ist ganz gut, daß du um unsere Sache eiferst; aber du darfst es nicht in Worten tun, welche beleidigen. Setze dich wieder nieder! Der Miridit wird mir aufrichtig sagen, in welcher Weise er mit diesen Menschen einen Waffenstillstand abgeschlossen hat.«

Barud setzte sich mißmutig nieder, und der Miridit erklärte:

»Ich habe dem Deutschen meinen Czakan gegeben.«

»Allah! Das ist ein heiliger Brauch, bei welchem die Vereinbarung niemals rückgängig gemacht werden kann. Auf wie lange Zeit hat er die Waffe erhalten?«

»Auf so lange, bis er sie mir freiwillig zurückgibt.«

»Das ist ja so gut wie für ewige Zeit!«

»Wenn es ihm so beliebt, kann ich nichts dagegen haben.«

»Ich will dich nicht tadeln, denn ich kenne deine Gründe noch nicht. Mit einem Mann, gegen welchen man eine Blutrache hat, schließt man nicht ohne eine sehr triftige Veranlassung einen solchen Frieden. Du mußt also diesem Deutschen, den Allah verdammen möge, sehr viel zu verdanken haben.«

»Ich habe ihm alles zu verdanken, nämlich mein Leben. Es lag in seiner Hand, und doch hat er es mir nicht genommen.«

»Erzähle uns, wie das sich zugetragen hat!«

Der Miridit lieferte einen Bericht seines verunglückten Ueberfalles und erzählte die Sache so wahrheitsgetreu, daß mein Verhalten in das günstigste Licht gestellt wurde. Er schloß mit der Bemerkung:

»Ihr seht also, daß ich nicht leichtsinnig gehandelt habe. ›Kerem silahdan daha kuwwetli dir‹[1]. Ich habe dieses Sprichwort bisher für unwahr gehalten; jetzt aber bin ich ganz derselben Meinung. Mein Bruder war selbst schuld an seinem Tod. Wenn ich ihn trotzdem zu rächen beabsichtigte, so stand ich als Bluträcher dem Deutschen so feindlich gegen-

1 Der Edelmut ist stärker als die Waffe.

über, daß er, um sein Leben zu retten, mir unbedingt das meinige nehmen mußte. Er hat dies nicht getan. Ich war vollständig in seine Hand gegeben, und trotzdem krümmte er nicht ein Haar meines Hauptes. ›Kan kani itschün‹[1], so lautet das Gesetz der Rache; aber der Kuran gebietet: ›Adschyma adschymaji itschün‹[2]. Wem habe ich zu gehorchen, dem Kuran des Propheten oder der Satzung sündiger Menschen? Steht nicht in den heiligen Büchern zu lesen: ›Schükri nimet göge doghru götür[3]‹? Der Deutsche hat mir die größte Wohltat erwiesen, welche es geben kann. Wollte ich ihm dafür nach dem Leben trachten, so würde ich Allahs Zorn für immer auf mich laden. Darum habe ich ihm meinen Czakan gegeben. Wenn infolgedessen meine Hand nicht gegen ihn ist, so braucht ihr doch nicht zu denken, daß ich nun feindselig gegen euch handeln werde. Tut, was ihr wollt! Ich hindere euch nicht daran; aber verlangt nicht von mir, daß ich mich an der Ermordung meines Wohltäters beteiligen soll.«

Er hatte sehr ernst und mit großem Nachdruck gesprochen. Seine Worte erreichten so ziemlich die beabsichtigte Wirkung. Die Andern blickten einander eine Weile stumm an. Sie konnten ihm nicht unrecht geben, und doch war ihnen die Schonung, welche er gegen uns üben wollte, höchst unangenehm.

»Scheïtan bu Nemtscheji derile satchile jut – der Teufel verschlinge diesen Deutschen mit Haut und Haar!« rief endlich der alte Mübarek. »Es ist, als ob diesem Menschen alles gelingen und zum Guten ausschlagen müsse. Ich hatte ganz gewiß auf dich gerechnet. Ich will auch zugeben, daß du einen kleinen Grund gehabt hast, dich von deinem guten Herzen fortreißen zu lassen; aber du darfst nicht zu weit gehen. Wenn er dir das Leben geschenkt hat, so begreife ich, daß du dich jetzt scheust, ihm das seinige zu nehmen; aber warum willst du da auch die Andern schonen? Ihnen hast du nichts zu verdanken. Ihn haben die Aladschy übernommen; du sollst dich

---

1 Blut um Blut.
2 Schonung gegen Schonung.
3 Dankbarkeit führt zum Himmel.

über den Omar hermachen, und ich sehe keinen Grund, warum du das nicht tun willst.«

»Ich habe Grund genug. Was der Deutsche tut, das tut er nicht allein, sondern in Uebereinstimmung mit seinen Begleitern. Meine Dankbarkeit gilt nicht ihm allein, sondern auch den Andern. Und selbst wenn ich nur ihm verpflichtet wäre, dürfte ich mich nicht an einem seiner Begleiter vergreifen, da ich ihm dadurch Schmerz bereiten würde. Ich bin gekommen, euch zu sagen, daß ihr in dieser Angelegenheit von mir absehen sollt. Ich habe mir vorgenommen, mich nicht zu beteiligen, und werde auf alle Fälle diesem Vorsatz treu bleiben.«

»Bedenke die Folgen!«

»Ich habe nichts zu bedenken.«

»O doch! Ist es dir so gleichgültig, unsere Freundschaft zu verlieren?«

»Soll das etwa eine Drohung sein? Dann wäre es besser, du hättest sie nicht ausgesprochen. Ich habe dem Deutschen meinen Czakan, also mein Yrza mebni wad[1] gegeben und werde dasselbe halten. Wer mich da hindern will, der hat es mit mir zu tun. Wollt ihr eure Freundschaft in Feindschaft umwandeln, so tut das in Allahs Namen, aber glaubt nicht, daß ich mich vor euch fürchte. Ich will und werde mich vollständig teilnahmslos verhalten, aber nur so lange, als ihr mich in Ruhe laßt. Das ist alles, was ich euch zu sagen habe. Ich bin fertig und kann nun gehen.«

Er wendete sich dem Ausgang zu.

»Halt!« rief Habulam. »Sei verständig, und bleibe!«

»Ich bin verständig, aber mein Bleiben hätte keinen Zweck.«

»In diesem Wetter kannst du doch nicht fort!«

»Was mache ich mir aus dem Regen!«

»Aber du kannst doch nicht während dieses heftigen Gewitters nach Sbiganzy reiten!«

Er warf einen forschenden Blick in das Gesicht des Miriditen. Dieser verstand denselben und antwortete:

1 Ehrenwort.

»Habe keine Sorge! Ich werde nicht hinterlistig gegen euch handeln. Wenn du befürchtest, daß ich da bleibe und heimlich mit diesen fremden Leuten rede, um sie zu warnen, so irrst du dich. Ich gehe hinaus unter die Bäume zu meinem Pferd, steige auf und reite fort. Ich habe euch gesagt, daß ich nicht gegen euch sein werde, und werde mein Wort nicht brechen.«

Er bückte sich, um die Bündel, welche die Türe bildeten, zu entfernen. Die Andern sahen ein, daß er sich nicht zurückhalten lasse; darum sagte der alte Mübarek:

»Wenn du wirklich gehen willst, so schwöre uns vorher bei dem Bart des Propheten, daß du dich der Fremden nicht annehmen wirst!«

Der Miridit antwortete unter einer zornigen Bewegung:

»Dieses Verlangen ist eine Beleidigung. Ich habe euch mein Wort gegeben, und ihr müßt an dasselbe glauben. Bist du etwa nicht gewohnt, das deinige zu halten? Dennoch will ich den Schwur ablegen, weil ich nicht in Unfrieden von euch scheiden möchte. Bist du nun zufrieden?«

»Ja; aber bedenke wohl, welcher Strafe du verfallen würdest, wenn es dir einfiele, uns zu täuschen! Wir lassen nicht mit uns scherzen!«

Das war in einem Ton gesprochen, welcher den Stolz des Miriditen herausforderte. Dieser trat von dem Eingang weg, hart an den Alten heran, und sagte:

»Wagst du es, mir das zu sagen, du, dessen ganzes Wesen und Handeln eine einzige große Lüge ist? Wer bist du? Der alte Mübarek, der Heilige! Ist das nicht eine Lüge? Du warst auch Busra, der Krüppel. War das nicht auch Täuschung? Wo bist du her, und wie lautet dein wirklicher Name? Niemand weiß es, niemand kann es sagen. Du bist gekommen wie eine Krankheit in das Land, wie eine Taan[1], vor welcher Allah alle seine Gläubigen beschützen möge. Du hast dich in das verfallene Gemäuer der Ruine festgesetzt, wie ein Sukutan, wie ein Bengi[2], welcher den ganzen Umkreis vergiftet hat. Ich selbst

1 Pest.
2 Arabische Namen für Schierling und Bilsenkraut.

bin nur ein sündhafter Mensch, aber mit dir mag ich mich nicht vergleichen, und noch viel weniger dulde ich es, von dir beleidigt zu werden. Wenn du meinst, eine Macht zu besitzen, vor welcher man sich fürchten muß, so überlasse ich es schwachen Menschen, diese Furcht zu hegen. Es kostet jedem von uns nur ein Wort, so bist du verloren. Ich werde dieses Wort nie aussprechen, außer du zwingst mich dazu. Ehe ich in dieser Weise an dir zum Verräter werde, bediene ich mich lieber eines andern Wortes, eines Wortes, welches man nicht hört, sondern sieht und fühlt. Und wenn du wissen willst, welches dieses Wort ist, so blicke her; ich hab es in der Hand!«

Er zog sein Messer aus dem Gürtel und schwang es über dem Mübarek.

»Allah! Willst du mich erstechen?« rief dieser erschrocken.

»Heute nicht und auch fernerhin nicht, wenn du mich nicht dazu zwingst. Vergiß das nicht! Und nun gute Nacht!«

Er steckte das Messer wieder zu sich, entfernte die Bündel und kroch hinaus. Auf einen Wink Habulams folgte ihm Humun, der Diener, vorsichtig nach. Als dieser nach kurzer Zeit wiederkehrte, meldete er, daß der Miridit sich wirklich entfernt habe.

»Dem hat Allah den Verstand genommen!« murrte Barud el Amasat. »Auf ihn ist nun nicht mehr zu rechnen.«

»Nein, nun nicht mehr,« stimmte der Mübarek bei. »Aber er hat mir nicht umsonst gedroht. Ich werde dafür sorgen, daß er uns nicht zu schaden vermag.«

»Willst du ihn töten?« fragte Manach el Barscha.

»Was ich tun werde, das weiß ich noch nicht. Aber wir haben wieder deutlich ein Beispiel, wie notwendig es ist, diesen Deutschen mit seinen Genossen aus der Welt zu schaffen. Jetzt fragt es sich, wer von den Anderen den Omar töten soll.«

»Ich nehme ihn auf mich,« sagte Humun, der Diener.

»Gut! So bleibt nur noch der kleine Hadschi übrig. Leider kann ich nicht dabei helfen, weil ich verwundet bin.«

»So gebt ihn in meine Hand,« meinte Manach el Barscha. »Es soll mir eine Wonne sein, ihm das Lebenslicht auszulöschen. Er ist klein und scheinbar schwach; aber man darf ihn nicht unterschätzen. Dieser Zwerg hat den Mut eines Panthers und ist gewandt wie ein Atmadscha[1]. Auch haben wir gehört, daß er bedeutende Körperkraft besitzt. Ihr dürft es mir also nicht etwa als einen Mangel an Mut auslegen, wenn ich mir ihn erwähle. Und was die Zeit betrifft, in welcher wir den Streich ausführen, so schlage ich vor, uns nicht für eine bestimmte Stunde zu entscheiden. Wir werden von Zeit zu Zeit lauschen. Sobald wir bemerken, daß sie sich niedergelegt haben, gehen wir an das Werk.«

»Das ist auch meine Meinung,« erklärte Habulam. »Ich habe die Vorbereitungen zu treffen und werde mich jetzt entfernen. Humun geht natürlich mit mir; ich werde ihn aber von Zeit zu Zeit senden, um nachzufragen, ob wir beginnen können.«

Er stand von seinem Sitz auf.

»Warte noch einen Augenblick!« bat der Mübarek. »Ich möchte dich noch um einiges Nebensächliche fragen.«

Das gab mir Veranlassung, mich zurückzuziehen. Nach der Entfernung des Wirtes wäre es mir vielleicht nicht leicht möglich geworden, die Feime zu verlassen. Es war anzunehmen, daß die Andern sich schweigsam verhalten würden, und in diesem Fall mußten sie mich im Stroh rascheln hören. Jetzt aber ertönten die Stimmen der Sprechenden so laut, daß niemand das Geräusch meines langsamen und vorsichtigen Rückkriechens vernehmen konnte. Es gelang. Wie aber nun nach dem Turm kommen? Es war zwar nicht weit, aber ich hatte nichts, worauf ich mich stützen konnte. Da wurde die Türe geöffnet, und Osko steckte den Kopf heraus, was er alle zwei bis drei Minuten getan hatte. Er bemerkte mich, kam herbeigeeilt, nahm mich huckepack auf seinen Rücken und trug mich in den Turm. Dort ließ er mich auf den Teppich nieder, da wo ich zuvor gesessen hatte, so daß ich die Türe vor mir hatte. Ich ließ dieselbe soweit öffnen, daß man von draußen einen Blick hineinwerfen konnte.

[1] Sperber.

»Warum das?« fragte Omar. »Es regnet ja herein.«

»Nicht viel. Das Wetter kommt von der anderen Seite. Der Wirt soll hereinblicken können, um zu sehen, daß wir alle beisammen sind. Janik aber mag sich so stellen, daß er nicht gesehen werden kann.«

Der Diener nahm den betreffenden Platz hinter der Türe ein, und nun erzählte ich, was ich gesehen und gehört hatte. Dabei hütete ich mich aber, aus meinen Mienen erraten zu lassen, daß unsere Unterhaltung eine so wichtige Angelegenheit betraf. Wenn Habulam und Humun jetzt hereinblickten und mich sprechen sahen, mußten sie denken, daß wir uns über einen höchst harmlosen Gegenstand unterhielten.

Mein Bericht dauerte so lange, daß ich nach seiner Beendigung annehmen konnte, Murad Habulam sei nun in das Schloß zurückgekehrt. Darum ließ ich die Türe wieder zumachen.

Von meinen Zuhörern war Halef am grimmigsten gestimmt.

»Herr,« sagte er, »ich möchte die Schurken in dem Schober aufsuchen und jedem eine Kugel durch den Kopf jagen. Dann hätten wir vor ihnen Ruhe und könnten unsern Weg in Frieden fortsetzen.«

»Willst du ein Mörder sein?«

»Ein Mörder? Wo denkst du hin! Diese Halunken sind Raubtiere, und wie ich einen stinkenden Schakal oder eine Hyäne erschlage, ohne mir Vorwürfe darüber zu machen, so kann ich auch diese Schurken unschädlich machen, ohne daß es mein Gewissen beschwert.«

»Wir sind nicht ihre Richter!«

»Oho! Sie trachten uns nach dem Leben. Wir befinden uns ihnen gegenüber im Zustand der Notwehr.«

»Das ist freilich wahr; aber wir können doch ihre Anschläge zunichte machen, ohne sie zu töten.«

»So werden wir sie nicht los, und sie werden uns noch weiter verfolgen.«

»Wenn wir so gut aufpassen wie bisher, können sie uns nichts anhaben.«

»Wollen wir uns denn immer und immer mit dem Gedanken an diese Schurken plagen? Haben wir einen Genuß von unserer Reise? Kann unser Ritt uns zur Bereicherung unserer Kenntnisse dienen? Wir reiten durch dieses Land wie Ameisen, welche über den Weg laufen und im nächsten Augenblicke gewärtig sein müssen, zertreten zu werden. Ich danke für ein solches Vergnügen! Also schießen wir diese Schakale in Menschengestalt nieder, wo und wann wir können!«

»Ich weiß recht wohl,« erwiderte ich, »in welcher Lage wir uns befinden. Bringen wir sie vor einen Richter, so werden wir heimlich ausgelacht. Nehmen wir selbst das Recht der Vergeltung in die Hand, so handeln wir gegen die Gebote meines Glaubens und gegen die Satzungen der Menschlichkeit. Wir müssen also beides unterlassen und lieber versuchen, uns dieser Feinde zu erwehren, ohne an ihnen ein Verbrechen zu begehen.«

»Es ist aber gar kein Verbrechen!«

»In meinen Augen doch. Wenn ich mich eines Feindes in anderer Weise zu erwehren vermag, so ist es strafbar, ihn zu töten. Mit List erreicht man oft so viel, wie mit Gewalt.«

»Wie willst du das anfangen?«

»Ich lasse sie auf den Turm steigen und sorge dafür, daß sie nicht wieder herab können.«

»Dieser Gedanke ist freilich gar nicht übel. Aber wenn sie hinaufsteigen können, so wird es ihnen nicht unmöglich sein, auf demselben Weg wieder herab zu kommen.«

»Auch wenn wir ihnen, sobald sie oben sind, die Leiter wegnehmen?«

»Hm! Dann kommen sie die Treppe herunter.«

»Wenn sie das täten, würden sie verraten, daß sie Arges gegen uns geplant haben. Und übrigens können wir ihnen diesen Weg ja verschließen. Wir brauchen nur einen Hammer und große Nägel, um den Deckel am Fußboden festzunageln.«

Janik erbot sich, das Gewünschte herbeizuschaffen, nebst einer großen eisernen Klammer.

»Das ist gut,« fuhr ich fort. »Diese Klammer wird unsern

Zweck am sichersten erfüllen. Wir befestigen den Deckel über der obersten Treppe, so daß er nicht von außen emporgezogen werden kann. Dann können die Leute nicht zur Treppe herab, und da wir ihnen die Leiter wegnehmen, so müssen sie in dem Regenwetter oben stehen bleiben, bis der Tag anbricht. Das wird ihre Unternehmungslust wohl ein wenig abkühlen.«

»Sihdi,« meinte Halef, »dein Plan versöhnt mich mit deiner sonstigen Gutmütigkeit. Es ist doch ein recht hübscher Gedanke, diese Halunken da oben zu wissen, wo sie während der ganzen Nacht stehen müssen. Setzen können sie sich ja nicht, da es von allen Seiten hereinregnen kann; es schwimmt also sicherlich viel Wasser auf dem Boden. Dieser oberste Kat[1] ist grad so gebaut wie eine Laterne, in welcher sich kein Glas befindet. Er hat nur zur Aussicht gedient, und der Regen findet also ungehinderten Eingang. Da nun die Türe, welche heraus auf den Söller geführt hat, zugemauert worden ist und auch der Deckel luftdicht schließt, so kann das Regenwasser vielleicht gar nicht ablaufen.«

»O doch,« fiel Janik ein. »Es ist ein kleines Loch vorhanden, welches durch die Mauer führt.«

»Können wir das nicht verstopfen?«

»Sehr leicht. Es ist genug Uestipü[2] vorhanden.«

»Prächtig! So wird es fest verstopft. Ah, diese Mörder sollen oben im Wasser stehen und sich die Gicht, Rheumatismus, die Zipperlein und alle zehntausend Arten von Erkältungen holen. Ich wollte, sie müßten bis unter die Arme im Wasser stehen und – –«

Er sprang auf und schritt schnell hin und her. Er hatte einen Gedanken. Dann blieb er vor dem Diener stehen, legte demselben die Hand auf die Achsel und sagte:

»Janik, du bester und treuester der Freunde! Ich habe dich lieb, aber ich würde dich noch hundertmal mehr lieben, wenn du hättest, was ich brauche.«

»Nun, was bedarfst du denn?« fragte der Angeredete.

1 Stockwerk, Etage.
2 Werg.

»Ich bedarf eines Gegenstandes, welcher hier bei euch jedenfalls nicht vorhanden ist. Denn nicht wahr, bei euch gibt es keine Tulumba[1]?«

»Eine große nicht, dafür aber eine Bostan fyschkyrmajü[2], welche auf zwei Rädern läuft.«

»Mensch! Mann! Freund! Bruder! Was für ein prächtiger Kerl bist du! Ich hätte es nicht für möglich gehalten, daß ihr eine Spritze habt!«

»Der Herr hat sie im vorigen Jahre aus Uskub kommen lassen, weil ihm immer die Feime angezündet wurde. Sie steht stets zum Gebrauch bereit im Garten.«

»Wie viel Wasser faßt sie denn?«

»Etwas mehr als was in eine große Kurna[3] geht.«

»Das ist gut; aber was nützt mir die herrliche Bostan fyschkyrmajü, wenn die Hauptsache dazu nicht vorhanden ist.«

»Was meinst du denn?«

»Einen Kyrba[4], einen möglichst langen Kyrba. Aber ein solcher ist wohl nicht da?«

Der kleine Hadschi war ganz begeistert. Er sprach seine Fragen so angelegentlich aus, als ob es sich um das höchste Glück der Erde handle.

»O, einen Kyrba haben wir, nicht etwa zur Aufbewahrung des Wassers während der Reise, sondern einen Akar su getirdschi[5], wie er beim Löschen eines Feuers gebraucht wird. Nur fragt es sich, wie lang er sein soll.«

»So lang, daß er bis auf die Zinne des Turmes reicht.«

»So lang ist er, wohl sogar noch ein wenig länger.«

»Mann, ich muß dich umarmen! Komm an mein Herz; du bist die Freude meines Daseins, die Wonne meines Lebens und das Glück meiner Tage! Also eine Spritze ist vorhanden und auch ein Schlauch. Das ist zum Entzücken! Einen

1 Spritze, Feuerspritze.
2 Gartenspritze.
3 Badewanne.
4 Schlauch.
5 Wasserbringer.

Schlauch, so lang, wie ich ihn brauche! Wer hätte geglaubt, diesen Gegenstand hier in Kilissely zu finden!«

»Dies ist leicht begreiflich. Ohne diesen Schlauch würde die Spritze uns nicht viel helfen, da wir das Wasser weit zu schleppen hätten.«

»Meinst du von dem Fischteich da draußen herein?«

»Nein; das wäre zu weit. Wir haben gleich hinter dem Turm, ganz an der Mauer desselben, ein großes Su deliki[1], welches stets gefüllt ist. Dahin kommt die Spritze zu stehen, und den Schlauch führt man natürlich dorthin, wo es brennt.«

»Ein Su deliki, aus welchem man die Spritze füllen kann! Ist es tief? Ist es groß? Ist viel Wasser in demselben vorhanden?«

»Ich weiß nicht, wozu du das Wasser haben willst; aber ich glaube, daß es dir zu deinem Vorhaben nicht daran mangeln wird.«

»Glaubst du? Das ist wirklich herrlich! Deine Worte sind wie die Tropfen des Taues, welcher auf die verschmachtende Flur fällt. Deine Rede ist mehr als hundert Piaster wert, und wenn ich einst ein Bin kire bin sahibi[2] geworden bin, sollst du sogar tausend erhalten. Du weißt also nicht, wozu ich das Wasser brauche?«

»Nein.«

»Du ahnst es auch nicht?«

»Nein.«

»So schütze Allah dein Gehirn, welches einer ausgetrockneten Zisterne gleicht. Merke auf, mein Sihdi wird sofort erraten haben, was ich beabsichtige. Nicht wahr, Herr?«

Da diese Frage an mich gerichtet war, so nickte ich mit dem Kopf.

»Und was sagst du dazu?«

Seine Augen leuchteten vor innerer Lust. Der Gedanke erfüllte ihn mit Entzücken, unsern Feinden einen Streich spielen zu können. Darum war er auch ziemlich enttäuscht, als ich ihm ernsten Tones antwortete:

1 Wasserloch.
2 Millionär.

»Es ist ein Tschodschukluk[1], weiter nichts.«

»Sihdi, das darfst du nicht sagen. Die Schurken besteigen den Turm, um uns zu töten. Du willst dafür sorgen, daß sie nicht herabkönnen und während der ganzen Nacht oben bleiben müssen. Nun gut, so will ich das Meinige hinzufügen, daß sie sich nicht etwa übermäßig wohl da oben fühlen sollen. Wir pumpen ihnen das ganze Turmgemach voll Wasser. Dieses Gemach ist zwar rundum offen; aber die Wand ist dennoch so hoch, daß sie einem Mann bis an die Brust reicht, und so hoch sollen sie im Wasser stehen. Oder fühlst du Mitleid mit ihnen? Rührt es dich, daß diese Mörder sich vielleicht erkälten und einen kleinen Disch aghryßy[2] bekommen können?«

»Nein, das nicht. Es ist ihnen zu gönnen, daß sie die Nacht so unbequem wie möglich zubringen, aber ich möchte dein Vorhaben doch nicht billigen.«

»Aber Strafe muß doch sein!«

»Ganz recht. Doch kannst du dadurch dich und uns in Schaden bringen.«

»Nein, Sihdi. Wir treffen unsere Vorbereitungen so, daß kein Mensch etwas davon bemerken soll. Was sagt denn ihr dazu, Osko, Omar?«

Die beiden Genannten waren mit ihm einverstanden. Alle drei stürmten nun so lange mit Bitten auf mich ein, bis ich wohl oder übel Ja sagte.

Janik ging nun und kehrte nach einer Weile mit dem radförmig aufgewundenen Schlauch nebst einer Leine zurück. Die Andern stiegen mit ihm in den Turm hinauf, und bald hörte ich auch trotz des gegen die Läden prasselnden Regens laute Hammerschläge. Janik hatte den Hammer und die Klammer in der Tasche stecken gehabt, und nun, nachdem sie den Schlauch angebunden hatten, schlugen sie den Treppendeckel so fest, daß niemand aus dem oberen Raume des Turmes herab gelangen konnte.

Als sie zurückkehrten, meinte Halef im Tone größter Befriedigung:

1 Kinderei.
2 Zahnschmerzen.

»Das haben wir gut gemacht, Sihdi. Du selbst hättest es nicht besser machen können.«

»Nun, wie habt ihr denn den Schlauch befestigt?«

»So, daß er außen am Turme herabhängt und dann unten an die Spritze geschraubt werden kann.«

»Und wenn sie die Leiter anlegen, sehen sie ihn.«

»Janik sagt, daß sie die Leiter jedenfalls an der entgegengesetzten Seite anlegen werden, wo ihnen keine Bäume hinderlich sind. Das Mundstück des Schlauches führt nach dem Gemach, aber so, daß das Wasser innen an der Wand herabläuft, ohne Geräusch zu machen. Sie müßten in der Dunkelheit sehr suchen, um es zu finden. Auch in den anderen Stuben sind die Läden alle verriegelt, und ich wünsche nur, daß die Badegäste bald kommen.«

»Das wird noch längere Zeit währen, da Habulam davon sprach, daß er uns ein gutes Abendessen senden werde.«

»Soll ich gehen, um es zu holen?« fragte Janik.

»Ja, tue das. Je eher wir essen, desto weniger lang brauchen wir zu warten. Aber stelle dich so, als ob du wirklich von der Eierspeise gegessen hättest und Schmerzen fühltest. Siehe auch zu, daß du mit Anka zu reden kommst! Vielleicht hat sie dir etwas mitzuteilen.«

Er ging, und wir warteten still, da wir nichts Wesentliches mehr zu besprechen hatten, auf seine Rückkehr. Halef kauerte auf seiner Decke, rieb sich von Zeit zu Zeit mit leisem Lachen die Hände und stieß dabei unverständliche Rufe aus. Seine Gedanken waren ausschließlich mit der Einwässerung unserer Feinde beschäftigt.

Als Janik zurückkehrte, war er nicht allein. Er brachte unser Nachtmahl, und da er nicht alles zu tragen vermocht hatte, war er von Humun begleitet worden. Dieser trat aber nicht mit ein; er blieb draußen stehen, bis Janik ihm seine Last abgenommen hatte, und entfernte sich dann in höchster Eile.

Das Essen war ausgezeichnet. Wir hatten eine tüchtige Schüssel Balyk tschorbajü[1], wie sie in Prag oder in Wien nicht

---

1 Fischsuppe.

besser auf den Tisch gebracht wird. Da es keine Löffel gab, erhielten wir Tassen, mit welchen wir die Suppe schöpften und zum Munde führten. Dann kam ein riesiger Iblig dolduri[1] mit einem Teige von Mehl, Feigen und zerstoßenen Nüssen gefüllt. Nachher ein Oghlak kebabi[2], der gar nicht so übel war, obgleich man oft einem begründeten Vorurteil gegen Ziegenfleisch begegnet. Dazu gab es fetten Pillaw mit Rosinen und weich gedämpften Mandelkernen. Den Nachtisch bildeten Früchte und Zuckerwaren, welche wir nicht berührten. Auch von dem Uebrigen blieb weit über die Hälfte übrig. Wir hätten nichts angerührt; aber Anka ließ uns sagen, daß wir ohne Sorge essen könnten, da sie die Speisen ganz allein zubereitet habe und während der betreffenden Zeit kein Mensch zu ihr in die Küche gekommen sei.

»Aber dein Herr ist in seiner Wohnung?« fragte ich Janik.

»Ja. Er sitzt und raucht und starrt vor sich hin. Er ließ mich kommen und fragte mich, was mir fehle. Ich machte nämlich ein entsetzliches Gesicht. Ich antwortete ihm, daß ich eine Aiwa[3] gegessen hätte, welche wohl unreif gewesen sein müsse und mir ein großes Leibweh verursache.«

»Das war sehr klug von dir. Jetzt ist er vielleicht der Meinung, daß du von seiner Giftmischerei gar nichts ahnest, und wird es darum nicht für nötig halten, sich vor dir zu verstellen.«

»Das ist richtig. Verstellt hat er sich freilich nicht. Er zeigte mir ganz offen die Wut, welche er gegen euch hegt, und wollte alles wissen, was ihr tut und sagt. Ich erzählte ihm, daß du Schmerzen im Fuße habest und nicht gehen könntest. Eure Ermüdung sei so groß, daß ihr baldigst zur Ruhe zu gehen wünschtet. Darauf gebot er mir, euch gleich nach dem Essen das Lager zu bereiten. Dann solle ich sofort schlafen gehen. Je eher ihr euch niederlegt, desto zeitiger würdet ihr aufstehen, meinte er, und dann müsse ich ausgeschlafen haben, um zu eurer Bedienung da zu sein.«

1 Gefüllter Kapaun.
2 Braten von diesjähriger Ziege.
3 Quitte.

»Sehr klug von ihm! Wo schläfst du gewöhnlich?«

»Mit Human und den anderen Dienstleuten.«

»Das ist unangenehm! Da kannst du dich nicht unbemerkt entfernen, und wir brauchen dich doch.«

»O, was das betrifft, Effendi, so darfst du ohne Sorge sein. Keiner will von heute an mehr mit mir schlafen, und Humun hat mir auf Befehl des Herrn ein Lager unter dem Dach angewiesen. Aber wenn du es wünschest, so tue ich, als ob ich schlafen gehen wolle, werde aber in den Turm hierher kommen. Ihr habt dann verriegelt, und ich klopfe an.«

»Aber nicht wie gewöhnlich. Das könnte zufälligerweise auch ein Anderer tun. Klopfe an den Laden hier, welcher nach hinten führt, und zwar erst einmal, dann zwei- und nachher dreimal. So wissen wir, daß du es bist, und werden öffnen. Teile dieses Zeichen deiner Anka mit. Man weiß nicht, was während deiner Abwesenheit bei Habulam passieren kann. Sie mag aufpassen und uns nötigenfalls Botschaft bringen.«

Janik schaffte nun das Speisegeschirr fort und brachte uns dann noch einige Decken für das Lager. Nach seiner abermaligen Entfernung löschten wir das Licht aus. Die Läden und auch die Türe waren zwar verriegelt, aber sie hatten so viele Spalten, daß man von außen sehr leicht sehen konnte, daß wir kein Licht mehr hatten.

Wohl erst gegen zwei Stunden später kehrte Janik zurück. Er gab das verabredete Zeichen, und wir ließen ihn ein.

»Ich komme so spät,« flüsterte er uns zu, »weil mir der Gedanke kam, Habulam zu belauschen. Die Leute mußten alle schlafen gehen; dann schlich er sich mit Humun zu der Feime. Beide sind soeben hineingekrochen.«

»So wissen wir also, woran wir sind. Man wird meinen, daß wir schlafen, und wir können nun die Besteigung des Turmes baldigst erwarten.«

»Das müssen wir sehen,« sagte Halef und er stieg, von den Uebrigen gefolgt, rasch die Treppe hinauf.

Es regnete noch immer, ja, es draschte so laut hernieder, daß man die Schritte der draußen Gehenden gar nicht hören konnte.

Ich saß nun allein im unteren Gemach und wartete. Nach einiger Zeit kamen die vier Männer zu mir herab, und Halef meldete:

»Sihdi, sie sind oben. Soeben steigt der Letzte empor; es waren sieben Personen.«

»Neun waren in der Feime. Der Miridit ist fort. Der Mübarek wird zurückgeblieben sein, weil er verwundet ist.«

»So stimmt es. Nun werden wir sofort die Leiter entfernen und die Gartenspritze holen.«

»Nehmt Decken über, sonst werdet ihr naß bis auf die Haut.«

Sie taten das in aller Eile und schoben dann den Riegel von der Türe zurück, um hinaus zu gehen. Ich richtete mich an der Wand empor und öffnete den nach hinten gehenden Laden. Es war dunkel draußen; aber trotz der Finsternis und des dicken Regens bemerkte ich doch bald die vier Männer, welche sich da ganz in der Nähe des Ladens zu schaffen machten. Dann vernahm ich das taktmäßige Kreischen des Hebels der Spritze. Sie hatten den Schlauch angeschraubt und pumpten aus allen Kräften Wasser nach oben. Das Wasserloch befand sich vor meinem Fenster. Von Zeit zu Zeit ließ sich Halefs leise kommandierende Stimme hören. Der kleine Hadschi befand sich trotz des Regengusses ganz in seinem Element.

Oben aber blieb alles still. Daß das Pumpen von Erfolg war, ließ sich denken. Wahrscheinlich konnten sich die Schurken da oben nicht erklären, woher das Wasser kam, aber sie hüteten sich wohl, ihre Gegenwart zu verraten. Jedenfalls gaben sie sich große Mühe, den Deckel über der Treppe zu öffnen. Habulam hatte ja gesagt, daß er sich zu diesem Zwecke mit einem Bohrer versehen wolle. Möglich war es immerhin, daß sie die Klammer auswuchteten. In diesem Falle kamen sie herab, und ich machte mich bereit, sie mit dem Revolver zu empfangen. Aber so scharf ich nach der Treppe lauschte, es ließ sich nichts hören. Halef hatte also den Deckel gut befestigt.

So verging eine ziemlich lange Zeit, wohl über eine Stunde. Dann kehrten die Vier zu mir zurück.

»Wir sind fertig, Sihdi!« meldete der Hadschi mit größter Befriedigung. »Wir haben gepumpt aus Leibeskräften. Jetzt aber sind wir pudelnaß. Erlaubst du uns, die Lampe anzubrennen?«

»Ja; es ist besser, wir haben Licht.«

Er zündete die Lampe an und goß Oel zu. Dann stiegen sie nach oben, bis in den Raum, über welchem unsere Gegner im Wasser standen. Dort öffneten sie einen Laden, und dann hörte ich Halefs Stimme:

»Allah sallam wer, tschelebilerim – Allah grüße euch, meine Herren! Wollt ihr bei dieser drückenden Tageshitze ein wenig frische Luft schnappen? Wie gefällt euch die reizende Aussicht da oben? Unser Effendi läßt euch fragen, ob er euch sein Dürbün[1] heraufschicken soll, damit ihr den Regen besser erkennen könnt.«

Ich lauschte, hörte aber keine Antwort. Die Verspotteten schienen sich ganz still zu verhalten.

»Warum badet ihr denn eigentlich des Nachts so hoch da oben?« fuhr Halef fort. »Ist es hierzulande so Sitte? Es sollte mich sehr schmerzen, wenn das Wasser nicht die gehörige Wärme hätte. Aber man soll niemand im Bad belauschen; darum werden wir uns höflich zurückziehen. Hoffentlich seid ihr bis Tagesanbruch fertig; dann werde ich, euer untertänigster Diener, mir erlauben, mich nach eurem hohen Befinden zu erkundigen.«

Er kam mit den Andern herab und lachte mir zu:

»Sihdi, sie sind prächtig in die Falle gegangen, und keiner wagt es, ein Wort zu sprechen. Es war mir, als ob ich ihre Zähne klappern hörte. Jetzt könnten wir nun eigentlich gemütlich schlafen, denn stören kann uns niemand.«

»Ja, schlaft ruhig,« sagte Janik. »Ihr seid vom Reiten ermüdet, ich aber bin noch munter. Ich werde wachen und

1 Fernrohr.

euch sofort wecken, wenn es nötig ist. Aber wir haben nichts zu befürchten. Die Männer können nicht herab. Höchstens wäre es möglich, daß das Wasser durch die Decke dränge und zu uns herabkäme. Aber auch das wäre ganz außer Gefahr.«

Er hatte recht. Und da wir uns auf ihn verlassen konnten, so legten wir uns nieder.

7. Kapitel

In Wassersnot

Es wollte, obgleich ich ermüdet war und der Ruhe bedurfte, kein Schlaf über meine Augen kommen. Ich hörte das öftere, leise Kichern meines Hadschi, welcher sich über das Gelingen seines Streiches freute und darum auch keine Ruhe fand; ich vernahm das monotone, unausgesetzte Geräusch des Regens, welches mich endlich doch einschläferte. Da aber wurde ich bald durch ein lautes Klopfen wieder aufgeweckt; man pochte an die Tür, und zwar so, wie ich es Janik vorgeschrieben hatte. Ich richtete mich auf; ich nahm an, daß es Anka sei, welche uns wohl eine Meldung zu machen hatte.

Janik öffnete, und meine Vermutung bestätigte sich: das Mädchen trat ein. Halef, Osko und Omar waren natürlich auch gleich munter.

»Verzeihung, daß ich euch störe, Effendim,« sagte unsere hübsche Verbündete. »Ich bringe eine Botschaft. Janik hat mir von eurem Vorhaben erzählt: ihr wolltet die Leute da oben ins Wasser stellen. Ist euch das gelungen?«

»Ja, und sie sind noch oben.«

»Und ich denke, daß sie fort sind.«

»Ah! Wie wäre es ihnen möglich gewesen, herabzukommen?«

»Das weiß ich nicht; aber ich habe allen Grund anzunehmen, daß sie sich jetzt vorn im Schlosse befinden.«

»Das wäre freilich überraschend. Erzähle!«

»Janik hatte mich aufgefordert, aufmerksam zu sein. Habulam schickte mich zeitig zur Ruhe, aber ich blieb wach und blickte durch das Fenster. Ich sah meinen Herrn mit Humun nach dem Garten schleichen. Damit ich ihn bei seiner Rückkehr hören könne, ging ich in das Erdgeschoß und legte mich hinter die Türe eines dortigen Gemaches, an welcher er vorüber mußte und die ich ein wenig offen ließ. Trotz der Mühe, welche ich mir gab, wach zu bleiben, schlief ich ein. Welch eine Zeit vergangen war, weiß ich nicht; ich wurde von einem Geräusch geweckt. Zwei Männer kamen aus dem Hof und gingen an meiner Türe vorüber. Der eine sprach, und ich erkannte Habulam an der Stimme. Er fluchte, wie ich es noch nie von ihm gehört habe. Ich hörte, daß in der Küche ein großes Feuer gemacht und daß Kleider von ihm herbeigeschafft werden sollten. Ich glaube, es ist Humun gewesen, mit dem er gesprochen hat. In der Küche gab es bald ein großes Geräusch. Ich hörte zornige Stimmen und das laute Knistern und Platzen des brennenden Holzes. Was man dort vornimmt, das weiß ich nicht; aber ich bin herbeigeeilt, um euch zu sagen, was ich beobachtet habe.«

»Das ist sehr brav von dir. Die Leute müssen auf irgend eine Weise entkommen sein. Halef, wohin habt ihr die Leiter geschafft?«

»Wir haben sie nicht fortgetragen, sondern zur Erde niedergelegt. Die Badegäste können doch nicht vom Turm herabgelangt haben, um die Leiter aufzurichten!«

»Das ist wahr, aber es können einige von ihnen an dem Schlauch herabgestiegen sein und die Leiter wieder angelehnt haben.«

»Hascha – Gott behüte! Sehen wir gleich einmal nach!«

Er eilte hinaus. Omar und Osko folgten ihm. Als sie nach wenigen Minuten zurückkehrten, machte Halef ein sehr verdrießliches Gesicht und sagte:

»Ja, Sihdi, sie sind fort. Ich bin hinaufgestiegen.«

»So lehnt die Leiter an dem Turm?«

»Leider! Auf der andern Seite liegt der Schlauch unten an der Erde.«

»Also ist es genau so, wie ich vermutete. Sie haben den Schlauch entdeckt. Einige ließen sich an demselben herab, worauf er losgebunden und herabgeworfen wurde. Dann legten sie die Leiter an. Die Anderen stiegen herab und haben sich nun in die Küche begeben, und sich zu erwärmen und ihre nassen Kleider zu trocknen.«

»Ich wollte, sie säßen in der Hölle, wo sie viel schneller trocken würden, als in der Küche!« zürnte Halef. »Was werden wir nun tun, Effendi?«

»Hm! Das muß überlegt werden. Ich denke, daß wir –«

Ich wurde unterbrochen. Wir hatten die Türe nicht verriegelt, und sie klaffte ein klein wenig, so daß der Schein des Lichtes nach außen fiel. Jetzt wurde sie weiter aufgestoßen, und die Stimme Habulams ließ sich hören:

»Anka, Scheïtan kyzi[1]! Wer hat dir erlaubt, hierher zu gehen?«

Das Mädchen zuckte erschrocken zusammen.

»Sofort kommst du heraus!« befahl der draußen Stehende. »Und Janik, du Hund, bist auch da drin! Was habt ihr euch in den Garten zu schleichen! Heraus mit euch! Die Peitsche wird euch lehren, was Gehorsam heißt.«

»Murad Habulam,« antwortete ich, »willst du nicht die Güte haben, herein zu kommen?«

»Ich danke! Ich mag mich nicht von deinem bösen Blick verderben lassen. Wenn ich gewußt hätte, welch ein Verführer der Dienstboten du bist, so wäre dir mein Haus verschlossen geblieben.«

»Darüber werden wir ausführlicher sprechen. Komm nur herein!«

»Fällt mir nicht ein! Schicke mir mein Gesinde heraus! Dieses hinterlistige Gezücht hat nichts bei dir zu schaffen!«

»Hole sie dir!«

Er antwortete nicht, aber ich hörte leise Stimmen. Er war also nicht allein.

»Wenn er nicht kommt, werde ich ihn holen,« sagte der Hadschi und trat an die halb offene Türe. Da hörte ich das Knacken eines Hahnes und eine Stimme gebot:

»Zurück, Hund, sonst erschieße ich dich!«

1 Teufelstochter.

Halef warf die Türe zu. »Hast du es gehört, Sihdi?« fragte er, weit mehr erstaunt als erschrocken.

»Sehr deutlich,« antwortete ich. »Das war Barud el Amasats Stimme.«

»Ich glaube auch. Es standen zwei Männer drüben an der Feime und schlugen die Gewehre auf mich an. Der meuchlerische Ueberfall ist ihnen nicht geglückt; nun versuchen sie es mit dem offenen Angriff.«

»Das möchte ich doch bezweifeln. Sie werden es nicht wagen, uns hier niederzuschießen; das würde ja offenbar werden. Wäre es ihr Ernst, so hätten sie nicht bloß gedroht, sondern ohne Warnung geschossen.«

»Meinst du? Aber warum stellen sich die Zwei dahin?«

»Das errate ich. Sie wollen sich aus dem Staub machen. Man hat die Abwesenheit von Janik und Anka bemerkt und Verdacht gefaßt. Man hat sie gesucht und bei uns gefunden. Jetzt wissen die Schurken, daß Flucht das Beste für sie ist, und damit wir sie nicht hindern sollen, halten uns diese Beiden hier in Schach, während die Andern sich zur schnellen Abreise vorbereiten.«

»Ich stimme dir vollständig bei, Effendi; aber wollen wir das so ruhig dulden?«

Ich nahm den Stutzen, stand auf und tastete mich an der Wand hin bis an den Laden neben der Türe. Omar mußte die Lampe auslöschen, so daß man mich von draußen nicht leicht sehen konnte. Ich zog den Laden leise auf und sah hinaus. Es hatte aufgehört zu regnen, und der Tag begann, zu grauen. Drüben, nur wenige Schritte vom Turm entfernt, lehnten zwei Gestalten. Der Eine hatte den Kolben seines Gewehres auf die Erde gestemmt; der Andere hielt seine Flinte im rechten Arme grad empor. Da er mir sein rechtes Profil zukehrte, stieg der Lauf der Waffe hart an seiner Wange auf. Beide schienen angelegentlich miteinander zu sprechen.

Ich konnte meinen Stutzen auf die untere Kante der Fensteröffnung legen und war trotz der noch herrschenden Dunkelheit meines Schusses sicher. Ich zielte auf den Lauf der Flinte und drückte ab. Fast zu gleicher Zeit mit dem Schuß erschallte ein Schmerzgeschrei. Meine Kugel hatte getroffen und dem Mann den Lauf an das Gesicht geschlagen, ja, ihm das Gewehr aus der Hand geprellt.

»Ej müssibet, ej hylekiat – o Unglück, o Hinterlist!« schrie er. Ich erkannte ihn an der Stimme – es war Barud el Amasat.

»Fort, fort!« rief Manach. »Dieser Schuß weckt alle Bewohner des Schlosses auf!«

Er hob das Gewehr des Andern auf, ergriff diesen am Arm und zog ihn mit sich fort. Im nächsten Augenblick waren sie verschwunden.

Aus den Worten Manachs war zu schließen, daß sie gar nicht beabsichtigt hatten, zu schießen. Es lag ihnen sehr daran, daß ihre Gegenwart nicht von den Leuten Habulams bemerkt würde.

Jetzt wandte ich mich zu meinen Gefährten:

»Nehmt eure Waffen, und eilt in den Stall! Es ist leicht zu denken, daß die Burschen unsere Pferde mitnehmen wollen.«

Alle rannten zur Türe hinaus. Ich setzte mich ihr gegenüber wieder nieder und behielt den Stutzen in der Hand, um auf alles vorbereitet zu sein.

Auch Anka hatte sich zugleich entfernt. Sie kehrte nach einiger Zeit mit Janik und Omar zurück, welcher mir meldete, daß Osko und Halef im Stalle geblieben seien, um die Pferde zu bewachen. Es schien, daß es niemand nach denselben gelüstet habe; überhaupt war ihnen kein Mensch zu Gesicht gekommen. Das beruhigte mich.

Jetzt galt es, vor allen Dingen zu erfahren, wo die Bäume zu suchen seien, unter denen die Pferde unserer Feinde untergebracht gewesen waren; aber weder Anka noch Janik wußte es.

»Ich bin überzeugt, daß Humun es weiß,« fügte der Bursche hinzu, »aber er wird es dir nicht sagen.«

»O, ich habe ein sehr gutes Mittel,« erwiderte ich, »eine Zange, mit deren Hilfe ich alles, was ich will, aus ihm herausziehen werde.«

»So kannst du weit mehr als Andre. Er wird seinen Herrn und dessen Verbündete niemals verraten.«

»Du sollst dabei sein, um dich zu überzeugen, wie offenherzig er gegen mich sein wird. Kennst du Afrit, den Schneider, genauer?«

»Nein. Zwar weiß ich, daß er eigentlich Suef heißt, aber eine eingehendere Auskunft kann ich leider nicht erteilen. Er ist sehr oft bei Murad Habulam, und ich habe ihn stark im Verdacht, daß er keine ehrlichen Dinge mit ihm verhandelt. Darum bin ich ihm stets aus dem Wege gegangen. Es ist besser, wenn man mit solchen Menschen gar nicht in Berührung kommt. Am liebsten möchte ich fort von hier, und ich würde mich freuen, wenn ich dich nach Weicza begleiten könnte. Wenn du bei oder in Karanorman-Khan zu tun hast, könnte ich dir vielleicht nützlich sein.«

»Ich suche dort einen großen Verbrecher, welcher wahrscheinlich ein Freund und Verbündeter Habulams ist.«

»Wie? Mit solchen Leuten hegt mein Herr Freundschaft?«

»Ja. Die Männer, welche heute bei ihm waren, sind gleichfalls Räuber und Mörder, welche uns nach dem Leben trachten. Und was dein Herr ist, kannst du ja daraus ersehen, daß er uns vergiften wollte.«

»Das ist wahr. Effendi, ich bleibe nicht da. Ich gehe aus diesem Hause, und wenn ich noch so lange Zeit ohne Lohn und Verdienst bleiben sollte. Die Zeit unseres Glückes wird zwar dadurch hinausgeschoben, aber wir wollen lieber warten, als daß wir einem solchen Herrn dienen.«

»Nun, was das betrifft, so hast du ja von mir deinen Lohn zu fordern, und Anka ebenso. Ihr beide habt uns das Leben gerettet. Wäret ihr nicht gewesen, so lebten wir nicht mehr. Also habt ihr einen Lohn von uns zu fordern, der eurer Tat und unserm Vermögen angemessen ist.«

»Das ist wahr,« rief es von der Türe her. »Wir werden uns nicht nachsagen lassen, daß wir undankbar seien, Sihdi.«

Halef war es, welcher sprach. Er war aus dem Stall herbeigekommen und hatte den letzten Teil unseres Gespräches gehört. Er fuhr fort:

»Wir sind leider nicht reich, aber es ist uns doch vielleicht möglich, etwas zu eurem Glück beizutragen. Wenn ihr eure jetzige Stellung um unsertwillen aufgebt, so müssen wir dafür sorgen, daß ihr gar nicht wieder in einen Dienst zu gehen braucht. Ich frage dich also, Janik, mit der ganzen Würde meiner Seele, ob du diese Anka hier zum Weibe wünschest.«

»Natürlich!« lachte Janik vergnügt.

»Und wann?«

»Möglichst bald.«

»Und du, Blume von Kilissely und Retterin unseres Lebens, soll dieser Diener Janik dein Mann werden, dem du stets zu gehorchen hast, so lange er nämlich verständig ist und keine Albernheiten von dir fordert?«

»Ja, er soll mein Mann sein,« sagte das Mädchen errötend.

»Nun, so soll unser Segen auf euch niederträufeln aus diesem Beutel des Glückes und der Dankbarkeit. Ich bin der glorreiche Kassierer unserer Gesellschaft. Es war ein Geld des Unglückes, aber wir nahmen uns vor, es in eine Münze des Glückes zu verwandeln, und jetzt haben wir die Gelegenheit dazu.«

Er zog seinen langen Beutel hervor, welcher das Geld enthielt, dessen Besitz wir dem Kampf in und bei der Derekulibe verdankten, und öffnete ihn.

»Erlaubst du, Sihdi?« fragte er mich.

»Gern!« nickte ich, neugierig, wie viel er den Beiden geben werde.

»So haltet eure Hände zusammen, um in denselben den Regen des Glückes aufzufangen.«

Janik war gar nicht langsam. Er hielt seine beiden Hände mit den Kleinfingerseiten zusammen und streckte sie dem Hadschi entgegen. Als Anka das sah, tat sie ebenso. Die offenen Hände hatten nun eine hohle, schüsselförmige Gestalt und konnten schon ein hübsches Stück Geld aufnehmen. Halef langte in den Beutel und begann zu zählen. Er legte abwechselnd immer je ein Goldstück in Ankas und in Janiks Hände und zählte dabei:

»Bir, iki, ütsch, dört, besch, alti, jedi, sekiz, dokuz, on ‒ ‒«
also bis zehn.

Er hatte lauter goldene türkische Pfundstücke aufgezählt, eins zu hundert Piastern, also jeder der beiden Personen tausend Piaster oder 180–190 Mark nach deutschem Geld, für diese Leute aber eine ganz bedeutende Summe. Dann fragte er die beiden freudig Erstaunten:

»Wißt ihr auch, was Aktsche baschy[1] ist?«

»Nein,« antwortete Janik.

»Aktsche baschy ist der Betrag, um welchen das Gold mehr wert ist, als das Silber. Das ist jetzt acht auf das Hundert. Wenn ihr euch ein solches Goldstück wechseln laßt, so müßt ihr für die hundert Piaster Gold hundertacht Piaster in Silberstücken bekommen. Merkt euch das, denn es beträgt zweimal achtzig Piaster für euch beide.«

Diese geschäftliche Erklärung war gar nicht überflüssig. Hundertsechzig Piaster waren für das Paar eine nicht unbedeutende Summe. Aber sie hörten nur halb auf seine Worte. Ihr ganzes Denken und Empfinden konzentrierte sich in den Blicken, welche freudestrahlend auf die Goldfüchse gerichtet waren.

»Herr,« rief endlich Janik, »ist das ein Scherz, welchen du mit uns machst?«

»Es ist mein völliger Ernst,« antwortete Halef.

»Aber es ist doch gar nicht möglich! Tausend Piaster für mich und tausend für Anka – wer soll das glauben?«

»Was ihr in den Händen habt, ist euer, und was ich in den meinigen habe, gehört mir. Tut mit eurem Eigentum, wie ich es mit meinem Geld mache. Paßt auf!«

Er drehte den Beutel zusammen und schob ihn schmunzelnd in die Tasche. Sie aber zögerten, seiner Aufforderung Folge zu leisten.

»Dieses Geld – lauter Gold!« rief Anka. »Sage es uns doch noch einmal, daß es uns gehören soll, sonst kann ich es nicht glauben!«

»Ob ihr es glaubt oder nicht, das ist mir sehr gleichgültig. Die Hauptsache ist, daß ihr es einsteckt und euch dann heiratet. Janik hatte es doch so eilig, also braucht er jetzt nicht so zu zögern.«

1 Agio.

»Und doch muß ich erst den Effendi fragen. Das ist eine so große Summe! Wir brauchen gar nicht so viel, denn wir haben ja unsere Ersparnisse. Was sollt ihr für euch behalten, wenn ihr uns ein ganzes Vermögen schenkt?«

»Kümmere dich nicht um uns,« lachte der kleine Hadschi. »Wir wissen schon, wie man es anfangen muß, um ohne Geld zu leben. Wir reiten auf dem Jol mihmandarlykün[1]. Und selbst unsere größten Feinde müssen uns Tribut zollen. Oder meint ihr etwa, daß wir Murad Habulam, eurem Herrn, auch nur einen einzigen Piaster schenken für das, was wir bei ihm genossen haben? Das fällt uns nicht ein. Hoffentlich erlaubt mir mein Sihdi, ihn mit einer ganz anderen Münze zu bezahlen, mit einer Münze, die zwar geprägt, aber auch geschlagen wird. Ihr seht, daß wir kein Geld brauchen. Ihr könnt diese wenigen Goldstücke also nehmen, ohne zu denken, daß wir nun darben werden. Uebrigens haben wir uns seit kurzer Zeit die löbliche Gewohnheit angeeignet, jedem Spitzbuben, welcher uns in die Hände läuft, das abzunehmen, was er gestohlen hat, um es an ehrliche Leute zu verschenken. Hoffentlich treffen wir bald wieder einige solche Schurken! Dann sitzen wir wieder wie der Kusch im Pirindsch demeti[2] und preisen Allah für die Güte, mit welcher er das Reich des Padischah regiert.«

Um den Dankesergüssen der beiden Glücklichen ein Ende zu machen, gebot ich Halef und Janik, unsere Sachen zu nehmen und sich nach dem Stalle zu begeben, um dort unsere Pferde zu satteln.

»Willst du abreisen, Effendi?« fragte Janik betroffen.

»Ja, aber nicht sofort. Ich möchte nur haben, daß die Pferde für alle Fälle bereit stehen. Dich und Anka nehmen wir mit.«

»Aber Murad Habulam wird es nicht erlauben!«

»Ich sorge dafür, daß er seine Erlaubnis gibt.«

»So würden wir dir doppelt dankbar sein. Du bist hierher gekommen, wie wenn du – –«

---

1 Pfad der Gastfreundschaft – Vetterstraße.
2 Vogel im Reis.

»Still! Ich weiß, was du sagen willst und daß du ein guter, dankbarer Mensch bist; damit wollen wir uns für jetzt begnügen.«

Sie begaben sich fort, und ich setzte mich in den ›Räderstuhl‹ von Habulams Frau, um mich von Omar ihnen nachfahren zu lassen.

Das erste dunkle Grau der Dämmerung war indessen lichter geworden. Man konnte bereits eine ziemliche Strecke weit sehen. Der Regen hatte völlig nachgelassen, und das Aussehen des Himmels erlaubte, gutes Wetter zu erwarten.

Um in den Stall zu kommen, mußten wir an einem schuppenähnlichen, offenen Bauwerk vorüber. Das Dach wurde von einer Hinterwand und vorn von hölzernen Säulen getragen, so daß man alles darin Befindliche sehen konnte. Ich erblickte einen Wagen, nicht von der schwerfälligen Art, welche Araba genannt und meist von Ochsen gezogen wird, sondern von leichterem und gefälligerem Bau, in jenen Gegenden mit dem Namen Kotschu oder Hintof bezeichnet. Daneben hing ein türkisches At takymy[1] an der Wand, welches freilich einem feinen deutschen Geschirr so ähnlich war, wie der Wollkopf eines fetten, schwarzen Haremswächters der Frisur eines französischen Ballettmeisters. Diese beiden Gegenstände paßten mir zu meinem Vorhaben, zumal im Stalle neben anderen Pferden ein junger, munterer Gaul stand, welchem das Geschirr genau auf den Leib zu passen schien. Ich beaufsichtigte das Tränken und Satteln unserer Pferde und gebot dann, mich zu Habulam zu schaffen.

»Sollen auch wir mitgehen, ich und Anka?« fragte der Diener.

»Jawohl.«

»Aber da wird es uns schlecht ergehen!«

»Ihr braucht keine Sorge zu haben. Ihr werdet stets hinter mir stehen und diesen Platz nicht ohne meine Erlaubnis verlassen.«

---

1 Pferdegeschirr.

Als wir aus dem Stall kamen, sahen wir einen Kerl in der Nähe lehnen, welcher uns zu beobachten schien.

»Wer ist das?« fragte ich Janik.

»Einer der Knechte, welche wahrscheinlich draußen bei den Pferden eurer Feinde gewacht haben. Willst du ihn fragen, wo die Bäume zu suchen sind?«

»Er würde es wohl nicht sagen.«

»Sicher nicht.«

»So will ich lieber meine Worte sparen, denn Humun wird mir ganz gewiß Auskunft erteilen.«

Als wir den Flur erreichten, sah ich ihn an der Wand lehnen. Er stand so, daß er durch die Türe nach dem Stall sehen konnte. Also hatte auch er uns seine Aufmerksamkeit geschenkt.

»Was wollt ihr hier?« schnauzte er uns an.

»Ich wünsche mit Murad Habulam, deinem Herrn, zu sprechen,« antwortete ich.

Er hütete sich, den Blick direkt auf mich zu richten, denn er fürchtete sich vor meinem Auge und gab seinen Fingern diejenige Lage, welche gegen den bösen Blick helfen soll.

»Das geht nicht,« erklärte er.

»Warum nicht?«

»Weil er schläft.«

»So ersuche ich dich, ihn zu wecken.«

»Das darf ich nicht.«

»Aber ich wünsche es!«

»Deine Wünsche gehen mich nichts an.«

»Nun, so befehle ich es!« sagte ich mit größerem Nachdruck.

»Du hast mir nichts zu befehlen.«

»Halef, die Peitsche!«

Kaum waren die drei Worte aus meinem Munde, so knallte die Nilpferdhaut-Kurbatsche schon auf den Rücken des feindseligen Menschen nieder, und zwar mit solcher Gewalt, daß der Getroffene sich sofort zu Boden krümmte. Dabei rief Halef:

»Wer hat dir nichts zu befehlen, du Grobian? Ich sage dir,

daß das ganze Reich des Sultans und alle Länder der Erde meinem Emir zu gehorchen haben, wenn ich mich bei ihm befinde, ich, der ich ein brüllender Löwe bin gegen dich, du niesender Regenwurm!«

Humun wollte sich gegen die Hiebe sträuben; aber sie fielen so schnell und dicht, daß er sie ruhig hinnehmen mußte. Doch stieß er ein Geheul aus, welches durch alle Räume des Schlosses drang. Endlich ließ Halef von ihm ab, aber er hielt die Peitsche noch hoch erhoben, als er fragte:

»Willst du nun den jaschly Uerkekli[1] aus dem Bett holen?«

»Anzeigen werde ich dich! Geschunden wirst du werden, geschunden bei lebendigem Leibe!« brüllte der Gezüchtigte, indem er davon rannte.

»Effendi, das wird eine böse Sache,« warnte Janik.

»Wir fürchten uns nicht,« antwortete ich. »Heute ist ein großer Feiertag, welcher Jortu günü dajakün[2] genannt wird. Wir werden ihn in größter Andacht begehen.«

»Von einem solchen Feiertag habe ich noch niemals gehört.«

»So wirst du ihn heute kennen lernen,« meinte Halef. »Sihdi, du hast jetzt ein großes, herrliches Wort gesprochen. Ueber dich wird Freude sein unter den Gläubigen und Wonne unter den Seligen der letzten drei Himmel. Endlich willst du einmal zeigen, daß du die Zierde des männlichen Geschlechtes und die Krone der Helden bist. Meine Muskeln werden zu Schlangen und meine Finger zu Scheren des schneidenden Krebses. Ich werde wüten unter den Räubern und toben unter den Mördern. Es wird ein Heulen geben in Kilissely und ein Zetern unter den Söhnen des Verbrechens. Die Mütter und Töchter derjenigen, die kein gutes Gewissen haben, werden jammern, und die Tanten und Schwestern der Ungerechten werden sich die Haare ausraufen und die Schleier zerreißen. Die Vergeltung öffnet ihren Rachen, und die Gerechtigkeit wetzt ihre Krallen, denn hier steht der Richter mit der Peitsche der Rache in der Hand, der Held des

1 Altes Scheusal.
2 Festtag der Prügel.

Tages der Prügel, Hadschi Halef Omar Ben Hadschi Abul Abbas Ibn Hadschi Dawud al Gossarah!«

Er stand mit erhobenen Händen und begeisterten Zügen da, ganz in der Haltung und Gebärde eines Redners, welcher sich bewußt ist, an der Lösung einer welterschütternden Aufgabe zu arbeiten.

Humun hatte uns belogen, als er sagte, daß sein Herr schlafe. Eben als wir nach dem Raum einbogen, in welchem mich Habulam bei meiner Ankunft empfangen hatte, kam dieser uns entgegengeeilt und schnaubte mich grimmig an:

»Mann, was fällt dir ein, meinen Diener zu schlagen? Ich habe große Lust, euch alle durchpeitschen zu lassen!«

Er war nicht allein, sondern Humun und der Schneider Suef, welcher sich Afrit genannt hatte, befanden sich bei ihm, und hinter dieser Gruppe erschienen noch fünf oder sechs Knechte und weibliche Dienstboten.

Ich antwortete nicht, sondern gab Omar einen Wink, mich ruhig weiter zu schieben. Der Grimm Habulams schien durch mein Schweigen zu wachsen, denn der wütende Mann erging sich, während er neben uns herlief, in Drohungen, deren Ausführung uns der vollständigen Vernichtung anheimgegeben hätte. Als wir an der betreffenden Türe anlangten, wollte Halef dieselbe öffnen, da aber stellte sich Habulam vor dieselbe hin und schrie:

»Es darf niemand hinein! Ich verbiete es euch!«

»Du?« fragte Halef. »Du hast uns gar nichts zu verbieten.«

»Ich bin die oberste Polizei- und Gerichtsbehörde dieses Ortes!«

»Da kann man ja dem lieben Kilissely Glück wünschen. Wenn die oberste Gerichtsbehörde raubt und mordet, was werden erst die Untertanen tun! Hebe dich gefälligst hinweg, sonst bekommst du einen Oepisch[1] von meiner Peitsche, aber einen sehr laut schallenden Scheftalay[2]. Verstanden!«

Er erhob die Peitsche, und da der Wirt die Türe nicht freigab, so erhielt er einen solchen Hieb, daß er sofort seinen

1 Kuß.
2 Schmatz.

Platz mit einem Sprung verließ, welcher einem Zirkusclown alle Ehre gemacht hätte. Dazu schrie er:

»Er schlägt mich! Allah hat es gesehen und ihr auch! Fallt über ihn her! Werft ihn nieder! Bindet ihn!«

Diese Aufforderung galt den Knechten, aber weder diese, noch Humun oder Suef wagten es, den kleinen Hadschi zu berühren. Dieser blickte sich gar nicht nach ihnen um, sondern öffnete die Türe und trat ein. Wir folgten ihm. Habulam kam hinter uns hergestürzt, und die Andern drängten sich ihm nach. In der Mitte des Zimmers blieb er stehen und schrie:

»Das ist entsetzlich! Ich werde es auf das strengste bestrafen. Ich bin der Oberste des hiesigen Dschesah mehkemeleri[1].«

»Kilissely ist ein einfaches Dorf, in welchem es kein solches Gericht gibt,« erwiderte ich.

»Aber ich bin der Mollao[2] dieses Ortes!«

»Das glaube ich nicht. Wo hast du denn studiert?«

»Studiert zu haben, ist nicht nötig.«

»Oho! Wenn du Mollao sein willst, so mußt du zunächst bis zum zwölften Jahre einen Subjahn mekteb[3], dann eine Medresseh[4] besucht haben, um den Titel Softa zu erhalten. Besitzest du diesen oder hast du ihn besessen?«

»Das geht dich gar nichts an!«

»Es geht mich sehr viel an. Wer über uns zu Gericht sitzen will, der muß uns beweisen können, daß er das Recht und die Befähigung dazu hat. Kannst du arabisch sprechen und schreiben?«

»Ja.«

»Auch persisch?«

»Ja.«

»Und kennst du den Kuran vollständig auswendig? Denn das alles wird von einem Softa gefordert.«

»Ich kann ihn auswendig.«

---

1 Strafgericht.
2 Richter.
3 Elementarschule.
4 Seminar.

»So beweise es! Rezitiere mir einmal die sechsundvierzigste Sure, welche el Ahkaf genannt wird.«

»Wie beginnt sie?« fragte er verlegen.

»Natürlich mit den Worten ›Im Namen des allbarmherzigen Gottes‹, wie jede andere Sure.«

»Das ist aber nicht der eigentliche Anfang.«

»Nun, dieser lautet: ›Die Offenbarung dieses Buches ist von Gott, dem Allmächtigen und Allweisen. Die Himmel und die Erde, und was zwischen ihnen ist, haben wir in Wahrheit nur auf bestimmte Zeit geschaffen; aber die Ungläubigen wenden sich weg von der Verwarnung, die ihnen geworden ist.‹ – – Sprich weiter!«

Er fuhr sich hinter das Ohr, um sich dort zu kratzen, und sagte dann:

»Wer gibt dir denn das Recht, mich zu examinieren? Ich bin Softa gewesen, und du hast es zu glauben! Hütet die Türe, daß keiner dieser fremden Angeklagten entfliehen kann, und schafft augenblicklich die Kötek aleti[1] herbei!«

Er hatte den Befehl an seine Untergebenen gerichtet und fand raschen Gehorsam. Humun und Suef stellten sich zu beiden Seiten neben ihn, und die Andern nahmen zwischen uns und der Türe Platz, um uns die Flucht abzuschneiden. Eines der Dienstmädchen lief fort, um den geforderten Apparat zu holen.

Jetzt setzte sich Habulam mitten im Zimmer nieder und winkte den Beiden neben ihm, dasselbe zu tun.

»Ihr seid die Schehadedschiler und Imdallar[2],« sagte er, »und sollt mein Urteil bestätigen.«

Die drei Wichte steckten jetzt so ernste Amtsgesichter auf, daß es mich Mühe kostete, nicht zu lachen.

»Sihdi, wollen wir denn wirklich dazu schweigen?« fragte mich Halef leise. »Das ist ja eine Schande für uns!«

»Nein, sondern ein Vergnügen. Wir sind schon oft aus Angeklagten zu Anklägern geworden, und das wird jedenfalls auch heute geschehen.«

1 Prügelmaschine.
2 Zeugen und Beisitzer.

»Ruhig!« rief mir Habulam zu. »Wenn der Verbrecher vor Gericht sitzt, hat er zu schweigen. Janik, Anka, was habt ihr dort bei den Uebeltätern zu schaffen? Ihr habt euch schwer gegen meine Befehle verfehlt und werdet nachher eure Strafe erleiden. Jetzt aber tretet ihr zurück.«

Es war wirklich zu drollig! Wir hatten natürlich alle unsere Waffen bei uns, und dieser alte Sünder bildete sich wirklich ein, daß wir seinen Spruch respektieren würden. Janik blieb mit Anka bei uns stehen; darum wiederholte Habulam seinen Befehl in noch strengerem Ton.

»Verzeihe!« sagte ich. »Diese beiden Leute stehen seit heute in meinem Dienst.«

»Davon weiß ich nichts.«

»Ich habe es dir jetzt gesagt, also weißt du es nun.«

»Ich verstehe dich: du hast sie mir abspenstig gemacht; aber das dulde ich nicht und werde sie außerdem noch bestrafen.«

»Darüber sprechen wir später,« erwiderte ich ruhig. »Du siehst, daß die Gerichtsverhandlung beginnen kann.«

Ich deutete auf die eben zurückkehrende Magd, welche die ›Prügelmaschine‹ brachte und vor den Alten hinstellte.

Man muß sich unter diesem Apparate eine lange, schmale, ursprünglich vierbeinige Holzbank denken, aus welcher an dem einen Ende die zwei Beine entfernt worden sind, so daß sie nur noch zwei eng nebeneinander befindliche Beine an der andern schmalen Seite hat. Diese Bank wird verkehrt auf die Erde gelegt, so daß die Beine in die Höhe stehen. Der Delinquent muß sich mit dem Rücken auf das Sitzbrett legen, so daß seine Beine an den Beinen der Bank nach aufwärts gerichtet sind. So wird er festgeschnallt und empfängt nun die ihm verordneten Hiebe auf die nackten, wagrecht liegenden Fußsohlen.

Welch eine schmerzhafte Strafe das ist, geht daraus hervor, daß oft schon beim ersten Streich die Sohle aufspringt. Ein geübter Kawaß schlägt quer über die schmale Fläche der Sohle; er fängt bei der Ferse an und hört bei den Zehen auf, so daß ein Hieb hart neben dem andern zu sitzen kommt. Der erste Schlag fällt auf den rechten, der zweite auf den linken Fuß, und so fort. Sind beide Sohlen von den Fersen bis zu den Zehen aufgesprungen, ohne daß die Exekution zu Ende ist, so werden die übrigen Streiche in der Weise verabreicht, daß sie sich mit den vorigen rechtwinkelig kreuzen. Das nennt der Türke in höchst behaglicher Weise Satrandsch tachtassy wur-mak, d. h. ›Schachbrett schlagen‹.

Murad Habulam betrachtete die Bank mit einem beinahe zärtlichen Blick. Dann richtete er seine Augen sehr bezeich-nend auf uns und rief einem der hinter uns stehenden Knechte zu:

»Bejaz, du bist der stärkste. Komm her! Du magst die Id-schra[1] übernehmen.«

Der Knecht – ein langer, starker Mensch – begab sich zu ihm hin und liebäugelte mit den Stöcken, welche die Magd mitgebracht und neben die Bank gelegt hatte. Murad Habu-lam richtete seinen Oberleib stolz auf, räusperte sich und be-gann, zu mir gewendet:

»Dein Name ist Kara Ben Nemsi?«

»So werde ich hier genannt,« antwortete ich.

»Du bist der Herr und Gebieter dieses Hadschi Halef Omar, welcher neben dir steht?«

»Nicht sein Gebieter, sondern sein Freund.«

»Das ist gleich. Gestehst du zu, daß er mich geschlagen hat?«

»Ja.«

»Und auch Humun, meinen Diener?«

»Ja.«

»Da du selbst es eingestehst, so brauche ich ihn gar nicht zu fragen. Weißt du, wie viel Hiebe er Humun gegeben hat?«

»Ich habe sie nicht gezählt.«

»Es waren wenigstens zwanzig,« rief Humun.

»Gut. Ich habe freilich nur einen einzigen erhalten, aber –«

»Leider!« fiel ihm Halef in die Rede. »Ich wollte, du hättest doppelt so viel wie Humun erhalten!«

1 Exekution, Ausführung des Urteils.

»Schweig!« donnerte Habulam ihn an. »Du hast nur zu sprechen, wenn ich dich frage. Uebrigens danke Allah, daß er dich abgehalten hat, mich mehr zu schlagen. Ich bin der Herr und Gebieter hier, und jeder Hieb, den ich erhalte, gilt für dreißig. Das macht mit den zwanzig, die du Humun gegeben hast, fünfzig, welche du jetzt auf die Fußsohlen empfangen wirst. Tritt heran, und ziehe deine Schuhe aus!«

Bejaz, der Knecht, machte sich mit den Stricken zu schaffen, mit denen Halef angebunden werden sollte. Ich sah meine Gefährten an. Es waren wirklich prächtige Gesichter, welche sie machten.

»Nun, schnell!« gebot Habulam. Und da Halef nicht gehorchte, befahl er seinem Knecht Bejaz:

»Gehe hin, und hole ihn herbei!«

Der Knecht trat auf Halef zu. Dieser zog eine seiner Pistolen aus dem Gürtel, hielt sie ihm entgegen und knackte mit dem Daumen die beiden Hähne auf. Da sprang Bejaz zur Seite und schrie seinem Herrn erschrocken zu:

»O Allah! Dieser Mensch schießt! Hole dir ihn selber!«

»Feigling!« antwortete Habulam. »Du bist ein Riese und fürchtest dich vor diesem Zwerg?«

»Nein, nicht vor ihm, sondern vor seiner Pistole.«

»Er darf nicht schießen. Auf, ihr Leute! Faßt ihn, und bringt ihn her!«

Die Knechte warfen einander höchst bedenkliche Blicke zu. Sie fürchteten sich vor dem Hadschi. Nur einer zeigte jetzt, daß er Mut habe. Das war Suef, der Schneider. Er zog auch eine Pistole aus der Tasche, während wir vorher eine solche Waffe nicht bei ihm bemerkt hatten, trat näher und sagte zu dem Knecht:

»Bejaz, tue deine Pflicht! Sobald er seine Pistole erhebt, schieße ich ihm eine Kugel in den Kopf!«

Gestern schien dieser Mensch das friedfertigste und harmloseste Schneiderlein zu sein, und jetzt trug sein Gesicht den Ausdruck eines Hasses und einer Entschlossenheit, welcher anderen Leuten, als wir waren, hätte Angst machen können.

»Du Schneider, willst schießen?« lachte Halef.

»Schweig! Ich bin kein Schneider! Was habt ihr Fremden hier bei uns zu suchen? Was gehen euch unsere Angelegenheiten an? Ihr wollt uns hindern, zu handeln, wie es uns gefällt, und seid doch so unsäglich dumm, mich für einen Schneider zu halten! Wenn ihr wüßtet, wer und was ich bin, so würdet ihr zittern vor Angst. Aber ihr sollt mich kennen lernen, und bei dir werde ich beginnen. Wenn du dich nicht augenblicklich hin zur Bank verfügst und dort deine Schuhe auszichst, so werde ich uns Gehorsam zu verschaffen wissen!«

Das war wirklich im Ernst gesprochen. Halef blinzelte ihn von der Seite an, nahm die Pistole in die linke Hand, woraus ich erriet, was folgen würde, und fragte im freundlichsten Ton:

»Wie willst du denn das anfangen?«

»So – auf diese Weise!«

Suef streckte den Arm aus, um den Hadschi an der Brust zu fassen; dieser aber holte blitzschnell aus und gab ihm eine so gewaltige Ohrfeige, daß dem Getroffenen die Pistole entfiel und er selbst in einem weiten Bogen zur Erde flog. Ehe er Zeit fand, sich aufzurichten, kniete Halef, der seine Waffe schnell in den Gürtel zurückgeschoben hatte, auf ihn und beohrfeigte ihn mit beiden Händen und mit solcher Geschwindigkeit, daß der Mann gar nicht dazu kam, ein Glied zu seiner Verteidigung zu rühren.

Habulam war von seinem Sitz aufgefahren und brüllte vor Wut. Humun gestikulierte wie ein Rasender, wagte es aber nicht, Suef zu Hilfe zu kommen. Die Knechte und Mägde zeterten mit, ohne sich jedoch vom Platze zu rühren. Es gab einen wahren Höllenlärm, bis Halef von seinem Gegner abließ und sich erhob.

Dieser huschte nach der Stelle hin, an welcher die ihm entfallene Pistole lag; der Hadschi aber war schneller und schleuderte sie mit dem Fuß fort, so daß sie an meinem Stuhl anprallte und da liegen blieb. Suef sprang herbei, um sie aufzuraffen, und kam also in den Bereich meiner Arme. Eben als er sich bückte, legte ich ihm die Hand um das Genick und zog ihn empor. Mein Griff hatte zur Folge, daß er die Arme schlaff herabhängen ließ und ängstlich nach Luft schnappte. Osko hob die Pistole auf und steckte sie zu sich. Ich gab dem Schneider mit der Linken einen Klaps auf den Kopf und setzte ihn zu meinen Füßen auf den Boden nieder.

»Hier bleibst du sitzen, ohne dich zu rühren,« gebot ich ihm. »Sobald du Miene machst, ohne meine Erlaubnis aufzustehen, drückte ich dir deinen Schwachkopf wie ein Ei zusammen.«

Er ließ Kopf und Arme sinken und bewegte sich nicht. Die Andern tobten noch immer.

»Nimm die Peitsche, und schaffe Ruhe, Halef!«

Kaum hatte ich diese Worte gesagt, da sauste die Peitsche des Kleinen auch schon auf Habulams Rücken nieder. Der Alte war sofort still, auch Humun schwieg, und die Andern folgten augenblicklich seinem Beispiel.

»Setze dich nieder!« herrschte ich unserem Richter zu, und er gehorchte.

»Weg da von der Türe!« gebot ich dem Gesinde. »Trollt euch in jene Ecke! Dort bleibt ihr, bis ich euch erlaube, sie zu verlassen!«

Sie beeilten sich, diesem Befehl nachzukommen. Wir waren also nun rückenfrei und konnten alles und alle genau überblicken.

Es war Habulam anzusehen, daß er nicht wußte, was er sagen und wie er sich verhalten solle. Sein Blick flog zornig von Einem zum Andern. Er hatte die Hände geballt und den Mund zusammengepreßt. Endlich öffnete er denselben, um einen Ausbruch des Zornes an mich zu richten.

»Schweig, sonst bekommst du abermals die Peitsche!« rief ich ihm zu. »Jetzt bin ich es, der zu sprechen hat. Meinst du etwa, daß wir dich hier aufgesucht haben, um uns die Fußsohlen wund schlagen zu lassen? Denkst du, daß wir Leute sind, über welche du zu Gericht sitzen kannst? Wir werden nun euch euer Urteil verkünden und es auch vollziehen. Du hast die ›Maschine des Prügelns‹ herbeiholen lassen, und wir werden uns ihrer bedienen.«

»Was fällt dir ein!« entgegnete er. »Willst du mir hier in meinem eigenen Hause − −«

»Ruhig!« unterbrach ich ihn. »Wenn ich spreche, hast du zu schweigen. Dein Haus ist eine Mördergrube, und da denkst du, daß − −«

Auch ich wurde unterbrochen. Osko stieß einen Schrei aus und warf sich auf den Pseudoschneider. Aber auch ich hatte, obgleich meine Augen auf Humun gerichtet gewesen, die Bewegung Suefs bemerkt. Dieser Bursche war wirklich ein höchst gefährliches Subjekt. Er war der Einzige, welcher es gewagt hatte, zur Waffe zu greifen. Jetzt mochte er denken, daß ich nicht acht auf ihn habe. Er war mit der rechten Hand in die Innenseite seiner Jacke gefahren und hatte ein Messer hervorgebracht. Indem er sich dann blitzschnell zu mir emporbäumte, wollte er mir die blank geschliffene Klinge in die Brust stoßen; aber es gelang ihm nicht. Osko ergriff ihn noch im rechten Augenblick bei der bewaffneten Hand, und schon hatte auch ich ihn bei der Gurgel gefaßt.

Halef kam herbei und nahm dem abermals Ueberwältigten das Messer aus der Hand.

»Durchsuche seine Taschen, während wir ihn halten!« sagte ich.

Er tat es und brachte ein altes Doppelterzerol, welches geladen war, verschiedene Kleinigkeiten und einen wohlgefüllten Geldbeutel hervor, den er öffnete und mir hinhielt, indem er fragte:

»Siehst du die Goldstücke? Und dieser Kerl gab sich für einen armen Menschen aus, welcher sich kümmerlich von Dorf zu Dorf schneidert! Dieses Geld ist geraubt oder gestohlen. Was tun wir damit?«

»Stecke es ihm wieder in die Tasche. Es gehört nicht uns; die Waffe aber nehmen wir ihm, damit er nicht Unheil mit derselben anrichten kann.«

Ich setzte den Wicht dann wieder zu Boden. Er knirschte mit den Zähnen. Wer und was war er eigentlich? Wir würden vor Angst zittern, wenn wir es erführen, hatte er selbst gesagt. Ich mußte ihn für uns unschädlich machen, und um das zu erreichen, brauchte ich nicht Gleiches mit Gleichem, Mord mit Mord zu vergelten. Eine empfindliche Strafe aber mußte er haben, eine Strafe welche ihn zugleich unfähig machte, sich weiter um uns zu bekümmern.

»Halef, Osko, Omar, schnallt ihn dort auf die Bank!« lautete mein Bescheid.

Der Bursche hatte getan, als ob mein Griff nach seiner Gurgel ihm alle Fähigkeit, sich zu bewegen, geraubt habe; kaum aber waren meine Worte gesprochen, so schnellte er empor, war mit zwei Sätzen bei Habulam, riß diesem mit beiden Händen das Messer und die Pistole aus dem Gürtel, drehte sich nach mir um und rief:

»Mich anschnallen? Das ist das letzte Wort, welches du gesprochen hast!«

Er richtete die Waffe auf mich, der Hahn knackte und der Schuß krachte. Kaum fand ich Zeit, mich mit allen mir zu Gebote stehenden Kräften zur Seite zu werfen, so daß ich samt dem Stuhl um- und zu Boden stürzte. Ich war nicht getroffen worden; aber wie es sich dann herausstellte, war die Kugel zwischen Janik und Anka, welche hinter mir standen, hindurch geflogen und in die Türe gedrungen.

Wie ich es mit meinem im Gipsverband steckenden Fuß fertig gebracht habe, das weiß ich heute noch nicht; doch ich hatte kaum den Boden berührt, so schnellte ich mich in die Höhe und auf den Mörder zu, nicht mit einem Sprung, nein, ich schlug einen *Salto mortale*, ein Rad, über meine beiden Hände hinweg. Just da, wo der Wicht stand, faßte ich nach dem weiten Schwung wieder Boden, packte den Verbrecher mit beiden Händen und riß ihn mit mir nieder.

Murad Habulam und seine Leute brachten vor Schreck kein Wort hervor; sie rührten sich nicht von der Stelle. Suef lag unter mir. Ich kniete ihm quer auf den beiden Oberschenkeln und drückte seinen Kopf nieder. Er hielt die abgeschossene Pistole, welche zum Glück nur einläufig war, noch in der Rechten, in der Linken das Messer. Dieses wäre mir jedenfalls gefährlich geworden, aber mein geistesgegenwärtiger Halef kniete bereits neben uns und hielt ihm die Hand.

»Osko, herbei!« rief er. »Auf die Bank mit ihm, damit er kein Glied rühren kann!«

In weniger als einer Minute war Suef in der Weise, wie die Bastonnade es erfordert, an die Bank gebunden. Janik brachte den Stuhl herbei, und ich setzte mich nieder.

»Siehst du es nun ein, daß dein Haus wirklich eine Mördergrube ist, wie dir vorhin gesagt wurde?« herrschte Halef den Alten an. »Wäre unser Effendi nicht so kampfesgewohnt und geistesgegenwärtig, so läge er jetzt als Leiche hier. Aber dann würdest du sehen, was geschähe! Jetzt aber ist unsere Geduld zu Ende. Jetzt sollt ihr alle erfahren, was es heißt, auf uns zu schießen und uns vergiftete Speisen vorzulegen!«

»Davon weiß ich nichts,« behauptete der Alte.

»Schweige! Du wirst nachher an die Reihe kommen. Wir beginnen jetzt mit diesem Elenden da. Er hat uns in dieses Haus des Mordes geführt. Er hat gewußt, daß wir ermordet werden sollten. Er hat jetzt nach dir gestochen, Sihdi, und auf dich geschossen. Bestimme, was mit ihm geschehen soll! Meinst du nicht, daß er den Tod verdient hat?«

»Ja, er hat den Tod verdient. Aber wir wollen ihm das Leben lassen. Es ist ja möglich, daß er ein anderer Mensch wird. Als Anregung zur Besserung mag er die Bastonnade erhalten, welche dir zugesprochen war.«

»Wie viel Hiebe?«

»Dreißig.«

»Das ist zu wenig; ich sollte fünfzig erhalten.«

»Dreißig genügen.«

»So müssen sie aber kräftig sein. Wer soll sie ihm geben?«

»Natürlich du. Du hast dich ja darauf gefreut, Halef!«

Obgleich er sich unter Umständen sehr gern der Peitsche bediente, erwartete ich doch, daß er dieses Mandat von sich weisen werde. Ich hatte mich in dem braven Menschen nicht getäuscht, denn er sagte unter einer stolzen, wegwerfenden Armbewegung:

»Ich danke dir, Effendi! Wo es gilt, uns mit der Peitsche Achtung zu verschaffen, da bin ich bereit, aber ein Kawaß mag ich nicht sein. Die Peitsche ist ein Zeichen der Herrschaft; sie schwinge ich, aber nicht den Stock. Einen Rechtsspruch zu vollziehen, ist das Amt des Henkers; ich aber bin kein solcher.«

»Du hast recht. So bestimme du selbst, wer es tun soll.«

»Das werde ich gern tun. Es ist so lieblich anzusehen, wenn Freunde und Kameraden sich Ehren erweisen. Humun ist der Verbündete des Schneiders. Er mag ihm die dreißig Hiebe als Zeichen seiner Achtung und Bruderliebe geben.«

Das war eine Bestimmung, welche meinen vollen Beifall hatte. Ich gab das durch ein Nicken zu erkennen, infolgedessen sich Halef an Humun wendete:

»Hast du gehört, was gesprochen wurde? Tritt also her, und spende deinem Genossen die Wohltat der Gerechtigkeit!«

»Das tue ich nicht!« weigerte sich der Diener.

»Das kann dein Ernst nicht sein. Ich rate dir, an dich selbst zu denken. Die dreißig werden ausgeteilt. Wenn du sie ihm nicht gibst, so bekommst du sie selbst. Das verspreche ich dir beim Bart meines Vaters. Also vorwärts! Zaudere nicht, sonst helfe ich nach!«

Humun erkannte, daß er nicht auszuweichen vermöge. Er trat an die Bank und nahm einen der Stöcke auf. Dabei war es ihm leicht anzusehen, daß er seines Amtes nicht sehr kräftig walten werde. Darum warnte ihn Halef:

»Aber ich sage dir: bei einem jeden Hieb, der mir zu schwach erscheint, bekommst du selbst die Peitsche. Nimm dich also wohl zusammen! Osko, laß dir die Peitsche des Effendi geben und stelle dich an die andere Seite dieses gutherzigen Mannes! Sobald ich ihn meine Kurbatsche fühlen lasse, tust du es auch mit der deinigen. Das wird ihn ermuntern, sich unsere Zufriedenheit zu erwerben. Omar mag zählen und kommandieren.«

Für Humun war die Situation höchst peinlich. Er hätte seinen Genossen gern geschont, aber rechts neben ihm stand Halef, links Osko mit der Peitsche in der Hand. Er war also selbst bedroht und sah ein, daß er gehorchen müsse. Jedenfalls war es nicht das erste Mal, daß er die Bastonnade ausführte; das ersah man aus der Weise, in welcher er den Stock leicht auf die Stelle legte, welche er treffen wollte.

Suef sagte kein Wort. Bewegen konnte er sich nicht. Aber wenn die Blicke, welche er auf uns warf, Messerklingen gewesen wären, so hätte er uns durch und durch gestochen.

Murad Habulam verwendete kein Auge von der Szene. Seine Lippen bebten. Von Augenblick zu Augenblick schien es, als ob er sprechen wollte, aber er bezwang sich. Doch als Humun zum ersten Hieb ausholte, vermochte er nicht länger zu schweigen; er rief:

»Halt ein! Ich befehle es!«

»Kein Wort!« rief ich ihm zu. »Ich will gnädiger mit euch verfahren, als ihr es mit uns vorhattet; aber sprichst du noch ein Wort ohne meine Erlaubnis, so führe ich dich nach Uskub und übergebe dich dem Richter. Wir können beweisen, daß du uns nach dem Leben getrachtet hast, und wenn du meinst, daß nach unserer Entfernung dich die Richter dieses Landes laufen lassen werden, so mache ich dich darauf aufmerksam, daß sich in Uskub mehrere Balioslar[1] des Abendlandes befinden, welche die Macht haben, die strengste Strafe für dich zu erwirken. Bist du also klug, so schweige!«

Er fiel in sich zusammen. Er kannte die Macht der erwähnten Beamten und fürchtete sie; darum sagte er von nun an kein Wort mehr.

Suef erhielt seine dreißig Hiebe. Er biß die Zähne zusammen und gab keinen Laut von sich, das Knirschen seines Gebisses abgerechnet. Sobald Humun den ersten blutigen Striemen sah, schien er gar nicht mehr daran zu denken, daß er hatte Rücksicht üben wollen. Er schlug so kräftig zu, daß ich ihm fast Einhalt getan hätte. Es gibt eben Menschen, denen beim Anblick des Blutes erst die Blutgierde kommt. Wilde scheinen sogar berauscht davon zu werden.

Ich hatte gleich beim ersten Schlag die Augen geschlossen. Es ist nichts weniger als ein Vergnügen, einer solchen Exekution beizuwohnen; aber ich bildete mir einmal ein, es der Ge-

1 Konsuln.

rechtigkeit, der Rücksicht auf uns und unsere Nebenmenschen schuldig zu sein, hier keine Gnade walten zu lassen, und die Folge zeigte, daß Suef diese Züchtigung viel, viel mehr als reichlich verdient hatte.

Er hatte keinen Laut hören lassen; aber als der letzte Hieb gefallen war; schrie er:

»Raki, raki tabanlar üzerinde dökyn, tschapuk, tschapuk – gießt Raki, Raki auf die Sohlen, schnell, schnell!«

Jetzt wagte Habulam zu sprechen. Er befahl Anka, Raki zu holen. Sie brachte eine ganze Flasche voll. Humun ergriff dieselbe und steckte zunächst dem Gezüchtigten den Hals derselben in den Mund. Suef tat einige Züge, und dann wurde ihm die scharfe Flüssigkeit in die Wunden gegossen. Er ließ nichts als ein schmerzliches Zischen hören. Dieser Mensch mußte Nerven von Eisendraht besitzen. Oder hatte er die Bastonnade bereits früher so oft erhalten, daß seine Natur an den Genuß derselben gewöhnt war? –

Er wurde losgebunden und kroch zu Habulam. Dort zog er die Füße an sich und steckte den Kopf zwischen die Knie, uns verächtlich den Rücken zukehrend.

»Effendi, der ist abgefertigt,« meldete Halef. »Wer kommt nun an die Reihe?«

»Humun,« antwortete ich kurz.

»Wie viel?«

»Zwanzig.«

»Von wem?«

»Das überlasse ich dir, zu bestimmen.«

»Murad Habulam!«

Der Hadschi machte seine Sache vortrefflich. Dadurch, daß einer der Schurken den andern schlagen mußte, säete er Haß und Rache unter sie. Habulam weigerte sich:

»Humun ist stets ein treuer Diener gewesen; wie kann ich ihn schlagen!«

»Eben weil er dir so treu gedient hat, sollst du ihm diesen handgreiflichen Beweis deiner Zufriedenheit geben,« erwiderte Halef.

»Ich lasse mich nicht zwingen!«

»Wenn er ihm nicht die zwanzig geben will,« entschied ich, »so erhält er selbst vierzig.«

Das wirkte. Der Diener sträubte sich, als er auf die Bank gebunden wurde, aber es nützte ihm nichts. Sein Herr stand auf und griff zögernd zu dem Stock; doch die beiden Peitschen stärkten seinen Arm, so daß die Streiche ihr volles Gewicht bekamen.

Humun ertrug die Züchtigung nicht so männlich wie Suef. Er schrie bei jedem Hieb; aber ich bemerkte, daß die Dienstboten einander befriedigt zunickten und mich mit fast dankbaren Augen anschauten. Er war der Lieblingsdiener des Herrn und mochte die andern wohl gequält haben.

Auch er ließ sich Branntwein in die Wunden träufeln und schob sich dann in die nächste Ecke, wo er sich eng zusammenkauerte.

»Und wer kommt nun?« fragte Halef.

»Murad Habulam,« lautete meine Antwort.

Der Genannte stand noch neben der Bank, mit dem Stock in der Hand. Er sprang vor Schreck einige Schritte zurück und schrie:

»Was? Wie? Auch ich soll die Bastonnade erhalten?«

»Natürlich!« nickte ich, obgleich ich es ganz anders mit ihm vorhatte.

»Dazu hat kein Mensch ein Recht!«

»Du irrst. Ich bin es, der dieses Recht hat. Ich weiß alles. Hast du nicht dein Haus dazu geöffnet, daß wir in demselben ermordet werden sollten?«

»Das ist eine große Lüge!«

»Ist nicht dein Bruder Manach el Barscha, welcher das Amt eines Steuereinnehmers in Uskup bekleidete, dann aber abgesetzt wurde, gestern früh bei dir gewesen und hat dir unsere Ankunft und auch diejenige seiner Gefährten gemeldet?«

»Das mußt du geträumt haben; ich habe gar keinen Bruder!«

»So habe ich wohl auch geträumt, daß du mit ihm besprochen hast, wir sollten in den Turm zu dem Geist der alten

Mutter einquartiert werden, und dein Diener Humun hat den Geist spielen sollen?«

»Herr, du erzählst mir da lauter unbekannte Dinge!«

»Aber Humun kennt diese Dinge, wie ich an dem erstaunten Blick sehe, den er mir soeben zuwirft. Er wundert sich darüber, daß ich dieses Geheimnis kenne. Der Plan mit dem Gespenst ist nicht ausführbar gewesen, und so seid ihr auf den Gedanken gekommen, den Turm zu besteigen und uns zu ermorden.«

»Allah, Allah! Bist du bei Sinnen?«

»Die beiden Aladschy sollten mich töten; Barud el Amasat wollte Osko ermorden, weil wegen der Entführung von Senitza eine Rache zwischen ihnen schwebt. Dein Bruder Manach nahm Halef auf sich, und Humun erklärte sich bereit, Omar umzubringen. Der Miridit trat zurück, weil er Friede mit mir geschlossen und mir den Czakan gegeben hatte, welchen du hier in meinem Gürtel siehst.«

»Allah akbar! Er weiß alles! Sein böser Blick hat es ihm gesagt!« murmelte Humun erschrocken.

»Nein, nein, er weiß nichts, gar nichts!« rief Habulam. »Ich kenne keinen von allen den Männern, deren Namen du soeben genannt hast, Herr.«

»Sie waren mit dir oben auf dem Turm, und vorher befandet ihr euch alle, neun Männer, im Innern der hohlen Feime, welche in der Nähe des Turmes steht.«

»Bei mir gibt es keine hohle Feime!«

»So will ich sie dir zeigen und dir sagen, daß ich selbst zwischen die Getreidebündel gekrochen bin und euch gesehen und belauscht habe. Ich habe jedes Wort gehört, jedes Wort!«

Er fuhr zurück und starrte mich ganz erschrocken an.

»Hat der Miridit nicht das Messer gegen den alten Mübarek gezückt, bevor er sich entfernte?«

»Ich – ich – ich weiß von nichts!« stammelte er.

»Nun, so wollen wir einmal diesen Suef fragen; vielleicht weiß er es. Und wenn er nicht antwortet, so mögen ihm noch weitere dreißig die Zunge lösen.«

436

Da drehte sich der Genannte nach mir um, fletschte die Zähne wie ein wildes Tier, schoß einen grimmigen Blick auf mich und zischte:

»Hund! Was mache ich mir aus dir und aus der Bastonnade! Hast du mich etwa wimmern hören? Meinst du, daß ich mich so vor dir fürchte, daß ich nur durch Prügel gezwungen werden kann, dir die Wahrheit zu sagen?«

»So sage sie, wenn du wirklich Mut hast!«

»Ja, ich habe Mut. Es ist genau so, wie du sagst: wir haben dich töten wollen. Es ist uns nicht gelungen; aber – bei Allah! – du wirst nicht weit kommen, so werden eure Leichen von den Krähen gefressen!«

»Er redet irre; er redet irre!« schrie Habulam. »Der Schmerz der Bastonnade hat ihm den Verstand genommen!«

»Feigling!« knirschte Suef.

»Sihdi, frage doch auch Humun einmal,« sagte Halef. »Wenn er nicht sprechen will, geben wir ihm noch zwanzig auf die Sohlen.«

Er trat zu dem Diener und faßte ihn am Arme.

»Laß mich, du Hadschi des Teufels! Ich gestehe alles, alles!« schrie Humun.

»Ist es so, wie der Effendi sagte?«

»Ja, ja, ganz genau!«

»Auch er ist vor Schmerzen unsinnig geworden!« rief Habulam.

»Nun,« sagte ich, »so will ich dir zwei weitere Zeugen bringen. Janik, sage der Wahrheit gemäß, ob Habulam unschuldig ist?«

»Er wollte euch ermorden,« antwortete der Knecht.

»Schurke!« schrie Habulam. »Du erwartest Strafe von mir für deinen Ungehorsam; darum willst du dich rächen!«

»Anka,« fuhr ich fort, »sahst du nicht, daß dein Herr Rattenpulver in die Eierspeise tat?«

»Ja,« antwortete sie, »ich habe es ganz genau gesehen.«

»O Allah, welche Lüge! Herr, ich schwöre beim Propheten und bei allen frommen Kalifen, daß ich vollständig unschuldig bin!«

»So hast du jetzt einen gräßlichen Meineid geschworen, der dich – –«

Ich wurde unterbrochen. Daß Habulam den Namen des Propheten und das Andenken der Kalifen durch einen solchen falschen Schwur entweihte, dies ergrimmte die anwesenden Muhammedaner auf das höchste. Halef griff nach seiner Peitsche; ein zorniges Murmeln ging durch den Raum. Humun hatte sich auf seine wunden Füße erhoben, kam herbei gewankt, spuckte seinem Herrn in das Gesicht und sagte:

»Hajde – pfui! Sei verflucht in alle Ewigkeit! Deine Feigheit bringt dich in die Dschehenna! Ich habe einem Herrn gedient, den Allah versenken wird in die tiefste Tiefe der Verdammnis. Ich verlasse dich. Vorher aber rechnen wir ab!«

Und da stand auch bereits Suef neben dem Alten, spuckte ihn ebenso an und rief:

»Schande über dich und über die Tage deines Alters! Deine Seele sei verloren und dein Gedächtnis ausgerottet bei allen Gläubigen! Ich habe keinen Teil mehr an dir!«

Beide wankten wieder an ihre Plätze zurück. Sie nahmen einen Mord mit Leichtigkeit auf ihr Gewissen, aber eine Lästerung des Propheten und seiner Nachfolger empörte ihr ganzes Wesen.

Habulam stand da, als hätte ihn der Schlag gerührt. Er hielt beide Hände an die Stirn. Dann warf er plötzlich die Arme in die Luft und rief:

»Allah, Allah, ich habe gefehlt! Aber ich mache den Fehler wieder gut. Ich gestehe ein, daß ihr habt ermordet werden sollt und daß ich Gift in die Speise getan!«

»Allah il Allah, Muhammed rassuhl Allah!« ertönte es rundum.

Und Halef trat zu ihm, legte ihm die Hand schwer auf die Achsel und sagte:

»Das ist dein Glück, daß du den Schwur widerrufst! Mein Effendi hätte es mir nicht erlaubt, aber ich schwöre es dir beim Bart des Propheten, daß die Sonne deines Lebens untergegangen wäre, bevor ich dieses dein Haus verlassen hätte! Also du bist deiner Schuld geständig?«

»Ja.«

»So magst du auch die Strafe erleiden, welche wir dir auferlegen. Effendi, wie viel Streiche soll er empfangen?« fragte Halef.

»Hundert,« antwortete ich.

»Hundert!« kreischte der Alte. »Das überlebe ich nicht!«

»Das ist deine Sache! Du bekommst hundert Streiche auf die Sohlen!«

Er brach fast zusammen. Ich sah seine Knie schlottern. Er war ein großer Bösewicht und ein noch größerer Feigling.

»Sei barmherzig!« wimmerte er. »Allah wird es dir vergelten!«

»Nein, Allah würde mir zürnen, wenn ich in solcher Weise gegen seine Gesetze handelte. Und was würden Suef und Humun sagen, wenn ich dir die Strafe schenkte, während sie die ihrige erdulden mußten!«

»Zur Bastonnade mit ihm!« rief Suef.

»Er bekomme die Hundert!« stimmte Humun ein.

»Da hörst du es!« meinte Halef. »Allah will es, und wir wollen es auch. Komm also her! Lege die Länge deiner Glieder auf die Bank, damit wir dich anbinden.«

Er faßte ihn beim Arme, um ihn niederzuziehen. Der schreckliche Alte krümmte sich wie ein Wurm und wimmerte wie ein Kind. Ich winkte Osko und Omar. Sie faßten mit an und drückten ihn auf die Bank.

»Haltet ein, haltet ein!« schrie er. »Ich muß ja daran zu Grunde gehen! Wenn ich sterbe, so wird euch mein Geist erscheinen und euch nimmermehr Ruhe lassen!«

»Sage deinem Geist, daß er es unterlassen möge!« versetzte Halef. »Wenn er sich bei mir sehen ließe, würde er es bitter empfinden!«

Er wurde trotz seines Sträubens festgebunden. Seine nackten, knöchernen Füße krümmten sich, als ob sie jetzt schon die zu erwartenden Schmerzen fühlten.

»Wer nimmt den Stock?« fragte Halef.

»Du selbst,« antwortete ich.

Er wollte widersprechen, aber ich winkte ihm Schweigen zu, und er verstand mich.

»Freue dich, Murad Habulam,« sagte er, indem er nach dem Stock griff; »freue dich, daß ich es bin, welcher dir die Wohltat der Strafe reicht. Die hundert werden so sein, als ob es tausend wären. Das wird einen großen Teil deiner Sünden von deiner Seele nehmen.«

»Barmherzigkeit! Gnade!« flehte der Alte. »Ich will die Streiche bezahlen.«

»Bezahlen?« lachte Halef. »Du scherzest! Der Geiz ist dein Großvater, und die Habsucht ist die Mutter deiner Vorfahren.«

»Nein, nein! Ich bin nicht geizig; ich bezahle alles, alles!«

»Das wird der Effendi nicht gestatten; aber ich möchte doch gern wissen, wie viel du geben würdest, um den Hieben zu entkommen.«

»Ich gebe euch gern für jeden Hieb einen ganzen Piaster.«

»Also hundert Piaster? Bist du verrückt? Uns macht es für zehntausend Piaster Vergnügen und dir für zwanzigtausend Piaster Schmerzen, wenn du die Bastonnade bekommst; das sind zusammen dreißigtausend. Und du bietest uns hundert! Schäme dich!«

»Ich gebe zweihundert!«

»Schweige! Ich habe keine Zeit, die Worte deines Geizes anzuhören. Ich muß beginnen.«

Er stellte sich vor die nach oben gerichteten Füße des Alten, tat, als ob er mit dem Stock auf die zu treffende Stelle ziele, und holte scheinbar zum Schlage aus.

»Allahy sewersin, döjme – um Gottes willen, schlage nicht!« stöhnte Habulam. »Ich gebe mehr! Ich gebe viel, viel mehr!«

Gewiß war die Situation, ja die ganze Prügelei kein ästhetischer Vorgang, und ich gestehe auch, daß ich ihr nicht etwa mit Erbauung beiwohnte; aber ich möchte doch die Leser bitten, nicht etwa von Unchristlichkeit oder gar von Roheit zu sprechen. Zugegeben, daß die Handlung nicht eine würdige

440

genannt werden konnte; doch hatte sie ihre volle Berechtigung.

Wir befanden uns nicht in einem zivilisierten Lande; wir hatten es mit Menschen zu tun, welche die beklagenswerten Zustände Halbasiens gewohnt waren. Vor allen Dingen ist zu bedenken, daß diese Leute Mitglieder einer weit verbreiteten und höchst gefährlichen Verbrecherbande waren, deren Vorhandensein nur auf der Verdorbenheit der dortigen Zustände fußte. In Konstantinopel sogar und von dort an bis hierher nach Kilissely hatten wir es mit Subjekten zu tun gehabt, denen weder Eigentum, noch Leben ihrer Mitmenschen heilig war. Wir hatten in fortgesetzter Todesgefahr gestanden, und noch jetzt schwebte in jedem Augenblick das Verderben drohend über uns. Man hatte uns in wohlüberlegter und raffinierter Weise in dieses Haus gelockt, um uns umzubringen. Man hatte uns vergiften und – als das nicht gelungen war – erwürgen wollen; es war nach mir gestochen und geschossen worden. War es ein Wunder, daß sich unser Vier, die wir uns zu jeder Minute, des Tages und der Nacht, auf dem *Qui vive* befanden, eine ganz bedeutende Erbitterung bemächtigt hatte? Nach den gegebenen Umständen mußten wir auf die Hilfe der Behörde verzichten; wir waren ganz auf uns selbst angewiesen. Welche Strafe deckte sich mit den gegen uns gerichteten Anschlägen? War es etwa grausam oder gar blutdürstig, diesen gott- und gewissenlosen Schurken, welche sich in unserer Hand befanden, einige Hiebe geben zu lassen? Gewiß nicht! Ich bin vielmehr der Ueberzeugung, daß wir nur allzu mild und nachsichtig handelten.

Daß dem alten Habulam jetzt einige Minuten der Qual bereitet wurden, wer will uns daraufhin verdammen? Ich verfolgte einen guten Zweck dabei. Mag man von Nötigung, von Erpressung oder von anderem reden mag man immerhin sagen, daß ich nach dem heimatlichen Gesetzbuch strafbar gewesen sei: – wir befanden uns eben nicht in Deutschland; wir hatten mit den gegebenen Verhältnissen zu rechnen, und ich bin bis heute noch nicht dazu gelangt, mir über mein damaliges Verhalten Vorwürfe zu machen. –

»Mehr willst du geben?« fragte Halef. »Wie viel denn?«

»Ich zahle dreihundert – –« und da der Hadschi abermals ausholte, fügte er schnell hinzu – – »vierhundert, fünfhundert Piaster! Ich habe nicht mehr als fünfhundert.«

»Nun,« meinte der Hadschi, »wenn du nicht mehr hast, so mußt du eben die Gabe des Zornes hinnehmen. Wir sind freilich reicher als du. Wir haben so viel Hiebe übrig, daß wir ganz Kilissely damit beschenken könnten. Um dir das zu beweisen, werden wir großmütig sein und dir noch fünfzig zulegen, so daß du also hundertfünfzig erhalten wirst. Ich hoffe, daß dein undankbares Herz diese unsere Freigebigkeit anerkennen wird.«

»Nein, nein, ich mag nicht hundertfünfzig! Ich mag ja nicht einmal die hundert haben!«

»Sie sind dir aber zugesprochen, und da du als ein solcher armer Mann nur fünfhundert Piaster übrig hast, so ist an unserem Urteil nichts zu ändern. Omar, komm her, und zähle wieder! Ich will endlich beginnen.«

Er holte aus und gab dem Alten den ersten Hieb auf den rechten Fuß.

»Allah kerihm!« schrie Habulam gellend. »Ich bezahle sechshundert Piaster!«

»Zwei!« kommandierte Omar.

Der Hieb fiel auf den linken Fuß des Alten.

»Halt ein, halt ein! Ich gebe achthundert, neunhundert, tausend Piaster!«

Halef warf mir einen fragenden Blick zu, und als ich nickte, senkte er den bereits wieder erhobenen Stock und sagte:

»Tausend? – Herr, wie lautet dein Befehl?«

»Das wird auf Habulam ankommen,« antwortete ich. »Es fragt sich, ob er die tausend Piaster bar daliegen hat.«

»Ich habe sie! Sie liegen da!« erklärte der Alte.

»So können wir uns die Sache überlegen.«

»Was gibt es da zu überlegen? Ihr bekommt das Geld und könnt davon dann in Freuden leben.«

»Du irrst. Wenn ich überhaupt die Gnade walten lasse, dir

die Strafe gegen die Summe zu erlassen, so sind die tausend Piaster für die Armen bestimmt.«

»Tut damit, was ihr wollt; nur laßt mich los!«

»Um der Leute willen, für welche das Geld bestimmt ist, würde ich mich vielleicht bereit finden lassen; vorausgesetzt, daß du noch auf eine andere Bedingung eingehst.«

»Noch eine Bedingung? O Allah, Allah, Allah! Wollt ihr noch mehr Geld haben?«

»Nein. Ich verlange nur, daß du Janik und Anka sofort aus deinem Dienst entlässest.«

»Gern, gern! – Sie mögen laufen!«

»Du wirst ihnen ihren Lohn sofort und ohne allen Abzug auszahlen!«

»Ja, sie sollen alles erhalten.«

»Und sowohl ihm als auch ihr ein gutes, schriftliches Zeugnis geben!«

»Auch das.«

»Schön! Sie werden dein Haus gleich mit mir verlassen. Zu Fuß zu gehen, ist für sie bis in die Gegend von Uskub zu weit. Sie werden sich zudem mit den Sachen, die ihnen gehören, zu belasten haben; darum wünsche ich, daß sie mit dem Wagen fahren, welcher unten im Schuppen steht.«

»Wai sana! Das fällt mir nicht ein!«

»Ganz nach deinem Belieben. Halef, fahre fort! Es kommt der dritte Hieb.«

»Halt, halt!« kreischte der Alte, als er sah, daß Halef ausholte. »Es ist doch unmöglich, ihnen den Wagen zu geben!«

»Warum?«

»Sie würden mir ihn nicht zurückgeben.«

»Janik und Anka sind ehrliche Leute. Uebrigens kannst du sie ja durch die Behörde zur Zurückgabe zwingen lassen.«

»Aber Uskub ist zu weit von hier!«

»Sagtest du nicht, daß sich dein Weib jetzt dort befinde?«

Er sträubte sich zwar noch eine Weile, endlich aber willigte er ein, daß Janik und Anka auf seinem Wagen und mit seinem Pferd bis Uskub fahren dürften, wo das Gefährt seiner Frau übergeben werden sollte.

»Jetzt aber sind wir doch wohl fertig?« fragte er mit einem tiefen Seufzer.

»Noch nicht. Du wirst mir auch ein schriftliches Geständnis dessen, was du mit uns vorhattest, unterschreiben.«

»Was willst du mit dieser Schrift tun?«

»Ich übergebe sie Janik. Sobald du dich ihm feindlich zeigst, wird er sie dem Richter überreichen.«

»Das ist mir zu gefährlich!«

»Halef, nimm den Stock!«

»Warte noch!« rief der Alte. »Du mußt doch bedenken, daß er sich dieser Schrift gegen mich bedienen kann, auch wenn ich gar nichts gegen ihn unternehme!«

»Und du mußt bedenken,« entgegnete ich, »daß sie eigentlich gar keine Steigerung der Gefahr für dich enthält. Alle deine Dienstboten, welche hier stehen, haben euer Geständnis vernommen. Sie wissen, was geschehen ist, und bald werden alle Bewohner dieser Gegend erfahren, daß wir ermordet werden sollten, und daß du ein Giftmischer bist. Du wirst von den Leuten verachtet und gemieden werden. Eben dieser Umstand hat mich zu meinem milden Verfahren veranlaßt. Du wirst bestraft sein, ohne daß ich die Vergeltung übe. Diese Strafe kann durch die Schrift, um welche es sich handelt, weder beschleunigt noch erhöht werden. Also besinne dich nicht lange; ich habe keine Zeit.«

Halef gab dieser Aufforderung Nachdruck, indem er die Sohle des Alten mit dem Stock berührte, als ob er zielen wolle. Das wirkte.

»Du sollst die Schrift haben,« erklärte Habulam. »Bindet mich los.«

Es geschah, und er ward nun in Begleitung Halefs und Oskos in seine Wohnung geschickt, um das Geld und die Schreibmaterialien zu holen.

Er humpelte langsam hinaus, und seine zwei Wächter gingen mit. Die an der Hinterwand stehenden Knechte und Mägde flüsterten miteinander. Dann kam einer der Burschen herbei und sagte:

»Effendi, wir wollen nicht mehr bei Habulam bleiben; er

aber wird es nicht freiwillig zugeben, und so möchten wir dich ersuchen, ihn dazu zu zwingen.«

»Das kann ich nicht.«

»Du hast es doch für Janik und Anka getan!«

»Ihnen war ich Dank schuldig. Sie haben uns das Leben gerettet. Ihr aber seid mit den Mördern in gutem Einvernehmen gewesen.«

»Das ist nicht wahr, Effendi!«

»Habt ihr nicht ihre Pferde bewacht?«

»Ja; aber wir haben den ganzen Abend und die ganze Nacht im strömenden Regen gestanden und erwarteten eine Belohnung; aber als diese Leute aufbrachen, waren sie sehr zornig und haben unsere Dienste mit Schlägen belohnt.«

»Wann sind sie fortgeritten?«

»Als kaum der Morgen graute.«

»Welche Richtung schlugen sie ein?«

»Sie ritten nach der Uskuber Straße.«

»Wo standen ihre Pferde?«

»Außerhalb des Dorfes, bei den Aiwa aghadschylar[1].«

»Wenn du mich hinführst, werde ich versuchen, eure Entlassung zu ermöglichen.«

»So tue ich es gern.«

Jetzt kehrte Habulam mit den beiden Wächtern zurück. Omar trug Papier, Tinte und Feder. Halef trat mit einem Beutel auf mich zu und sagte:

»Hier sind die tausend Piaster, Sihdi. Ich habe sie genau nachgezählt.«

Ich steckte den Beutel ein.

Habulam war zu Janik und Anka gehinkt. Er gab beiden ihr Geld und sagte dabei in grimmigem Ton:

»Hebt euch von dannen, und gebt den Wagen ehrlich in Uskub ab. Ich aber werde täglich beten, daß Allah eure Ehe mit Unglück und Zwietracht schlagen möge.«

Diese Worte erregten den Zorn Janiks. Er steckte sein Geld ein und antwortete:

1 Quittenbäume.

»Du beleidigst uns, und doch bist du ein Bösewicht, wie es wohl keinen zweiten mehr gibt. Diesmal bist du dem Henker entschlüpft, weil der Effendi ein Christ ist und Gnade walten ließ. Aber es wird bald die Stunde kommen, in welcher eure ganze Räuberbande der verdienten Strafe verfallen wird. Eure Stunden sind gezählt, denn euer Anführer wird der Tapferkeit des Effendi erliegen.«

»Er mag ihn suchen!« höhnte der Alte.

»O, er wird ihn finden; er weiß ja, wo er steckt!«

»Ah, weiß er das wirklich?«

»Denkst du, es sei uns nicht bekannt? Ich selbst werde mit nach Karanorman-Khan gehen, um dem Effendi beizustehen.«

Da war das Wort heraus! Ich hatte dem Unvorsichtigen gewinkt – er sah es nicht. Ich wollte ihn unterbrechen, aber er sprach in seinem Eifer so schnell, daß ich meine Absicht nicht erreichte. Ich wollte doch nicht wissen lassen, daß mir der Ort bekannt sei.

Habulam horchte auf. Sein Gesicht nahm den Ausdruck der Spannung an.

»Kara-nor-man-Khan!« rief er, indem er die beiden Silben ›norman‹ besonders betonte. »Was ist das für ein Ort?«

»Ein Ort bei Weicza, an welchem sich euer Führer aufhält.«

»Kara-norman-Khan! Ah, das ist sehr gut! Was sagst du dazu, Suef?«

Dabei stieß er ein höhnisches Gelächter aus.

Der angebliche Schneider hatte sich umgedreht, als er den Namen hörte, und Janik forschend in das Gesicht gesehen. Auf die Frage Habulams lachte auch er laut auf und antwortete:

»Ja, das ist herrlich! Sie mögen hingehen und ihn suchen. Ich möchte dabei sein, um zu sehen, was für Gesichter sie schneiden, wenn sie den Anführer dort finden.«

Dieses Verhalten überraschte mich. Ich hatte erwartet, daß sie erschrecken würden, und nun höhnten sie. Es war ihnen anzusehen und anzuhören, daß sie sich nicht verstellten. Ich wußte in diesem Augenblick mit Sicherheit, daß sich der Anführer nicht in Karanorman-Khan befand.

Aber ich hatte doch auf dem Zettel gelesen, daß Barud el Amasat an diesen Ort bestellt worden sei. Oder gab es einen Ort, dessen Namen ähnlich lautete?

Doch dieser Gedanke konnte jetzt nicht weiter verfolgt werden. Ich hatte zu schreiben. Das tat ich in orientalischer Weise, nämlich auf dem Knie. Die Andern verhielten sich still, um mich nicht irre zu machen.

Murad Habulam hatte sich neben Suef niedergesetzt, und beide flüsterten miteinander, und ich bemerkte, wenn ich zuweilen halb aufblickte, daß sie mit schadenfrohem Ausdruck auf uns sahen. Endlich kicherten sie gar miteinander. Diese Frechheit ärgerte mich.

»Gehe hinab, und spanne das Pferd an den Wagen,« gebot ich Janik. »Ladet eure Sachen auf. Wir werden in kurzer Zeit aufbrechen.«

»Soll ich unsere Pferde vorführen?« fragte auch Halef.

»Noch nicht. Aber begib dich noch einmal nach dem Turm. Ich habe bemerkt, daß dort von der vergifteten Eierspeise noch Brocken liegen, welche wir den Sperlingen vorwarfen. Sammle sie behutsam; vielleicht brauchen wir sie noch.«

Der kleine, scharfsinnige Hadschi beeilte sich, mir sofort zu bemerken:

»Ich habe auch noch die Düte mit dem Rattengift in der Tasche, welche wir unserm guten Wirt Habulam abnahmen.«

»Das ist sehr gut. Habulam scheint sich über uns lustig zu machen; ich werde dafür sorgen, daß er ernster wird.«

Halef, Janik und Anka entfernten sich. Der Erstere kehrte zurück, als ich eben die Schreiberei beendet hatte. Er brachte eine Sammlung größerer und kleinerer Brocken, welche zu einer chemischen Untersuchung mehr als ausreichten.

»Effendi, was willst du mit diesen Dingen tun?« fragte Habulam in besorgtem Ton.

»Ich werde sie in Uskup dem Apotheker der Polizei vorle-

gen, um bestimmen zu lassen, daß von dem Inhalt der Gift-
düte in die Eierspeise getan worden ist.«

»Das hat aber doch gar keinen Zweck?«

»Einen bedeutenden sogar; ich will deiner Lustigkeit einen
Dämpfer aufsetzen.«

»Wir haben nicht gelacht!«

»Lüge nicht! – Du machst die Sache damit nur schlimmer.«

»Wir mußten über dieses Karanorman-Khan lachen.«

»Warum?«

»Weil wir es gar nicht kennen.«

»Ist das denn gar so lächerlich?«

»Nein; aber Janik sprach von einem Hauptmann, von welchem wir nicht das mindeste wissen, und der Ort Karanorman-Khan kümmert uns noch weniger.«

»So? Ihr wißt wirklich nichts von dem Schut?«

»Nein,« antwortete er, obgleich ich wohl bemerkte, daß er
erschrak, als ich den Namen nannte. »Ich kenne weder ihn,
noch den Ort, von welchem ihr redet.«

»Kennst du auch keinen Ort, welcher ähnlich heißt?«

Ich blickte ihn scharf an. Er schluckte und schluckte, senkte
den Blick zu Boden und antwortete:

»Nein, ich kenne keinen.«

»Sieh, ich merke es dir wieder an, daß du lügst. Du kannst
dich nicht so gut verstellen, wie es nötig wäre, um mich zu
täuschen. Wir wollen doch einmal sehen!«

Ich zog meine Brieftasche hervor. In einem Fach derselben
steckte der Zettel, welchen Hamd el Amasat an seinen Bruder
Barud el Amasat geschrieben hatte und der in meine Hände
gefallen war. Ich nahm ihn heraus und betrachtete ihn auf das
genaueste.

Darauf hin, daß das Wort Karanorman-Khan undeutlich
geschrieben sein könne, hatte ich ihn noch nicht angesehen
und darum hatte ich stets geglaubt, es richtig gelesen zu haben. Jetzt war mein Blick kaum auf die betreffende Silbe gefallen, so wußte ich, woran ich war.

Die arabische Schrift hat nämlich keine Buchstaben für die

448

Vokale; diese werden vielmehr durch die sogenannten Hareket[1] bezeichnet. Das sind Striche oder Häkchen, welche über oder unter den betreffenden Konsonanten gesetzt werden. So bedeutet zum Beispiel ein kleiner Strich (–), welcher Uestün oder Esre genannt wird, a oder e, wenn er über dem Buchstaben steht. Steht er aber unter demselben, so gilt er für y oder i. Das sogenannte Oetürü, ein Häkchen in folgender Gestalt ', steht über dem Buchstaben und bedeutet o und u oder ö und ü. Es kann also, zumal bei undeutlicher Schrift, leicht eine Verwechslung vorkommen. Das war auch mir beim Lesen des Zettels geschehen.

Ich hatte nämlich eine kleine schwarze Stelle in der Papiermasse für ein Oetürü gehalten und einen Strich unter dem Buchstaben ganz übersehen, weil er beim Schreiben so winzig ausgefallen war, daß er kaum bemerkt werden konnte. Es war also nicht o, sondern i zu lesen, nämlich in ›nir‹, der dritten Silbe des Wortes.

Und sodann hatte der Schreiber den Anfangsbuchstaben der vierten Silbe so undeutlich gesetzt, daß die Richtung der Schleife nicht genau zu bestimmen war. Aus diesem Grund hatte ich m für w gelesen. Es mußten diese beiden Silben also ›nirwan‹ anstatt norman lauten, und der Name hieß folglich Karanirwan-Khan.

Als ich von dem Zettel aufblickte, bemerkte ich zu meiner Ueberraschung, daß Habulam seine Augen mit gierigem Blick auf denselben gerichtet hielt.

»Was hast du da, Herr?« fragte er.

»Einen Zettel, wie du siehst.«

»Was steht darauf?«

»Eben der Name Karanorman-Khan.«

»Laß mich ihn einmal betrachten!«

Kannte er Hamd el Amasat? War er in das Geheimnis, welchem wir nachforschten, eingeweiht? Dann lag es wohl gar in seiner Absicht, den Zettel zu vernichten. Doch nein, das hätte ja gar nichts gefruchtet, da ich den Inhalt kannte.

1 Lesebogen.

Es schien mir vielmehr geraten zu sein, ihm den Zettel zu geben. Wenn ich ihn dabei scharf beobachtete, wurde es vielleicht möglich, aus seinem Verhalten Schlüsse zu ziehen.

»Hier hast du ihn,« sagte ich. »Aber verliere ihn nicht; ich brauche ihn noch.«

Er nahm das Papierstückchen und betrachtete es. Ich sah, daß er erbleichte. Zugleich hörte ich ein leises, aber sehr bezeichnendes Räuspern Halefs. Er wollte meine Aufmerksamkeit auf sich lenken. Ich sah ihn schnell an, und er winkte mit den Augenlidern fast unmerklich nach Suef hin. Als ich nun den Blick rasch und verstohlen nach jenem richtete, sah ich, daß er sich halb auf das eine Knie erhoben hatte und den Hals ausstreckte. Seine Augen waren auf Habulam gerichtet und sein Gesicht zeigte den Ausdruck der gierigsten Spannung, sich keine Silbe von dem entgehen zu lassen, was gesprochen wurde.

Da ward es mir klar, daß diese beiden von diesem Zettel mehr wußten, als ich hatte ahnen können, und jetzt war es mir leid, daß ich von meiner schleunigen Abreise gesprochen hatte. Hätte ich noch bleiben können, so wäre es mir vielleicht möglich gewesen, sie auf irgend eine Weise auszuforschen. Leider aber war das nun nicht rückgängig zu machen.

Mittlerweile hatte Habulam sich gefaßt. Er schüttelte den Kopf und sagte:

»Wer soll das lesen können? Ich nicht! Das ist ja gar keine Sprache.«

»O doch!« antwortete ich.

»Ja, Silben sind da, aber sie geben doch keine Worte!«

»Man muß sie anders zusammenstellen; dann kommt ein ganz deutlicher Satz zum Vorschein.«

»Kannst du das?«

»Gewiß.«

»So tue es doch einmal!«

»Du scheinst dich sehr für diese Zeilen zu interessieren?«

»Weil ich denke, sie können gar nicht gelesen werden, und du behauptest doch das Gegenteil. Stelle die Silben richtig zusammen und lies sie mir vor.«

Den Blick verstohlen, aber scharf auf ihn und Suef richtend, erklärte ich:

»Die Worte lauten in ihrer richtigen Vereinigung: ›*In pripeh beste la karanorman chan ali sa panajir menelikde.*‹ Verstehest du das?«

»Nur einige Worte.«

Ich hatte deutlich gesehen, daß es blitzschnell über sein Gesicht zuckte. Suef war wie erschrocken in seine vorige kauernde Stellung zurückgesunken. Ich wußte nun, woran ich war, und sagte:

»Es ist ein Gemisch von Türkisch, Serbisch und Rumänisch.«

»Aber zu welchem Zweck denn? Warum hat der Schreiber sich nicht einer einzigen Sprache bedient?«

»Weil der Inhalt dieses Zettels nicht für jedermann bestimmt ist. Der Schut und seine Bekannten bedienen sich einer Geheimschrift unter sich. Sie entnehmen die Worte den genannten drei Sprachen und setzen die Silben zwar nach einer bestimmten Regel, aber doch scheinbar so wirr durcheinander, daß ein Uneingeweihter sie nicht zu lesen vermag.«

»Scheïtan – Teufel!« erklang es leise aus Suefs Munde.

Er hatte seine Ueberraschung doch nicht ganz bemeistern können. Sein Ausruf sagte mir, daß ich das Richtige getroffen, obgleich ich nur eine Vermutung ausgesprochen hatte.

»Aber du hast es doch lesen können!« meinte Habulam, indem seine Stimme vor innerer Aufregung zitterte.

»Allerdings.«

»So bist du also ein Verbündeter des Schut?«

»Du vergissest, daß ich ein Abendländer bin.«

»Du willst sagen, daß ihr klüger seid, als wir?«

»Ja.«

»Herr, das klingt sehr stolz!«

»Es ist nur die Wahrheit. Für euch ist diese Geheimschrift hinreichend; für uns aber ist sie, weil so tölpelhaft ersonnen, sehr leicht zu enträtseln.«

»Aber wie lautet denn eigentlich der Inhalt dieser mir unverständlichen Worte?«

Er wollte sich nur überzeugen, ob ich diesen Inhalt kenne; denn er selbst konnte die Schrift ja lesen.

»Er lautet: Sehr schnell Nachricht in Karanorman-Khan; aber nach dem Jahrmarkt in Menelik.«

»Also so ist es zu lesen!« sagte er im Ton kindischer Verwunderung. »Ist dieser Zettel denn für dich so wichtig, daß du mich bittest, ihn nicht zu verlieren?«

»Ja; denn ich suche den Schut und hoffe ihn mit Hilfe des Zettels zu finden.«

»So warst du auf dem Jahrmarkt in Menelik und willst nun nach Karanorman-Khan?«

Ich bejahte bereitwillig und so unbefangen, als ob ich mich gern ausfragen ließe. Er ließ sich täuschen und erkundigte sich weiter:

»Wer hat denn diesen Zettel geschrieben?«

»Ein Bekannter von dir, nämlich Hamd el Amasat. Er ist ja der Bruder von Barud el Amasat, welcher in dieser Nacht bei dir gewesen ist.«

»Und dennoch habe ich noch niemals etwas von ihm gehört. Wo ist er denn?«

»Er war in dem Geschäft des Kaufmannes Galingré in Skutari. Jetzt aber ist er von demselben fort, um zu dem Schut zu gehen, bei welchem er mit seinem Bruder Barud zusammentreffen will.«

»Woher weißt du das?«

»Der Zettel sagt es mir.«

»Effendi, du bist ein kluger Kopf. Was du mir von dem bösen Blick erzählt hast, das war nur darauf berechnet, mich zu täuschen. Du besitzest den bösen Blick gar nicht. Alles hat dein Scharfsinn dir gesagt; das weiß ich jetzt genau. Vermutlich wirst du auch noch das richtige Karanorman-Khan finden, welches du suchest.«

»Ich habe es bereits gefunden.«

»O nein! Dasjenige, von welchem du sprachst, ist das falsche.«

»Habulam, du hast soeben eine große Dummheit begangen.«

»Ich wüßte nicht, welche, Effendi!«

»Du hast dich selbst Lügen gestraft. Vorhin behauptetest du, den Schut nicht zu kennen, und jetzt hast du zugegeben, daß du weißt, wo er wohnt.«

»Ah! Kein Wort habe ich gesagt.«

»O doch! Du hast mir gesagt, daß das Karanorman-Khan bei Weicza nicht das richtige sei; das heißt doch, daß der Schut dort nicht gefunden werden könne. Also mußt du seinen wirklichen Aufenthalt wissen.«

»Herr, das ist nur eine Vermutung, ein falscher Schluß von dir!«

»Ich bin überzeugt, sehr richtig geschlossen zu haben.«

»Nun, selbst wenn du richtig vermutet hättest, darfst du doch nicht behaupten, daß du das richtige Karanorman-Khan gefunden habest. Jetzt weißt du doch nur, daß dasjenige, welches du kennst, das falsche ist.«

Er machte eine wichtige, überlegene Miene. Er hatte einen vertraulichen Ton angeschlagen, und da ich ihm scheinbar in der größten Harmlosigkeit antwortete, so hätte ein Uneingeweihter denken können, wir seien die besten Freunde und unterhielten uns über einen sehr neutralen Gegenstand. Er legte bedächtig den Finger auf die Nase und fuhr dann fort:

»Du bist, wie ich jetzt einsehe, sehr nachsichtig mit uns gewesen. Ich wollte, ich könnte dir von Nutzen sein für deine Reise. Darum sage ich dir: ich vermute, daß es mehrere Orte jenes Namens gibt, und will dir einen sehr guten Rat erteilen. Gehe in Uskub zur Behörde und laß dir ein Fihristi mekian[1] vorlegen und du wirst dann gleich sehen, wie viele Karanorman-Khan es gibt und wo sie liegen.«

»Auch ich habe den gleichen Gedanken gehabt, doch bin ich jetzt entschlossen, es nicht zu tun, denn das Reich des Padischah wird sehr schlecht verwaltet. Ich bin überzeugt, daß es in einer so bedeutenden Stadt wie Uskub entweder gar kein Ortsverzeichnis gibt, oder daß es nichts taugt. Ich reite gar nicht nach Karanorman-Khan.«

1 Ortsverzeichnis.

»Wohin denn, Effendi?«

»Ich verwandle das o in ein i und das m in ein w und reite also nach Karanirwan-Khan.«

Ich sagte das langsam und mit besonderer Betonung. Da ich ihn dabei scharf anblickte, sah ich, daß er die Farbe wechselte und sich wie erschrocken mit der Hand an den Kopf fuhr.

»Scheïtan – Teufel!« erklang es abermals leise von Suef her. Auch dieser Ausruf bewies mir, daß ich auf der richtigen Spur war.

»Giebt es denn einen Ort, welcher diesen Namen führt?« fragte Habulam langsam und mit gepreßter Stimme.

»Nirwan ist ein persisches Wort; also sollte man diesen Ort wohl eigentlich in der Nähe der persischen Grenze suchen. Aber weißt du, was Lissan aramaki[1] ist?«

»Nein, Effendi.«

»So kann ich dir auch nicht erklären, warum ich aus der Zusammensetzung dieses Wortes vermute, daß der Ort den Namen von seinem Besitzer erhalten hat.«

»Vielleicht verstehe ich es doch!«

»Schwerlich. Der Mann ist ein Nirwani, ein Mann aus der persischen Stadt Nirwan. Er hat schwarzes Barthaar gehabt und wurde darum Kara, der Schwarze, genannt. Sein hiesiger Name lautet also Karanirwan. Er baute ein Einkehrhaus, einen Khan, und es ist also sehr leicht zu begreifen, daß dieses Haus nach seinem Besitzer Karanirwan-Khan genannt wurde und noch heute so genannt wird.«

»Scheïtan – Teufel!« hauchte es abermals von Suef her.

Murad Habulam wischte sich den Schweiß von der Stirn und meinte:

»Es ist wunderbar, wie du dir aus einem Namen gleich so eine ganze Geschichte machen kannst! Ich befürchte nur, daß du dich täuschest.«

»Und ich möchte darauf schwören, daß dieser Khan nicht in einer Stadt oder in einem Dorf liegt.«

»Warum?«

1 Sprachforschung.

»Weil in diesem Fall der Name dieser Stadt oder dieses Dorfes auf dem Zettel genannt wäre. Das Haus liegt an einem einsamen Ort, und es würde also unnütz sein, in einem Ortsverzeichnis nachzuschlagen.«

»Wenn es so einsam liegt, wirst du es niemals finden. Du bist ein Fremder und hast wohl auch keine Zeit, dich so lang hier zu verweilen, als nötig wäre, um so umfassende Nachforschungen anzustellen.«

»Du irrst; ich hoffe, den Khan sehr leicht zu finden. Kennst du im weiten Umkreis von Kilissely einen Perser?«

»Nein.«

»Das glaube ich dir gern. Im Land der Skipetaren sind die Perser so selten, daß, wenn es ja irgendwo einen gibt, jedermann von ihm gehört hat, zumal die Perser Schiiten sind und die religiösen Gewohnheiten dieses Mannes ihn weithin bekannt machen müssen. Ich brauche mich also während unsers Rittes nur nach einem Perser zu erkundigen.«

»Aber er kann weit, sehr weit aus deiner Richtung wohnen, so daß die Leute, welche du triffst, gar nichts von ihm wissen.«

»Er wohnt aber ganz gewiß in dieser Richtung.«

»Wie willst du das wissen?«

»Der Zettel sagt es mir.«

»Herr, das begreife ich nicht. Ich habe ihn doch auch gelesen, Wort für Wort, und doch nichts gefunden.«

»O, Murad Habulam, welch eine riesige Dummheit hast du eben jetzt wieder begangen!«

»Ich?« fragte er erschrocken.

»Ja, du! Hast du nicht vorhin gesagt, die Schrift des Zettels, die Geheimschrift, könntest du nicht lesen? Und jetzt behauptest du, den Zettel Wort für Wort gelesen zu haben. Wie stimmt beides zusammen?«

»Herr,« erwiderte er verlegen, »ich habe es gelesen, aber nicht verstanden.«

»Du sagst doch, du habest nichts gefunden! Und der Zettel enthält nur Silben, du sprichst aber ›Wort für Wort‹. Murad Habulam, merke dir, daß ein Lügner ein sehr gutes Gedächt nis haben muß, wenn er nicht mit sich in Widerspruch geraten will. So höre also! Ich habe dir bereits gesagt, daß der Zettel mir alles verrät. Derselbe wurde von Hamd el Amasat in Skutari geschrieben, und zwar an seinen Bruder Barud el Amasat in Edreneh. Der Erstere schreibt dem Letzteren, daß er zu ihm kommen und über Menelik reisen solle. Hamd el Amasat will ihm bis Karanirwan-Khan entgegen kommen. Nun sage mir, ob zu erwarten ist, daß diese Beiden große und unnütze Umwege machen werden?«

»Nein, das tun sie nicht.«

»Sie werden also die kürzeste, also die geradeste Linie verfolgen?«

»Gewiß, Effendi.«

»Diese Linie geht also von Edreneh über Menelik nach Skutari, und auf ihr muß zwischen den beiden letztgenannten Orten Karanirwan-Khan liegen. Das ist für mich so sicher, als ob ich es bereits liegen sähe.«

»Scheïtan – Teufel!« erklang es nun zum vierten Male leise von Suef her. Der Pseudo-Schneider schien diesen Lieblingsausdruck sich angewöhnt zu haben. Ich tat aber, als hätte ich es nicht gehört. Dieser abermalige Stoßseufzer war mir wiederum ein Beweis, daß ich mich nicht irrte.

»Effendi,« meinte Habulam, »was du sagst, das klingt ganz gut, und ich wünsche auch, daß du das Richtige getroffen habest; aber ich glaube es nicht. Sprechen wir lieber von etwas anderem! Willst du das Gift und die Brocken von der Eierspeise wirklich nach Uskub nehmen? Ich habe ja meine Strafe bezahlt und auch zwei Streiche bekommen, welche mich ganz entsetzlich schmerzen; dabei könntest du es bewenden lassen.«

»Du hast deine Strafe bezahlt, uns aber später ausgelacht. Jetzt aber wirst du einsehen, daß euer Hohnlächeln ein unnützes war. Ich werde den Khan ohne euch finden. Aber daß ihr es gewagt habt, euch über uns lustig zu machen, das muß bestraft werden. Ich bin nicht der Mann, der mit sich Komödie spielen läßt. Ich gebe in Uskub das Gift und die Brocken in die Apotheke der Polizei.«

»Ich will den Armen noch hundert Piaster geben, Effendi.«

»Und wenn du mir tausend bietest, so weise ich sie zurück.«

»Ich bitte dich, nachzudenken, ob es wirklich nichts gibt, was dich veranlassen könnte, von deinem Vorhaben abzustehen.«

»Hm!« brummte ich nachdenklich.

Das gab ihm Hoffnung. Er sah, daß ich mich wenigstens noch besann.

»Denke nach!« wiederholte er dringlicher.

»Vielleicht – ja – vielleicht ließe sich ein Ausgleich finden. Sage mir vorher, ob es hier in dieser Gegend schwer ist, Dienstleute zu bekommen.«

»Leute, welche in Dienst treten wollen, gibt es genug,« antwortete er rasch.

»So fällt es dir wohl auch nicht schwer, Knechte oder Mägde zu bekommen?«

»Gar nicht. Ich brauche nur zu wollen.«

»Nun, so wolle einmal!«

»Wie meinst du das?«

»Siehe dort die Leute! Sie wünschen, von dir entlassen zu werden.«

Das hatte er nicht erwartet. Er drehte sich um und warf den Knechten und Mägden einen drohenden Blick zu. Dann fragte er mich:

»Woher weißt du es?«

»Sie haben es mir gesagt.«

»Allah! Ich werde ihnen die Peitsche geben lassen!«

»Das wirst du nicht tun. Hast du sie nicht selbst geschmeckt? Ich ermahne dich, in dich zu gehen und einen andern Wandel zu beginnen. Warum willst du diese Leute nicht entlassen?«

»Weil es mir nicht gefällt.«

»Nun, so lasse es dir desto besser gefallen, daß ich das Gift mit nach Uskub nehme. Halef, sind die Pferde bereit?«

»Ja, Effendi,« antwortete der Gefragte. »Wir brauchen sie nur vorzuführen. Janik wird auch schon angespannt haben.«

»So wollen wir aufbrechen. Fahrt mich hinab vor das Tor!«

»Halt!« rief Habulam. »Was bist du doch für ein jähzorniger Mensch, Effendi!«

»So mache es kurz,« erwiderte ich. »Gib deinen Leuten den Lohn, und sie mögen gehen!«

»Ich täte es, aber ich kann doch nicht ohne passende Dienstboten sein!«

»So nimm einstweilen Taglöhner an. Ich habe keine Zeit, noch lange zu verhandeln. Hier sind die Schriften, welche ich verfaßt habe. Lies sie durch, um sie dann zu unterschreiben.«

Er nahm die Papiere entgegen und setzte sich nieder, um sie bedächtig durchzulesen. Der Inhalt behagte ihm nicht; es gab noch manches Für und Gegen, aber ich gestattete keine Aenderung, und endlich unterschrieb er doch. Halef trug die beiden Zeugnisse und auch das Geständnis hinaus, um diese Dokumente Janik zu geben.

»Und nun, wie steht es mit den Leuten?« fragte ich.

Habulam antwortete nicht sofort. Da aber rief Suef ihm zornig zu:

»Lasse sie doch zum Scheïtan gehen! Du kannst andere bekommen, welche nicht wissen, was gestern und heute geschehen ist. Jage sie fort! Und je weiter sie gehen, desto besser ist es!«

Das gab den Ausschlag. Habulam ging, um das Geld zu holen, und ich blieb, bis er ausgezahlt hatte. Dann gab ich ihm das Gift nebst den Brocken und ließ die Pferde vorführen.

Man kann sich denken, daß es keinen zärtlichen Abschied zwischen uns und unserm Wirt gab. Er entschuldigte sich, daß er mich nicht bis vor die Türe begleiten könne, da seine Füße wund seien.

»Du hast erfahren,« sagte ich, »daß Allah es vermag, selbst die größte Lüge zur Wahrheit zu machen. Du sagtest gestern, als wir kamen, daß du nicht gehen könntest; das war eine Lüge. Heute ist sie zur Wahrheit geworden. Ich will dich nicht ermahnen, dir dieses zur Lehre dienen zu lassen. Ist dein Herz vollständig verhärtet, so bin ich nicht imstande, es zu erweichen. Was nun deine Gastfreundschaft betrifft, so habe ich dir nicht zu danken. Suef sollte mich in ein öffentliches Gasthaus bringen; er hat mich getäuscht und uns zu dir geführt. Im Gasthause würde ich bezahlen; dir aber biete ich nichts an. Alles in allem genommen, sind wir heute quitt, und ich hoffe, daß nicht etwa eine neue Rechnung aufläuft.«

»Aber wir sind noch nicht quitt!« rief Suef mir grimmig zu. »Du wirst mir die heutige Rechnung zahlen.«

»Sehr gern! Jedenfalls wieder in Hieben!«

»O nein! Das nächstemal werden Kugeln ausgeteilt!«

»Auch das ist mir recht. Ich bin vollständig überzeugt, daß wir uns wiedersehen werden. Ich habe dich kennen gelernt und kann mich nicht mehr in dir irren.«

»O, du kennst mich noch lange nicht!« höhnte er.

»Das wird sich später zeigen. Ich weiß sehr genau, daß du wenige Minuten nach mir dieses Haus verlassen wirst – –«

»Kann ich etwa gehen?«

»Nein; du wirst reiten.«

»Mann, du bist allwissend! Wenn du wirklich so klug bist, wie du tust, so sage mir doch, wohin ich reiten werde.«

»Den Andern nach.«

»Wozu?«

»Um ihnen zu melden, daß ich Karanirwan suche. Grüße sie von mir, und sage ihnen, daß sie beim nächsten Male nicht im Wasser, sondern vielleicht im Blute stehen werden, aber freilich in ihrem eigenen.«

Osko schob mich hinaus. Draußen standen die Pferde, und wir stiegen auf. Auch der Wagen mit Janik und Anka hielt vor der Türe. Ihre wenigen Sachen hatten sie hinter sich liegen, und ihre Gesichter glänzten vor Freude.

»Wir reiten erst zu dem Ort, an welchem die Pferde gestanden haben, und kommen euch dann nach,« rief ich ihnen zu.

Der Knecht, welcher uns führen wollte, stand bereit. Wir kamen gar nicht in das Dorf, und in fünf Minuten hatte er uns an die Stelle gebracht und nahm dann Abschied. Als er mir die Hand reichte, fragte ich ihn noch, um die Hauptsache nicht zu vergessen, wie viele Männer von da fortgeritten seien. Es waren fünf, aber nur Manach el Barscha, der Bruder Habulams, kannte er. Ich ließ mir die andern vier beschreiben; Barud el Amasat, der alte Mübarek und die beiden Aladschy waren es gewesen. Der verwundete Mübarek hatte ganz stramm im Sattel gesessen: – der Alte mußte wirklich eine Nilpferdnatur besitzen.

Ich wollte meines Fußes wegen nicht selbst absteigen und beauftragte also die Anderen, die zahlreichen Hufspuren genau zu untersuchen.

»Wozu soll das nützen?« fragte Osko.

»Die Pferde wieder zu erkennen. Vielleicht kommen wir in die unangenehme Lage, nicht genau zu wissen, wen wir vor uns haben. In diesem Falle wäre es von großem Vorteil, wenn eines der Pferde irgend eine Eigentümlichkeit am Huf hätte, welche sich der Spur eindrückt. Wir würden das Pferd dann später an der Hufspur erkennen.«

Es war ein Rasenplatz, auf welchem wir uns befanden. Im Schatten mehrerer riesiger Platanen standen zahlreiche Sträucher und Bäumchen von Quitten, zwischen denen der Boden zertreten war. Spuren gab es also genug, aber keine einzige, welche etwas so Charakteristisches gehabt hätte, um sie später unter anderen heraus zu suchen. Wir brachen also unverrichteter Sache wieder auf.

Der Regen hatte den Boden so tief erweicht, daß es außerordentlich leicht war, den Spuren zu folgen. Sie führten nach der Straße, auf welcher man über Guriler und Kavadschinova nach Uskub kommt. Selbst auf dieser Straße war die Fährte deutlich zu erkennen, da der Schlamm hoch lag und es keinen Verkehr gegeben hatte.

Wir erreichten den Wagen des glücklichen Paares sehr bald, und nun, da keiner der Bewohner des Schlosses es sehen konnte, gab ich dem erstaunten Janik die tausend Piaster Habulams als Hochzeitsgeschenk. Der brave Bursche sträubte sich zwar, auch dieses Geschenk noch zu nehmen, aber er mußte es doch endlich zu sich stecken. Beide flossen in Dankesworten über. Wir hatten eben zwei Menschen glücklich gemacht, und das wog die Widerwärtigkeiten der letzten Vorfälle reichlich auf.

Der Schmutz der Straße war so dick, daß wir nur langsam reiten konnten. Wo es irgend ein Wässerlein gab, da war es über die Ufer getreten. Glücklicherweise lachte über uns ein freundlicher Himmel.

Halef trachtete, an meine Seite zu kommen, und begann:

»Du willst unsere Gegner überholen, Sihdi; wird uns das gelingen?«

»Nein, denn ich bin entschlossen, es nicht zu tun. So lange ich glaubte, daß das beiderseitige Ziel Karanorman bei Weicza sei, mußte ich es für einen Vorteil für uns halten, dort eher als unsere Feinde anzukommen. Seit es sich aber herausgestellt hat, daß ich mich irrte, ist uns unser Ziel vollständig unbekannt, und wir müssen, wie bisher, ihren Spuren folgen. Ich denke aber, daß es mir bald gelingen wird, zu erfahren, wo Karanirwan-Khan liegt.«

»Jedenfalls hinter Uskub. Meinst du nicht?«

»Ja, denn sonst müßte es zwischen hier und dieser Stadt liegen, und das halte ich für ganz unwahrscheinlich.«

»Ist Uskub groß?«

»Ich schätze, daß es nicht viel unter dreißigtausend Einwohner hat.«

»Da werden wir die Spuren der Verfolgten verlieren.«

»Stambul ist noch viel, viel größer, und haben wir dort nicht gefunden, was wir suchten? Ich vermute übrigens, daß wir Uskub gar nicht betreten werden, weil unsere fünf Lieblinge die Stadt meiden werden. Es ist für sie zu gefährlich dort. Du mußt bedenken, Halef, daß Manach el Barscha dort Steuereinnehmer gewesen ist. Man hat ihn aus dem Amt gejagt; es ist also anzunehmen, daß er irgend eine Schuld auf sich geladen hatte, und so wird er sich jedenfalls scheuen, sich dort sehen zu lassen. Möglich wäre es freilich, daß sie wegen des alten Mübarek die Stadt besuchen würden, damit ein zuverlässiger Chirurg ihm die Wunden verbände. Wir müssen eben auf beide Fälle gefaßt sein. Das Wahrscheinlichste ist jedoch, daß sie in einem weiten Bogen um Uskub reiten und jenseits wieder nach der Straße von Kakandelen einlenken. Wenn ich richtig ahne, so ist Karanirwan-Khan hinter diesem letzteren Ort in den einsamen Tälern der Schar Dagh zu suchen.«

Wir hatten jetzt den Kriva Rjeka erreicht, dessen angeschwollene Fluten weit über die Ufer schäumten. Wenn die Nebenflüsse des Wardar solche Wassermassen von den Bergen brachten, so mußte der Hauptfluß in wahrhaft gefährlicher Weise angeschwollen sein. Es war gar nicht ungefährlich, über die alte Brücke zu kommen, welche beinahe überspült wurde und deren Pfeiler unter der Gewalt der andrängenden Wogen zu wanken schienen. Das Wasser stand an ihren beiden Ausgängen über eine Elle hoch auf der Straße. Das gestrige Gewitter schien sich über das ganze Gebiet des Schar Dagh und Kurbecska Planina entladen zu haben.

Wir befanden uns jetzt inmitten der wegen ihrer Fruchtbarkeit berühmten Ebene von Mustafa und erreichten nach einer guten halben Stunde das Dorf Guriler, welches am rechten Nebenarm des Kriva Rjeka liegt.

Auch dieser war über die Ufer getreten und schien ziemliches Unheil angerichtet zu haben. Die Bewohner standen außerhalb ihrer Häuser im Wasser, sie arbeiteten mit aller Anstrengung daran, dasselbe einzudämmen.

Um nach Uskub zu kommen, hätten wir unsere bisherige Richtung bis Karadschi Nova einhalten müssen. Die Straße führte in beinahe gerader Linie weiter.

Hier, wo so viele Leute gegangen, waren die Spuren verwischt, denen wir folgten. Dieselben konnten erst wieder jenseits des Dorfes zum Vorschein kommen. Aber als wir dasselbe im Rücken hatten, war von der Fähre nichts zu bemerken.

Meines Wissens gab es keine zweite Straße, welche von hier irgendwohin abzweigte. Sollten die Gesuchten sich etwa noch in dem Dorf befinden? Es gab einen kleinen Konak darin. Wir hatten das Haus gesehen, waren aber an demselben vorübergeritten. Es blieb mir nichts anderes übrig, als zurückzureiten und mich zu erkundigen.

Das Haus stand so hart am Wasser, daß dieses beinahe die

Türe erreichte. Ein Mann war davor beschäftigt, einen Damm zu errichten. Als ich ihn grüßte, dankte er mir kaum und warf mir nur einen halben, höchst unfreundlichen Blick zu.

»Es ist da ein schlimmer Gast bei euch eingekehrt,« sagte ich, auf das Wasser deutend.

»O, es gibt noch schlimmere Gäste,« antwortete er in anzüglichem Ton.

»Was kann schlimmer sein, als Feuer- und Wassersnot?«

»Die Menschen.«

»Hoffentlich hast du diese Erfahrung nicht selbst gemacht.«

»Sehr oft schon, und zwar heute wieder.«

»Heute? Bist du der Wirt dieses Hauses?«

»Ja. Willst du etwa bei mir einkehren? Ich habe euch vorüber kommen sehen. Warum kehrst du zurück? Reite getrost weiter!«

Er stützte sich auf seine Hacke und betrachtete mich mißtrauisch von der Seite her. Der Mann hatte ein offenes, ehrliches Gesicht und sah gar nicht wie ein Menschenfeind aus. Sein zurückweisendes Verhalten mußte einen besonderen Grund haben, den ich ahnte; darum sagte ich:

»Deine Seele scheint gegen mich eingenommen worden zu sein. Womit habe ich die Unhöflichkeit verdient, mit welcher du mir antwortest?«

»Tschelebilik düzen kischünün dir[1], das ist wahr; aber es gibt Leute, denen gegenüber dieses Sprichwort nicht angewendet ist.«

»Zählst du mich zu diesen Leuten?«

»Ja.«

»So sage ich dir, daß du dich in einem großen Irrtum befindest. Man hat mich bei dir verleumdet.«

»Woher weißt du, daß man von dir gesprochen hat?«

»Ich schließe es aus deinem Verhalten.«

»Eben dieses dein Mißtrauen sagt mir, daß man mich nicht

1 Höflichkeit ist eine Zierde des Menschen.

belogen hat. Reite also weiter! Ich habe nichts mit dir zu schaffen.«

»Aber ich mit dir! Ich bin ein ganz Anderer, als man mich dir beschrieben hat.«

»Gieb dir keine Mühe! Ich kenne dich,« sagte er mit einer verächtlichen Handbewegung. »Wenn du klug bist, so verläßt du das Dorf. Du befindest dich nicht in einem abgelegenen Ort, wo man dich und die Deinen zu fürchten hat, weil man nicht auf Hilfe rechnen kann. Da, schau den Mann an! Du siehst, daß sich Männer des Padischah bei mir befinden.«

Es war ein halb und halb militärisch gekleideter Mann unter die Türe getreten. Die Aehnlichkeit zwischen den beiden ließ erraten, daß sie Brüder seien. Auch er sah mich an wie einen Menschen, dem man keine Freundlichkeit entgegen zu bringen braucht.

»Was gibt es? Was will dieser Fremde?« fragte er den Wirt.

»Ich weiß es nicht,« antwortete dieser. »Ich mag es auch gar nicht wissen. Ich habe ihm bereits gesagt, daß er weiter reiten soll.«

»Das werde ich auch tun,« antwortete ich. »Aber ich beabsichtige, eine Erkundigung einzuziehen, und ich hoffe, daß ihr mir eine höfliche Frage beantworten werdet.«

»Das werden wir tun, wenn deine Frage eine solche ist, die man beantworten kann,« meinte der Soldat. »Ich bin Hekim askeri[1] in Uskub und befinde mich hier bei meinem Bruder auf Besuch. Das will ich dir sagen, bevor du fragst.«

Jetzt war mir alles klar. Darum fragte ich:

»Es sind heute morgen fünf Reiter bei euch eingekehrt?«
Er bejahte.

»Der eine war verwundet, und du hast ihn verbunden?«
»So ist es. Weißt du vielleicht, wer ihn verwundet hat?«
»Ich selbst.«

»So ist es richtig, was diese Leute uns erzählt haben.«
»Was haben sie denn erzählt?«

---

1 Militärarzt.

»Das wirst du viel genauer wissen, als wir. Wenn du weiter nichts zu fragen hast, so sind wir mit dir fertig.«

Er wendete sich ab.

»Halt, warte noch!« sagte ich. »Ich kann mir allerdings denken, daß man euch belogen hat, aber in welcher Weise dies geschehen ist, weiß ich nicht. Da du ein Arzt in Diensten des Sultans bist, so wirst du lesen können. Sieh dir einmal dieses Papier an.«

Ich zog meinen Ferman hervor und überreichte ihm denselben. Kaum war sein Blick auf die Schrift und auf das Siegel gefallen, so machte er eine tiefe Verbeugung und sagte erstaunt:

»Das ist ja das Siegel und die Unterschrift des Großveziers! Ein solches Dokument wird nur mit der besonderen Erlaubnis des Padischah ausgefertigt.«

»Allerdings! Und ich freue mich, daß du dies so genau weißt.«

»Und du bist der rechtmäßige Besitzer dieses Fermans?«

»Ja; überzeuge dich, indem du das Signalement mit meiner Person vergleichst.«

Er tat dies, schüttelte den Kopf und sagte zu seinem Bruder:

»Es scheint, wir haben diesem Effendi unrecht getan. Er ist nicht das, wofür man ihn ausgegeben hat.«

»Ich bin überzeugt, daß man euch eine Unwahrheit über mich gesagt hat,« stimmte ich bei. »Vielleicht habt ihr die Güte, mir mitzuteilen, was von mir gesprochen wurde.«

»Du bist also wirklich ein Effendi aus Alemanja, dem Lande, welches der ruhmreiche Kaiser Guillem beherrscht?«

Als ich bejahte, fuhr er fort:

»Hier hast du deinen Ferman zurück. Wir sind wirklich belogen worden; man hat uns glauben lassen, daß ihr Räuber seid.«

»So etwas Aehnliches habe ich vermutet. Aber dieselben Leute, welche bei euch einkehrten, sind Räuber,« erwiderte ich.

»Sie verhielten sich aber ganz anders.«

»Ist das zu bewundern? Sie brauchten deine Hilfe; da mußten sie höflich sein.«

»Und es war einer dabei, den ich kannte.«

»Manach el Barscha?«

»Ja. Er war früher Einnehmer der Kopfsteuer in Uskub.«

»Bist du ihm etwa große Rücksicht schuldig? Er ist doch abgesetzt worden!«

»Ja, aber er braucht nicht ein Räuber geworden zu sein!«

»Er ist einer. Hast du vielleicht einmal von den beiden Aladschy gehört?«

»Sehr oft. Es sind zwei Wegelagerer, welche das ganze Gebiet von den Kerubi- und Bastrikbergen bis zur Dovanitza Planina unsicher machen. Man hat sich vergebens Mühe gegeben, sie zu fangen. Warum fragst du mich nach diesen Menschen?«

»Weil sie hier waren. Hast du nicht die Pferde der fünf Reiter betrachtet?«

»Ja. Es waren zwei Schecken dabei, zwei prachtvolle Pferde, welche – –«

Er hielt inne und blickte mich verlegen an. Sein Mund stand offen. Es war ihm der richtige Gedanke gekommen.

»Nun, sprich doch weiter!« forderte ich ihn auf.

»Allah!« rief er aus. »Was fällt mir da ein! Diese beiden Räuber reiten scheckige Pferde, weshalb sie eben Aladschy genannt werden.«

»Nun, was folgt daraus?«

»Daß sie es gewesen sind, die hier einkehrten!«

»Richtig! Ihr habt die beiden Aladschy bei euch aufgenommen, und die anderen Drei sind die nämlichen Schurken.«

»Das hätte ich nicht gedacht! Sie selbst sind Räuber und dich, dich haben sie so schlecht gemacht. Sie gaben euch für Kimesneler daghlarde[1] aus und sagten, sie seien mit euch im Konak von Kilissely zusammengetroffen. Infolge eines Zankes hättet ihr ihnen aufgelauert und auf sie geschossen. Ich habe den Alten, welcher von zwei Kugeln in den Arm getroffen worden war, verbunden.«

---

1 Leute in den Bergen, Raubgesindel.

In Kürze erzählte ich ihm den Vorfall und erfuhr dann von ihm, die fünf Genossen seien nach Uskub aufgebrochen.

»Aber ich sehe auf der Straße ihre Spuren nicht,« bemerkte ich.

»Sie schlugen den Weg ein, welcher nach Rumelia führt,« lautete die Antwort. »Sie meinten, infolge des Regens sei es auf der Straße zu schmutzig. Nach Rumelia zu können sie immer auf Grasflächen reiten.«

»Aber sie machen einen Umweg, welcher für einen Verwundeten ganz bedeutend ist. Ich sage dir, daß sie gar nicht nach Uskub reiten wollen. Dort würden sie Gefahr laufen, festgenommen zu werden. Sie sind es, welche vor uns fliehen. Darum haben sie euch belogen, damit ihr uns nicht verraten sollt, wohin sie geritten sind. Ist der Weg von hier nach Rumelia schwer zu finden?«

»Durchaus nicht. Er zieht sich noch kurze Zeit an dem Fluß hin und biegt dann rechts ab. Du wirst den Spuren der fünf Reiter leicht folgen können, denn der Boden ist weich.«

Nun verabschiedete ich mich und kehrte zu meinen wartenden Gefährten zurück.

»Unsere Gegner werden nicht nach Uskub gehen; sie sind nach Rumelia geritten.«

»Nach Rumelia?« fragte Janik. »So haben sie die Straße verlassen. Willst du ihnen etwa folgen, Effendi?«

»Ja; wir werden uns also hier trennen müssen.«

Der Abschied von dem dankbaren Brautpaar war rührend.

Als wir nun anstatt nach Nordwest genau in westlicher Richtung ritten und das Dorf hinter uns hatten, konnten wir die Spuren der Fünf deutlich in dem grasigen Grund erkennen. Einen eigentlichen Weg gab es nicht.

»Kennst du dieses Rumelia?« fragte mich Halef, welcher sich wieder an meiner Seite hielt.

»Nein. Ich weiß nur, daß es ein Dorf ist; ich bin ja hier noch niemals gewesen. Vermutlich liegt dieser Ort an der Straße, welche von Köprili längs des Wardar nach Uskup führt. Jenseits ist die Eisenbahn.«

»Ah! Da könnten wir vielleicht einmal mit der Bahn fahren. Wenn ich zu Hanneh, der Schönsten der Töchter, zurückkehre, würde ich stolz sein, ihr sagen zu können, daß ich auch einmal in einem Wagen gesessen habe, welcher mit Rauch gezogen wird.«

»Nicht mit Rauch, sondern mit Dampf.«

»Das ist doch dasselbe?«

»Nein; den Rauch kannst du sehen, während der Dampf unsichtbar ist.«

»Wenn der Dampf nicht gesehen werden kann, wie weißt du da, daß es Dampf gibt?«

»Kannst du Musik sehen?«

»Nein, Sihdi.«

»Also gibt es nach deiner Meinung keine Musik. Es ist nicht gut möglich, dir das Wesen und die Wirkungen des Dampfes zu erklären. Um mich zu verstehen, müßtest du die nötigen Vorkenntnisse besitzen.«

»Sihdi, willst du mich beleidigen? Habe ich nicht oft bewiesen, daß ich Vorkenntnisse besitze?«

»Aber keine physikalischen.«

»Welche sind das?«

»Die sich auf die Kräfte und Gesetze der Natur beziehen.«

»O, ich kenne alle Kräfte und Gesetze der Natur. Wenn mich einer beleidigt, so ist es doch ein sehr einfaches Naturgesetz, daß er dafür eine Ohrfeige bekommt. Und wenn ich sie ihm dann erteile, so ist es meine Naturkraft, mit welcher ich sie ihm gebe. Oder habe ich etwa nicht recht?«

»Du hast oft Recht, auch wenn du Unrecht hast, mein lieber Halef. Uebrigens tut es mir leid, daß du Hanneh, der Blume der Frauen, nicht erzählen kannst, daß du in einem Wagen der Eisenbahn gefahren bist.«

»Warum nicht?«

»Erstens weiß ich nicht, ob die Bahn jetzt in Betrieb steht, und zweitens müssen wir unseren Feinden folgen. Diese fahren nicht, also ist auch uns dieses Vergnügen versagt.«

Der Weg war jetzt leidlich, und so kamen wir ziemlich rasch vorwärts. Nach einer halben Stunde sahen wir das

Dorf vor uns liegen. Links zog sich die Straße von Köprili über Kapetanli Han heran, und rechts führte sie nach Uskup weiter.

Indem ich meinen Blick längs dieser Straße hingleiten ließ, sah ich einen Reiter, welcher in gestrecktem Galopp von Kapetanli Han herzukommen schien. Wer in diesem tiefen Schmutz so scharf ritt, der mußte es sehr eilig haben. Ich nahm mein Fernrohr zur Hand. Kaum hatte ich den Mann gesehen, so hielt ich dem Hadschi das Rohr hin. Er setzte es an und ließ es dann gleich wieder sinken.

»Allah!« rief er aus. »Das ist Suef, der sich für einen Schneider ausgab!«

Ich hatte also recht, als ich ihm sagte, daß er Kilissely sofort nach uns verlassen würde.

»Reiten wir Trab,« sagte ich nun. »Er will die Andern warnen; das darf aber nicht geschehen. Er weiß, wohin sie sind.«

»Aber wir können ihm nicht zuvorkommen,« meinte Halef, »er ist bereits zu nahe an dem Dorf. Aber jenseits des Dorfes können wir ihn einholen.«

»Nur wenn eine Brücke über den Fluß führt. Geschieht aber das Uebersetzen mittels Kahn oder Fähre, so gewinnt er einen Vorsprung. Ich werde voranreiten.«

Die Weichen meines Rappen berührte ich nur leise mit den Sporen, und sofort schoß er mit der Schnelligkeit eines Eilzuges vorwärts. Suef hatte uns bisher noch nicht gesehen. Jetzt aber bemerkte ich, daß er stutzte; dann holte er mit der Peitsche aus und schlug mit allem Eifer auf sein Pferd ein. Er hatte mich erkannt und wollte mir zuvorkommen.

Freilich war er dem Dorf näher als ich; aber sein Gaul konnte es unmöglich mit meinem Araber aufnehmen. Ich ließ einen Pfiff hören, und der Rappe verdoppelte seine Schnelligkeit. In einer Minute erreichte ich die Straße, auf welcher Suef heranritt, und befand mich zwischen ihm und dem Dorf. Die Furcht vor mir verbot es ihm, an mir vorüber zu reiten. Einen Umweg gab es nicht, da links von uns der Fluß mit hochgehenden gelben Wogen dahinschoß.

Ich blieb mitten auf der Straße halten, um meine Begleiter

zu erwarten. Suef hielt auch an, und zwar ungefähr vierhundert Schritte hinter mir.

»Das hat dein Rih gut gemacht, Sihdi!« lachte Halef, als er herankam. »Man sollte es nicht für möglich halten, daß ein Pferd so schnell sein könne. Aber was tun wir nun? Wirst du mit dem Manne dort reden?«

»Kein Wort, wenn ich nicht dazu gezwungen werde.«

»Er trachtet uns aber doch nach dem Leben!«

»Wir haben ihn bestraft. Um weiter gegen ihn einschreiten zu können, müßten wir warten, bis er uns wieder neue Feindseligkeiten zufügt. Wir werden jetzt so tun, als ob wir ihn gar nicht kennen.«

»Wir haben doch einen großen Fehler begangen.«

»Welchen?«

»Daß wir ihm die Bastonnade gegeben haben. Nun kann er wenigstens noch reiten. Hätten wir ihm die Peitsche nicht auf die Füße, sondern dorthin gegeben, wo der Padischah seinen Thron berührt, wenn er sich auf denselben setzt, so könnte er weder gehen, noch reiten.«

»Wir hätten nichts dadurch gewonnen, denn der alte Murad Habulam würde einen andern Boten gesendet haben. Also vorwärts!«

Wir ritten weiter, und Suef folgte uns langsam. Gewiß war er sehr ergrimmt über unsere Dazwischenkunft.

Rumelia schien größer als Guriler zu sein. Es zog sich von der Straße bis an die Ufer des Flusses hinab. Der Wardar bot einen gefährlichen Anblick. Seine schmutzigen Wogen gingen hoch. Sie waren weit über die Ufer getreten und überschwemmten die anliegenden, mit Weiden bestandenen Wiesen. Jenseits des Flusses sahen wir die Eisenbahn. Es schien an dem Körper derselben gebaut zu werden. Wir sahen einen Bauzug langsam daherkommen. Zahlreiche Arbeiter waren mit Hacken und Schaufeln beschäftigt, und in der Nähe des Bahndammes standen lange Bretterhütten, welche jedenfalls den Arbeitern zur einstweiligen Wohnung dienten.

Eine Brücke gab es nicht, sondern eine Fähre. Es war das ein breiter, schwerer Prahm, welcher an Seilen hing, die auf dem Grunde des Flusses verankert waren, und wurde von den Fährleuten mittelst starker Stangen fortbewegt.

»Was nun tun?« fragte Halef, als wir bei den ersten Häusern des Dorfes anhielten. »Setzen wir gleich über?«

»Nein,« antwortete ich. »Wir reiten beiseite und warten, was Suef tun wird; dann folgen wir ihm dahin, wohin er reitet. Wir wissen nicht, wo Karanirwan liegt; er wird also unfreiwillig unser Führer sein.«

»Nein, Effendi; er wird klug genug sein, uns in die Irre zu führen.«

»Und wir werden uns nicht von ihm betrügen lassen. Du mußt bedenken, daß ihn seine Füße entsetzlich schmerzen. Er hat sie zwar im Bügel und braucht sie nicht anzustrengen; aber das Reiten verursacht ihm dennoch Qual. Er wird also sein Ziel baldigst zu erreichen suchen, und wenn er auch beabsichtigt, uns irre zu leiten, so wird er doch nicht allzuweit von seiner Richtung abschweifen.«

»Aber er wird alles Mögliche versuchen, um uns aus den Augen zu kommen!«

»So werden wir alles tun, um es zu verhindern. Also machen wir uns auf die Seite!«

Wir ritten noch ein Stück weiter, so daß Suef in erwünschter Entfernung an uns vorüber und zur Fähre kommen konnte. Da blieben wir halten, doch so, daß ich mich mit dem Gesicht nach ihm zu befand. Wir taten übrigens, als ob wir ihn gar nicht beobachteten; doch konnte er sich denken, daß dies Verstellung von uns sei.

Sonderbarerweise ritt er nicht nach der Fähre. Er drängte sein Pferd einmal vor und dann wieder zurück und sah aufmerksam hinüber nach der Eisenbahn, wie wenn das dortige Treiben ihn sehr interessierte.

»Er will nicht,« lachte Halef. »Er ist gescheiter als wir.«

»Wollen sehen. Er tut so, als ob er nur Augen für die Bahnarbeit habe, aber ich bemerke doch, daß er oft seitwärts blickt – hinüber zu jenem weiß getünchten Hause. Es befindet sich dort eine Stange vor der Türe, wahrscheinlich zum Anbinden der Pferde. Vielleicht ist dieses Gebäude ein Khan, und er hat

die Absicht, dort einzukehren. Tun wir also, als ob wir überfahren wollten.«

Wir ritten nach der Fähre. Es war aus Brettern ein Pfad gebildet, um trockenen Fußes über den überschwemmten Teil
des Ufers zu gelangen. Da dieser Pfad nur für Fußgänger bestimmt war, mußten wir ein Stück durch das Wasser reiten,
welches den Pferden bis an den Leib ging.

Die Ueberfahrt war eine nicht ganz unbedenkliche Sache.
Der alte Prahm schien halb verfault zu sein. Die Seile, an denen er hing, waren verdächtig, und die Bedienungsmann-
schaft, bestehend aus einem alten Mann und drei halbwüchsi-
gen Burschen, konnte kein großes Vertrauen einflößen. Dazu
war der Wogengang sehr schwer. Der Fluß brachte allerlei
schwimmende Gegenstände mit, welche er von den Ufern
losgerissen hatte. Es hatten sich Wirbel gebildet, in welche
man leicht geraten konnte. Kurz und gut, als wir uns jetzt auf
der Fähre befanden, war es mir ziemlich unheimlich zumut.

Der alte Fährmeister saß auf dem Rand und rauchte. Er betrachtete uns aufmerksam und nickte dann seinen drei Gehilfen verständnisvoll zu.

Ich hatte mich so gestellt, daß ich Suef im Auge behielt.
Kaum befanden wir uns auf dem Prahm, so trabte er fort, auf
das beschriebene Haus zu, stieg ab, band sein Pferd an und
humpelte mühsam durch die Türe.

»Halef und Osko, rasch auch hinein! Ihr müßt unbedingt
erfahren, was er dort tut und spricht. Laßt ihn nicht aus den
Augen!«

Die Beiden trieben ihre Pferde hurtig an das Ufer zurück
und ritten dem Hause zu. Keine halbe Minute später, nachdem Suef in dasselbe getreten war, gingen auch sie hinein.

Jetzt wendete ich mich an den Alten:

»Was haben vier Reiter zu bezahlen, um hinüber zu kommen?«

»Zwanzig Piaster,« antwortete er, mir die Hand entgegen
haltend. Ich gab ihm mit der Peitsche einen gelinden Hieb auf
dieselbe und sagte:

»Ich werde dir gar nichts geben.«

»So bleibst du hüben!«

»Nein, du fährst uns über. Du hast den fünffachen Preis verlangt. Das muß bestraft werden. Du wirst uns überfahren und dann drüben für jeden Piaster einen Streich auf die Sohlen erhalten. Hier blicke in diesen Ferman des Großherrn! Da wirst du sehen, daß ich kein Mann bin, der sich betrügen läßt.«

Er warf einen Blick auf das Siegel, nahm seine Pfeife aus dem Mund, legte die Hände über der Brust zusammen, verbeugte sich und sagte in unterwürfigem Ton:

»Herr, was Allah sendet, ist gut. Ich werde euch überfahren und dafür zwanzig Streiche erhalten. Allah segne den Padischah und seine Kindeskinder!«

So geht es zu ›da hinten in der Türkei‹! Ich aber war kein Türke, zog zwanzig Piaster hervor, gab sie ihm und sagte:

»Die Hiebe werde ich dir erlassen, denn ich habe Mitleid mit den Tagen deines Alters. Der Fluß ist geschwollen und die Ueberfahrt ist schwer und gefährlich; da magst du wohl etwas mehr als gewöhnlich verlangen; nur solltest du deine Forderungen nicht gar zu hoch steigen lassen.«

Er zögerte, das Geld zu nehmen, und starrte mich stumm bei weit offenem Mund an.

»Nun, soll ich das Geld wieder einstecken?« fragte ich ihn.

Da kam ihm die Bewegung zurück. Er tat einen Sprung auf mich zu, riß mir das Geld aus der Hand und rief:

»Wie? Was? Du zahlst dennoch, trotzdem du im Schutz des Großherrn und seines obersten Wesirs stehest?«

»Dürfen die Beschützten nicht gerecht und milde sein?«

»O Herr, o Agha, o Effendi, o Emir, sie sind es gewöhnlich nicht! Aus deinen Augen aber leuchtet die Gnade, und aus deinen Worten klingt die Barmherzigkeit eines freundlichen Herzens. Darum segne dich Allah in dir selbst, in deinen Ahnen und Urahnen und auch in deinen Kindern und in den Urenkeln deiner letzten Nachkommenschaft! Ja, solche Gnade wird uns nur selten zu teil, obgleich wir ein hartes und noch dazu spärliches Brot essen.«

»Aber da drüben ist eine Menge Menschen beschäftigt. Da verdienst du doch wohl mehr, als wenn diese Arbeiter nicht anwesend wären.«

»Weniger verdiene ich, viel weniger, denn diese Leute haben oberhalb meines Prahms eine zweite Fähre angelegt, mittels eines großen Kahnes. Das macht mir natürlich starken Abbruch; mein Pacht aber bleibt derselbe.«

»Wagen sich die Leute denn auch jetzt während des Hochwassers über den Fluß?«

»Heute haben sie es noch nicht gewagt, denn es ist zu gefährlich; es wäre eine doppelte Zahl der Ruder notwendig.«

»Aber du hast heute doch schon viele Leute übergefahren. Waren auch fünf Reiter dabei, von denen zwei auf scheckigen Pferden saßen?«

»Ja. Herr. Einer schien verwundet zu sein. Sie kamen aus der Herberge da drüben, wo sie für kurze Zeit abgestiegen waren.«

Er deutete dabei auf das erwähnte weiß getünchte Haus.

»Wie lange ist es her, daß du sie sahst?«

»Wohl über zwei Stunden. Besser wäre es, ich hätte sie nicht gesehen!«

»Warum?«

»Weil sie mich betrogen haben. Als wir drüben anlangten und ich mein Fährgeld verlangte, bekam ich Peitschenhiebe anstatt der Bezahlung. Und dabei hatten sie mir vorher einen Auftrag gegeben, welchen ich aber nicht ausführen werde. Wer mich nicht bezahlt, dem erweise ich auch keine Gefälligkeiten.«

»Darf ich erfahren, an wen dieser Auftrag gerichtet war?«

»Sehr gern. An den Mann, welcher vorhin in eurer Nähe hielt und dann vor der Herberge abgestiegen ist.«

»So kennst du ihn?«

»Ja; denn jedermann kennt den Schneider.«

»Ist er wirklich ein Schneider?«

»Man sagt es, aber ich weiß keinen hiesigen Einwohner, dem er ein Kleidungsstück angefertigt hätte.«

»Hm! Wie lautet der Auftrag?«

»Er solle sich beeilen, da sie nur bis früh auf ihn warten würden.«

Wo? Das wußte er nicht, und von den fünf Reitern kannte er nur den früheren Steuereinnehmer in Uskub, welcher die Leute bis aufs Blut gepeinigt habe. »Allah segne ihn mit tausend Uebeln des Leibes und mit zehntausend Krankheiten der Seele,« fügte er bei.

Er wollte weiter sprechen, wendete sich aber jetzt ab, da seine Aufmerksamkeit anderweit in Anspruch genommen wurde. Aus dem Herbergshause traten nämlich zwei Männer, welche je zwei Ruder trugen. Sie gingen an das Wasser und schritten dann stromaufwärts weiter.

»O Allah!« rief der Fährmann. »Sollten diese Unvorsichtigen es wirklich wagen, im Kahn überfahren zu wollen?«

»Wo befindet sich der Kahn?«

»Dort oben, wo das Weib am Ufer sitzt. Du kannst ihn nicht sehen, weil er hinter dem Weidengebüsch liegt.«

Die beiden Männer langten bei der erwähnten Stelle an, wechselten mit dem Weib einige Worte und verschwanden dann hinter dem Gesträuch.

»Ja,« sagte der Alte, »sie wagen es. Nun, wenn Allah sie beschützt, so mag es ihnen gelingen. Aber allein fahren sie jedenfalls nicht über, und ihr Fahrgast wird ihnen viel Geld zahlen müssen. Das könnte er bei mir billiger haben.«

»Das Weib wird es sein, welche zahlt.«

Ich sagte das, weil ich sah, daß die Frau auch hinter dem Gesträuch verschwand; sie war also in den Kahn gestiegen. Der Alte aber schüttelte den Kopf und meinte:

»Die gibt nicht einen einzigen Para. Sie gehört zu den Arbeitern dort drüben und fährt umsonst. Die Frau hat schon seit dem frühen Morgen da oben gesessen, aber es wurde eben noch nicht hinübergefahren. Doch was ist das? Sollte dieser Schneider – –«

Während der Erklärung des Alten war nämlich Suef aus der Herberge getreten und in den Sattel gestiegen. Er hatte uns mit einem Seitenblick gestreift und war dann nach der Stelle geritten, an welcher sich der Kahn befand. Dort stieg er ab.

»Allah il Allah! Der Schneider will in den Kahn!« rief der Alte. »Er mag sich sehr in acht nehmen, daß er nicht zu viel Wasser schlucken muß. Ich weiß, daß er arm ist und hätte ihn um einen Viertelpiaster oder gar umsonst mitgenommen. Warum kommt er nicht zu mir!«

Ich hielt es für unnötig, den Alten über den Grund, welchen Suef hatte, aufzuklären. Er mochte unsere Absicht erraten haben und glaubte wohl, mit dem Kahn eher drüben anzulangen, als wir mit unserm schweren Prahm. Wenn er dann schnell in den Sattel stieg und dann im Galopp davonritt, konnte er uns aus den Augen kommen. An die Spuren, welche er zurücklassen mußte, dachte er nicht.

Unterdessen kamen auch Halef und Osko schnell herbei.

»Sihdi, der Schurke fährt mit einem Kahn über,« meldete der Hadschi. »Er hat dreißig Piaster Lohn geboten, wenn sie ihn hinüberschaffen.«

»Habt ihr noch etwas erfahren?«

»Ja, aber nicht viel. Eben als wir eintraten, sprach er mit dem Wirt von den fünf Reitern. Er gab dem Wirt zwar einen Wink, zu schweigen, dieser aber war einmal mitten im Satz und beendete ihn, daß wir es hörten.«

»Und was habt ihr gehört?«

»Daß die Fünf den Schneider in Treska-Konak erwarten wollen.«

»Wo ist dieser Ort?«

»Das weiß ich nicht, und wir konnten es auch nicht von dem Wirt erfahren. Dieser hält es offenbar mit dem Schneider.«

»Weiter wurde nichts gesprochen?«

»Nur über die Fährangelegenheit.«

»So, daß ihr es hörtet?«

»Ja. Dieser Suef sah uns dabei recht schadenfroh an. Es schien ihm Spaß zu machen, uns ärgern zu können. Am liebsten hätte ich ihm die Peitsche gegeben. Er meint, eher drüben anzukommen, als wir.«

»Ihr habt ihm nichts gesagt?«

»Kein Wort.«

»Das ist gut. Sieh, da zieht er sein Pferd am Zügel hinter sich her – er steigt wirklich in den Kahn, und die Mähre soll hinter demselben herschwimmen. Das wird sie wohl kaum fertig bringen.«

»O, Sihdi, ich habe den Gaul während unsers vorgestrigen Rittes genau beobachtet: er ist viel, viel besser, als er aussieht. Dieses Pferd hat den Scheïtan im Leibe.«

»Nun, trotz allem, was geschehen ist, sollte es mir leid tun, wenn ein Unglück passierte, besonders um der Frau willen, welche mit eingestiegen ist. Fahren wir über und zwar möglichst schnell. Vorwärts!«

Dieser Ruf galt den Fährleuten.

Der Alte hatte eben seine Pfeife ausgeklopft und zog den Beutel hervor, um sie wieder zu stopfen. Er fuhr trotz meines Befehles ganz gemächlich in dieser Arbeit fort.

»Hast du gehört?« fragte ich ihn. »Lege die Pfeife weg! Es wird auch einmal ohne Rauchen gehen.«

»Nein, Herr,« antwortete er behaglich. »Zu meiner Arbeit gehört ein Tschibuk; davon kann ich nicht abgehen. Das ist Zeit meines Lebens so gewesen und wird auch so bleiben bis zu meiner letzten Ueberfahrt.«

»Aber ich will eher drüben ankommen, als der Kahn!«

»Mache dir keine überflüssige Sorge, Herr. Der Kahn wird wahrscheinlich gar nicht drüben ankommen.«

Der Mann stopfte gemächlich weiter und nahm sich dann mit der bloßen Hand eine Kohle aus dem Feuerchen, welches nur zu dem Zweck, die Pfeife in Brand zu stecken, auf einigen zusammengeschobenen Steinen glimmte. Als er dann einige Züge getan hatte, rief er im Ton eines General-Feldmarschalls:

»Auf! Greift zu, ihr Braven! Wir müssen die Piaster verdienen, welche wir bekommen haben.«

In diesem Augenblick sahen wir oben den Kahn aus den Weidenbüschen hervorschießen. Vorn saß die Frau; in der Mitte strengten die beiden Ruderer alle ihre Kräfte an, und hinten hockte Suef, den Zügel in den Händen haltend. Der Kopf seines Pferdes ragte aus dem Wasser empor. Ein Steuer hatte das Fahrzeug nicht.

Als Suef uns bemerkte, erhob er den Arm und machte eine spöttische Gebärde. Wenn die Fahrt so schnell vor sich ging, wie sie begann, dann war er freilich drüben, bevor wir die Mitte des Flusses erreicht hatten, denn die drei dienstbaren Geister unsers würdigen Fährmeisters schienen gar keine Gelenke zu haben. Sie machten das Fahrzeug höchst bedächtig von der Kette los, griffen dann zu den Stangen und stocherten mit denselben im Wasser herum, als ob sie eine Stecknadel auf dem Grund desselben entdecken wollten. Leider waren unsere Pferde eine solche Ueberfahrt nicht gewohnt. Wir mußten also im Sattel bleiben, um sie zu beruhigen; sonst hätte ich meinen Begleitern geboten, gleichfalls Hand anzulegen.

Halef kam auf das richtige Mittel, den Gang des Fahrzeuges zu beschleunigen. Er zog seine Peitsche aus dem Gürtel, wendete sich an den nächsten Fährknecht und sagte:

»Spute dich besser!«

Zugleich gab er ihm einen Hieb über den Rücken, und kaum war dies geschehen, so rief der Alte:

»O Allah, o Wehmut, o Verhängnis! Greift zu, ihr Söhne! Schiebt, stoßt, ihr Männer! Arbeitet, arbeitet, ihr Starken! Je eher wir hinüberkommen, desto größer wird das Bakschisch sein, welches wir von diesen vier berühmten Scheiks und Emirs erhalten.«

Diese zarte Anspielung fuhr den drei Jungen so in die Glieder, daß sie sich mächtig anstrengten. Das Tempo wurde ein doppelt so schnelles. Natürlich ließen wir den Kahn nicht aus den Augen. Um an dem grad gegenüber liegenden Punkt anzukommen, mußten die Ruderer das Fahrzeug aufwärts halten. Im Uferwasser war das nicht schwer gewesen; je mehr sie sich aber der Flußmitte näherten, desto größere Anstrengungen machten sie. Und dennoch fiel der Kahn so bedeutend ab, daß er sich uns näherte, anstatt sich von uns zu entfernen. Dies schien Suef bedenklich zu machen. Wir sahen aus seinen Gebärden, daß er die beiden Männer zu noch größerer Kraftanstrengung anfeuerte.

Auch unsere Leute mußten schwer arbeiten. Die Gewalt

des Stromes war so stark, daß die Seile dumpfe Töne von sich gaben. Wenn eins derselben riß, so waren wir den Fluten überlassen. Der alte Fährmann suchte seinen ganzen Wortschatz hervor, um seine Leute zur Anstrengung aller ihrer Kräfte zu veranlassen.

Was den Kahn betrifft, so hatten die beiden Ruderer desselben einen großen Fehler gemacht. Sie hätten zunächst hüben im ruhigeren Uferwasser aufwärts rudern sollen, bis sie den Punkt erreichten, wo es nur einer leichten dirigierenden Nachhilfe bedurfte, um sich von dem Strom wieder abwärts und hinüber an das jenseitige Ufer treiben zu lassen.

Schon war uns der Kahn auf die Hälfte näher gekommen, so daß wir die Gesichter der Insassen deutlich sehen konnten. Der Fährmann verfolgte das schwache Fahrzeug mit sachkundigem Blick.

»Sie kommen nicht hinüber,« sagte er. »Entweder brechen die Ruder oder – – ah, Allah, Allah, sie haben wirklich die Mitte! Beim Scheïtan, das sind kräftige Kerle! Es gelingt ihnen doch noch, denn – – – o Unheil, o Unglück, o Verderben! Jetzt ist's aus!«

Er hatte recht. Dem einen der Männer war das rechte Ruder aus dem Dollen geschnappt und aus der Hand geprellt. Der Schmerz hatte ihn veranlaßt, auch das linke Ruder fahren zu lassen, so daß beide vom Wasser fortgerissen wurden. Jetzt konnte nur noch der Andere arbeiten; aber seine Kräfte reichten nicht aus.

Drüben am Ufer feierten Hacke und Schaufel. Die Arbeiter standen alle am Wasser und beobachteten den Vorgang mit größter Spannung. Auch wir hatten jetzt die Mitte erreicht. Die Macht des Wassers hob unsere Fähre auf der einen Seite empor: sie konnte sich leicht füllen, und dann war es auch um uns geschehen. Es waren Augenblicke der höchsten Gefahr.

Da gingen dem Mann in dem Kahn die Kräfte aus. Er zog die Ruder ein und legte die Hände in den Schoß. Die Flut faßte das Fahrzeug und trieb es grad auf unseren Prahm zu. Es kam in rasender Eile herbeigeschossen. Vom jenseitigen Ufer erscholl der gellende Angstruf:

»Weib, Weib, halte dich fest!«

Aber da war es auch schon geschehen. Ein lauter Krach – der Kahn prallte mit unserem Prahm zusammen. Ein einziger, entsetzlicher Schrei erscholl. Er war von den an beiden Ufern stehenden Leuten, von den vier Insassen des Kahnes und von uns, die wir uns auf der Fähre befanden, ausgestoßen worden. Er kam von so vielen Lippen und klang doch wie ein einziger Ausruf des allerhöchsten Schreckens.

In solchen Augenblicken handeln viele nach einem geheimnisvollen Instinkt, welcher ihnen das Richtige eingibt, obwohl ihre Denkkraft vollständig versagt. Blitzschnell tun sie das Richtige und wissen später gar nicht zu sagen, warum sie just so und nicht anders gehandelt haben.

Andere handeln nach einer klaren, scharfen Ueberlegung. Man sage mir nicht, daß in einem solchen Augenblick der Gefahr gar keine Zeit für das Fassen eines Entschlusses vorhanden sei. Es ist geradezu wunderbar, mit welchen Kräften der allgütige Schöpfer den Geist des Menschen ausgestattet hat. Im Traum zum Beispiel faßt eine einzige Minute die Ereignisse ganzer Tage und noch viel längerer Zeit zusammen. Mir träumte einst, daß ich ein Examen zu bestehen habe. Ein ganzer Tag war uns zu schriftlichen Arbeiten gewährt. Ich war zuerst fertig, wurde aus der Klausur entlassen und machte einen mehrere Stunden langen Gang in die Berge. Das mündliche Examen erstreckte sich über die nächsten zwei Tage. Am Abend des letzten Tages, ganz kurz vor Beendigung der Prüfung, brach eine Bank zusammen, auf welcher eine Anzahl von Zuhörern saß, und – ich erwachte. Mein Schlafgenosse hatte das Fenster zugeworfen. Er sagte mir auf meine Erkundigung, daß ich ihm vor höchstens drei Minuten gesagt habe, er solle mich nicht mehr mit Fragen belästigen, da ich sehr ermüdet sei und gern schlafen wolle. Ich hatte also im Traum innerhalb dreier Minuten drei Examentage mit allen Einzelheiten durchlebt. Ich kannte ganz genau den Inhalt meiner schriftlichen Arbeit, welche viele Seiten füllte, und konnte mich auf die meisten Fragen besinnen, welche mir vorgelegt worden waren. Ja, ich wußte sogar, welche Personen mir während des geträumten Spazierganges begegnet waren, und worüber ich mich mit ihnen unterhalten hatte. Freilich hatte ich am nächsten Morgen dieses alles ganz gründlich vergessen.

Wenn also der Traum dreier Minuten drei volle Tage, also eine Minute des Traumes ein körperliches und geistiges Handeln umfaßt, zu welchem im wachen Zustand über vierzehnhundert Minuten nötig sein würden, so ist das eine Fähigkeit des Geistes, welche ich ihm auch für den wachen Zustand nicht absprechen möchte.

Ich habe mich in Lagen befunden, in denen mein oder Anderer Leben an einer Sekunde hing, und als diese Zeit vorüber und die Gefahr abgewiesen war, habe ich ganz genau gewußt, daß ich in dieser einen Sekunde die Gefahr vollkommen durchschaut, mir alle Mittel zur Abwehr vergegenwärtigt und das beste und sicherste derselben ausgewählt und auch ausgeführt hatte. Das scheint unbegreiflich, ein Wunder zu sein; aber Tausende von ebenso großen und noch größeren Wundern geschehen im alltäglichen Leben, ohne daß man sich derselben bewußt wird. Wir sind eben nicht nur von lauter Wundern Gottes umgeben, sondern wir selbst sind das größte derselben. Der Gottesleugner mag mir das bestreiten; ich beklage ihn.

Aehnlich war es auch hier auf dem angeschwollenen Fluß. Die in dem spitzen Vorderteil des Kahnes sitzende Frau klammerte sich, vor Entsetzen schreiend, an den Rand des Fahrzeuges an; aber der Anprall war so stark, das sie herausgeschleudert wurde. Sie verschwand in den schmutzig dicken Fluten und – ich mit ihr.

Wie ich vom Pferd heruntergekommen bin, welche Zeit ich gebraucht habe, die Gewehre, den Inhalt meiner Taschen und Gürtel nebst allem, was sich in demselben befand, von mir zu werfen, das kann ich nicht sagen. Halef behauptete später, ich hätte mich schon vor dem Zusammenstoß aus dem Sattel geschwungen, wohl in der sicheren Voraussicht, daß das Weib sich nicht werde halten können. Er will vergeblich versucht haben, mich zurück zu halten, doch weiß ich nichts davon. Mein ganzes Denken ist eben nur auf ein Einziges konzentriert gewesen.

Genau weiß ich nur, daß ich das Weib mit einer Hand packte und mit in die Tiefe zog, um mit ihr unter Boot und Prahm hinwegzukommen. Die Fahrzeuge konnten uns gefährlich werden.

Als ich wieder emportauchte, sah ich, daß wir eine ziemliche Strecke abwärts gerissen worden waren. Ich hielt die Frau an den Aermel ihrer blautuchenen Zuava[1]; sie war besinnungslos, ein Umstand, welcher mir nur lieb sein konnte. Ich befand mich jenseits der Stromesmitte und mußte trachten, das Ufer zu erreichen, ohne im Kampf mit den Wogen meine Kräfte aufzureiben. In solchen Lagen darf man nicht vorn, sondern muß auf dem Rücken schwimmen, obgleich dies den Nachteil hat, daß man nicht nach vorwärts blicken kann. Es ist bequemer, und man kann weit mehr tragen. Ich legte mir die Frau quer über den Leib, so daß ihr Kopf nicht mit dem Wasser in Berührung kam, und ließ mich von den Fluten treiben.

Da ich den Körper der Verunglückten zu tragen hatte, kam der meinige tief zu liegen. So hoch ich auch die Beine nahm, es gelang mir nur mit großer Anstrengung, Mund und Nase von Zeit zu Zeit aus dem Wasser zu bringen, um Atem holen zu können. Dabei gab ich mir die größte Mühe, mich nach und nach dem Ufer zu nähern.

Das war gar nicht so leicht, wie es dem Leser scheinen mag. Das Ufer brach die Flut und warf sie in hohen, langen Wellenstrichen bis auf die Mitte des Stromes herüber; ich konnte nur aufwärts und wenig seit-, aber gar nicht vorwärts sehen, und doch mußte ich mich vor den vielen Gegenständen in acht nehmen, welche in den Fluten schwammen oder aus denselben emporragten. Die Leute am Ufer rannten stromabwärts, in gleicher Richtung mit mir und machten mich durch ihr Schreien irre. Sie konnten freilich kaum so schnell laufen, wie ich schwamm, denn ich schoß mit einer Schnellig-

1 Vorn offene, betreßte Jacke.

keit vorwärts, welche mich zu betäuben drohte. Da galt es, kaltblütig zu bleiben. Wenn ich in den vielen Strudeln und Wirbeln, durch welche ich kam, falsch ausstieß; wenn ich überhaupt nur für kurze Zeit das Selbstvertrauen verlor, so war ich verloren und die Frau mit mir. Im vollständigen Anzug zu schwimmen, ist schon bei ruhigem Wasser eine böse Sache; aber bei dieser Aufregung des Elementes, mit einer solchen Last auf mir und mit den mir vorher so willkommenen, jetzt aber fatalen Gichtstiefeln des Arztes von Radowitsch an den Füßen, das war denn doch etwas Anderes. Wie sich dann herausstellte, war ich gar nicht lange im Wasser gewesen, aber die Zeit dehnte sich mir doch zu einer kleinen Ewigkeit aus.

Endlich, endlich war es mir gelungen, von der mich gewaltig fortreißenden Mitte des Stromes zur Seite und über die an dem eigentlichen Ufer sich bildenden Drehen hinweg zu kommen. Ich befand mich in dem ruhigen Wasser des überschwemmten Landes, konnte aber zu meinem Erstaunen keinen Grund finden. Das machte mich irre; denn als ich versuchte, Boden zu fassen, fuhr ich tief, tief hinab. Da hörte ich eine Stimme mir zurufen:

»Allahy sewersin! Daha uzak, daha uzak jüz! Orada tschukurler. Schurada gel! – – Um Gottes willen! Schwimm weiter, weiter! Dort sind Gruben. Komm hierher!«

Man hatte beim Aufwerfen des Eisenbahndammes den nebenan liegenden Boden benutzt, wobei natürlich tiefe Gruben entstanden waren, über denen ich mich jetzt befand. Ich konnte den Rufenden nicht sehen, da mir das Wasser über den Augen flutete; aber ich vermutete, daß er auf dem Bahndamm stehe, und schwamm demselben zu. Der Damm ragte aus dem Wasser empor, welches bis zu ihm reichte.

Als ich dort ankam, langten zehn, zwanzig Hände nach mir und nach dem Weib. Die leblose Gestalt wurde mir abgenommen. Halb kroch ich auf den Damm hinauf, halb wurde ich gezogen. Erst jetzt fühlte ich, daß meine Kleider wie zentnerschwer an mir hingen.

Lauter Jubel herrschte um mich her; zwei Stimmen nur ergingen sich in Klagen. Die Betreffenden glaubten, die Frau sei tot. Ich aber sagte ihnen, daß sie unmöglich ertrunken sein könne; freilich sei es möglich, daß der Schlag sie getötet habe. Sie wurde stromaufwärts nach den Bretterhütten der Arbeiter getragen.

Jetzt hörte ich den nahenden Hufschlag. Meine drei Gefährten kamen im Galopp auf dem Bahndamm herbeigeritten. Halef war der vorderste von ihnen.

»Sihdi, Sihdi!« rief er schon von weitem. »Bist du tot oder lebst du noch?«

»Ich lebe!« antwortete ich. »Ich befinde mich sogar pudelwohl.«

»Allah sei Lob, Preis und Dank gesagt!«

Er sprang vom Pferd, warf sich neben mir auf die Erde, ergriff meine beiden Hände und sagte:

»Wie kann man nur in solches Wasser springen! Hast du davon trinken müssen?«

»Ja, und es schmeckte beinahe wie das Bier des Wirtes von Radowitsch.«

»Ich mag es lieber nicht kosten. Allah, Allah, wie war ich erschrocken, als du in dem Fluß verschwandest! Ist denn ein Weib wert, daß man das Leben wagt?«

»Natürlich! Würdest du für Hanneh, die Lieblichste der Töchter und Frauen, nicht dein Leben wagen?«

»Ja, das ist Hanneh! Aber wer war dieses Weib? War sie deine Verlobte oder Schwester? Hatte sie dich lieb gehabt, und soll sie einst deine Frau werden?«

»Sie war ein Menschenkind, welches sich in Todesnot befand, und ich brauche mich ja vor dem Wasser nicht zu fürchten.«

»Aber dieser Fluß ist heute ergrimmt. Sieh nur, wie wild er tut, daß ihm sein Opfer entrissen worden ist. Ich habe dir Rih mitgebracht, da du nicht gehen kannst. Steige auf! Wir müssen einen Ort aufsuchen, an welchem du deine Kleider trocknest.«

»Wo sind meine Gewehre und die übrigen Sachen?«

»Ich habe alles. Die Gewehre hängen dort am Sattel.«

»Und wie ist es den anderen Insassen des Kahnes ergangen?«

»Die beiden Ruderer haben wir auf die Fähre gezogen; aber der Schneider war ins Wasser gestürzt.«

»So ist er ertrunken?«

»Nein. Der Scheïtan will noch nichts von ihm wissen. Ich habe ihn mit seiner Mähre schwimmen sehen; wollen ihn einmal suchen.«

Er richtete sich wieder auf und spähte nach Suef. Dann deutete er abwärts.

»Dort sind beide, er und sein Pferd.«

Ich schaute in die angegebene Richtung und erblickte weit abwärts von uns den Genannten, welcher den Schwanz seines Pferdes ergriffen hatte und sich von dem Tier ziehen ließ. Beide waren dem Ufer ganz nahe. Diese alte Mähre war also wirklich ein kostbares Tier.

»Soll ich hinabreiten und ihm eins auf die Nase geben, wenn er aus dem Wasser kommt?« fragte der Hadschi.

»Nein, er wird genug Angst ausgestanden haben. Das ist hinreichend für ihn.«

»Aber er allein trägt die Schuld, daß du in das Wasser springen mußtest!«

»Das ist kein Grund, ihn totzuschlagen.«

»Aber er wird uns entkommen. In deinem Zustand kannst du ihm doch nicht folgen!«

»Laß ihn laufen! Wir holen ihn schon noch ein.«

Natürlich bezeugten auch Osko und Omar mir ihre große Freude über das Gelingen der Wassertour, welche gar nicht auf unserem Programm gestanden hatte. Wir waren umgeben von Bahnarbeitern, welche in die Freudenrufe einstimmten und mich aufforderten, nach einer der Hütten zu kommen, wo ein Soba[1] vorhanden sei, an welchem ich meine Kleider schnell trocknen könne. Das war freilich das Notwendigste, was ich zu tun hatte. Darum stieg ich auf und ritt zurück, grad in demselben Augenblick, als auch der Schnei-

1 Ofen.

der das Ufer erreicht hatte. Was er jetzt tat, konnte mir einstweilen gleichgültig sein.

Ich brauchte mein Pferd nicht zu lenken; dafür sorgten die Bahnarbeiter. Sie ergriffen die Zügel, ja sogar auch die Bügel. Die Andern schritten voran, neben- und auch hinterher, und so wurde ich fast wie im Triumph fortgeschafft – ein etwas nasser Triumph, da mir das Wasser durch die Kleider nach unten sickerte und dann von den ›Gichtstiefeln‹ tropfte. Als ich mich einmal umwandte, sah ich, daß Suef querfeldein galoppierte. Pferd und Reiter schienen also mit gänzlich heiler Haut davongekommen zu sein.

Halef hatte meinen Blick gesehen. Er machte ein sehr finsteres Gesicht, drohte mit der Faust nach dem Reiter hin und sagte:

»Kehm lahana uzum ümri war; lakin Allah war eder, Allah jog eder – Unkraut hat langes Leben, aber Allah schafft, und Allah vernichtet.«

Er wollte in seinem Zorn sagen, daß der Schneider, dieses Unkraut, ausgerottet werden solle.

Da, wo die Fähre am rechten Ufer gelandet hatte, stand der Fährmann mit seinen drei Gehilfen. Als er mich kommen sah, erhob er seine Stimme und rief in pathetischem Ton:

»Tausendmal Dank den heiligen Kalifen, zehntausendmal Lob dem Propheten und hunderttausendmal Preis Allah, dem Allmächtigen, die dich beschützt haben im Augenblick der Gefahr. Als ich dich in die Fluten stürzen sah, war mein Herz starr wie Stein, und meine Seele weinte blutige Tränen. Nun ich dich aber wohlerhalten wiedersehe, ist mein Geist voll Jubel und Entzücken, denn du wirst dein Wort halten und uns das Backschisch geben, welches du uns versprochen hast.«

Also das war der langen Rede kurzer Sinn. Ich schüttelte den Kopf und antwortete:

»Ich weiß von keinem Versprechen.«

»So hat das Wasser dich irre gemacht. Denke daran, was gesprochen wurde, als dein Begleiter uns mit der Peitsche ermahnte, schneller zu sein.«

»Mein Gedächtnis hat nicht gelitten; ich besinne mich auf jedes Wort. Du hast ein Bakschisch verlangt, aber ich habe nichts dazu gesagt.«

»O Emir, wie beklage ich dich! Deine Gedanken sind dennoch schwach geworden! Eben daß du mir nichts entgegnet hast, muß als Einwilligung auf meinen Vorschlag gelten. Wolltest du uns das Bakschisch verweigern, so hättest du das deutlich erklären müssen. Weil du dies jedoch unterlassen hast, so müssen wir es erhalten.«

»Und wenn ich es doch verweigere?«

»So sind wir gezwungen, deine Seele zu strafen und dich für einen Mann zu halten, dem sein Versprechen nichts gilt.«

Damit aber kam er schlimm an, nicht bei mir, sondern bei den Arbeitern. Daß er auf der Auszahlung eines Backschisch bestand, welches ich ihm gar nicht versprochen hatte, und dies in Worten tat, welche mich beleidigen mußten, ergrimmte die Leute. Er war im Nu ergriffen, und zehn, zwanzig Fäuste schlugen auf ihn ein.

»Halt! Laßt ihn los!« überschrie ich den Lärm, welchen die Leute erhoben. »Ich will ihm sein Backschisch geben.«

»Das ist nicht nötig!« rief mir einer zu. »Er erhält es von uns; du siehst es ja.«

»Haltet ein, haltet ein!« kreischte der Alte. »Ich mag es nicht, ich mag es nicht!«

Er riß sich los und rannte nach seiner Fähre, wohin sich seine drei Helden bereits in Sicherheit gebracht hatten. Dabei entwickelte er eine Schnelligkeit, welche ganz das Gegenteil von der Behaglichkeit war, welche ich vorher an ihm bemerkt hatte. Er vergaß sogar, daran zu denken, daß er sich vorgenommen hatte, nichts ohne seine Pfeife zu tun. Sie war ihm entfallen, und er ließ sie im Stich. Einer der Arbeiter hob sie auf und warf sie ihm lachend auf die Fähre nach. Er aber griff einstweilen nicht nach ihr, sondern nach der Kette, um die Fähre schleunigst vom Ufer zu lösen. Sobald sich aber ein Wasserstreifen zwischen ihm und uns befand, begann er zu schimpfen und nannte mich einen Knauser und wortbrüchigen Geizhals.

Halef trat an das Ufer, legte seine Flinte an und drohte:

»Sekiut dur, joksa atarim – schweig, sonst schieße ich!«

Aber der Alte schimpfte fort. Er mochte nicht glauben, daß der Hadschi seine Drohung wahr machen werde. Er hatte die Stange in der Hand, ohne sie zu gebrauchen. Da drückte Halef los. Er hatte auf die Stange gezielt – die Kugel schlug in der Nähe der Hände des Alten in die Stange ein, so daß die Splitter flogen. Da tat der Fährmann einen Schrei, ließ die Stange über Bord in das Wasser fallen und warf sich platt auf den Boden der Fähre nieder, weil er wahrscheinlich meinte, in dieser Lage vor einer zweiten Kugel am sichersten zu sein.

Ein lautes Gelächter erscholl von seiten der Arbeiter, denen die plötzliche Behendigkeit des Alten ebenso komisch vorkam, wie uns.

Nun erreichten wir die größte der Bauhütten, vor deren Türe wir hielten. Ich stieg ab und wurde in das Innere geführt.

Der Raum war groß. An den Wänden hingen die wenigen Habseligkeiten der Arbeiter. Rund herum waren Bretter als Sitze befestigt, welche zugleich als Lagerstätten dienten, und im hintersten Winkel stand ein mächtiger Kachelofen von einer Konstruktion, wie ich sie noch nie gesehen hatte. Er enthielt vier Kochkessel, und sein Herd bot gute Gelegenheit zum Trocknen nasser Kleider.

Ich war kaum eingetreten, so kam aus einer andern Hütte ein junger, kräftiger Mann herbei, welcher mir sofort zurief:

»Herr, du hattest recht. Sie ist nicht tot, sondern sie lebt; sie atmet bereits. Ich bin nur schnell einmal von ihr fortgelaufen, um dir meinen Dank zu sagen.«

»Ist sie verwandt mit dir?«

»Sie ist mein Weib. Ich bin der Baschi ischdschiji[1]. Sie hat die Ueberfahrt gewagt, weil ich ihr befohlen hatte, bereits am frühen Morgen hier zu sein. Aber du mußt dich jetzt entkleiden. Ich werde sogleich mein Ziafet esbaby[2] holen.«

Er entfernte sich und kehrte in kurzer Zeit mit Hose, Jacke,

---

1 Aufseher.
2 Festanzug, Feiertagskleid.

Weste und einem Paar Pantoffeln zurück, mit welchen Gegenständen ich mich in einen kleinen Verschlag begab, um mich umzukleiden. Halef half mir dabei. Als er mir die nassen Kleidungsstücke vom Leibe zog, jammerte er:

»Effendi, nun ist es aus mit der Würde deines Standes und mit der Anmut deines Charakters. Dieser schöne Anzug hat dich in Stambul über sechshundert Piaster gekostet, und nun ist ihm durch das Wasser der Glanz seines Aussehens geraubt worden. Sieh, du hast bei der Anstrengung des Schwimmens einen entsetzlichen Riß in das Bein deiner Hose gesprengt. Er muß geschlossen werden, damit die Lieblichkeit deiner Glieder nicht beleidigt werde. Zwirn und Nadel habe ich zwar stets bei mir, aber ob sich hier ein Ütü[1] finden läßt, um dem Anzug seine heitere Form zurückzugeben, das bezweifle ich.«

Man darf keineswegs aus den Worten des Kleinen auf meine Gestalt und Persönlichkeit schließen. Es war einmal seine Gewohnheit, sich so auszudrücken.

»Frage einmal nach. Vielleicht befindet sich ein Schneider unter den Arbeitern.«

Er entfernte sich mit meinen Kleidern, und ich hörte ihn draußen laut fragen:

»Hört, ihr Söhne und Enkel der Eisenbahn, befindet sich ein Schneider unter euch?«

»Hier!« rief eine Stimme.

»Allah segne dich, mein Freund, daß du in der Zeit deiner Jugend auf den Gedanken gekommen bist, die Stoffe des Webers mit Zwirn zusammen zu heften, so daß die Männer deines Volkes ihre Arme und Beine hineinstecken können! Aber – kannst du auch Risse verschließen?«

»So fein, daß es noch hübscher aussieht, als vorher.«

»So bist du ein großer Usta ijnenün[2]. Aber hast du auch ein Bügeleisen bei dir?«

»Zwei sogar!«

»So überantworte ich dir den Anzug meines Freundes und

1 Bügeleisen.
2 Meister der Nähnadel.

Gebieters. Du sollst ihn trocknen und ausbügeln, und diesen Riß sollst du unsichtbar machen. Wenn du das so tust, daß niemand ihn sehen kann, wirst du ein Bakschisch erhalten, und die Gläubigen aller Länder werden sich deiner Kunstfertigkeit freuen und deinen Ruhm verbreiten bis an die Grenzen, wo das Weltall ein Ende hat. Hier nimm den Anzug in deine Arme, und der Geist des Propheten erleuchte dich!«

Ich mußte lachen, denn ich stellte mir das ernsthafte Gesicht des Kleinen vor, mit welchem er diese Tirade zum Vorschein brachte. Als er zu mir zurückkehrte, fand er mich mit der Untersuchung meines Gipsverbandes beschäftigt.

»Dem sieht man es auch an, daß er im Wasser gewesen ist,« sagte er. »Ist er aufgeweicht?«

»Nein; aber ich möchte ihn doch entfernen. Es sind zwar nur wenige Tage vergangen, seit er angelegt wurde; doch meine ich, es wagen zu dürfen.«

Wir beseitigten mit unseren Messern den Verband, ohne daß ich den mindesten Schmerz dabei empfand. Das war sehr günstig. Als der Fuß von dem Gips befreit war, versuchte ich, aufzutreten. Es ging über Erwarten gut. Ich schritt sogar einige Male in dem Verschlag hin und her, wobei ich ziemlich fest auftrat. Die Verstauchung war wohl geringer, als ich gedacht hatte.

»Nun wirst du diese Stiefel der Gicht nicht wieder anlegen?« fragte der Hadschi und deutete auf die genannte Fußbekleidung, welche allerdings durch das Wasser ein höchst trauriges Aussehen angenommen hatte.

»Nein; ich lasse sie hier.«

»So wollen wir sie den Arbeitern schenken, welche sich derselben als Kaffeetrichter bedienen können, denn in dieser Gegend lassen die Leute den Kaffee durch einen Sack laufen, weil er ihnen sonst zu gut schmecken würde. Allah hat sehr verschiedene Geschöpfe in seinem Reich. Nun kannst du wieder deine hohen Lederstiefel tragen und wirst ein ganz anderes Aussehen haben. In den Gichtstiefeln kamst du mir vor wie ein Ahne des Urgroßvaters, der seine Zähne bereits vor der großen Sintflut verloren hat. Soll ich die ledernen holen? Ich habe sie auf mein Pferd geschnallt.«

Ich gab meine Zustimmung und fand dann, daß der Fuß in diesen Stiefeln hinreichend Halt bekam. Da ich die meiste Zeit des Tages im Sattel saß, so brauchte ich ihn ja nicht anzustrengen.

Der geliehene Anzug paßte nicht übel, da der Besitzer von meiner Gestalt war. Er freute sich darüber, als er mich erblickte, und bat uns, in seine Hütte zu kommen, damit sein Weib sich bei mir bedanken könne.

Die Arbeiter saßen beisammen und aßen. Ihr Mittagmahl bestand aus einem dicken Brei von Maismehl, das nur in Wasser aufgequollen war. Damit sind diese Leute Tag für Tag zufrieden.

Die Frau wollte, als wir zu ihr kamen, sich in großen Danksagungen ergehen; ich bat sie aber, zu schweigen. Ihr Mann saß dabei und war so glücklich über ihre Rettung, daß ich annehmen mußte, sie hätten sich ungewöhnlich lieb. Im Verlauf des Gesprächs erfuhr ich nun, daß beide Christen waren.

»Ich freue mich sehr darüber, daß auch du ein Christ bist,« sagte der Mann zu mir.

»Woher weißt du das?« fragte ich ihn.

»Deine beiden Begleiter sagten es mir, während du die Anzüge wechseltest. Ich habe auch gehört, daß du kein Untertan des Großherrn bist, sondern zu dem Volk gehörst, welches den großen, siegreichen Krieg gegen die Fransyzler geführt hat.«

»Bist du aus der hiesigen Gegend?« fragte ich dagegen.

»O nein. Wir stammen fast alle aus dem Gebirg, wo es so viele arme Leute gibt. Die Bewohner dieser Ebene haben keine Lust, an der Bahn zu arbeiten. Als es hieß, daß hier bei diesem Bau Brot zu finden sei, machten sich viele Leute meiner Gegend auf, um herbei zu ziehen. Und da ich als Mimar[1] gelernt habe, so übernahm ich die Führung und beaufsichtige sie noch heute.«

1 Baumeister.

»So hast du eine höhere Schule besucht?«

»Nein. Ich bin der zweite Sohn meines Vaters. Mein ältester Bruder wird das Haus bekommen, und so hatte ich stets Lust, mir selbst eins zu bauen. Da habe ich denn von selbst schreiben, lesen und auch zeichnen gelernt und bin zu einem Baumeister in Uskub in die Lehre gegangen. Mein Vater ist Tschoban[1], ungefähr acht Stunden von hier.«

»Wo?«

»Es ist kein Dorf, nicht einmal ein kleiner Ort. Es gibt da nur zwei Häuser, welche an einer Furt der Treska liegen, und da unser Nachbar einen Konak unterhält, so wird die kleine Siedelung Treska-Konak genannt.«

»Ah! Das ist gut! Das ist ausgezeichnet!« rief ich aus.

»Warum?«

»Weil ich dieses Treska-Konak suche.«

»Willst du etwa hinreiten? Zu meinem Vater oder zu dem Konakdschi?«

»Zu dem letzteren, wie es scheint.«

»Wie es scheint? So weißt du es selbst noch nicht gewiß?« fragte er verwundert.

»Nein. Der Mann, welcher mit deiner Frau im Kahn überfuhr, will dorthin, und ich muß ihm nach. Er sucht dort Leute auf, mit welchen auch ich ein Wörtchen zu reden habe.«

»Das klingt ja so, als ob du ihnen feindlich gesinnt seiest.«

»Du hast es erraten. Es sind heute in der Frühe fünf Männer dahin geritten, welche eine böse Tat im Schild führen, und dies wollen wir verhüten. Sie müssen mit der Fähre über den Fluß gekommen sein.«

»Ah! War vielleicht ein gewisser Manach el Barscha dabei, welcher Einnehmer der Steuer in Uskub gewesen ist?«

»Allerdings.«

»So habe ich sie gesehen. Ich stand am Ufer, als sie kamen. Sie hatten einen Streit mit dem Fährmann, dem sie die Peitsche anstatt des Geldes gaben. Als Manach an mir vorüber ritt, warf er auch mir eine Drohung zu.«

---

[1] Schäfer.

»Warum?«

»Weil er mich haßt. Er nahm die Kopfsteuer der Christen ein und er hatte mir stets das Zehn- und Zwölffache abverlangt, und das wollte ich nicht mehr geben. Andern ging es ebenso, und so traten wir zusammen und zeigten ihn an. Er hatte die Christen um eine große Summe betrogen.«

»Welche Strafe hat er erlitten?«

»Keine. Er entfloh, und man sagt, daß er den ganzen Inhalt der Steuerkasse mitgenommen habe. Er darf sich in Uskub nicht mehr sehen lassen. Also diesen Menschen suchest du? Er ist immer mit unserem Konakdschi befreundet gewesen und wird wohl auch jetzt bei ihm eingekehrt sein.«

»Kannst du mir den Weg beschreiben, welchen ich nehmen muß, um nach Treska-Konak zu gelangen?«

»Man muß die Gegend gut kennen, um in gerader Richtung hinzukommen. Eine Beschreibung wäre zu verworren. Wenn es dir aber lieb ist, werde ich dir gern einen zuverlässigen Mann mitgeben, welcher die Gegend ebenso genau kennt, wie ich. Er wird es sich zur größten Ehre rechnen, dich zu meinem Vater zu bringen, und da er diesem von deiner guten Tat erzählen wird, so kannst du des herzlichsten Willkomms sicher sein.«

Mit Freude nahm ich diesen Vorschlag an und fragte:

»Liegt deine väterliche Wohnung weit von dem Konak entfernt?«

»Man hat kaum zwei Minuten zu gehen.«

»So werden die Bewohner des Konaks uns also kommen sehen?«

»Wenn du vor ihnen verborgen bleiben willst, so mag dich mein Schwager so führen, daß sie euch nicht erblicken. Uebrigens wird es finstere Nacht sein, wenn ihr dort ankommt. Mein Schwager ist jetzt für kurze Zeit bei dem Bau beschäftigt. Wenn er zurückkehrt, werde ich ihm meinen Auftrag geben. Jetzt aber bitte ich euch, meine Gäste zu sein. Es ist Mittag, und wir müssen essen. Ich kann euch etwas vorlegen, was ihr im Lande der Mohammedaner wohl nur selten bekommen könnt.«

Er öffnete einen mit Heu gefüllten Kasten und zog – einen Schinken und mehrere schwarz geräucherte Würste hervor.

»O Allah, Allah! Meinst du wirklich, daß wir das Hinterteil eines Schweines und das im Rauche gebratene Blut und Fleisch desselben essen?« rief Halef. »Der Prophet hat uns das verboten, und wir würden eine große Sünde begehen, wenn wir uns mit der Leiche eines Schweines für immer und ewig verunreinigten!«

»Das mutet dir gar kein Mensch zu, Halef,« sagte ich. »Was aber mich betrifft, so werde ich mit dem größten Appetit davon essen.«

»Aber es sind ja Dschild kurtlar[1] darinnen!«

»Vor denen fürchten wir uns nicht.«

»Ich darf eigentlich gar nicht zuschauen, denn schon der Anblick des Schweinefleisches soll uns Entsetzen einflößen; aber da Osko und Omar nicht anwesend sind, so brauche ich keine Vorwürfe zu fürchten, wenn ich aus Anhänglichkeit an dich, Sihdi, hier sitzen bleibe. Wenn du den Schinken in den Mund steckst, werde ich die Augen schließen oder wenigstens zur Seite blicken.«

Der Bewirtende legte vor: den Schinken, die Würste, Brot, Pfeffer und Salz. Er zog sein Messer aus dem Gürtel, und ich folgte diesem rühmlichen Beispiel. Nachdem er sich ein tüchtiges Stück von dem Schinken abgeschnitten hatte, tat ich dasselbe, und der Schmaus begann. Nie hat mir ein Schinken besser geschmeckt, als damals in Rumelia.

Halef saß seitwärts hinter mir; ich konnte nicht sehen, ob er mich beobachtete, aber ich kannte den Kleinen und wußte, daß ihm der Appetit bis in die Zungenspitze ging. Er sah, wie es mir schmeckte, und daß ich mir ein zweites Stück abschnitt.

»Hajde scheïtani – pfui Teufel!« rief er aus. »Sihdi, willst du denn, daß ich alle Achtung und Ehrfurcht vor dir verlieren soll! Wenn ich nach dem Gebot des Propheten gehe, darf ich dich nie wieder anrühren.«

1 Bandwürmer.

494

»Das tut mir leid, mein lieber Halef, aber jetzt gehorche ich dem Wohlgeschmack und nicht dem Kuran.«

»Schmeckt es denn wirklich so ausgezeichnet?«

»Es gibt nichts Schmackhafteres.«

»Allah! Warum hat da der Prophet den Schinken verboten?«

»Weil er gewiß niemals ein Stück von dem geräucherten Hinterteil des Schweines gegessen hat; sonst hätte er den Gläubigen diese Speise auf das wärmste anempfohlen.«

»Vielleicht hat er sie wegen der Bandwürmer verboten.«

»Es sind ja gar keine drin; das kann ich dir zuschwören.«

»Also meinst du, daß man es wagen könnte?«

»Ohne Zagen!«

Ich hörte es seinem Ton an, daß ihm das Wasser im Mund zusammenlief. Die Sache machte auch unserm Wirte Spaß, aber er ließ es sich nicht merken, sondern kaute behaglich weiter, gab sich jedoch Mühe, ein Gesicht zu schneiden, als ob seine Begeisterung mit jedem Bissen wachse.

Halef stand auf und trat vor die Türe hinaus. Ich wußte wohl, daß er nach Osko und Omar sehen wollte. Als er wieder hereinkam, machte er ein sehr befriedigtes Gesicht. Er schien die Beiden nicht bemerkt zu haben. Sie standen auf dem Damm, um die Lokomotive anzustaunen, welche eben einen Bauzug vorüberschleppte. Sie hatten keine Zeit, sich um uns zu kümmern.

Der Hadschi setzte sich wieder nieder und sagte:

»Sihdi, ich weiß, daß du nicht gern über den Glauben redest; aber meinst du nicht, daß der Prophet zuweilen ein ganz klein wenig Unrecht hat?«

»Ich weiß es nicht. Aber er hat doch den ganzen Kuran vom Erzengel Gabriel diktiert erhalten.«

»Kann sich nicht auch der Engel irren?«

»Wohl nicht, liefer Halef.«

»Oder hat der Prophet den Engel nicht richtig verstanden? Wenn ich genau nachdenke, so scheint es mir, daß Allah die Schweine doch nicht erschaffen hätte, wenn wir sie nicht essen sollten.«

»Ich bin da in diesem Fall freilich ganz und gar deiner Meinung.«

Er holte sehr tief Atem. Mein zweites Stück war verschwunden, und ich griff nun auch, dem Beispiel des Wirtes folgend, nach der Wurst. Halef mochte einsehen, daß wir fertig sein würden, bevor es ihm gelang, seine Bedenken zu überwinden.

»Sage einmal aufrichtig, Sihdi, schmeckt es denn wirklich gar so ausgezeichnet, wie ich aus euren Gesichtern schließen muß?«

»Noch viel besser, als es in meinem Gesicht geschrieben steht.«

»So laß mich wenigstens einmal riechen.«

»Willst du deine Nase verunreinigen?«

»O nein. Ich halte sie dabei zu.«

Das war freilich drollig. Ich schnitt ein Stückchen Schinken ab, spießte es auf die Messerspitze und reichte es ihm hin, ohne ihn dabei anzusehen. Auch der Aufseher war so klug, ihn nicht anzublicken.

»Ah! Oh! Das ist ja beinahe ein Geruch des Paradieses!« rief der Kleine. »So kräftig, würzig und einladend! Schade, daß der Prophet es verboten hat! Hier hast du dein Messer wieder, Effendi.«

Er reichte es mir zurück – das Stückchen Fleisch war verschwunden.

»Na, wo ist denn das Schinkenstück?« fragte ich erstaunt.

»Na, am Messer!«

»Es ist weg.«

»So ist es heruntergefallen.«

»Das ist jammerschade – – aber, Halef, ich glaube, du kaust.«

Ich sah ihm jetzt offen ins Gesicht. Er machte eine pfiffige Miene und antwortete:

»Ich muß ja kauen, da mir das Stück grad in den Mund gefallen ist. Oder meinst du, daß ich es ganz verschlingen soll?«

»Nein. Wie schmeckt es?«

»So ausgezeichnet, daß ich eine Bitte aussprechen möchte.«

»So rede!«

»Erlaubst du, daß ich die Türe zuriegle?«

»Glaubst du, wir könnten überfallen werden?«

»Nein. Aber Osko und Omar haben die Gesetze des Propheten nicht so tief studiert, wie ich. Sie könnten in Versuchung fallen, wenn sie jetzt hereinkämen; das möchte ich verhindern. Sie sollen ihre Seelen nicht mit dem Vorwurf beladen, sich verunreinigt zu haben mit dem Geruch des Fleisches und Blutes, welches in Därme gefüllt und dann geräuchert worden ist.«

Er stand auf, verriegelte die Türe von innen, setzte sich dann zu uns, zog sein Messer und – schnitt sich ein halbpfündiges Stück von dem Schinken herunter, welches sehr schnell unter seinem dünnen Schnurrbart – rechts sechs und links sieben Haare – verschwand. Dann strich er sich mit beiden Händen behaglich den Bauch und sagte:

»Du siehst, Effendi, welch ein großes Vertrauen ich zu dir habe.«

»Zunächst habe ich nur deinen Appetit gesehen.«

»Der ist eine Folge meines Vertrauens. Was mein Effendi ißt, das kann mich nicht um den siebenten Himmel bringen, und ich hoffe von deiner Verschwiegenheit, daß du Osko und Omar nicht sagst, daß deine Ansicht bei mir ebenso schwer wiegt, wie die Gesetze des heiligen Khalifen.«

»Ich habe keine Veranlassung, es auszuposaunen, daß du auch gern etwas Gutes issest.«

»Gut, so werde ich auch noch ein Stück von diesem Sudschuk[1] nehmen, da der Domuz pastyrmassy[2] so ausgezeichnet war. Unser Wirt wird es mir erlauben, denn was die Gastfreundschaft spendet, das gibt Allah hundertfach zurück.«

Der Aufseher nickte aufmunternd, und Halef gab sich die größte Mühe, zu beweisen, daß er sich heute aus dem Gebot des Propheten gar nichts mache. Als er fertig war, wischte er das Messer an seiner Hose ab, steckte es in den Gürtel und sagte:

»Es gibt Geschöpfe, welche unter dem Undank der Men-

1 Wurst.
2 Schinken.

schen viel zu leiden haben. Das Schwein hat sicherlich nichts getan, um die Verachtung zu verdienen, welche ihm von den Gläubigen gezollt wird. Wäre ich an Stelle des Propheten gewesen, ich hätte besser aufgepaßt, als mir der Kuran diktiert wurde. Dann wären die Tiere zu hohen Ehren gekommen, deren Wohlgeschmack das Herz des Menschen erfreut. Und nun, da wir zu Ende sind, kann ich auch wieder die Türe öffnen, ohne befürchten zu müssen, daß meine Freunde an ihrer Seele Schaden leiden.«

Er erhob sich und schob den Riegel in dem Moment zurück, als ein junger, hübscher Bursche im Begriff stand, hereinzukommen.

»Israd,« rief der Aufseher demselben entgegen, »du wirst heute nicht mehr arbeiten; ich gebe dir Urlaub. Dieser Effendi will nach Treska-Konak reiten, und du sollst ihn in der gradesten Richtung dorthin führen.«

Der junge Mann war der Bruder der Frau, von welchem vorhin die Rede war. Er nahm die Gelegenheit wahr, sich für die Rettung seiner Schwester aufs herzlichste bei mir zu bedanken, und freute sich, mir einen Gegendienst leisten zu können.

»Aber hast du denn ein Pferd?« fragte ich ihn. »Du kannst doch nicht gehen, wenn wir schnell reiten.«

»Ich borge mir drüben im Dorf eins,« sagte er. »Wann willst du denn aufbrechen, Effendi?«

»So bald wie möglich.«

»Du wirst noch eine gute Weile warten müssen, denn deine Kleider sind noch lange nicht trocken. Indessen will ich mir das Pferd besorgen.«

Er entfernte sich wieder.

»Du wirst an ihm einen guten Führer haben,« sagte sein Schwager, »und er kann dir über alles Auskunft erteilen.«

»Das ist mir sehr lieb, denn ich werde ihn wohl einiges zu fragen haben.«

»Das kannst du doch mir sagen?«

»Vor allen Dingen also möchte ich gern wissen, wo ein Ort liegt, welcher Karanirwan-Khan heißt.«

»Karanirwan-Khan? Hm! Warum willst du das wissen?«

»Weil die fünf Männer, welche wir verfolgen, dorthin reiten wollen.«

»Ich kenne leider keinen Ort dieses Namens. Ein Karanorman-Khan gibt es; das liegt oben bei Weicza im Schar Dagh.«

»Das weiß ich, aber es ist der Ort nicht, den ich suche. Karanirwan-Khan muß ein einzelnes Haus, ein Konak sein, dessen Besitzer ein Perser ist.«

»Perser sind hier selten.«

»Kennst du keinen?«

»Einen einzigen allerdings.«

»Wie heißt er?«

»Seinen eigentlichen Namen kenne ich nicht. Er trägt einen mächtigen schwarzen Vollbart, und darum haben wir ihn stets Kara Adschemi, den schwarzen Perser genannt.«

»Ah! Vielleicht ist dieser Mann der Gesuchte. Einen starken schwarzen Bart muß er haben, da er eben Kara Nirwan heißt. Woher ist derjenige, welchen du meinst?«

»Das weiß ich nicht genau. Er muß aber da oben in der Gegend von Jalicza oder Luma zu Hause sein. Ich erinnere mich, daß er einmal von einem Bären erzählte, welcher ihm oben am Zsalezs-Berg begegnet ist. Dieser Berg aber liegt bei den genannten Orten.«

»Gibt es im Schar Dagh auch Bären?«

»Nur noch höchst selten. Früher waren sie häufiger, wie mein Vater oft erzählt. Jetzt aber kommt es nur in Jahren einmal vor, daß sich so ein Tier von fern her verläuft.«

»Weißt du nicht wenigstens, was dieser Perser ist?«

»Pferdehändler ist er, und zwar ein bedeutender. Er muß reich sein. Ich habe ihn oft mit mehr als zehn Knechten und mit einer ganzen Herde von Pferden bei unserem Nachbar, dem Konakdschi, gesehen, bei dem er einzukehren pflegt.«

»Das ist mir höchst interessant, denn ich kann daraus verschiedenes schließen. Dieser Pferdehändler ist ein Perser und heißt Kara. Er kehrt bei dem Konakdschi ein, bei welchem auch Manach el Barscha mit den andern Vier einkehren will. Es ist sehr wahrscheinlich, daß dieser Mann derjenige ist, den wir suchen.«

»Es sollte mich freuen, wenn ich euch auf die rechte Spur gebracht hätte.«

»Wird dein Schwager nichts näheres wissen?«

»Hierüber nicht. Er ist ebenso, wie ich, lange Zeit nicht oben in der Heimat gewesen. Aber wenn du heute zu meinem Vater kommst, so magst du ihn und meinen Bruder fragen. Diese Beiden können dir vielleicht bessere Auskunft erteilen.«

»Ist dein Vater mit seinem Nachbar befreundet?«

»Sie sind weder Freunde, noch Feinde. Sie sind eben Nachbarn, welche gezwungen sind, nebeneinander auskommen zu müssen. Der Konakdschi hat etwas Falsches und Heimliches an sich.«

»Weißt du nicht, ob er vielleicht mit anrüchigen Leuten verkehrt?«

»In einem so einsamen Konak kehren allerlei Menschen ein. Da läßt sich nichts sagen. Höchstens könnte ich erwähnen, daß er mit dem alten Scharka verkehrt. Das ist kein gutes Zeichen.«

»Wer ist dieser Scharka?«

»Ein Köhler, welcher mit einigen Gehilfen droben in den Bergen haust. Er soll eine tiefe finstere Höhle bewohnen, und man raunt sich zu, in der Nähe derselben sei Mancher begraben, der keines natürlichen Todes gestorben ist. Der einsame Pfad, welcher über die Berge führt, geht durch sein Gebiet, und es ist eigentümlich, daß gar mancher Wanderer dasselbe betritt, ohne es jemals wieder zu verlassen. Und immer sind es Leute, welche Geld oder sonstiges wertvolles Eigentum bei sich getragen haben.«

»So ist dies ja eine wahre Mördergrube! Ist man denn den Missetaten dieses Mannes nicht auf die Spur gekommen?«

»Nein; denn es wagt sich nicht so leicht jemand zu ihm. Seine Gehilfen sollen rohe und bärenstarke Leute sein, mit denen man es nicht aufzunehmen vermag. – Es wurde einmal eine Abteilung von dreißig Mann Soldaten hinaufgeschickt, um die Aladschy zu fangen, welche sich bei ihm aufhielten. Die Soldaten sind unverrichteter Dinge zurückgekommen, nachdem ihnen sehr übel mitgespielt worden war.«

»Von wem?«

»Das wußten sie nicht. Sie wurden stets nur des Nachts von Leuten überfallen, die sie niemals recht zu Gesicht bekamen.«

»Also die Aladschy waren auch bei dem Köhler! Kennst du sie?«

»Nein,« erwiderte er.

»Und doch hast du sie heute gesehen, die beiden Kerle auf den scheckigen Pferden, welche mit Manach el Barscha ritten. Der Name dieser berüchtigten Brüder stimmt mit der Farbe ihrer Pferde.«

»Allerdings! Wer hätte das gedacht! Ich habe die Aladschy gesehen! Nun wundere ich mich auch nicht, daß diese Menschen den Fährmann mit Peitschenhieben bezahlten. Sie reiten nach Treska-Khan; dort bleiben sie jedenfalls nicht. Vielleicht wollen sie wieder den Köhler aufsuchen.«

»Das ist allerdings wahrscheinlich.«

»So bitte ich dich um Gottes willen: reite ihnen nicht nach! Der Köhler und seine Leute sollen halbwilde Menschen sein, welche den stärksten Wolf mit der Hand erdrücken.«

»Ich kenne Menschen, die das auch vermögen, obgleich sie nicht halb oder ganz wild sind.«

»Aber es ist doch besser, solche Subjekte lieber zu vermeiden!«

»Das kann ich nicht. Ich habe dir bereits gesagt, daß es gilt, ein Verbrechen zu verhüten. Und ebenso gilt es, ein grausiges Verbrechen zu rächen. Es gilt Leuten, welche Freunde von meinen Freunden sind.«

»Kannst du nicht Andere damit beauftragen?«

»Nein, die würden sich fürchten.«

»So übergib die Sache der Polizei!«

»O wehe! Die würde sich noch viel mehr fürchten. Nein, ich muß diesen fünf Reitern folgen, und wenn ich dabei mit allen Kohlenbrennern der Welt in Konflikt käme.«

»So ist mir angst und bange um dich. Dieser Scharka ist ein wahrer Teufel. Seine Haut soll behaart sein, wie diejenige eines Affen, und er soll das Gebiß eines Panthers haben.«

»Das ist doch wohl übertrieben?«

»Nein. Ich erfuhr es von Leuten, welche ihn gesehen haben. Du kannst es wirklich nicht mit ihm aufnehmen.«

»List und Klugheit gehen über alle Körperkraft,« erwiderte ich. »Uebrigens, wenn es dich beruhigt, so will ich dich bitten, mir dies hier nachzumachen.«

Es lag eine Eisenbahnschiene auf der Erde. Ich hob sie auf, nicht in der Mitte, und hielt sie ihm mit ausgestreckten Armen entgegen. Er trat zurück und rief:

»Effendi, bist du – bist du – – alle Wetter, ja, wenn es so ist, so erdrückst du auch mit Leichtigkeit einen Wolf!«

»Pah! Wer sich auf seine rohe Kraft verläßt, der pflegt verlassen zu sein. Ein wenig Nachdenken ist besser als größte Körperstärke. Uebrigens sind wir so gut bewaffnet, daß wir uns vor Keinem zu fürchten brauchen.«

»Und« – fügte Halef in stolzem Ton hinzu, indem er auf sich selbst deutete – »mein Effendi ist nicht allein, sondern er hat mich, seinen bewährten Freund und Beschützer bei sich. Da sollen die Heerscharen der Feinde es nur wagen, an uns zu kommen! Wir werden sie aufzehren, wie das Schwein des Busches die Heuschrecken frißt.«

Das klang gar zu possierlich. Seine Körperlänge paßte gar nicht zu dem hohen Selbstbewußtsein, mit welchem er diese Worte vorbrachte. Ich blieb ernst, weil ich den Kleinen kannte; der Aufseher aber konnte sich eines kleinen Lächelns nicht erwehren.

»Lachst du etwa?« fragte Halef. »Ich dulde keine Beleidigung! Selbst von dem nicht, dessen Schinken und Wurst ich gegessen habe. Wenn du mich näher kenntest, würdest du vor meinem Zorn zittern und vor meinem Grimm beben!«

»Ich bebe beinahe,« meinte der Aufseher, indem er das ernsthafteste Gesicht zeigte.

»O, das ist noch lange nichts! Du mußt beben, daß dir die Seele hörbar an die Wände deines Leibes klappert. Du weißt nicht, mit welchen Tieren und Menschen wir gekämpft haben. Wir haben den Löwen, den Herrn der Wüste, getötet und mit Feinden gekämpft, bei deren Anblick du dich da in den Kasten zu dem geräucherten Hinterteil des Schweines verkriechen würdest. Wir haben Taten verrichtet, die uns unsterblich machen. Von uns wird geschrieben stehen in den Büchern der Helden und in den Schriften der Unüberwindlichen. Wir lassen nicht über uns lachen, das merke dir! Kennst du etwa meinen Namen?«

»Nein; aber ich habe vernommen, daß der Effendi dich Halef nennt.«

»Halef!« meinte der Kleine in verächtlichem Ton. »Was ist Halef? Gar nichts. Halef heißen viele Leute. Aber sind diese Leute Hadschis? Haben sie Väter und Vätersväter, Ahnen und Großahnen der Urväter, welche alle auch Hadschi gewesen sind? Ich sage dir, ich bin Hadschi Halef Omar Ben Hadschi Abul Abbas Ibn Hadschi Dawuhd al Gossarah. Meine Vorfahren gehörten zu den Helden, welche vor so langer Zeit lebten, daß kein Mensch mehr etwas von ihnen weiß; ich selbst auch nicht. Kannst du das vielleicht von deinen Ahnen sagen?«

»Ja.«

»Wie?«

»Ich weiß auch nichts von ihnen.«

Der Aufseher sagte das in ironischem Ernst. Halef blickte ihm schweigend und zornig ins Gesicht, machte dann eine sehr geringschätzige Handbewegung, drehte sich um und ging mit den Worten hinaus:

»So schweige! Wer von seinen Ahnen nichts weiß, der darf sich mit mir gar nicht vergleichen!«

»Aber,« rief der Andere ihm lachend nach, »du hast ja eben jetzt gestanden, daß du selbst auch von den deinigen nichts weißt!«

»Das sind die meinigen, aber nicht die deinigen. Von ihnen brauche ich nichts zu wissen, denn sie sind so berühmt, daß man gar nichts von ihnen zu wissen braucht!« schrie der Hadschi in höchstem Zorn zurück.

»Das ist ein sonderbares Kerlchen, dein Begleiter,« lachte der Aufseher.

»Ein braver Mann, treu, gewandt und ohne Furcht,« antwortete ich. »Er fürchtet sich wirklich nicht vor dem Köhler. Das hat er dir sagen wollen, aber freilich in seiner Weise. Er ist eigentlich ein Bewohner der Wüste, und diese Männer lieben es, sich in solcher Weise auszudrücken. Jetzt möchte ich einmal nach meinem Schneider sehen. Vielleicht ist derselbe nun mit meinem Anzug fertig geworden.«

»Und ich muß den Leuten ihre Arbeit anweisen. Du wirst mich entschuldigen, Effendi.«

Wir verließen die Hütte. Eben als ich die andere betreten wollte, hörte ich scheltende Stimmen hinter der Türe. Diese wurde aufgestoßen, so daß sie mir fast ins Gesicht flog, und es kamen zwei Männer heraus, welche an mich anrannten, nämlich Halef, in der einen Hand meine Hose und in der andern den Schneider. Er zog denselben hinter sich her, so daß er mir den Rücken zukehrte und also nicht sah, an wen er rannte. Sich halb umdrehend, schrie er mich an:

»Dummkopf, hast du keine Augen!«

»Freilich habe ich Augen, Halef,« antwortete ich.

Er fuhr herum, und als er mich sah, sagte er:

»Ah, Sihdi, soeben wollte ich zu dir!«

Er befand sich in höchstem Zorn, riß den armen Teufel einen Schritt näher an mich heran, hielt mir die Hose hin und fragte mich: »Sihdi, wieviel hast du für diese Hose bezahlt?«

»Hundertdreißig Piaster.«

»So bist du dumm gewesen, so dumm, daß es mich erbarmen möchte!«

»Warum?«

»Weil du hundertdreißig Piaster bezahlt hast für etwas, was eine Hose sein soll, aber keine ist!«

»Was ist es denn?«

»Ein Sack, ein ganz gewöhnlicher Sack, in welchen du alles tun kannst, was dir beliebt: Erbsen, Mais, Kartoffeln, meinetwegen auch Eidechsen und Frösche. Glaubst du das etwa nicht?«

Er blickte mich so grimmig an, daß ich mich hätte fürchten mögen. Ich antwortete ruhig:

»Wie kommst du dazu, mein Beinkleid einen Sack zu nennen?«

»Wie ich dazu komme? Da sieh her!«

Er fuhr mit der Faust in das Hosenbein, welches zerrissen gewesen war, konnte aber mit dem Arm nicht unten heraus. Der brave Schneider hatte des Guten zu viel getan und, indem er den Riß reparieren wollte, das Bein zugeflickt.

»Siehst du es? Siehst du die Ueberraschung und das Herzeleid?« schrie Halef mich an.

»Allerdings.«

»Fahre einmal mit dem Bein hinein!«

»Das werde ich bleiben lassen.«

»Aber hinein willst du doch, hinein mußt du doch, dazu ist die Hose da, aus der nun ein armseliger, elender Sack geworden ist. Jetzt steht dir nichts anderes zu, als daß du mit einem bekleideten und einem nackten Bein in der Welt herum reitest. Was werden die Leute sagen, wenn sie dich sehen, dich, den berühmten Effendi und Emir! Und wo sollst du hier in dem elenden Dorf eine andere Hose hernehmen!«

»Brauche ich denn eine andere?«

»Freilich, natürlich! Du kannst diese doch nicht anziehen!«

»Freilich kann ich sie anziehen.«

»Wie denn? Doch nur mit einem Bein!«

»Nein, mit beiden Beinen. Dieser überfleißige Schneider braucht nur die Naht wieder aufzutrennen, und den Riß zu flicken.«

»Die – Naht – auf – – trennen!« rief Halef, mich starr anblickend. Dann brach er in ein lautes Lachen aus und fügte hinzu:

»Sihdi, da hast du recht. Daran habe ich in meinem Zorn gar nicht gedacht – – die Naht wieder auftrennen, das ist das Richtige!«

Das angstvolle und verlegene Gesicht des Schneiders heiterte sich wieder auf; aber er kam doch nicht so gut davon, wie er denken mochte, denn der Hadschi fuhr ihn an:

»Kerl, siehst du denn endlich ein, welch eine ungeheure Dummheit du begangen hast! Erst flickst du das Hosenbein zu, und dann weißt du nicht einmal Hilfe zu schaffen!«

»O, ich habe es gewußt, aber du hast mich nicht zu Worte kommen lassen,« verteidigte sich der arme Schelm.

»O Allah, Allah, was gibt es doch für Menschen! Ich habe dich in aller Ruhe gefragt, wie diesem Fehler abzuhelfen sei; ich habe mit der Geduld eines Marabuh auf deine Antwort gewartet; du aber standest da, als ob du ein Kamel verschluckt habest, dessen Höcker dir im Halse stecken geblieben sei, und da habe ich dich bei deinem eigenen Höcker genommen, um dich zum Effendi zu führen. So ist die Sache gewesen. Kannst du denn diese Naht wieder auftrennen?«

»Ja,« erwiderte der Schneider kleinlaut.

»Und wie lange wird dies dauern?«

»Zwei bis drei Stunden.«

»O Allah! So sollen wir also wegen deiner Flickerei noch bis zum Abend warten? Das geht nicht, das können wir nicht zugeben.«

»Es wird nicht so lange dauern,« sagte ich, »denn ich werde ihm helfen.«

»Wie verträgt sich das mit der Würde deines Berufes und mit der Macht deiner persönlichen Erscheinung?«

»Sehr gut. Ich werde mich mit diesem guten Mann, der ein schlechter Schneider ist, hier hereinsetzen. Während er mir die andern Sachen ausbügelt und wahrscheinlich verbrennt, will ich das Hosenbein kurieren. Sage mir doch einmal, du Künstler der Nähnadel, ob du wirklich ein Schneider bist!«

Der Mann kratzte sich hinter dem Ohr, drückte und drückte und ließ endlich die Antwort hören:

»Effendi, eigentlich nicht.«

»So! Was bist du denn eigentlich?«

»Ein Dürger doghramadschy[1].«

»Wie aber kommst du auf den kühnen Gedanken, dich für einen Schneider auszugeben?«

1 Tischler.

»Weil ich zwei Bügeleisen habe.«

»Von wem?«

»Von meinem Großvater, welcher ein wirklicher Schneider war. Es ist das einzige, was ich von ihm geerbt habe. Nun habe ich mir noch Nadel und Zwirn gekauft, und wenn es Gelegenheit gibt, so bessere ich den Leuten die Kleider aus, weil ich jetzt als Tischler keine Arbeit habe. Darum bin ich auch hier bei dem Bau der Bahn beschäftigt.«

»So bist du ja ein sehr vielseitiger Mann. Also du besserst Kleider aus! Wohl auch in der Art und Weise, wie du es bei dieser meiner Hose getan hast?«

»Nein, Effendi! Das war nur ein Versehen.«

»Also zwei Bügeleisen hast du wirklich? Kannst du bügeln?«

»O, ausgezeichnet!«

»Nun, so wollen wir uns miteinander an die Arbeit machen. Aber sieh, was ist denn das?«

Ich zog die von ihm angefertigte Naht auseinander und zeigte sie ihm. Er wußte aber nicht, was ich meinte, und blickte mich fragend an.

»Wie sieht denn der Stoff aus?«

»Dunkelblau, Herr.«

»Und welche Farbe hat der Zwirn, den du genommen hast?«

»Er ist weiß.«

»Das sieht ja schrecklich aus. Hast du denn keinen dunklen Zwirn, vielleicht schwarzen?«

»Genug!«

»Warum hast du keinen solchen genommen?«

»Der weiße ist noch einmal so stark als der schwarze; darum dachte ich, er werde besser halten, so daß der Riß nicht wieder aufgeht, wenn du vielleicht wieder einmal in den Kleidern schwimmen mußt.«

»Du bist ein sehr vorsorglicher Mensch, wie ich sehe. Ich aber werde mir erlauben, schwarzen Zwirn zu nehmen. Also, komm herein!«

»Soll ich mithelfen, Sihdi?« fragte Halef.

»Ja, du kannst die Hose halten, während ich die Stiche mache.«

Die Hütte war leer, da sich die Leute jetzt an der Arbeit befanden. Ich setzte mich mit Halef und dem Beinkleid auf ein Brett. Wir erhielten Nadel und Zwirn; anstatt der Schere hatten wir unsere Messer, und so konnten wir die Arbeit beginnen. Ich hatte mir als Schüler manchen Knopf angesetzt und zuweilen auch einen Riß geheilt; ich wußte so leidlich den Unterschied zwischen Hinter- und andern Stichen; darum begann ich das große Werk mit vielem Selbstvertrauen. Unterdessen arbeitete der Tischler-Schneider am Ofen herum und warf Holzscheite hinein, als ob er einen Stier hätte braten wollen. Die Kacheln strömten eine Wärme aus, welche mich an die schönen Tage der Sahara gemahnte. Meine Kleider waren trocken; sie brauchten nur noch gebügelt zu werden.

Der Künstler nahm zunächst die Weste her, legte sie auf ein Brett und holte mit einer Zange das Bügeleisen aus der Feuerung. Es war hochrot; der Holzgiff war verbrannt. Der Mann sah vom Bügeleisen auf mich und von mir auf das Bügeleisen und kratzte sich dabei abermals sehr nachdrücklich den Hinterkopf.

»Was willst du denn?« fragte ich ihn.

»Eine Frage, Herr. Was soll ich nun machen?«

»Bügeln!«

»Aber wie?«

»Wie immer. Du kannst es ja ausgezeichnet.«

»Hm! Das ist eine sehr verwickelte Geschichte.«

»Wie so?«

»Bügle ich jetzt, so ist das Eisen glühend, und ich verbrenne den Jelek[1]. Warte ich, bis das Eisen kalt ist, so verbrenne ich ihn nicht, aber das Eisen bügelt auch nicht. Kannst du mir vielleicht einen Rat geben? Ich habe gehört, daß du ein weit gereister Effendi bist; vielleicht hast du einmal bei einem Schneider zugesehen, wie er es macht.«

---

1 Weste.

»Höre, ich habe deinen Großvater in einem sehr schlimmen Verdacht.«

»Tue das nicht, ich bitte dich! Mein Großvater – Allah schaue auf ihn im Paradiese – war ein frommer Moslem und ein braver Untertan des Padischah.«

»Das mag sein; aber ein Schneider ist er nicht gewesen.«

Jetzt erhob der Künstler auch den andern Arm, um sich mit beiden Händen kratzen zu können. Er bot ein Bild komischster Verzweiflung, antwortete aber nicht.

»Nun, wie ist es? Habe ich recht?«

»Effendi,« stieß er hervor, »woher weißt du das denn?«

»Ich errate es. Sage mir also, was er eigentlich war.«

»Nun, wenn du es denn wirklich wissen willst, er war eigentlich ein Odundschu[1] und schneiderte nebenbei auch für die andern Holzhacker. Die Bügeleisen aber hatte er, glaube ich, auch von seinem Großvater geerbt.«

»Der wohl auch wieder kein Schneider gewesen war?« lachte ich hellauf. »Bist du verheiratet?«

»Nein; aber ich werde es bald sein.«

»So beeile dich, damit du diese berühmten Bügeleisen an deine Enkel vererben kannst. Man muß dem Beispiel seiner Väter treu zu bleiben suchen, und ich hoffe, daß die Eisen niemals in eine andere Familie geraten.«

»Nein, Herr, das werde ich nicht zugeben,« versicherte er ernsthaft. »Von diesem treuen Miras nazargiahi[2] wird meine Familie sich nimmer trennen. Aber ich muß dich doch bitten, mir zu befehlen, was ich tun soll.«

»Ich befehle dir, dieses Erbstück gar nicht wieder anzurühren. Muß ich mir meine Hose selbst ausbessern, so kann ich mir nachher auch die Sachen selbst ausbügeln.«

Er nahm die Hände aus den Haaren, tat einen tiefen Atemzug und war mit zwei großen Schritten zur Türe hinaus. Halef wäre ihm am liebsten mit der Peitsche nachgeeilt, um ihn dafür zu züchtigen, daß er sich für einen Uruwadschi terziji oder – in modisches Deutsch wörtlich übersetzt – für einen

1 Holzhacker.
2 Erbstück.

Marchand tailleur ausgegeben hatte, ohne das Geringste von der Sache zu verstehen. Ich suchte ihn durch den guten Rat zu beruhigen, sich nicht immer durch Titel und Würden Anderer blenden zu lassen.

Gestehen will ich es aufrichtig, daß das Bügeln mir auch nicht schneidig von der Hand ging, zumal meines Wissens niemals ein Bügeleisen in meiner Familie vererbt worden war; aber als ich das Meisterstück schließlich zu Ende gebracht hatte, blieb mir nichts anderes übrig, als möglichst stolz auf mein Werk zu sein, worin Halef mich aus allen Kräften bestärkte. Er behauptete, niemals so kräftige und haltbare Stiche wie die meinigen gesehen zu haben, und freute sich ganz besonders darüber, daß die gebügelten Stücke einen gewissen Glanz angenommen hatten, fast so, als ob sie mit Speckschwarte eingerieben worden seien. Meister des Handwerks haben mir später die Versicherung gegeben, daß ich mir auf diesen Umstand gar nichts einbilden dürfe.

Jetzt kam der Aufseher mit seinem Schwager, welcher meldete, er sei bereit, mit uns aufzubrechen. Der Schneider mochte berechnet haben, daß eine Inanspruchnahme seiner Kunst nicht mehr zu fürchten sei. Er steckte den Kopf zur Türe herein und kam, als er mich in meinem eigenen Anzug dastehen sah, mit frohem Gesicht vollends heran.

»Herr,« sagte er, »wie ich sehe, bist du fertig. Aber da du meine zwei Bügeleisen dabei gebraucht hast, so hoffe ich, daß du mich dafür mit einem tüchtigen Backschisch beglückst.«

»Das sollst du erhalten,« sagte Halef.

Er verschwand in dem Verschlage und kehrte mit den ›Stiefeln der Gicht‹ zurück. Sie sahen mehr Düten als Stiefeln ähnlich. Halef hielt sie dem Bittsteller hin und sagte in gütigem Tone:

»Wir verehren dir diese Kablar fil ajaklari[1] als ein ewiges Anerkennungszeichen deiner Kunstfertigkeit. Tue sie zu deinen Bügeleisen, und vererbe sie an deine Enkel und Enkelsenkel, damit diese deine Nachkommen ein bleibendes An-

---

1 Futterale der Elefantenfüße.

denken daran haben, daß ihre Ahne die große Kunst verstanden hat, Hosenbeine zusammen zu nähen. Allah schuf Affen und Esel; dich aber schickte er als die Krone dieser Schöpfung her nach Rumelia!«

Der Schneider griff nach den Stiefeln und betrachtete sie mit großen Augen. Ein solches Backschisch hatte er nicht erwartet, noch dazu in Begleitung einer solchen Widmungsrede.

»Nun, was schaust du hinein, als ob du meintest, dein Verstand müsse darinnen stecken?« fragte Halef. »Mache dich mit ihnen von dannen, und preise unsere Großmut, welche dich mit einer solchen Gabe begnadigt hat!«

Ich unterstützte diese Aufforderung, indem ich einige Piaster in die Stiefel fallen ließ. Damit hatte ich den Bann von der Seele des Mannes genommen. Er konnte wieder sprechen, bedankte sich für das Geschenk und eilte mit demselben von dannen.

Jetzt kam der Abschied. Ich kürzte ihn so viel wie möglich ab, und dann ritten wir davon, meist über ungebahnte Wiesen dem Westen zu.